D1485644

# LE CIEL N'OUBLIE JAMAIS PERSONNE

DOMINIQUE DALLAYRAC

# LE CIEL N'OUBLIE JAMAIS PERSONNE

*roman*

UNE ÉDITION SPÉCIALE DE LAFFONT CANADA LTÉE,
EN ACCORD AVEC LES ÉDITIONS HACHETTE.

*A Denise et Roger*

Toute ressemblance avec des personnes ayant existé serait coïncidence. Les dates et les situations traversées apparaissent surtout en qualité de points de repères car l'auteur a pris avec l'Histoire les libertés du romancier.

# Prologue

*Paris, mars 1939*

Un premier soleil de printemps inonde la Foire du Trône.

A l'orée d'un univers joyeux, éclatant de musiques, de lumières, de couleurs et de bruits, les parents rameutent leurs enfants excités par l'odeur de la fête.

C'était ici, toujours à la même marchande de la Confiserie parisienne, qu'il lui achetait une barbe à papa.

Avec sa robe noire, sous son manteau noir, avec ses bas noirs et ses chaussures noires, les gens la regardent drôlement. Ils doivent se demander... Qu'importe, ce qu'ils se demandent?

Toujours les mêmes chansons : Léo Marjane, Rina Ketty, Tino Rossi ou Charles Trenet.

« En avant la jeunesse. On s'amuse! On s'amuse! Prenez vos tickets. »

Leur manège. Leur manège à eux.

A la même place que les autres années.

Jamais, ils ne sont venus sans s'y arrêter.

Elle s'en approche. Un peu. Ses yeux s'embuent.

Il est là. Elle savait le retrouver là. Mözek ne pouvait manquer leur rendez-vous. Pourtant, elle ne verra plus son sourire. Elle ne l'entendra plus crier : « L'honnêteté, c'est la merde! C'est la merde! » Elle ne l'entendra plus. Elle ne le verra plus. Jamais plus.

L'an dernier, le forain leur expliquait que certains de ses chevaux de bois avaient connu les belles dames de la cour de l'impératrice Eugénie. Mözek lui tenait la main.

Il ne lui tiendra plus jamais la main.

C'était leur manège. Leur manège à eux.

Parle-moi, Mözek. Raconte-moi encore que la vie est un manège et qu'à chaque tour on est plus vieux d'un an. Tiens-moi la main, s'il te plaît, comme quand j'étais petite.

« Et c'est parti pour un tour, la jeunesse. On s'amuse! On s'amuse! »

J'ai peur, Mözek. Pourquoi m'as-tu laissée toute seule? Pourquoi maintenant?

Mözek, redis-moi encore que je me marierai un jour. Que j'aurai des enfants. Que je les amènerai ici, devant notre vieux manège.

« Et ça tourne, ça tourne, ça tourne. On rigole! On rigole! »

Elle n'a même pas de rouge, dans son sac.

Forcément. On ne prend pas un tube de rouge à lèvres sur soi le jour de l'enterrement de son père.

Tu sais, Mözek, Sarah Friedmann s'est fait teindre en rousse. Elle a eu raison. Elle est encore plus belle. Flamboyante. Quelle chance d'avoir une telle silhouette! Tu étais certainement un peu amoureux d'elle, n'est-ce pas? Tous les hommes doivent être amoureux de Sarah Friedmann. Tu aurais aimé la voir, elle était superbe de pathétique, quand elle s'est approchée pour déposer une rose sur ton cercueil.

« Et ça rigole. Ça rigole! En avant la jeunesse. »

« Tenez! »

C'est une voix claire. Une voix chaude. Grave et douce comme une caresse. Dans une buée de larmes, elle le voit.

Il est tout blond dans le soleil. Il est très beau. Très grand.

Elle découvre qu'il lui tend quelque chose. C'est une pomme. Une pomme d'amour. Une pomme toute rouge au bout d'un bâtonnet.

« Pourquoi pleurez-vous, mademoiselle? »

Elle doit pouvoir répondre. Elle doit se ressaisir.

« Parce que...

*Parlez-moi d'amour*
*Redites-moi des choses tendres*
*Tous ces beaux discours*
*Mon cœur n'est pas las de les entendre*

... parce que, je vous attendais et... j'avais peur que vous ne veniez pas. »

« Et ça tourne, la jeunesse. On s'amuse. On rigole. »

Il sourit. Elle ne peut s'arrêter de pleurer.

Est-ce toi, Mözek, qui me l'envoie?

« Ne pleurez plus. Je suis là, maintenant. Je suis venu pour vous. Rien que pour vous. Je m'appelle... Helmut. »

D'une main elle tient la pomme rouge en sucre et de l'autre son mouchoir blanc pour tamponner ses yeux.

« Je m'appelle... Anna. »

Il a vingt ans. Elle en a un peu plus de dix-neuf.

Ils se connaissent depuis une heure et c'est déjà une éternité : la leur.

# LIVRE PREMIER

*1939-1944*

## *HELMUT*

# PREMIÈRE PARTIE

*Qu'est-ce qu'une larme, dans l'éternité?*

*Magdebourg, 11 juillet 1939*

A son approche, l'un des deux hommes en complet gris lui ouvre la porte aménagée dans la grille.

A contrecœur mais il ne peut faire autrement, Helmut répond à leur salut : « Heil Hitler! »

Sept mois qu'il n'était revenu en Allemagne et, depuis quelques heures, depuis l'instant précis où le train a franchi la frontière, il étouffe.

En coupant par la Strassenbahn Platz, l'hôpital n'est qu'à un quart d'heure de marche. Il a donc le temps d'arriver avant que son père quitte le laboratoire.

L'entretien avec son oncle a duré moins de vingt minutes. C'est un homme froid. Un authentique Prussien, malheureusement doublé d'un authentique nazi. Son importance à Magdebourg tient moins à sa florissante entreprise de travaux publics qu'à sa fonction de Kreisleiter. Joseph Goebbels ou Hermann Goering viennent souvent dîner à la table de ce haut responsable local du NSDAP et dévoué serviteur de leur génial Führer.

Aucune sympathie pour cet oncle. Aujourd'hui, pourtant, il faut reconnaître que l'esprit de famille l'a emporté sur les considérations politiques.

Politique? Peut-on appeler politique cette doctrine de la haine et du racisme? Peut-on appeler politique cet enivrement de tout un peuple par une exaltation au crime, à la torture et à la mort des inconformes? Peut-on appeler politique cette bête sauvage qui dévore ses propres enfants dans une énorme fête de la violence?

Helmut a bien entendu l'avertissement.

Jusqu'ici, grâce à sa position importante dans le Parti, Otto Zeitschel a pu éviter à son frère Frantz d'avoir de gros ennuis mais récemment Heinrich Müller, le chef de la Gestapo, s'est inquiété des sympathies républicaines et communistes que paraît entretenir trop ostensiblement l'apothicaire en chef de l'hôpital de Magdebourg.

L'oncle Otto a été clair : « Si je t'ai télégraphié de rentrer d'urgence et de venir me voir en toute priorité, c'est qu'il t'appartient, à toi, son fils, de lui parler. Il doit se taire et prendre ses distances avec la plupart de ses fréquentations habituelles. Il doit faire vite, pour ne pas laisser le temps à la Gestapo de réunir plus de preuves. C'est à toi qu'il appartient de le convaincre et de lui rappeler qu'il fait courir les plus grands risques à ta mère et à ta jeune sœur. C'est ton devoir de fils. »

Si, jusqu'à présent, on a bien voulu être indulgent pour l'autorité scientifique du professeur Frantz Zeitschel, il est aujourd'hui invité à entrer dans le rang dans les meilleurs délais.

Absorbé dans ses pensées, Helmut n'a pas remarqué la voiture grise qui le suit depuis l'instant où il est sorti de chez son oncle.

Parler à son père. Le plus tôt sera le mieux et le plus tôt, c'est tout de suite. La démarche est apparemment simple puisqu'il éprouve pour lui la plus grande admiration. Sa droiture et son honnêteté rejoignent précisément les principes républicains dont il reste un ardent défenseur. L'appréhension est ailleurs. Frantz Zeitschel n'a jamais trop ouvert sa porte aux élans affectifs, aux confidences ou au dialogue. Non que ce soit de l'indifférence. Probablement est-il plus sensible qu'il ne consent à le montrer... Ensemble, ils n'ont parlé politique qu'une seule fois. Son père lui avait laissé entendre qu'il n'ignorait rien de ses idées antinazies et lui avait même manifesté sa confiance en le chargeant d'une double mission, à Mayence, peu avant la Noël 1938.

Après avoir contourné la Strassenbahn Platz, Helmut s'engage dans la grande allée qui conduit vers le porche monumental de l'hôpital. Préoccupé par le contenu de la conversation qu'il va devoir soutenir et la façon de l'aborder, il n'a toujours pas remarqué la voiture grise qui n'a cessé de le suivre.

Si son père ne s'étonne pas de sa visite alors même qu'il devrait présentement se trouver à Paris, il entrera dans le vif de cette conversation en le remerciant pour la mission qu'il lui avait confié à Noël dernier. Il lui dira sa fierté d'avoir pu faire quelque chose en faveur de la lutte contre Hitler.

Passé le porche somptueux de cette ancienne demeure d'évêque désaffectée au XVe siècle, trois grandes allées conduisent vers les différents bâtiments. Au clocheton Renaissance du corps central, l'horloge indique dix-sept heures que commencent juste d'égrener les sonneries aigrelettes du carillon.

Helmut parvient au laboratoire de pharmacie précisément à l'instant où le professeur Frantz Zeitschel, vêtu d'un costume clair, paraît sur le perron.

Apercevant son fils, il ne marque aucune surprise excessive et le laisse approcher.

« Que viens-tu faire en Allemagne? demande-t-il simplement.

– Je viens pour te parler. »

Ils n'ont pas le temps d'en dire plus. Un double claquement de portières les fait se retourner. D'une voiture grise arrêtée au bas des quelques marches, deux hommes sont descendus, en costume gris et feutre mou.

L'un s'approche. Il élève le bras mollement pour une ébauche de salut nazi et demande : « Herr Professor Frantz Zeitschel?

– Ja.

– Sicherheitpolitzei. Veuillez nous suivre. Helmut Zeitschel également.

– Mais...?

– Il s'agit d'une simple audition, Herr Professor. Vous en avez pour une heure. Tout au plus. »

***

*Le même jour, à Paris*

La machine de Mözek. Les pipes de Mözek. Ses ciseaux, ses patrons, son mètre-ruban, son jeu de dés à coudre : tous les objets si simples qui ont été sa vie sont encore en place, à sa place, comme s'il allait rentrer sur l'heure.

Chaque matin, depuis cinq mois, Anna essuie consciencieusement les lunettes et les repose auprès du pied de biche de la machine. Chaque matin, Simon lui jette le même regard attristé mais n'ose rien dire.

C'est grâce à Simon et à sa femme Angèle, que l'atelier de Créations Coutures Mözek Abroweski a pu reprendre son activité. Formé par Mözek, Simon sait couper. La coupe du tissu c'est essentiel. Angèle surveille le travail des ouvrières.

Après la mort de Mözek, Simon ne voulait pas prendre la direction de l'atelier. Il aurait préféré monter sa propre affaire. Voler de ses propres ailes. C'est Angèle qui a insisté.

Anna aime beaucoup la femme de Simon. Angèle n'est pas juive mais, comme disait Mözek : « Al aurait bien mérité da l'être! » C'est une petite poupée Angèle, une petite femme frêle, toute menue. On a toujours un peu peur de la voir se casser en deux tant sa taille est fine. N'empêche qu'elle a fait deux garçons à son mari.

Assise à la place de Mözek, Anna songe à eux pour s'empêcher de penser à Helmut. Pourquoi ce départ précipité pour l'Allemagne? Son oncle l'a rappelé sans lui donner de raison, ni dans son télégramme ni par téléphone. Helmut est parti sur-le-champ, inquiet pour son père qui est un opposant au régime d'Hitler.

Elle est certaine qu'il téléphonera pour la rassurer. Il téléphonera aussitôt qu'il le pourra. Sans aucun doute, dès ce soir-même.

Même Simon. Même Simon qui n'aime pourtant pas les Allemands est devenu ami avec Helmut. Sans doute n'est-il pas un Allemand comme les autres?

Pourvu qu'Helmut revienne vite. Quatre mois. Quatre mois d'un amour tendre et un peu fou. Quatre mois d'un amour merveilleux

Mözek a veillé sur elle. Il lui a soufflé d'aller devant leur vieux manège, ainsi elle n'a pas eu le temps d'avoir vraiment peur. Helmut a tout de suite été là. Près de lui, tout a été simple.

« Eh bien, mais... Qu'est-ce que tu fais, toute seule? »

Sarah. Sarah Friedmann. Anna la découvre avec presque de l'étonnement. C'est pourtant vrai qu'elle devait venir dîner. Le départ précipité d'Helmut, hier dans la soirée, lui a fait oublier de remettre cette invitation.

« Co... comment es-tu entrée?

– Par la cheminée, comme le Père Noël. »

Elle porte une robe que lui avait faite Mözek.

« Tu sais, je... j'ai oublié de te prévenir...

– Qu'est-ce que tu as, tu pleures?

– Non! C'est rien. Rien du tout.

– Mais si, je le vois bien. Qu'est-ce qu'il y a?

– Je pensais à... mon père. »

Anna se lève, essuie ses larmes, tend sa joue à Sarah.

« Et tu as oublié de me prévenir de ne pas arriver à l'heure où tu penses à Mözek! »

Anna hausse les épaules en s'efforçant de sourire.

« C'est pas ça. C'est Helmut... Il a dû partir de toute urgence hier soir pour l'Allemagne.

– Rien de grave?

– Je sais pas! »

Sarah est descendue acheter de quoi manger. Elles ont grignoté.

« Donc, ce n'est pas encore aujourd'hui que je connaîtrai le beau Werther?

– Ce n'est que partie remise.

– Tu es tellement inquiète?

– Je ne sais pas. Il est bientôt minuit. Il est arrivé à Magdebourg vers trois heures de l'après-midi. Il aurait pu me téléphoner.

– Avec l'Allemagne, rien n'est si facile ces temps-ci.

– Tu y crois, toi, à cette histoire d'une guerre?

– Hitler voulait ses Sudètes... Eh bien, il les a eus. On nous a assez dit que ça ne portait pas atteinte au territoire tchécoslovaque. Maintenant, on ne parle plus que de Dantzig. Personne n'ose nous dire qu'il rêve d'annexion au point de remettre en cause les accords de Munich.

– Si ça se trouve, c'est parce qu'il se prépare quelque chose de vraiment très grave en Europe que son oncle a rappelé Helmut? »

Sarah allume une cigarette puis rejette un nuage de fumée bleue et grise par le nez, comme les vrais fumeurs.

« A lire les journaux on a l'impression qu'on ne parle que de ça et, en vérité, on ne sait rien. Rien du tout.

– J'ai peur! s'écrie Anna, des larmes pleins les yeux.

– Tu l'aimes tant que ça?

– Oh oui! Qu'est-ce que tu crois?

– Rien. C'est bien naturel à vingt ans. Veux-tu que je reste dormir chez toi, cette nuit?

– Mais, et Fred?

– Eh bien, on va lui téléphoner. On va lui expliquer. On va lui raconter que notre petite Anna a tout plein de gros chagrin dans son petit cœur et qu'il ne faut pas la laisser seule. »

Ici, il faut être surhumain, car l'humain est inhumain.

Il a crié, frappé jusqu'à l'épuisement cette porte trapue de forteresse médiévale. Puis... peu à peu l'impression lui est venue qu'il avait lutté jusqu'à son dernier soupir.

Neuf jours qu'on l'a jeté là. Neuf jours dans cette cellule. Depuis neuf jours, sans explication.

Aux premières heures, la douleur était surtout morale. Il avait l'embarras du choix des questions. Que lui voulait-on? Qu'avait-on fait à son père? Pourquoi l'enfermait-on? Et... Anna? Anna inquiète et seule, à Paris, dans l'attente d'un signe de lui. A cette souffrance il avait répondu par la révolte. Les animaux pris dans un piège ne doivent pas faire autrement. Ils se débattent. Les animaux comprennent-ils, eux-aussi, qu'à partir d'un certain moment, il faut s'économiser, changer de rythme et étouffer le plus possible ce grand galop intérieur de la colère?

Admettre son désarroi. Le domestiquer. Ne pas se traiter soi-même en ennemi, pour ne pas déchoir. Rien n'est plus redoutable que s'abandonner.

Au quatrième jour, il avait pris la gamelle de soupe qu'on lui passait par la chatière sans la jeter contre la porte.

Sa cellule fait cinq pas de longueur et trois de largeur. Elle est très sombre. Une meurtrière laisse entrer un peu de lumière.

Il voit un coin de ciel.

Neuf jours. Il est resté neuf jours, en tête-à-tête avec son seau d'excréments. Maintenant qu'ils ont obtenu ce qu'ils voulaient, maintenant qu'il est calme, ils sont venus changer le seau. Aujourd'hui, pour la première fois, il a eu droit à une sortie. Trois quarts d'heure. Dans la cour de la forteresse. Tout seul. Les mains attachées dans le dos. Au bout de quelques minutes, il n'en pouvait plus de marcher. Il s'est laissé tomber. Il l'ont laissé. A la fin, ils l'ont ramené dans sa cellule. Sans un mot.

Il fait chaud. Une chaleur écrasante. Helmut a ôté sa chemise. Le dos collé contre le crépi du mur qui lui arrache la peau, larmes et sueur mêlées, il dégouline comme une outre crevée.

Les yeux ouverts, il voit sa litière recouverte d'une paillasse grise. Il voit les murs sur lesquels se sont usés les doigts de ceux qui l'ont précédé. Il voit ce seau à excréments couvert d'une toile noirâtre. Il voit aussi un tout petit coin de ciel.

C'est en fermant les yeux que lui vient la souffrance. S'il ferme les yeux, c'est Anna qui l'envahit. Belle. Belle et neuve. Belle, neuve, et douce. Il se penche. Leurs lèvres se touchent, infiniment. Leurs mains se serrent. Leurs doigts s'entrecroisent. Leurs jambes se nouent. Leurs corps se trouvent, sur fond de drap blanc, froissé, taché d'un peu de sang dans une nuit vêtue de bleu. L'intolérable de sa douleur, c'est de penser qu'on puisse la lui reprendre, l'emporter, la déchirer de lui...

***

Vu des toits, Paris baigne dans une lumière orangée.

L'orage menace. Un tout petit orage qui joue les grands et qui fait des grondements, et qui fait des éclairs, et qui veut se donner des allures de tempête parce qu'il est parvenu à épaissir un peu le ciel en déchirant de rose ses nuages gris.

Il s'est endormi après l'amour.

Il a l'air heureux.

Ses cheveux blonds, si blonds, presque trop longs, donnent à son visage une douceur qui en atténue le carré. Une de ses jambes s'échappe sous le drap, découverte, sur toute sa longueur, jusqu'en haut de sa cuisse, sur laquelle dans un frisottis de petits poils courts et bouclés s'accroche une lumière dorée.

Anna secoue la tête. L'image s'efface.

Il n'y a rien ni personne dans ce lit défait.

Vingt jours qu'Helmut est parti. Toujours pas de nouvelles. Que s'est-il passé? Que se passe-t-il?

Durant cette dernière quinzaine de juillet les bruits de guerre en Europe se sont réveillés. Les nouvelles alarmantes se sont précipitées. Les Italiens veulent annexer la Corse, Nice, et la Tunisie. L'Espagne phalangiste de Franco est de plus en plus suspecte de vouloir s'associer aux pays de l'Axe. Hitler ne cesse de revendiquer l'annexion de Dantzig ce qui le mettrait en position de force pour exiger ensuite de reprendre l'Alsace et la Lorraine.

Heureusement, l'Angleterre garantit une puissance armée à laquelle le IIIe Reich n'osera jamais s'attaquer.

Déjà seize heures. Elle doit se secouer.

Assise sur une chaise, devant la table de travail d'Helmut sur laquelle il a laissé tous ses papiers soigneusement rangés, elle n'a aucune envie de bouger.

La veille, après le départ de Simon, d'Angèle, et des ouvrières, au moment où elle s'est retrouvée seule dans l'appartement-atelier de

Mözek, elle n'a pas pu supporter. Pour la première fois depuis le départ d'Helmut, elle est venue là. Chez lui. Elle est venue là, dans son petit appartement sous les toits, rue Jacob, où, durant près de quatre mois elle a dormi, chaque nuit, entre les bras de son amour.

Cette panique d'être seule, ce froid dans le dos au réveil et cette révolte de tout son être devant l'absence : tout ce qu'elle a éprouvé les autres jours en s'éveillant dans sa chambre, elle ne le ressent pas ici, chez Helmut. Une sorte de sérénité l'a envahie sitôt qu'elle est entrée. Un peu la sensation de retrouver son chez-elle au retour de longues vacances. Sans être là, Helmut y est quand même. Il n'a pratiquement rien emporté. Ses vêtements sont dans les armoires. Le petit appartement respire son ordre et encore, un peu, son odeur. Sa présence.

En feuilletant un carnet, elle a trouvé une adresse, à Magdebourg, sous son nom à lui : Zeitschel. Un numéro qui correspond certainement à une ligne téléphonique mais il a été barré.

Deux août. Puisqu'il ne s'est toujours pas manifesté elle a décidé de lui écrire. Elle a beaucoup de choses à lui dire.

Ce qui est atterrant, c'est le brusque réveil d'antisémitisme. Il a explosé brutalement. Comme s'il avait attendu pour cela l'occasion du 14 Juillet. Il y a eu des émeutes, des lapidations de magasins israélites, des affrontements, et des blessés. Depuis, la menace à la mode consiste à promettre aux youpins de les envoyer en vacances chez tonton Adolf.

En préambule, c'est un peu tout cela qu'elle a consigné. Il comprendra peut-être que c'est pour ne pas céder aux reproches. Et maintenant, la nouvelle. La grande, la formidable nouvelle. « *... et aussi, mon chéri, tu vas être papa. Je suis allée voir le docteur Blumenfeld. Il n'y a plus aucun doute. Le test du laboratoire est positif. Un enfant de toi. Depuis que j'ai cette certitude ma vie a complètement changé. J'ai l'impression de ne plus bouger qu'avec gravité. C'est comme si tu m'habitais.*

« *Tu me manques, mon amour. J'aimerais partager ces heures avec toi, les vivre près de toi. Si c'est un garçon, nous l'appellerons Frantz. Comme ton père. Et comme Schubert que tu aimes tant. Si c'est une fille, pourquoi pas Hilda, comme ta petite sœur? Je suis allée dormir chez toi, l'autre jour. Je regardais sa photo. Comme elle est jolie. J'aurais aimé être blonde, tout comme elle, avec de longs cheveux. Les miens sont longs mais ils sont tout noirs. Tu les aimes bien quand même, dis, quand tu joues à en faire tes moustaches de méchant Teuton qui voudrait peut-être bien faire du mal à ma Pologne?* »

Sa Pologne? Posant son porte-plume, Anna en rêve un peu.

Elle avait trois ans à son arrivée de Pologne. A la mort de sa mère, elle avait juste six ans.

A propos de Pologne, Helmut lui avait posé une question.

Il avait demandé si c'était une coutume de là-bas d'appeler son père par son prénom. Elle n'avait pas répondu. Par jeu. Pour le taquiner, comme ça, sans vraiment de raison. Elle lui racontera, un jour. Elle lui racontera, s'il est papa d'une petite fille. Elle lui racontera ce soir lointain de ses onze ans où son père lui confiait ne pas vouloir se remarier et sa grande tristesse de songer qu'aucune femme ne prononcerait jamais plus son prénom avec un peu d'amour. Elle racontera qu'elle s'était alors levée de table en disant comme jadis le faisait sa mère : « Est-ce que tu prendras du fromage, Mözek? » Et que jamais plus, depuis, elle ne l'avait appelé autrement.

***

Elle est insolente. Elle court devant lui en faisant voleter le bas de sa robe blanche puis elle s'arrête tout d'un coup et demande sérieusement : « Je voudrais que tu me dises que tu m'aimes. » Il lui dit : « Je t'aime. » Elle ajoute : « Même si je suis juive? » Quelle importance? Il est allemand et de famille catholique. Elle est juive polonaise. Quelle importance? Il lui répond : « Je t'aime, juive ou pas. » Elle dit que ce n'est pas normal. « Qu'est-ce qui n'est pas normal? – Que tu photographies tous les monuments de Paris. – Mais je te photographie aussi! – Oui, mais que feras-tu de mes photos? – Je tapisserai tout un mur de ma chambre quand j'en aurai beaucoup. » Ils sont devant la fontaine égyptienne de la place du Châtelet. Elle s'assied sur le rebord de pierre du bassin : « Alors, maintient-elle, c'est quand même pas normal que tu ne m'aies pas demandé de me photographier toute nue. » Elle est parfois impudique au point de le faire rougir. Comme cette nuit où ils étaient rentrés tard. Dans l'escalier de l'immeuble de la rue Jacob. La lumière s'était éteinte. Elle n'avait pas voulu qu'il la rallumât. Elle avait voulu être embrassée. Elle avait voulu être caressée. Debout. Sur les marches. Elle avait demandé : « Déshabille-moi! Là, maintenant, tout de suite. » Il n'avait pas voulu. Elle avait insisté : « Je voudrais qu'on me trouve, qu'on me voie, toute nue dans tes bras et que tous, ils sachent comme je suis fière d'avoir un aussi bel amant. » Elle avait ajouté : « Déshabille-moi! Je te l'ordonne! Si on appelle une femme une maîtresse, c'est parce qu'elle doit pouvoir tout obtenir de celui qui est son amant... »

Helmut s'éveille en sursaut. Il rêvait.

L'aube filtre à peine à la lucarne de sa cellule.

Trente-sept jours. Il les a comptés. C'est le 17 août. Personne n'est encore venu l'interroger.

Le fond de la détresse morale, du désespoir mental, il l'a touché jusqu'à l'épouvante silencieuse. Il a appris à s'en défier. Quand il pense à Anna, quand il pense à son père qui connaît sans doute le même sort que lui, alors il transforme sa douleur. Elle devient toute physique. Il cultive un petit bouton sur son avant-bras. Il gratte les murs avec ses ongles et se fait saigner de sorte à favoriser un abcès. S'il pouvait y parvenir, on l'emmènerait à l'infirmerie pour le soigner et, enfin, il se passerait quelque chose.

Sa peau, ses glandes, sécrètent une sueur grasse, acide, saumâtre, qui l'imprègne d'une odeur malsaine, et l'oint d'une sorte de couche huileuse. Ça le chavire : jusqu'au dégoût de lui-même.

Les premiers jours, à chaque bruit dans le couloir, à chaque pas, il frémissait. Être interrogé. Savoir. Comprendre. Maintenant il n'y prête même plus attention. Ils lui ont démontré l'essentiel de leur doctrine : que le plus grand plaisir de l'homme est d'exercer son pouvoir sur les autres hommes. Il est celui désigné pour subir. Ou alors, il faudrait qu'il meure. Mourir ne peut pas être plus difficile que de vivre dans de telles conditions.

Une fois, il a eu une visite : l'inspection du directeur de la prison. Il n'a prononcé que deux mots : « Heil Hitler! »

Pas de réponse à sa lettre. Helmut l'a-t-il seulement reçue? Les informations qui parviennent d'outre-Rhin sont tellement contradictoires. Sarah Friedmann est une salope. Elle a été raconter à Angèle qu'il se pourrait bien que la famille d'Helmut l'ait fait rentrer pour qu'il épouse une Fraulein de son crû et, sous prétexte qu'elle connaît les hommes, elle a parié qu'il n'a pas dit non. Heureusement qu'elle a confiance mais, tout de même, elle n'arrête plus d'y penser maintenant. Cinquante jours qu'Elmut est parti. Cinquante jours sans nouvelles. Si Helmut revient... Si Helmut l'aime encore... Et le pire de tous les si : s'il n'y a pas la guerre.

Angèle lui a montré son ventre. Après deux maternités elle est aussi plate qu'une fille de seize ans : « Pour éviter les vergetures il faut manger du concombre, Anna. » Elle a inscrit le concombre à tous ses repas. Même au petit déjeuner. Elle surveille déjà son poids. Un peu plus de deux mois. C'est à peine visible. Ses seins lui font assez mal, ils sont durs et gonflés. Ça lui donne une poitrine formidable. Le docteur Blumenfeld assure que ça passera très vite. Dommage. Elle est ravie d'avoir cette sorte de rondeur-là.

« Si tu savais, Mözek, comme c'est la merde. Je suis plus belle que jamais et j'ai même pas mon chéri pour m'admirer un peu... »

Ce 31 août, Sarah et Fred Friedmann sont venus dîner à l'atelier. Ce pauvre Fred était catastrophé. Dans l'après-midi, il avait appris l'annulation d'un gros contrat pour son atelier de créations de bijoux fantaisie : « Parce qu'on est juifs, Anna. Parce qu'on est juifs. Tout simplement. »

Il avait rendez-vous avec un ami pour essayer d'arranger cela.

« Je reste avec la petite! a décidé Sarah. Je dormirai ici. »

Après avoir débarrassé la table, fait la vaisselle et rangé la maison, elles ont bu quelques gouttes de cognac prélevées sur la réserve de Mözek. Il fait si chaud que Sarah a enlevé sa robe.

« Tu sais, je suis très fière de ma poitrine de femme enceinte.

– Fais voir! »

Sarah trouve que ce sont en effet des seins magnifiques : « A caresser, ma chérie. A cajoler. A dorloter. » Ce qu'elle fait. Ce qu'elle prend grand plaisir à faire. Ce qu'elle prend même de plus en plus grand plaisir à faire et ce qu'Anna lui consent dans un chavirement bien étrange qui la gagne, la bouleverse, la trouble profondément. Les seins de Sarah aussi, sont magnifiques. Petits et hauts perchés. Très durs. Pointus. Sarah sent bon. Sa peau est douce : « Par endroits, tu as le goût d'une pêche.

– Et toi, d'un abricot tout mûr. Tout prêt à être mangé, en commençant par le meilleur. »

Les lèvres de Sarah sont tendres contre sa joue. Tendres, humides et chaudes contre sa bouche. Sa langue se fait taquine. Un goût de rouge à lèvres qui ressemble à un fruit : un goût de framboise précisément. Comme ils sont doux les longs cheveux roux qui se dénouent et s'éparpillent sur ses épaules et dans son dos. Comme elles brûlent ces lèvres qui glissent, lentement, sur sa peau nue, jusqu'à son ventre. Jusqu'au centre de son corps.

Le lendemain matin, au réveil, elles apprennent la nouvelle par la radio : « Aujourd'hui, 1er septembre 1939, à cinq heures, les troupes allemandes sont entrées en Pologne. Le ministre de la Guerre lance un ordre de mobilisation générale à tous les Français rappelés sous les drapeaux. Cet ordre prend effet demain 2 septembre à zéro heure. »

« Cette fois, dit Sarah, ce pourrait être la guerre.

– Maintenant c'est sûr, répond Anna, je ne reverrai jamais plus Helmut. Ils ont dû le mettre dans leur armée. »

Anna et Angèle qui avaient jusqu'ici négligé de le faire se rendent à la mairie pour retirer leur masque à gaz. Simon, comme les autres, doit partir. Fred, le mari de Sarah, est trop vieux. Dans Paris règne une atmosphère de peur. Une atmosphère de fous. Des hommes s'enivrent dans les cafés en proclamant qu'ils auront tout réglé avant d'avoir fini de désoûler. Ici et là, des incidents politiques dégénèrent en bagarres entre les partisans de Laval qui préconisent l'apaisement, et ceux qui veulent aller corriger Hitler sans tarder plus longtemps.

Drames familiaux, surtout, aux abords des gares, pour ces femmes qui pleurent en s'accrochant à un fils, à un amant, à un mari ou à un frère.

Deux jours plus tard, le 3 septembre, l'Angleterre et la France déclarent la guerre à l'Allemagne.

« Sans Simon, on n'a plus qu'à fermer l'atelier! se résigne Anna.

– A moins de fabriquer des choses plus simples. Très pratiques. Très année de guerre... » suggère Angèle.

Comme toujours, Sarah Friedmann a des solutions.

« Je connais un garçon. Coupeur de son métier et pédéraste de vocation. Il est réformé. Je vais lui dire de passer vous voir. »

Ce même 3 septembre, la lettre envoyée à Helmut début août revient à Anna avec le cachet de la poste allemande de Magdebourg : « Personne n'habite plus à l'adresse indiquée. »

Mözek. Mözek. Si tu savais comme j'ai peur.

C'est le mois de septembre. Il ne saurait dire le jour. Il a cessé de compter. C'est venu tout seul. Par dégoût. Il ne sortira plus jamais de cette prison. Il prie. Il prie beaucoup. Il prie jusqu'à l'étourdissement. Il prie tout bas ou tout haut, pour entendre sa voix. Souvent, il se masturbe. Ça l'endort : parfois une heure, parfois plus, parfois moins. On lui a proposé de la lecture. Il a accepté. On lui a apporté *Mein Kampf*, et rien d'autre. Il n'ose même plus penser qu'un jour il sortira d'ici, retournera en France, retrouvera Anna.

Depuis deux mois, elle a dû croire qu'il l'avait abandonnée. Peut-être a-t-elle déjà un autre amant. Si le ciel de Paris est aussi bleu que le peu qu'il voit de celui de Magdebourg, pourquoi se priverait-elle d'être heureuse dans les bras d'un garçon? La rage et l'impuissance le font parfois pleurer à chaudes larmes et, même, sangloter.

La porte. Elle s'ouvre. On déverrouille sa porte.

Tremblant, Helmut se dresse. Ce n'est pas l'heure du repas. C'est donc une visite. Otto Zeitschel, son oncle.

« Heil Hitler!

– Heil Hitler!

– J'ai obtenu de te voir quelques instants. Je sais qu'on va bientôt t'interroger. Dans les jours qui viennent. Peut-être demain?

– Quelle jour sommes-nous?

– Le 22 septembre.

– Tu as des nouvelles de mon père?

– Non! Il aurait été conduit vers un camp de travail. Ta mère et ta sœur l'ont suivi pour l'assister. En qualité de résident politique il a droit à leurs visites.

– Elles sont aussi internées? »

Otto Zeitschel réprime un geste d'agacement.

« Non! Sûrement pas. C'est de toi dont je suis venu te parler. Les récents événements ont retardé ton interrogatoire. Le 1er septembre nous sommes entrés en Pologne. Varsovie résiste encore mais c'est une question d'heures. Le Führer s'est assuré la neutralité de l'Armée Rouge. La France et l'Angleterre nous ont bien déclaré la guerre mais ce n'est rien d'important... »

La guerre. Avec la France. Désormais, c'est fini : il ne pourra jamais retourner à Paris. Il ne reverra plus Anna...

Otto Zeitschel poursuit son exposé. Helmut entend des mots et ne les comprend plus : « ... S'assurer que ton père ne t'a pas contaminé avec son absurde libéralisme et que... capital pour toi... en clair, pense ce que tu veux mais garde-toi de le dire. »

« C'est... toi... qui me conseilles ça?

– Quel autre conseil un brave vieil homme d'oncle dans ma position peut-il donner à un jeune neveu qui se trouve dans la tienne? Il suffira qu'on te juge digne de t'insérer dans la société meilleure de notre grand Reich.

– Que vaut donc une vie, pour vous? »

Otto Zeitschel, un instant surpris, le foudroie du regard.

« Et que vaut une larme, pour l'éternité? »

Helmut se tait. Pas de commentaire. Il est trop fatigué pour ça.

« Si j'ai des nouvelles de ton père, j'essaierai de te le faire savoir. Une dernière chose, tout de même, D'ici ton interrogatoire, essaie de manger un peu, de retrouver quelques forces. Demande qu'on te rase chaque matin. Demande une tenue propre chaque jour. Fais un peu de sport, à l'occasion des promenades. Tâche de te présenter au mieux que tu pourras. D'ailleurs, je vais en parler pour toi au directeur de cette prison. Heil! »

Helmut hésite, se soulève, lève le bras : « Heil Hitler! »

Bénéficiant d'un régime de faveur, ou presque – droit de s'asseoir au jardin durant les promenades, visite du barbier chaque matin, transfert dans une cellule plus grande et nourriture améliorée – Helmut se préparait pour son interrogatoire.

Celui-ci se fit encore attendre neuf longs jours.

Au hasard d'une conversation surprise, entre gardiens, il avait appris la capitulation de Varsovie. Lors d'une de ses visites, le directeur de la prison l'informa que le jour qu'il vivait était historique : ce 28 septembre, l'Allemagne et la Russie signaient le traité du partage de la Pologne.

Le 1er octobre, l'homme qui s'annonce, en civil, va procéder à son premier interrogatoire.

Aucune question. Un simple relevé détaillé d'identité.

Helmut a appartenu aux Hitler-Jugend *, l'homme en a l'air satisfait.

Il peut, de mémoire, fournir la liste de ses ancêtres sur les deux derniers siècles (à quelques exceptions près que l'on complétera pour lui) : parfait!

« C'est tout pour aujourd'hui! Je reviendrai! assure l'enquêteur. Heil Hitler!

– Heil Hitler! » répond Helmut déçu.

Second interrogatoire, le 18 octobre. C'est le même homme que la première fois. Il semble d'excellente humeur. A son arrivée il est accompagné du directeur de la forteresse. Tous deux continuent, devant le prisonnier, la conversation qu'ils avaient entamée avant d'entrer dans sa cellule. Helmut apprend ainsi qu'au début du mois, l'armée française a tenté une timide offensive dans la forêt de Warndt et conquis quelques kilomètres carrés de sapins allemands avant d'être raccompagnée – quinze jours plus tard – jusqu'à son point de départ. En représailles, Forbach est occupée depuis par les Panzers de la 5e division SS.

S'abstenant d'intervenir, Helmut attend que le directeur de la prison se retire.

Aujourd'hui, l'enquêteur veut savoir quelles ont été ses maladies de jeunesse. Il énumère : rougeole? scarlatine? coqueluche? Puis, sans transition, pose une autre question : « Votre sœur Hilda; saviez-vous qu'elle entretenait des rapports sexuels, depuis l'âge de quatorze ans, avec un sous-officier de la Wehrmacht? »

Lui dit-il cela pour l'accabler? Veut-il le provoquer?

« Je ne crois pas que ce soit vrai.

– Vous ne saviez donc rien?

– Je ne savais rien car je suis sûr qu'il n'y avait rien à savoir. Ma sœur était, et est certainement toujours, une jeune fille pure, faisant honneur au Grand Reich.

– La chair a ses faiblesses! soupire l'enquêteur. Les petites putes c'est utile aussi, pour la distraction de nos soldats. L'armée reste l'armée. Les hommes ne sont que des hommes n'est-ce pas? Puisqu'elle a du goût pour les militaires, elle va pouvoir en profiter. Elle a été affectée, avec quelques autres *gretchens,* au maintien du moral de nos troupes, en Pologne. Dans sa générosité, notre Führer lui offre l'expiation et le rachat. »

---

* Jeunesses hitlériennes.

Helmut doit se contrôler. Il le sait :

« Si ma sœur a fait ce que vous dites, elle comprendra que c'est une grande faveur que lui accorde notre Führer.

– Mais, si elle ne l'a pas fait?

– En ce cas, j'aurais souhaité pour elle un destin plus respectable, une meilleure façon de servir notre Grand Reich. »

L'enquêteur, assis à la petite table mise à sa disposition, referme son dossier, le range dans sa serviette et se lève.

« Je vous reverrai très bientôt, Herr Zeitschel. Votre conversation est très éclairante. Mais, nous devrons travailler plus sérieusement la prochaine fois. D'ici-là, essayez donc de vous souvenir de tout ce que vous êtes allé faire à Mayence, au moment de Noël 1938. Je vais demander qu'on vous apporte de quoi écrire, si vous souhaitiez prendre quelques notes. Heil Hitler!

– Heil Hitler! »

Hilda envoyée dans les bordels militaires de Pologne tout comme ils l'ont mis, lui, dans cette prison... Seize ans, et offerte aux soldats. Ces ignobles salauds ne peuvent avoir fait cela. Ce n'est pas possible. Et sa mère, quel sort atroce lui auront-ils réservé?

Le cœur du dégoût aura été d'avoir dû supporter d'entendre tout ça sans pouvoir se jeter sur cet homme qui représentait les responsables. Sans l'avoir étranglé de ses mains. A quoi bon maintenant vouloir sortir d'ici? La guerre avec la France lui interdit de retourner près d'Anna, à Paris. Son père est en train de croupir dans un camp de travail. Et plus jamais, il n'emmènera Hilda se promener sur les bords du Mittellandkanal pour admirer les bateaux. Finir dans l'honneur consisterait, lors de la prochaine visite de l'enquêteur, à se jeter sur ce monstre et à le tuer pour dénoncer au monde entier les horreurs que commettent les nazis.

Les alertes. Le hurlement des sirènes. Affreuse musique. Un chant d'angoisse et de désespoir. La toute première fois, Anna s'est conformée aux consignes : elle est descendue dans la cave. C'était le 5 septembre, vers trois heures du matin, deux jours après la proclamation de l'état de guerre.

La panique creusait tous les visages. Chacun semblait conscient que, d'un coup, ce qu'on avait pu lire, entendre ou dire, ces derniers mois – ces dernières semaines, surtout – était devenu une sinistre réalité. Les conversations ne portaient plus sur les intentions allemandes, il n'en était plus temps. Elles supputaient plutôt les stratégies militaires éventuelles des forces franco-anglaises. La réouverture des frontières entre l'Italie et la France laissait croire que Mussolini cessait d'être le compère de Hitler et, déjà, on imaginait l'armée obtenant un droit de passage pour entrer en Allemagne par le sud.

Après l'alerte de ce 5 septembre, les bruits les plus divers avaient circulé. Rouen bombardé par les Allemands. Ou Lyon. Ou Amiens. On ne savait pas très bien. On ne savait même rien du tout. Finalement, non. Les avions ennemis ne semblaient être venus que pour reconnaître le terrain.

Les alertes se sont succédé depuis septembre. Pas toutes les nuits. Souvent. Anna ne descend plus dans la cave. Elle se retranche dans la chambre de Mözek. Elle préfère mourir écrasée dans les décombres que par asphyxie sous les ruines.

Mözek. Si tu savais Mözek. C'est la merde, Mözek. C'est la merde. Mon bébé a bougé. Je le sens vivre en moi maintenant. A quatre mois, j'ai un joli ventre bien rond. Bien plein. Je me sens pleine. Combien de temps va durer cette guerre? Qu'allons-nous devenir? Paul, le coupeur que m'a présenté Sarah Friedmann, fait ce qu'il peut mais ce n'est pas Simon.

Les commandes se font rares. L'état de guerre signifie aussi un ralentissement du commerce et Anna n'y peut rien. En cette fin octobre 1939, elle songe à réduire les effectifs de l'atelier pour ne pas continuer de travailler en perdant de l'argent.

Rue Jacob, elle est allée faire du rangement. La concierge est une jeune femme charmante. Sur son conseil, Anna a téléphoné à Moshé Zeidmann, un clerc de l'étude du notaire à qui Helmut payait son loyer. Moshé Zeidmann a promis de faire le nécessaire pour changer le nom du bail. Si les affaires ne s'arrangent pas, Anna liquidera l'appartement-atelier de Mözek, s'installera chez Helmut et ira travailler chez Fred et Sarah Friedmann.

« A la guerre comme à la guerre! dit Irène, sa, peut-être, future concierge. Vous serez bien, avec nous. Et puis, au moins, ici, vous serez sûre que s'il revient, il vous retrouvera. »

***

L'enquêteur n'est plus revenu.

Sur la feuille de papier Helmut n'a toujours pas inscrit les deux noms qu'on lui a demandés.

C'est un processus de torture psychologique qui a commencé.

Ce ne sont pas les deux noms de Conrad Körtner et de Fritz Gruppnitz qui sont en jeu. Ce n'est pas non plus son rôle à lui, qui a simplement consisté à leur remettre des documents dont il ignorait tout. Ce qu'on lui impose, c'est de confirmer les soupçons qui pèsent sur son père. C'est de nourrir l'acte d'accusation d'un homme qui l'a honoré de sa totale confiance en lui permettant d'accomplir cette double mission.

L'oncle Otto n'a certainement pas menti au sujet de la déportation de Frantz Zeitschel dans un camp de détention politique. Cela peut signifier qu'il a avoué tout comme cela peut également signifier que la Gestapo cherche à réunir d'autres preuves.

Il ne parlera pas. Il ne trahira pas son père.

Cette détermination le porte. Désormais, il sait ce qu'on attend de lui. Il sait pour quoi il se débat. Toute sa force est revenue.

D'après ses calculs, septembre s'achève.

C'est la guerre. Son combat, à lui, n'est pas sur un champ de bataille. Sa mort marquera sa victoire, le jour où on le placera devant un peloton d'exécution.

Alerte sur Magdebourg. Vol lourd des avions. Ripostes des batteries de DCA. Piqués miauleurs de la chasse. Espoir qu'on viendrait le chercher pour le conduire dans un abri. Rien ne s'est passé. On l'a laissé dans sa cellule. Il n'y a eu aucun bombardement. Sans doute s'agissait-il d'un simple raid de reconnaissance sur les usines Krupp et sur les installations portuaires du canal de l'Elbe au Rhin.

Hilda souffre certainement plus que lui. Déshonorée. Souillée. Soumise au destin ignoble d'être un ventre d'accueil... Elle n'a rien fait, Hilda. Rien d'autre que naître d'un père qui ne l'a pas protégée. Frantz Zeitschel est peut-être admirable de s'opposer au nazisme, mais il a manqué au devoir de se consacrer à protéger sa fille.

Frantz Zeitschel a joué un jeu auquel il aurait dû s'abstenir de participer, il a exposé tous les siens aux représailles. Si lui était sorti de cette forteresse avant que la guerre soit déclarée, il serait retourné immédiatement auprès d'Anna et s'en serait bien foutu de l'Allemagne, des nazis et de tout le reste. Sa seule raison d'être aurait été de protéger celle qui l'aimait. Se battre pour des idées implique de prendre des risques dont il faut être seul à supporter les conséquences.

Il ne sait plus penser. Il y a si longtemps qu'il n'a plus eu une seule conversation avec quelqu'un, il est comme détraqué. Il doit se méfier. Il est en train de devenir son pire ennemi en se minant lui-même. Tout homme conscient de sa dignité doit se battre pour sa liberté. Leur père leur a montré l'exemple, le chemin à suivre. Hilda, aussi bien que lui-même, sont victimes des nazis et non pas de l'engagement de Frantz Zeitschel dans le noble combat qui était le sien.

Noël. Il n'y a qu'au cours d'une nuit de Noël que toutes les cloches des églises sonnent à minuit. Le temps s'est accéléré, il se croyait encore en novembre. Plus de cinq mois qu'on le tient là.

Son père, interné, ne peut plus se battre contre les nazis.

Sa sœur, dans les bordels de la Wehrmacht, ne pourra connaître plus monstrueux destin. Qui sait ce qu'il est advenu de sa mère? Anna, qu'il ne reverra plus jamais, ne compte plus sur lui. Il faut qu'il sorte d'ici. Il faut qu'il sorte à n'importe quel prix et qu'il se batte en faveur de la liberté. Il fera... Il ne sait pas. Il ne sait pas ce qu'il fera, mais il trouvera. On lui réclame deux noms. Conrad Körtner, un chef communiste de Mayence. Les nazis l'ont arrêté le 26 décembre 1938. Il possède cette information pour l'avoir découverte par hasard, en France, dans un journal destiné aux militants de ce parti. Le deuxième s'appelait Fritz Gruppnitz. Un républicain. Il a dû prendre des dispositions de sécurité depuis un an. Il ne va pas trahir son père. Lorsqu'il sera hors d'ici, il le remplacera.

Cette décision prise, Helmut ne l'a pas appliquée immédiatement.

Il a raisonné. Ses tortionnaires l'avaient amené à se conduire exactement comme ils le voulaient. Ils avaient provoqué une rupture avec le réel. Sa détermination à ne pas céder est sortie renforcée de l'épreuve. On le tuera à petit feu mais il ne trahira pas son père.

16 janvier. Ce n'est pas le même enquêteur que les deux fois précédentes. Celui-là porte l'uniforme de la SS et le grade d'Obersturmführer *. L'entretien a lieu dans le bureau du directeur de la forteresse.

« Vous avez très bien fait de ne rien oublier, Herr Zeitschel. Körtner, Gruppnitz, vos indications montrent votre bonne volonté de coopérer. Bien sûr, nous savions tout cela, comme nous savions aussi que c'était votre père qui vous avait chargé de mission auprès d'eux. Nous avons à parler sérieusement, maintenant, Herr Zeitschel. Votre passage ici n'a été qu'une longue période d'observation. Vous en êtes sorti victorieux. »

L'officier SS vient se planter devant lui.

« Vous n'avez pas rendu le Reich responsable du sort de votre sœur et vous avez ajouté des charges aux présomptions qui pesaient sur votre père en faisant passer le destin de l'Allemagne en priorité. Vous êtes un de ces hommes dont notre Grand Reich aura le plus grand besoin. »

Helmut ne baisse pas les yeux. Il soutient ce regard bleu.

Personne ne rendra sa vertu à Hilda. Personne ne rendra la liberté à son père. Quand lui sera hors de ces murs...

« Herr Zeitschel. Sur intervention de votre oncle, le Kreisleiter Otto Zeitschel, le Reichführer Himmler, après avis favorable de la commission raciale, vous fait l'insigne honneur de vous admettre au Walhalla des Junkers de l'Allgemeine SS. Vous connaissez le sens

* Lieutenant.

mythologique du Walhalla, je suppose. Vous y recevrez la formation nécessaire pour devenir un serviteur de Wotan. Vous y apprendrez à être un de ces hommes d'élite dont notre Grand Reich est fier. La légende veut que les guerriers appelés à l'honneur suprême d'entrer au Walhalla soient conduits par une Walkyrie : laissez-moi vous présenter la vôtre, Herr Zeitschel. »

L'Obersturmführer fait le tour du bureau et appuie sur un bouton. La porte s'ouvre sur une jeune femme en uniforme noir de SS. Jupe, veste et béret. Aucun galon distinctif d'un grade. Un simple insigne.

« Heil Hitler! » se présente-t-elle.

Elle est grande. Blonde. Jolie.

« SS Oberschütz * Edna Grass. Votre Walkyrie, Herr Zeitschel. »

Une Walkyrie dont les yeux restent fixés sur le portrait d'Hitler.

« Edna va s'occuper de vous jusqu'à Vogelsang. Je ne peux vous remettre entre de meilleures mains. Heil Hitler! »

Le directeur de la prison leur a réservé un petit appartement. Edna l'y a conduit sans un mot et sa première attention a été de lui faire couler un bain.

Une demi-heure plus tard, il la retrouve au salon.

Elle est assise. Elle lit. Elle a changé son uniforme pour une robe civile.

C'est la première fois qu'elle le regarde dans les yeux.

« Ces vêtements sont pour vous! » lui dit-elle en désignant le costume suspendu à un cintre.

Il est nu sous son peignoir.

Croisant les jambes, elle referme son magazine. Elle n'a visiblement pas l'intention de le laisser seul. Il en prend son parti. Après tout, ne sont-ils pas... entre soldats?

« Vous êtes bien maigre! observe-t-elle.

– La prison n'est pas un hôtel de luxe. »

Elle n'ajoute rien. Le laisse s'habiller sans marquer la moindre émotion ni baisser les yeux un seul instant.

Après un souper fin aux chandelles, qui leur a été servi par un maître d'hôtel en tenue blanche, Helmut, qui n'avait pas bu de vin depuis six mois, se sentait étourdi.

Edna lui a proposé de se reposer quelques instants et avant de s'absenter a mis un disque; l'ouverture de *Tannhäuser*.

Vogelsang. Le Walhalla des Junkers. Cette étrange fille blonde aux yeux bleus qui ne dit pas deux mots. Ce schnaps qui lui chauffe la tête, et les yeux...

* Aspirant de première classe.

Ses yeux... il ne les croit pas. Sa Walkyrie revient en chemise de nuit, très longue, presque transparente, les cheveux dénoués sur ses épaules. Il a même l'impression qu'elle sourit...

« Il faut vous coucher, maintenant. Il est tard. »

Elle lui prend la main et l'entraîne vers sa chambre. Avec des gestes d'une douceur infinie, elle le déshabille. Dans un froissement soyeux, sa longue chemise de nuit tombe d'une pièce à ses pieds. Nue à son tour, elle entreprend alors de lui passer sur le corps une lotion douce et parfumée. Ne se laissant ni retenir, ni embrasser, pas même effleurer, elle s'en tient à le caresser. Ses longues mains blanches et parfumées vont et viennent doucement de ses épaules à son ventre, sur ses hanches, sur ses jambes, sur son sexe enfin, qu'elles apaisent de sa vibrante tension.

« Quand vous serez devenu un vrai Junker, digne de Got, j'espère que vous vous conduirez mieux que vous venez de le faire! lui reproche-t-elle alors. Je vous pardonne, mais ne recommencez plus. »

Helmut ne demande pas pourquoi. Il a compris. Sa Walkyrie n'est pas une simple fille; elle est la compagne d'un héros promis au Walhalla de Wotan. Elle méritait, en remerciement pour ses soins, une plus grande force de caractère.

Janvier 1940. Anna a dû se décider. Elle a fermé l'atelier et quitté l'appartement de son père pour aller s'installer rue Jacob. Le petit deux-pièces d'Helmut est désormais à son nom grâce aux bons offices de Moshé Zeidmann, le clerc de notaire qui est aussi l'amant d'Irène Deteau, sa nouvelle concierge et amie. Irène avoue trente-sept ans, mais elle a probablement dépassé la quarantaine. Le dimanche, quand elle se pomponne pour accompagner Moshé au Rex ou au Gaumont-Palace, elle a beaucoup d'allure. Veuve d'un Marseillais, elle a gardé une pointe d'accent de la Canebière et déclare trois fois par jour qu'elle ne déteste rien plus au monde que les concierges et les juifs. Un cœur gros comme ça.

Chaque jour, depuis l'arrivée de sa nouvelle locataire, elle a monté les sept étages pour venir s'informer si bébé était né. Prétexte pour venir bavarder un peu, bien sûr. Enfin, dans la soirée du 11 mars, c'est elle qui a conduit Anna à la clinique.

Bébé est né le 12, à une heure du matin. Il s'appelle Karl et, par tradition, porte aussi les prénoms de ses deux grands-pères : Frantz, Mözek.

Mi-avril, Anna a pris ses nouvelles fonctions de secrétaire à Paris-Bijoux, chez Fred et Sarah Friedmann qui maintenant sont ses patrons. Depuis qu'elle a surpris une scène de ménage et appris que

Sarah avait été la maîtresse de son père, elle les considère aussi un peu comme sa famille d'adoption.

Dis-donc, Mözek, ce n'est pas pour te faire des reproches mais je croyais qu'aucune femme ne devait plus jamais t'appeler par ton prénom? Tu aurais quand même pu me dire pour Sarah et toi. Serait-ce que tu as eu honte de tromper ton vieil ami Fred? En vérité, je suis bien contente pour toi. Belle comme elle est, Sarah était comme un cadeau dans ta vie. Finalement, ce n'était pas toujours la merde, hein Mözek?

La guerre se fait presque oublier. Presque. Au point que Paul Reynaud, le nouveau chef du gouvernement, voudrait aller la faire contre les Russes, en Finlande. Couper la route du fer aux Allemands, on n'entend plus parler que de ça.

Les Friedmann reçoivent à dîner le fils d'un de leurs amis. Anna a accepté de se joindre à eux car leur invité rentre de Pologne. La Pologne, c'est toute la légende de la jeunesse de ses parents. Et puis, elle est tout de même née là-bas, avant de devenir française.

En août dernier, Nicolas Roseinweig et son père étaient en vacances dans la province de Lodz où vivait leur famille. « Les Allemands sont entrés par surprise, à cinq heures du matin. Les SS du Leibstandarte et les Totenkopf * sont arrivés sur leurs chars, ils ont tout enfoncé. Les Einzatzkommandos suivaient derrière pour achever de détruire ce qui avait été épargné au premier passage. »

Scènes d'horreurs. Scènes de pillages. « Dans les plus petits villages les juifs étaient traqués comme des bêtes et fusillés sur-le-champ, en groupe, à la mitrailleuse. Moïse – mon père – et ma tante Sonja, ont été abattus sur le pas de la porte pour n'avoir pas ouvert à la première réquisition. »

Lui-même n'avait échappé au massacre qu'en se cachant parmi les cadavres, puis dans les fermes déjà éventrées et dans les bois.

Anna et Sarah se sont absentées un instant dans la cuisine pour aller chercher le gâteau.

« Comment trouves-tu Nicolas?

– Gentil. Sincère. Il doit être très bon.

– Maintenant, tu dois être certaine que Helmut ne reviendra plus. Il ne faut pas rester seule ma chérie. Nicolas est un garçon sérieux. Exactement le genre de compagnon qu'il te faut. Tout à l'heure, avant que nous passions à table et qu'il raconte toutes ces horreurs, il m'a confié qu'il aimerait te connaître mieux. Je n'ai pas de conseil à te donner mais, avec cette guerre qui est à nos portes, une certaine sécurité, pour toi et pour ton fils, ne devrait pas être à négliger, non?

---

* Division dite « Tête-de-mort » qui se rendra tristement célèbre pour avoir été affectée à la garde des camps de concentration.

– Sarah, Anna? s'impatiente Fred dans la salle à manger. Qu'est-ce que vous faites?

– On vient! On arrive! »

***

Janvier. Février. Mars. Trois mois au Wahlalla avaient fait d'Helmut un guerrier de l'Ordre de sang. Le Reich voulait des hommes d'élite et les obtenait. Un aspirant Junker, s'il sortait vivant de son passage à Vogelsang, avait accompli une partie de sa guerre. Lutte à mains nues contre des chiens-loups rendus enragés, domptage de chevaux sauvages, et – principalement – apprendre à sauver sa peau dans des exercices d'attentats à balles réelles qui éclataient sans alerte préalable à n'importe quel moment du jour ou de la nuit. Chaque soir, on enterrait les morts dans le cimetière du château. Un détachement de Junkers rendait les honneurs. Le Sturmbannführer * plantait une croix noire et seize voix entonnaient le *Horst Wessel Lied*, torche au poing, au garde-à-vous, têtes nues.

En avril, avant son départ pour une des écoles d'officiers de la SS, Helmut avait acquis cette superbe et cette aisance qui se devaient d'être celles des aigles et des seigneurs. Au nom de la supériorité de sa race, le SS Junker Zeitschel ne s'apitoyait plus sur le sort de l'humanité ni sur le destin des hommes.

« Si dix mille femmes juives ou polonaises doivent crever pour creuser un fossé antitanks, que penserez-vous, Junker SS Zeitschel?

– Que ce fossé sera prêt pour l'Allemagne, Herr Obersturmführer. Pour que notre Grand Reich acquière la position dominante, aucune des vies puisées dans des groupes humains d'origines inférieures ne saurait avoir de valeur. »

Durant son séjour au Walhalla, Helmut n'avait pas revu Edna mais, au cours de la cérémonie d'adieux en l'honneur des vingt-cinq lauréats désignés pour les écoles d'officiers, elle était apparue, en compagnie de vingt-quatre autres de ses compagnes de la SS féminine. Toutes étaient nues, sous de longues robes blanches presque transparentes. A l'appel des noms des Junkers élus, chacune des Walkyries avait rejoint son guerrier pour lui annoncer son affectation. Son tour venu, Edna s'était approchée et avait murmuré : « Demain, nous partons pour Bad-Tölz. »

A l'occasion de leur voyage, elle avait seulement consenti à lui dire que, désormais, ils pourraient se voir plus souvent. Elle était là, trois jours plus tard, lorsqu'il avait renouvelé son serment à Hitler en qualité d'élève officier.

---

* Chef de bataillon.

Seul, torse nu, devant six Junkers sabre au clair, dans la lumière des torches, face au drapeau rouge du Reich, frappé de la Hakenkreuz, et au fanion noir du Schwartzkorps, Helmut avait posé sa main droite sur le tranchant de l'épée pour dire : « *Ich schwöre Dir, Adolf Hitler, als Führer...* » (« Je te jure, Adolf Hitler, mon chef, fidélité et bravoure. Je te promets obéissance jusqu'à la mort et avec l'aide de Got * ». Parce qu'il faisait particulièrement froid cette nuit-là, conformément aux instructions, Edna avait quitté les rangs de son détachement pour venir, la prestation de serment terminée, nouer un foulard de soie sur la gorge de son guerrier et l'aider à enfiler une longue capote de cuir noir.

Quatre heures de pas de l'oie, chaque matin, avec maniement d'arme en trois temps, à la manière de la Leibstandarte. Debout. Couché. Debout. Couché. Dans la boue. Sur le ciment. Dans l'eau. Sur la neige. De jour. De nuit. Le reste de l'enseignement était théorique. Génie, artillerie, transmissions, exercices de pilotage d'engins, d'avions, de bateaux.

Dès leur arrivée à Bad-Tölz, Edna avait reçu l'autorisation de rendre visite à Helmut un soir par semaine. Rien ne leur avait été vraiment notifié mais, l'un comme l'autre, savaient avoir été choisis pour devenir mari et femme. D'ailleurs Edna recevait en prévision de cela un enseignement ménager approprié. Ses visites étaient l'occasion de vérifier la bonne tenue des uniformes, voire – dans la limite du règlement – d'arranger un peu la chambre. Son portrait trônait sur la table enserré dans un cadre de cuir noir frappé de quatre clous d'argent de la SS. Épaules nues, cheveux dénoués, souriante : une photographie quasi officielle. Chaque Junker possédait ainsi celle de sa Walkyrie, dans une même pose et un même cadre, de même fabrication.

Bien que le port de l'uniforme noir donnât à Edna un air plutôt sévère, Helmut aimait la silhouette longiligne et gracieuse de sa blonde compagne. Il s'était même battu au sabre, contre un de ses camarades de promotion qui avait laissé entendre qu'avec un tel physique, elle lui paraissait plus douée pour les batailles à mener dans un lit que pour celles à conduire devant les fourneaux.

Ayant appris que son guerrier avait été blessé au cours de ce duel, Edna avait demandé une autorisation de visite exceptionnelle.

– Nous devrions nous fiancer! avait-elle suggéré. Après ta nomination au grade de Standartenjunker, nous obtiendrions plus facilement une permission commune. Je voudrais t'emmener à Munich, pour te présenter mes parents.

Helmut avait dit oui. Elle s'était occupée de tout et, le 8 mai

* En Allemand, Gott signifie Dieu et s'orthographie avec « tt ». Le Got de la SS (avec un seul t) semblait donc désigner un dieu qui lui était propre.

suivant, devant quelques-uns de leurs camarades respectifs invités pour la circonstance ils avaient mêlé leurs sangs en pratiquant l'entaille au poignet, avec le glaive du serment. Une fête avait suivi jusqu'aux lueurs de l'aube et s'était achevée par un bain collectif dans le petit lac au pied du château. A cette occasion, Edna avait accordé un premier vrai baiser à son guerrier-fiancé. Aussitôt après, elle avait dessiné leur avenir : « Si tu n'es pas tué à la guerre, nous aurons quatre fils. Deux pourront mourir pour l'Allemagne et les deux autres poursuivront notre tradition aryenne. » Le premier rayon du soleil levant de ce 9 mai devait surprendre les derniers mots de ce projet commun.

***

Ce même 9 mai, Nicolas Roseinweig a invité Anna. Ils sont allés au Gaumont-Palace écouter les orgues et voir un film. Ensuite, elle l'a traîné jusqu'à la Foire du Trône. Tristes réjouissances. Peu de manèges. Peu de barraques. Réglementation sévère pour l'usage de la lumière. Le vieux manège de Mözek tourne dans un silence déconcertant car si Lucienne Boyer insiste toujours pour qu'on lui parle d'amour, c'est maintenant en sourdine. Surgie d'un temps révolu, l'ombre de Mözek ne parvient pas à éloigner celle d'un jeune homme blond tenant à la main une pomme rouge au bout d'un bâtonnet.

Ce soir du 9 mai 1940, Nicolas Roseinweig ne repartira pas du petit appartement de la rue Jacob. Après avoir fait la vaisselle du dîner et donné à Karl son biberon de dix heures, Anna lui demandera de ne pas la laisser seule.

Quatre heures du matin. Des grands coups contre la porte les réveillent en sursaut.
Le sang d'Anna ne fait qu'un tour. Sûr que c'est Helmut.
Et ça insiste. Et on frappe fort.
Elle se lève. Ouvre. Irène lui tombe dans les bras.
« Je ne dormais pas. J'écoutais la radio. Les Allemands sont entrés en France. La Belgique est envahie. On se bat dans les Ardennes. Maintenant, c'est vraiment... la guerre.
– Ce n'est pas sur les Anglais qu'il faudra compter pour nous défendre! » assure Nicolas.
Ils sont là, tous les trois, consternés. Ils ont l'impression confuse que le siècle vient de se mettre en marche.

La Belgique, la Hollande, le Luxembourg sont tombés. Le 20 mai commencent d'arriver dans Paris les populations du Nord qui fuient devant l'envahisseur. Le général Weygand nommé au

Commandement militaire suprême déclare que le front sera stabilisé sur la Somme et sur l'Aisne. Comme en 1914! Paul Reynaud appelle le maréchal Pétain au gouvernement pour lui confier la direction des opérations.

Le dimanche 26 mai, Boulogne est occupée. Toutes les églises de France entrent en prières. D'aucuns disent : « C'est l'an mille! » Et d'autres se demandent sérieusement si les saints auront assez de voix pour se faire entendre de celui qui a gravé sur les ceinturons de son armée : *Gott mit uns* *.

Le 6 juin, de Gaulle est nommé ministre de la Guerre. La France n'a pas le temps de lever les yeux sur son jeune général à titre provisoire qu'il est déjà parti sur la Somme. Il en revient le 8, furieux, dit-on, de ne pas avoir trouvé le front.

Le lundi 11 juin, à trois heures de l'après-midi, Irène est venue tout exprès voir Anna chez les Friedmann.

« Les Allemands arrivent. Rien ne les arrêtera plus maintenant. Un vrai déferlement. Tout le monde s'en va. Même le gouvernement. Il faut se sauver. »

Sarah est hésitante.

« Il faut partir supplie Irène.

– Je ne peux pas laisser Nicolas! oppose Anna. Il a besoin de moi. »

Sur le boulevard de Sébastopol, tout proche, le spectacle est éprouvant. Des cohortes de réfugiés. Ils fuient, le regard vide, épuisés par leur marche forcée, poussant devant eux des attelages invraisemblables débordant de bagages.

Fred, qui était allé voir, rentre au magasin. Il a parlé avec une femme.

« Elle venait de Pontoise. La ville est bombardée sans répit. Une bombe par minute.

Néanmoins, il n'est pas d'avis de se lancer sur les routes : « Où irions-nous? » Sarah le reprend : « La question serait plutôt : jusqu'où nous faudrait-il aller?

– Il faut partir. Il faut partir! sanglote Irène.

– Et toi, Anna, qu'en penses-tu? s'inquiète Fred.

– Avec Karl, ce serait de la folie. Un bébé de trois mois dans cette cohue!

– Alors je reste aussi! décide Sarah. Je ne te laisserai pas toute seule. »

Ils en sont là, lorsque survient Nicolas, chargé de tout ce qu'il a pu trouver comme ravitaillement. Il est indigné par ce qui se déroule dans les rues de Paris : « Des fuyards sans scrupules montent dans les immeubles, défoncent les portes, pillent les appartements abandonnés. On croirait la fin du monde.

---

* Dieu avec nous.

« Je ne leur laisserai pas ma maison! s'insurge Sarah.
– Pourtant, il va bien falloir prendre le risque! répond Nicolas. Voilà! J'ai tout prévu pour le cas où nous resterions. Au fond de mes caves, faubourg Poissonnière, j'ai aménagé un appartement secret en prévision des jours difficiles. Il est assez grand pour cinq. Emportez tout ce qui a de la valeur et on s'y cachera si les Allemands entrent dans Paris. J'ai vécu ainsi plusieurs mois, à Dantzig. Irène, qui n'est pas juive, pourra sortir à moindre risque, et assurer notre ravitaillement. »

Irène, éclate alors en larmes et leur avoue :

« Je m'appelle Kunezow, veuve Deteau.
– Raison de plus pour nous suivre! soupire Nicolas. Mais il faudra trouver quelqu'un d'autre pour s'occuper de l'intendance. »

En prévision des heures difficiles, c'est Angèle qui les a rejoints, avec ses deux fils. L'épouse de Simon Grundberg, en effet, a toujours négligé de faire changer son nom sur sa carte d'identité. Sous son nom de jeune fille, Mlle Dubois est devenue leur agent de liaison avec l'extérieur.

Ce matin du 14 juin, elle a déjà fait plus d'une heure de queue devant la boulangerie de la rue de l'échiquier. Des avions allemands volent très bas dans le ciel de Paris. La menace... Mais vers neuf heures et demie, quelqu'un est venu leur expliquer que la capitale était placée sous la protection de l'ambassade des États-Unis : « Les Allemands n'entreront pas. »

Courant pour annoncer cette bonne nouvelle aux autres, Angèle croise la première voiture de la Wehrmacht. Un soldat muni d'un haut-parleur lance cet avis : « Rentrez chez vous jusqu'à nouvel ordre. Ne sortez sous aucun prétexte pendant quarante-huit heures. Tout pillard pris sur le fait sera puni de mort.
– Ils sont à l'Hôtel de Ville! » dit un homme en pleurant. Le général Studnitz et son état-major de la 87e division d'infanterie ont fait retenir une table chez Maxim's pour l'heure du déjeuner.

***

Au château de Bad-Tölz – comme dans toutes les écoles de guerre ou simples casernements du Reich – on a suivi avec passion les événements de la campagne de France. Pour célébrer l'armistice consenti à l'ennemi, dans les lieux mêmes où l'Allemagne avait été humiliée vingt-deux ans plus tôt, le 22 juin, le Reichführer Himmler a ordonné aux Sturmbannführers commandant des écoles de la SS d'organiser des réjouissances pour les Junkers. Au programme : parade, honneurs aux morts glorieux des Verfügungstruppe SS tombés pour la grande gloire du Reich, chants nazis, remise de récompenses aux vainqueurs des épreuves sportives des jeux du solstice qui se sont déroulés la veille. Les sections féminines ont été invitées. A cette occasion, Edna reçoit ses galons de SS Scharführerine ainsi que douze de ses camarades.

Après le départ des hautes autorités militaires déléguées par le Reichführer, la fête se poursuivra de façon moins protocolaire.

Au foyer du château. Un bal a été improvisé. Helmut y retrouve une Edna qui, légèrement ivre, a beaucoup perdu de son habituelle réserve. La Walkyrie s'est prise au jeu d'un défi avec une de ses camarades de promotion. Elles ont décidé de s'affronter. Chacune luttera contre l'autre, à cheval sur les épaules de son guerrier promu au rang de destrier de tournoi. Les jupes des tailleurs noirs d'uniforme étant bien incommodes pour ce genre d'exercice. Edna, sans une hésitation, retire ses vêtements aussitôt imitée par sa compagne. C'est entièrement nues, cheveux dénoués, que les deux jeunes femmes choisissent de batailler.

Très vite au fait de ce qui se passe dans la salle d'honneur, la foule des curieux se presse au spectacle. Un quart d'heure de combat sans merci, au terme duquel Edna parvient à déposer son adversaire de sa monture. Le jeu fait des émules chez les Junkers. Des défis sont lancés et relevés dans d'identiques conditions. Les égratignures qui s'ensuivront seront lavées, à l'aube, dans les grandes gerbes d'eau d'une baignade collective dans le lac du château.

Le Reich a besoin d'hommes. Avant la fin de leur formation, les élèves officiers de Bad-Tölz reçoivent leurs affectations. Déception de certains qui espéraient rejoindre les divisions de combat et sont appelés à d'autres tâches. Ce n'est pas le cas d'Helmut. Son peu de goût pour les champs de batailles l'a poussé à demander un poste dans les services administratifs et il est ravi de rejoindre, à Berlin, le siège de la Kriminalpolizei, avec le grade de SS Standarten oberjunker *. Edna l'accompagnera, affectée au service auxiliaire de l'Office central de sécurité du Reich : Le RSHA (Reichssicherheitshauptamt : contre-espionnage).

Leurs stages respectifs devant durer trois mois, ils ont sollicité une autorisation de mariage espérant l'obtenir suffisamment vite pour leur permettre de demander une affectation définitive commune.

***

Cet été 1940 promet d'être superbe. Déjà, les terrasses des cafés des boulevards amorcent leur réouverture. Les commentaires sur l'occupant vont bon train : « Ils ne sont pas si terribles! Ils sont même très corrects! »

On parle beaucoup moins de l'appel du 18 juin, lancé par l'ex-sous-secrétaire d'État à la Guerre, sinon pour dire de ce de

* Aspirant officier de première classe.

Gaulle : « Il a fait comme les autres. Au premier coup de canon, il est allé se mettre à l'abri – Sauve qui peut! Les ministres d'abord. » Un vaste mouvement d'opinion antianglais est en train de s'amorcer : « Ils nous ont laissés choir, et Churchill ou Chamberlain : ce sera du pareil au même. »

Angèle fait des rapports fidèles sur ce qu'elle voit, ou entend, lors de ses excursions hors de la cave.

« Rien à voir avec ce que tu nous disais! constate Fred à l'adresse de Nicolas. Nous n'allons pas passer toute la guerre ici, sous prétexte que tu as eu peur en Pologne. »

Nicolas n'est pas convaincu que des mesures antijuives ne soient pas déjà prises mais comment savoir avec certitude. Il se borne à reconnaître que, pour l'instant, l'occupation n'obéit pas aux mêmes lois que l'annexion.

Le 25 juin, Fred et Sarah décident de rentrer chez eux. De toute façon, Sarah n'en peut plus de vivre sans air et sans lumière. Elle veut voir le soleil et se promener sur les Champs-Élysées. Elle veut surtout aller regarder sous le nez des Allemands s'ils sont bien aussi grands, aussi blonds, aussi beaux qu'Angèle le lui raconte. Depuis qu'elle sait que Simon est vivant, elle a un moral d'acier, Angèle. Irène, pour sa part, s'ennuie un peu de ses locataires de la rue Jacob et opte pour le même parti que les Friedmann.

« Et toi, Anna, que vas-tu faire? demande Nicolas.

– Je reste avec toi. Fred me fera signe quand il décidera de reprendre le travail. Mais nous allons remonter dans ton appartement, l'air de cette cave n'est pas idéal pour Karl. »

Malgré quelques mouvements d'opinion antisémites, Nicolas était prêt à se laisser convaincre que les Allemands ne pratiqueraient pas en France les mêmes persécutions raciales qu'en Pologne. La vie reprenait donc son cours.

Au matin du 5 juillet, coup de théâtre. Coline Weisenberg, la femme de son ami Paul, vient sonner et s'effondre dans leurs bras : « Les policiers allemands ont fouillé notre appartement de fond en comble, fait main basse sur tous les objets de valeur et, pour finir, ils ont emmené Paul. »

A peine achève-t-elle son récit que le téléphone apprend à Nicolas qu'un de ses magasins a été mis à sac par une bande de jeunes voyous qui ont gribouillé des inscriptions antijuives sur les murs et les vitrines.

Contactant son assureur il le trouve effondré. C'est le cinquième saccage de même nature qu'on lui signale au cours des trois derniers jours. Il semblerait que ce soit le fait de certains groupes d'extrême droite. Certains responsables, pris sur le fait, ont – dans tous les cas – été relâchés immédiatement.

D'appel en appel, Nicolas obtient des informations. Un fichier de la préfecture de police qui avait recensé les juifs suspects de sympathie politique pour les partis de gauche aurait été saisi par les Allemands. En outre, on lui apprend que des milliers de juifs en provenance de Belgique et des Pays-Bas seraient internés dans un camp situé du côté de Compiègne. Tous les feux de l'alarme sont au rouge.

Qui aurait soupçonné tant d'énergie chez une créature d'apparence aussi frêle que Coline Weisenberg. Passé le choc du premier jours, elle a eu tôt fait de réagir. Multipliant les contacts avec ses amis et les amis de ses amis, elle a obtenu – elle aussi – des informations. La police allemande pratique au coup par coup. Son mari a été envoyé dans un camp de travail mais personne ne sait où.

Chaque jour apporte plus de certitude : elle ne le reverra jamais. Le 20 juillet, elle apprend qu'un administrateur provisoire a été nommé pour procéder à la réouverture de l'usine dont Paul était propriétaire. Cela recoupe ce que Nicolas a appris de son côté; méthodiquement, les entreprises juives sont placées sous séquestre par l'occupant.

Le dimanche 2 août, sa décision est prise de gagner Londres et de rejoindre le général de Gaulle. Elle aimerait convaincre Nicolas et Anna de la suivre.

Nicolas lui demande de patienter.

Ce même dimanche, vers vingt heures, se présentent des visiteurs. Samuel Tyszelman, Jean Meichler, Edmond Broucker. Outre leurs vingt ans, ces trois jeunes gens ont en commun d'être juifs.

Broucker précise : « Meichler et moi sommes à la fois juifs et communistes.

– Voilà ma réponse! annonce Nicolas à l'attention de Coline. Londres a certainement besoin d'une force armée régulière mais ici, en France, il faut organiser une résistance intérieure. »

Un instant ébranlée, Coline Weisenberg reprend sa décision première : « Non! Pour ma part, je rejoins de Gaulle. C'est décidé. Si Paul peut s'échapper c'est là-bas que nous nous retrouverons. Et toi, Anna, tu...

– Ma place est près de Nicolas. Il aura besoin de moi. »

En ce mois d'août, une seule chose compte : la France doit rassembler ses forces et se remettre au travail sans tarder. Envisageant de rouvrir leur petite entreprise, Fred et Sarah préviennent Anna qu'elle pourra reprendre sa place au secrétariat le lundi 19 au matin. Mais le samedi 17, coup de tonnerre. Le Haut Commandement allemand a fait placarder aux postes frontières de la ligne de démarcation l'interdiction désormais faite aux juifs, réfugiés en zone non occupée, de regagner leurs domiciles de la zone d'occupation. Sitôt que la nouvelle se répand, des manifestations antisémites s'organisent spontanément avec pour mot d'ordre de lapider les magasins juifs parisiens.

Le dimanche matin, Anna est seule chez Nicolas et, sur le coup de dix heures, elle voit arriver Sarah en larmes. La petite boutique des Friedmann n'a pas échappé au saccage.

Une autre chose, plus intime, bouleverse Sarah et elle a besoin de s'en libérer. La semaine précédente, elle est allée se promener, seule, au jardin du Luxembourg. Près de la fontaine Médicis un bel officier de la Kriegsmarine lui a souri : « Il parlait un peu français. Il était si beau que je n'ai pas résisté. Depuis, je n'arrive pas à me le pardonner. »

Nicolas est de plus en plus inquiet. Début septembre, il apprend que deux autres de ses amis ont été arrêtés par les Allemands dans les mêmes conditions que Paul Weisenberg. Les informations qu'il parvient à glaner sur le sort de ceux qu'on emmène sont contradictoires. L'hypothèse retenue par la majorité reste la moins tragique : « On les conduit à la frontière espagnole », mais d'autres disent : « On les interne dans un camp. »

Le 3 octobre l'État de Vichy promulgue le statut du juif, définissant son peu de droits dans la nouvelle société, et le lendemain une loi du Maréchal autorise l'internement des israélites non français. Se sentant trop menacé, Nicolas ne veut plus qu'Anna reste habiter chez lui et la supplie de regagner son domicile de la rue Jacob où elle court certainement un peu moins de risques.

L'hiver s'est installé très tôt. Dès la fin d'octobre, les restrictions de charbon se font sentir. Le ravitaillement aussi est difficile. Heureusement, grâce à Irène et à Moshé, le clerc de notaire, Anna a pu se procurer quelques fausses cartes d'alimentation et, de la sorte, Karl ne manque trop de rien. Qu'en sera-t-il pour les mois à venir?

Tu vois Mözek, cette fois, c'est bien la merde! Veille sur nous, Mözek. Veille sur nous, si tu peux.

*AnnaAbroweski,* indique sa carte d'identité. Avec un nom pareil, elle ne peut couper au recensement des juifs qui est en cours. Elle devra se rendre au commissariat du quartier. Fred y est allé. On lui a apposé le tampon JUIF sur sa carte. Il voulait montrer son admiration pour le philosophe Henri Bergson qui, à moitié mourant, a revendiqué son droit d'être israélite et membre de l'Académie française.

Deux militants communistes, enfermés à la base de regroupement de Beaune-la-Rolande, ont pu s'évader et faire savoir à Nicolas que son ami Paul Weisenberg s'y trouvait en transit. Immédiatement, grâce à la complicité de certains gardes de la police française qui administre le camp, Nicolas a conçu le projet de faire évader son ami. Anna ne sait rien de plus.

Il y a des protestations, ce lundi 12 mai 1941, à la Civette de la rue Dauphine. Le tabac vient d'augmenter, de 4,50 à 6 francs sans avertissement. Dans la queue qui piétine sa mauvaise humeur, Anna attend son tour. Soudain, un petit jeune homme qui l'observait de loin depuis un moment s'approche et lui demande : « Vous ne seriez pas l'amie de Nicolas? »

Pas besoin de lui réclamer sa carte d'identité, sa tête et son accent lui suffisent pour l'annoncer.

« Oui! répond-elle donc.

– J'ai à vous parler. Je m'appelle Samuel. »

Nantie de son tabac, Anna le retrouve sur le trottoir. Il fait beau. D'un commun acccord ils décident d'aller à pied jusqu'au Pont-Neuf et, chemin faisant, Samuel explique le peu qu'il sait : « Lors de sa tentative d'évasion, Paul Weisenberg a été tué. Depuis cette opération manquée, personne n'a revu Nicolas. Et vous?

– Pas depuis dix jours. Mais je n'étais pas inquiète : il m'avait prévenue que son absence pourrait durer quelque temps. »

Alors Samuel lui fait part de ses appréhensions : « Depuis le début du mois, les fridolins ramassent les juifs apatrides. Plusieurs milliers d'entre eux sont actuellement regroupés au gymnase Japy. On dit que Nicolas pourrait s'y trouver parce qu'il n'aurait pas été en mesure de présenter ses papiers. Rien n'est sûr. Ce sont de simples bruits. »

Anna, songe alors à la cave du faubourg Poissonnière. Nicolas pourrait s'y être réfugié. Elle a les clés. Elle ira voir mais s'abstient d'en parler.

Ce même jour, vers midi, elle profite de l'heure du déjeuner pour courir faubourg Poissonnière. Deux camions stationnent devant chez Nicolas. Des camions allemands. Ils emportent tout. Bouleversée, elle rentre chez les Friedmann et – comme une mauvaise nouvelle n'arrive jamais seule – apprend par Sarah qu'Angèle vient de téléphoner : Simon a été fusillé, la veille, comme otage, dans une caserne de Metz.

Mai s'achève, juin se passe, juillet commence : Angèle n'a toujours pas surmonté le choc de la mort de son mari. Enfermée chez elle, pleurant toute la journée, elle a quitté son travail et commence à manquer d'argent. Anna et Sarah se sont organisées. Tantôt l'une, tantôt l'autre, elles vont chaque jour la voir et essaient tant qu'elles peuvent de remédier au désastre. Angèle s'occupe du minimum nécessaire à ses garçons. Elle fait en sorte qu'ils ne manquent de rien, malgré les restrictions. Elle s'est débrouillée pour qu'ils puissent partir en vacances. L'aîné ira en colonie et le plus jeune à la maison maternelle.

Anna est consternée. Durant cette période du 20 juillet au 20 août, comment réagira Angèle, privée de la présence de ses gamins?

Au soir de leur départ, elle disparaît. Sans explication. Fred suggère qu'elle est peut-être partie à la campagne, voir sa famille. Anna ni Sarah ne sont très convaincues par cette hypothèse qui se voudrait rassurante. Elles se demandent avec beaucoup d'inquiétude si, à la date prévue du retour des enfants, leur mère sera rentrée pour les accueillir.

Le lundi 18 août, c'est Sarah qui se charge de faire un saut jusque chez Angèle. Il fait un temps radieux. Bien qu'il soit prudent d'économiser les chaussures car il est devenu impossible de les faire ressemeler, elle choisit d'aller à pied jusqu'à Château-Rouge. Partie du Sentier, elle ne dépasse pas Strasbourg-Saint-Denis avant d'apprendre que la police a bouclé le XIe arrondissement. Tous les juifs en situation irrégulière sont ramassés et emmenés. Même si l'opération ne touche qu'un seul des vingt arrondissements parisiens, mieux vaut ne pas traîner dans les rues ce jour-là.

Elle a bien fait de ne pas prendre de risques et de rentrer. Anna vient d'avoir Angèle au téléphone.

« C'est affreux. Tu aurais entendu sa voix... Brisée. Impossible de lui faire dire où elle était. Rien à en tirer, sinon qu'elle va déménager et que ses enfants ne manqueront de rien. Il faut y aller.

– C'est pas le jour! assure Sarah en expliquant ce qu'elle sait des événements. »

Cette rafle durera quatre jours pleins.

Les journaux en date du 22 août 1941 feront état de trois mille quatre cent soixante-dix-sept arrestations. Le danger se trouvant provisoirement écarté, Anna et Sarah se précipitent chez Angèle. Trop tard. Son ancienne concierge leur apprend qu'elle a déménagé la veille et sans laisser d'adresse.

*Paris, 5 mai 1942*

Dix heures du matin. Un train militaire allemand entre en gare de l'Est. Un détachement de Waffen SS est en place sur les quais pour présenter les honneurs à Reinhardt Heydrich qui vient installer dans ses fonctions le nouveau chef de la police allemande en France : le général SS Carl Albrecht Oberg.

Heydrich est en civil, suivi d'Oberg en grande tenue. A la descente de leur wagon spécial plusieurs hauts dignitaires de l'armée d'occupation les attendent.

Ce n'est qu'après leur départ que seront admis sur le quai les autres officiers qui voyageaient dans le même convoi. Parmi eux, l'Unterstumführer * SS Helmut Zeitschel. Lui aussi, on l'attend. Sous escorte, on le conduit à sa voiture.

La traversée de Paris, jusqu'à l'avenue d'Iéna, s'effectue en un temps record.

Quelques minutes plus tard, on le dépose devant un immeuble bourgeois. Pas de sentinelle devant la porte ni de drapeau du Reich sur la façade. C'est de l'autre côté du porche que les mesures de sécurité sont importantes.

Là aussi, il est attendu.

Un maître d'hôtel en veste blanche l'accueille et le prie de s'installer dans un confortable salon.

Pour venir de la gare, la voiture a emprunté l'itinéraire le plus direct. Celui-ci passait par le Châtelet. Au passage, devant la fontaine égyptienne, Helmut a eu un coup au cœur. Il s'est brutalement souvenu du jour où, assise sur cette margelle de pierre, Anna voulait savoir pourquoi il ne lui avait pas demandé de la photographier toute nue. Ce n'était pas encore la guerre.

Qu'est devenue Anna, depuis? Peut-être mariée?

Il s'est bien marié, lui. Avec Edna...

Sept mois de mariage. Et cet accident stupide : une chute dans un escalier. Tuée net, enceinte de seize semaines.

Sa Walkyrie. Il en avait aimé la rigueur exemplaire... Ils n'avaient fait l'amour pour la première fois qu'à la veille de leur mariage. Elle était vierge.

Le lendemain, après la cérémonie qui les avait unis, elle s'était absentée, tour à tour avec le Brigadeführer chargé des questions de sécurité militaire au RSHA et avec son chef de service de la direction IV B * : façon de démontrer que, femme allemande digne de la race supérieure, sa sexualité ne souffrait aucun tabou.

Par la suite, elle avait parfaitement su harmoniser sa vie militaire et sa vie d'épouse. Au terme de trois mois de lune de miel, elle avait dit : « Maintenant, nous allons faire un fils. Pour le Reich. » Quelques semaines plus tard, elle était enceinte.

La rêverie d'Helmut est interrompue par une certaine agitation, en provenance du vestibule. Contrairement à son attente, on ne vient pas encore le chercher. Il retrouve donc ses pensées.

---

* Sous-lieutenant.

* Direction générale de la Gestapo, à Berlin.

Anna, précisément. Si elle le rencontrait, aujourd'hui, dans cet uniforme, sans doute songerait-elle qu'il a fini par se trahir?

S'est-il vraiment trahi?

Au fond de sa prison, on lui a fait mesurer toutes ses faiblesses. Intégré de force dans la SS, il n'était pas exactement en situation de trouver les moyens immédiats de poursuivre la lutte menée par son père contre les nazis. Au moins est-il parvenu à ce résultat de ne pas servir cette guerre puisqu'il a su manœuvrer de sorte à n'être pas affecté dans une unité combattante.

Une chose est désormais bien certaine dans son esprit : l'Allemagne ne vaut pas de mourir pour elle. Ni avec ni contre les nazis. Il n'est ni ne veut être du bois dont on fait les croix des héros.

La porte s'ouvre sur un homme jeune, blond, en civil. Ils échangent un salut au Führer et le maître des lieux l'invite à pénétrer dans son bureau.

C'est une grande pièce. Claire, calme, élégante et confortable. Aucun portrait officiel sur les murs. Simplement la devise nazie : *Ein Volk, ein Reich, ein Führer* *.

« J'ai été retenu un peu plus que je ne pensais par le général Oberg. Je m'en excuse. J'espère que cette attente n'a pas été trop longue?

– Je vous en prie. »

L'homme fait le tour de sa table de travail et invite Helmut à s'asseoir. Il ouvre un dossier le parcourt du regard durant quelques instants, en silence.

« Vos états de services, sont excellents Herr Zeitschel. Depuis votre sortie de Bad-Tölz : trois mois à la police criminelle, sept mois à la direction générale de la Gestapo. C'est très bien. Vos notations signalent votre excellent esprit de synthèse. Vous savez conduire un interrogatoire, aussi. C'est parfait. Sur ce plan, toutefois, nos méthodes sont ici différentes de celles utilisées en Allemagne. Vous vous y ferez très vite. L'essentiel demeure. J'ai besoin, près de moi, d'un homme tel que vous, Herr Zeitschel. »

L'inconnu parle un Allemand très pur, mais s'exprime de la façon un peu hachée des Saxons. Il poursuit : « Le général Oberg est à Paris pour remettre en ordre notre police. Il faut lui laisser le temps de prendre ses fonctions. Nous sommes mardi. Vous avez quartier libre jusqu'à lundi prochain. Ce sera le 11 mai. Je vous attendrai à mon nouveau bureau. Au 11 de la rue des Saussaies. Vous trouverez facilement : c'était le ministère de l'Intérieur français. »

Retournant devant lui ses mains aux doigts entrecroisés, il les fait craquer fortement, puis sort d'un tiroir une pochette de cuir noir frappée du svastika d'argent. « Vous trouverez là vos instructions pour la semaine à venir. »

Dans le geste amorcé de tendre vers Helmut la pochette de cuir,

* Un peuple, un empire, un chef.

il marque une hésitation et dit : « Je suis désolé, Herr Zeitschel. On m'a chargé d'une mission bien délicate à votre endroit. Une mission d'information personnelle. »

Visiblement mal à l'aise, l'homme se lève et va s'accouder à la grande cheminée de marbre blanc : « Je dois vous dire que votre père a rendu le dernier soupir, le 2 mai, à seize heures, entouré de sa femme et de votre sœur. Nos meilleurs médecins n'ont rien pu faire, pour le sauver. Une crise cardiaque, l'a emporté brutalement. Toutefois, il convient que vous sachiez que Frantz Zeitschel a fermé les yeux en héros de notre Grand Reich. Vous aurez connaissance, lundi prochain, du dossier qui vous est destiné. Depuis 1934, votre père a dignement servi la cause de notre Führer. Vous pouvez être fier de lui. Comme, sans doute, il l'était de vous. Votre mère et votre sœur ont trouvé refuge près de votre oncle, Otto Zeitschel. Sachez aussi que notre Grand Reich a tout réglé afin que, dans l'avenir, elles n'aient pas à souffrir matériellement de cette tragique disparition. Je ne peux pas, hélas, vous accorder de permission exceptionnelle pour rentrer en Allemagne. La conjoncture présente m'oblige à vous garder disponible. Le Reichführer Himmler me prie de vous transmettre ses condoléances personnelles, pour ce deuil, qui nous affecte, comme vous. »

Dans la pochette contenant ses ordres, se trouve la carte de celui qui vient de le recevoir :

*Obersturmbannführer * Kurt Lischka*
*Kommandeur der Sicherheitpolizei*
*und des Sicherheitsdienst*
*den Gross Paris*

« Ça alors? s'exclame Sarah. Qu'est.ce que je vois là? Mais c'est bien elle! Regarde, Anna. Regarde! »

Intriguée, Anna se penche sur la photographie que publie *le Petit Parisien.* Au bras d'un von Machinchose quelconque, en grande tenue, le petit bout de femme – jolie comme un cœur – qu'elle reconnaît aussi n'est autre qu'Angèle. Un choc. Un vrai. Un vilain choc.

« Tu trouves pas qu'elle sourit tristement? s'interroge Sarah.

– Tu aurais l'air tellement heureuse, toi, à sa place? »

Son père. Mort. Recevant les honneurs du Reich. Helmut ne comprend rien. Depuis sa chambre de l'hôtel Lutétia, il pourrait

* Lieutenant-colonel.

certes appeler Magdebourg. Parler à sa mère. Ou, à son oncle. Il hésite. D'abord, il préfère attendre de prendre connaissance des fameux documents qu'on lui destine.

Ainsi, Frantz Zeitschel aurait fidèlement servi le Führer?

Et à lui, son fils, il aurait fait croire le contraire?

Pour réfléchir, rien ne vaut de marcher.

Ses instructions fixent ses heures de consigne dans sa chambre, mais aujourd'hui, rien.

Ses premiers pas le mènent, très naturellement, vers Saint-Germain-des-Prés, par la rue de Rennes.

Si son père était un fidèle serviteur du régime, pourquoi alors l'aurait-il envoyé à Mayence se compromettre auprès d'un communiste et d'un opposant républicain?

Il y a là quelque chose de bien obscur. Quel aurait été le rôle de son oncle Otto dans cette affaire?

Certainement le dossier qui lui sera remis par l'Obersturmbannführer éclairera-t-il tout cela.

Ce mardi 5 mai 1942, vers seize heures, pour son premier après-midi parisien, Helmut Zeitschel s'était retrouvé sur la Foire du Trône, devant ce même manège où, un jour de printemps, en 1939, il avait tendu une pomme d'amour à une jeune fille habillée de noir qui pleurait.

Assise sur le lit, Irène sanglote convulsivement dans les bras d'Anna qui s'efforce de la calmer. Il y a cinq minutes à peine, il était juste sept heures du matin, deux hommes en civil sont venus frapper à sa porte. Des policiers français. Ils ont emmené Moshé, son clerc de notaire.

« Je ne... le reverrai... plus jamais!

– Allons, calme-toi, ce n'est peut-être qu'une histoire de cartes d'alimentation? »

Irène suppose que c'est beaucoup plus grave. Et puis, des juifs qui sortent des pattes de la police, ce n'est pas tous les jours. On commence à bien le savoir.

Anna l'oblige à s'étendre. Irène se laisse aller dans les oreillers, toute épuisée de larmes.

Sur ses jambes nues, que découvrent une robe de chambre et une chemise de nuit évidemment trop courte – faute de tissu – s'accroche encore cette satanée teinture dont les femmes un peu coquettes se barbouillent les mollets pour donner l'impression de porter des bas. Irène réussit parfaitement le camouflage. Elle pousse même le raffinement jusqu'à forcer la couleur en sorte de créer l'illusion des revers sur les cuisses.

« Tu veux du café? demande Anna.

– Du café? Tu en as encore?
– Il m'en reste un tout petit peu. Du vrai.
– Non! C'est Moshé que je veux. »

Alors, Anna se recouche. Elle s'allonge près de son amie et prend sa tête dans le creux de son épaule. Avec un coin du drap, elle lui essuie les joues. Elle lui caresse les cheveux. Elle la serre entre ses bras. Se souvenant de ce que faisait Mozëk, quand elle était petite et qu'elle pleurait d'être tombée, elle lui masse doucement le creux de l'estomac, pour l'aider à se détendre. La magie opère. Irène s'apaise par degrés.

« Ça va mieux?
– Un... petit... peu! »

Anna se penche pour embrasser sa joue. A cet instant précis, Irène détourne la tête. Leurs lèvres s'effleurent.

Émouvante, cette bouche charnue noyée de larmes brûlantes.

« Il faut ouvrir ce col : il t'étrangle! » murmure Anna en dénouant le ruban qui ferme la chemise autour du cou.

Irène continue de pleurer en silence. Aucune parole de réconfort n'y peut rien. Anna ne peut donc rien. Rien d'autre que lui caresser doucement la poitrine, pour qu'elle sente un peu de la chaleur de sa tendresse. Mieux vaudrait qu'elle puisse penser à autre chose. A quoi? A elle-même, peut-être?

Anna se penche une nouvelle fois sur le visage de son amie. Sur son front. Sur ses yeux. Sur sa joue. Sur l'ébauche d'un très léger sourire, qui se confond au sien. Irène en devient toute molle, comme une poupée de chiffon... A peine s'étonne-t-elle :

« Je... jamais. Jamais je n'ai, jamais...
– Chut! Ne pense pas. Ne pense plus. »

Soufflant cela, Anna s'est redressée, à genoux, pour faire passer sa propre chemise par-dessus ses épaules. Les mains d'Irène viennent directement à la rencontre de ses seins. Glissent jusqu'à sa taille. Jusqu'à ses hanches.

« Comme tu es belle! »

Sans répondre, Anna l'aide à se dépouiller de sa robe de chambre et de la courte lingerie dénouée. Irène laisse faire. Frissonnante d'un peu de fièvre et d'émotion, elle s'abandonne, d'abord. Puis, lentement, s'éveille. Exige. Se libère, enfin, de toute l'insurmontable tension que les larmes seules n'avaient su évacuer.

***

Le lundi 11 mai, Helmut a pris ses fonctions de secrétaire particulier de Kurt Lischka au KDS * de Paris.

Sa première tâche consiste à faciliter les départs vers l'Est des

---

* *Kommando den Sicherheitspolizei* (direction générale de la police allemande, y compris la Gestapo).

juifs internés dans les camps de regroupements. Himmler est furieux : depuis les onze cents premiers juifs acheminés en direction d'Auschwitz, le 27 mars 1942, plus un seul convoi n'est parti de France. Une seule raison à cela, la pénurie d'unités de transport. L'ordre d'Hitler est formel, il faut utiliser des wagons métalliques pour déplacer les juifs en Allemagne. L'industrie de guerre ne peut les fournir. La solution proposée par l'intendance consiste à réquisitionner les wagons français. Seulement, ils sont en bois. Mission délicate et difficile que celle de convaincre Eichmann de signer un ordre d'utilisation contraire aux directives données par le Führer.

Pour démontrer l'efficience du KDS dont il assure la direction, l'Obersturmführer Lischka veut intervenir partout.

De grands projets sont à l'étude à la direction des affaires juives. Imposer le port de l'étoile jaune. Une mesure qui doit entrer en application dès le 1er juin. L'Untersturmführer Zeitschel doit veiller aux détails pratiques de l'opération.

Sur tous les plans il y a urgence. L'État français s'est engagé à livrer dix mille juifs de la zone Sud avant le 15 juin, et les camps de regroupements sont saturés. L'Untersturmführer Zeitschel doit trouver des solutions d'hébergement.

A plus longue échéance mais au plus tard le 15 juillet prochain, sera organisée sur Paris et la banlieue une vaste rafle. Objectif : quinze mille arrestations de juifs destinés aux camps de travail de la Grande Allemagne. L'Untersturmführer Zeitschel doit faire en sorte que la besogne soit réalisée par des policiers français sous un discret contrôle allemand.

Helmut a aussi reçu le dossier sur son père qui lui avait été promis. Ainsi, Frantz Zeitschel, diplômé de pharmacologie, expérimentateur dans un laboratoire, avait-il – à partir de 1936 – travaillé avec Himmler à la réorganisation de la police allemande. Ami personnel de Heinrich Müller nommé à la tête de la Gestapo, le docteur Zeitschel avait eu l'idée de mettre sur pied un corps d'agents de renseignements ayant pour mission de s'infiltrer dans les milieux républicains qui s'opposaient au NSDAP. L'année suivante, il avait contribué à placer Erna Gruhn sur la route du maréchal von Blommberg, pour débarrasser Hitler d'un militaire lourdeau qui ne comprenait rien à ses stratégies. Comme prévu, le maréchal avait donné dans le panneau, épousé sa belle secrétaire, et n'avait plus eu qu'à offrir sa démission lorsque la Gestapo avait révélé que celle-ci était une ancienne prostituée.

Nommé, en 1937, directeur de la pharmacie centrale de l'hôpital général de Magdebourg, l'apothicaire Zeitschel avait fait figure d'opposant à Hitler, ce qui lui avait permis de transmettre à Müller, par le canal de son frère Otto, de nombreuses informations sur les milieux antinazis de la ville.

En décembre 1938, Frantz Zeitschel devait se rendre personnellement à Mayence pour rencontrer Conrad Körtner mais Heinrich Müller, ayant appris qu'il courait le risque d'être démasqué, lui avait fait donner l'ordre de déléguer sa mission. Dans une note, Frantz Zeitschel l'avait informé qu'il enverrait son fils, estimant que si ce dernier devait mourir à vingt ans, il était souhaitable que ce soit pour le Reich. En revanche, il demandait l'autorisation de l'exiler provisoirement en France, après l'opération, pour lui éviter d'éventuelles représailles en cas de recoupements consécutifs à l'arrestation de Körtner.

Cynique et tortueuse histoire. Frantz Zeitschel était convaincu des sympathies républicaines de son fils. Il avait donc organisé une leçon de nazisme que les apparences contradictoires ne lui permettaient pas de donner directement.

Au nom de l'obéissance et de la confiance qui lui étaient dues, son propre père l'avait compromis dans cette mission à Mayence. Les sept mois passés en France, qui avaient fait suite, n'étaient qu'une mise à l'écart. On ne l'avait fait rentrer à Magdebourg qu'au moment voulu. En fait, au moment où son retour ne devait plus gêner la mystification par laquelle Frantz Zeitschel démasquait les opposants au régime de l'Allemagne hitlérienne.

Ce qui s'était passé alors avait été minutieusement prévu. Dans une note, Frantz Zeitschel avait évalué la résistance de son fils. Il était persuadé que, dans une période de cent à cent vingt jours au secret, le « sujet d'observation » finirait pas le trahir en avouant tout sur la mission de Mayence.

Lumineux exposé de principe. Le nazisme ne perd pas son temps avec l'homme, il le brise pour l'intégrer dans un ensemble et le conduit à assassiner sa propre liberté en lui faisant assassiner celle des autres.

Refermant le dossier, Helmut peut en faire cette synthèse : on lui a démontré qu'il pouvait laisser envoyer sa sœur dans les bordels de la Wehrmacht sans protester et qu'il pouvait trahir son père pour sortir de forteresse. Les écoles de la SS ont été une autre sorte de prison.

Au début, il s'était dit qu'il expiait là le prix de sa lâcheté de Magdebourg. La fascination pour l'ambiance qui régnait au Walhalla – l'esprit de corps, la discipline, l'enseignement d'être un seigneur – l'avait peu à peu intéressé à une cause qui n'était pas la sienne.

Aujourd'hui, son père est mort. L'oncle Otto n'avait pas menti à son sujet : à partir d'octobre 1939, Frantz Zeitschel était bien dans un camp de détention. A Treblinka. Pour le compte de la Gestapo, il pratiquait des expériences chimiques sur des échantillons humains. Son décès accidentel vient de servir de prétexte à ces révélations. Si la hiérarchie SS lui a transmis ce dossier, c'est qu'aujourd'hui Helmut Zeitschel est considéré comme intégré. En toute logique nazie, il doit afficher désormais son immense fierté d'être le fils d'un héros et, même, se montrer reconnaissant des épreuves qu'on lui a fait subir puisqu'elles lui permettent de servir la puissance mondiale du Reich allemand.

Quelle doit être son attitude? Fuir? Pour aller où? Il est dans un camp qui n'est pas le sien mais personne ne l'accueillera dans l'autre. Les cartes ont été données, la partie est engagée, il va la perdre. Peu importe ce qu'il fera : rien ne changera le cours du destin qu'on a tracé pour lui.

Ce soir, il n'y tient plus. Depuis son retour à Paris, une seule pensée l'obsède : revoir Anna. La seule chose qu'il puisse faire, en attendant d'être broyé, c'est de ne rien se refuser à lui-même. Habillé en civil, il gagne le quartier de Château-Rouge. Anna a fermé l'atelier de son père et déménagé. Il apprend sans difficulté qu'elle habite désormais rue Jacob.

Cette pensée l'émeut. Qu'Anna ait pu se réfugier dans cet appartement qui a été un peu le leur, c'est comme un signe que la vie attend de les faire se retrouver.

Helmut court rue Jacob.

Sa rue. Elle n'a pas changé. Elle est simplement plus triste : les fenêtres sont soigneusement bouclées, les carreaux peints en bleu, il n'y a aucune lumière à l'exception d'un maigre éclairage public.

Voilà. C'est là.

Il caresse un instant le bouton de cuivre de la porte cochère. S'impose dans son esprit l'image d'un souvenir : cette porte s'ouvre, un soir de printemps, en 1939, il la franchit en tenant par la main une vraie jeune fille en robe blanche. Derrière cette porte refermée, elle lui avoue : « J'ai un peu peur. » Il répond : « Moi aussi... »

Trois ans se sont écoulés. S'il pousse cette porte, que dira-t-il? Conscient de son destin sans issue, il n'a pas le droit d'y réintroduire Anna. Il faut qu'il parte. Il n'a rien à offrir que son propre malheur et ne peut imposer à personne de partager son sort. Il se retourne.

« Mons... monsieur Zeitschel. Ça, par exemple!

– Bonjour, madame Irène. »

Heureuse de le voir, elle se jette à son cou et l'embrasse.

Il a raconté. La prison, à Magdebourg. Elle lui a dit : « Tu es papa. » Helmut a contemplé son fils, de vingt-six mois. Très fière, Anna lui a montré la petite tache café-au-lait, qui a un peu la forme d'un écusson retourné et qu'il porte au-dessus du sein gauche, comme son père.

« Ces histoires de signes particuliers transmissibles héréditairement, j'avais toujours cru que c'étaient des légendes.

– Eh bien, tu ne pourras plus jamais dire ça. »

Ils ont laissé Karl dormir et sont allés s'asseoir devant la fenêtre de la pièce voisine. Ils se tiennent par la main, dans l'obscurité. Le ciel de Paris est plein d'étoiles. Une nuit idéale pour un raid aérien. La défense passive est sur les dents, on entend les coups de sifflets lointains.

« Depuis quand es-tu arrivé?

– Hier! ment-il.

– Tu es resté tout ce temps en prison?

– Non. »

Un silence. Anna reprend : « J'ai gardé toutes tes affaires. » Nouveau silence. Helmut demande : « As-tu été recensée comme juive? – Non. » Et puis, la grande question : « Karl, est-ce que... Est-ce que tu l'as fait circoncire? – Non. »

Helmut réfléchit. Que peut-il? Établir des faux papiers pour Anna? Par le KDS, c'est facile.

« Que fais-tu, dans la vie? » demande-t-elle.

Expliquer. Déjà! Expliquer la réalité de la prison? Expliquer la réalité de ce qui s'est passé et de ce qui en découle? C'est trop tôt. Il ne sait pas encore trop bien analyser tout cela pour lui-même, comment pourrait-il le faire partager?

« Je suis représentant. Je m'occupe de... machines agricoles fabriquées en Allemagne. »

Soudain, les sirènes. C'est l'alerte.

« Tu descends dans les caves?

– Jamais! refuse Anna en secouant farouchement la tête. Je ne veux pas être ensevelie. »

Les premières lueurs et les premières canonnades de DCA font rougeoyer le ciel. Anna va chercher Karl qui vient de se réveiller.

C'est pendant ce bombardement que le père fait la connaissance de son fils. Précisément alors que dans le ciel s'allument de courtes traînées de feu.

« La Luftwaffe! précise Helmut. On va raccompagner ces Anglais.

– On? relève Anna.

– L'Allemagne. Je suis tout de même allemand. »

Une semaine durant, Helmut est revenu tous les soirs.

Il a détruit les papiers qu'Anna lui avait conservés.

Après, ils faisaient l'amour et au petit matin il repartait pour la journée.

Anna se sent mal à l'aise. Helmut a bien changé : elle ne saurait dire en quoi, mais il a changé.

Pour Irène, c'est à cause de la prison. Elle ne peut s'empêcher de lui trouver toutes sortes d'excuses. Elle l'aimait bien, son locataire de 1939. « Il est toujours aussi beau », s'extasie-t-elle d'ailleurs ouvertement.

Il leur a demandé la plus absolue discrétion sur sa présence à

Paris. Il s'est prétendu recherché par la Gestapo. Même à Fred et à Sarah, Anna n'a rien dit. Irène a juré qu'elle se couperait la langue plutôt que de parler.

Le 1er juin est publié le texte obligeant les juifs au port de l'étoile jaune. Débordé de travail, Helmut n'a plus le temps de retourner chez Anna. Maintenant qu'il a détruit les documents qui lui appartenaient, il se sent plus tranquille et s'accorder un temps de réflexion.

Sa décision n'est toujours pas prise. Il s'est enferré dans ses mensonges depuis le premier soir. Certes, il pourrait en sortir, faire échapper Anna et Karl à toutes les recherches sur les juifs. Révéler la vérité sur ce qu'il fait.

On vient de frapper discrètement à la porte de son bureau. L'Untersturmführer Zeitschel commande d'entrer. Un petit homme rougeaud et grassouillet pénètre, presque timidement, dans la pièce.

« Entrez! Entrez monsieur Rospié. Entrez. »

Sur le bureau d'Helmut, un rapport *streng vertraulich* * concernant Charles-Ernest Rospié, inspecteur de la police française qui améliore parfois son ordinaire en collaborant avec la Gestapo.

Dans le quartier du Sentier, les nouvelles vont vite.

En une quinzaine de jours, plus de cent arrestations parmi les réfractaires au port de l'étoile jaune. Malgré un retournement d'opinion générale en faveur des juifs, les dénonciations vont bon train. On liquide de vieux passifs, anonymement. Fred et Sarah n'osent plus se montrer. Anna s'occupe de tout. Elle ne porte pas son étoile et s'est bien gardée d'aller la réclamer au commissariat de son quartier. Rue Jacob, à part Irène, qui est dans le même cas, personne ne sait qu'elle est juive. Longtemps, le nom de Helmut Zeitschel est resté sur la boîte aux lettres de l'immeuble, elle ne l'a supprimé qu'au début de sa liaison avec Nicolas et remplacé par le simple prénom d'Anne.

Cette pauvre Sarah est folle d'angoisse. Quelques épouses (voire quelques mères) du quartier, lui ont un jour ou l'autre promis « un chien de leur chienne ». C'est ce qu'elle redoute : la délation anonyme d'une femme jalouse qui penserait tardivement à se venger. Elle a fait une liste et en a trouvé trois très dangereuses. Cinq dangereuses. Une dizaine, moyennement dangereuses. Elle est inquiète d'en oublier une dans cette vingtaine de noms.

---

* Strictement confidentiel.

« Qui sont toutes ces bonnes femmes? lui a demandé Fred, l'autre jour, en trouvant sa liste oubliée sur la coiffeuse.

– Des amies!

– Et tu as besoin d'une liste?

– Oui. Je compte leur faire des propositions pour écouler mes six cents paires de bas.

– Six cents paires de bas?

– Du commerce clandestin, mon chéri. Tu permets que je vive, oui? »

Fred a haussé les épaules et n'a plus posé de questions.

« J'en oublie certainement! » répétait encore Sarah, ce matin, au sujet de sa liste.

Pour la faire enrager, Anna lui a demandé si elle avait pensé à faire aussi une liste des hommes auxquels il lui est arrivé de piquer leur femme ou leurs filles?

Sarah en est restée comme deux ronds de flan. Encore que pour deux ronds on n'a plus de flan. On n'a plus de flan du tout, même pas au marché noir. En ce début d'été 1942, il n'y a plus rien nulle part.

Sarah en était donc à réfléchir sérieusement sur l'hypothèse soulevée par Anna, lorsque Gigi, le coursier, s'est annoncé dans le bureau, bouleversé.

« On vient d'arrêter Jo Goldman, sa femme, et ses deux fils. La gestapo. Je les ai vus. Ils les ont embarqués tous les quatre dans deux voitures. Ça n'a pas duré trois minutes.

– Les Goldman? Ils portaient pourtant leur étoile?

– C'est peut-être justement pour ça! répond Gigi effondré. Ce qui est sûr, c'est qu'ils ne reviendront plus. Un camion allemand attendait et son équipe de déménageurs s'est mise aussitôt au travail. »

Sarah en était à détester ce qu'elle avait naguère adoré chez le père et les deux fils Goldman. Mais, quand même... Enfin, Rachel Goldman disparue, elle peut toujours rayer un nom sur sa liste : catégorie des « très-très-très dangereuses ».

Dimanche 29 juin. Une traction avant noire stationne devant la sortie des artistes du théâtre de l'Odéon.

Anna et Irène, avec Karl dans sa poussette, traversent la rue de Vaugirard et se dirigent vers le parc du Luxembourg en échangeant leurs impressions sur la mystérieuse disparition d'Helmut : « Pourvu qu'il ne lui soit rien arrivé! » s'inquiète Irène. « Il doit peut-être se cacher? » suppute Anna.

Sitôt après qu'un inoffensif promeneur y est monté, la traction démarre et vient se ranger près des deux femmes fort insouciantes dans leurs jolies robes blanches.

Trois hommes bondissent du véhicule.
« Police, suivez-nous! »
Une demi-minute plus tard, une poussette gît, abandonnée sur le trottoir.

Irène est attachée sur une chaise, un bâillon sur la bouche. Elle est là depuis une heure, seule dans cette pièce sombre, devant un bureau vide et quelques chaises de bois. Comme elle s'est débattue, elle a reçu une gifle, à la volée. Le sang, en séchant, a collé les cils de son œil droit. Et Anna? Et Karl?
A la station de métro Denfert-Rochereau, une autre voiture noire stationnait. Irène y a été transférée. On lui a bandé les yeux et on l'a conduite ici. Elle ne sait pas où elle est. Elle ne se souvient que des coups sur la tête.

La voiture où se trouvait Anna et Karl s'est arrêtée avenue Reille. On a arraché Karl des bras de sa mère. Un homme l'a emporté. Il criait, il pleurait. La voiture a redémarré. Anna a été conduite directement au camp de Drancy. On l'y attendait. Le colis était à l'heure.
Maintenant elle est assise sur une chaise, devant un homme qui recopie son identité sur un registre.

Karl, pleurant toujours et appelant sa mère était attendu par une jeune femme qui l'a prise dans ses bras, l'a câliné un peu, lui a promis que maman allait revenir tout de suite et lui a fait boire un verre d'eau.
Il s'est très vite endormi.
« Avec la dose qu'il a ingurgité on sera tranquilles pour un bon bout de temps! a dit la femme à l'homme qui l'assistait.
– Alors, on peut y aller? »

Derrière la porte de la pièce dans laquelle se trouve Irène, un homme attend un ordre. Un ordre qui n'en finit pas d'arriver. Enfin, une ombre vient lui dire : « Tu peux y aller.
– Tout de suite?
– Une voiture sera là dans une heure.
– C'est que... j'aurais bien fait une pâquerette à mémère!
– Comme tu veux, mais qu'elle soit prête à temps.
– D'accord! Et merci, m'sieur Rospié. »
On entre. Irène sursaute et reconnaît l'homme qui l'a frappée tout à l'heure. Il ne la regarde pas. Il ouvre un tiroir du bureau, en sort une boîte métallique. Il monte une seringue, l'emplit du liquide d'une ampoule. Lorsqu'il a fini, il s'approche, la détache de la chaise mais lui laisse les menottes aux mains et, sans un mot, la force à s'allonger, sur le ventre, par-dessus la table.

« Fais voir un peu si t'as un beau cul, toi, mémère? »

D'un coup, il déchire sa robe. Du bas, jusqu'à la taille.

Elle veut se redresser, il lui assène un coup sur la nuque qui la renvoie face contre table. Ses dents heurtent violemment le plateau, déchirant ses lèvres. Elle a du sang plein la bouche et suffoque sous le bâillon de sparadrap. Rien, elle ne peut rien faire pour échapper. Il la triture sans ménagement. De toute façon, avec les taches de sang, sa robe était fichue. Mais, pour rentrer chez elle, comment va-t-elle faire, dans la rue? Elle mettra une épingle.

Elle avale tant qu'elle peut. Son sang, sa salive et ses larmes.

L'homme l'écrase à lui rompre les os. A coups de pied dans les chevilles, il l'oblige à écarter les jambes. Elle ne veut plus avoir mal. Elle ne veut plus. Qu'il en finisse. Après, elle partira. Elle sent son souffle sur sa nuque. Elle sent des mains qui la pétrissent :

Qu'il en finisse! Qu'il en finisse donc! Mais non. Il la lâche. Il la laisse.

Elle est épuisée. Douloureuse. Incapable de bouger.

Brutalement, l'homme l'attrape à nouveau, la tire par les cheveux, la projette en arrière, sur la chaise.

« Tu m'inspirais moins que j' croyais, mémère. Mais avoue que c'était plutôt gentil de ma part, de vouloir t'offrir un dernier coup! »

Irène entend sans comprendre. Son bourreau a pris la seringue, sur la cheminée, et la lui plante dans l'épaule. L'injection est brûlante. Qu'est-ce que c'est? Pourquoi lui fait-on cette piqûre? Une affreuse chaleur la gagne, partout. C'est pour la faire parler?

Il va lui poser des questions? Sur quoi? Pourquoi?

Irène se raidit tant qu'elle peut. Se raidit plus encore. Elle voit l'homme ranger sa seringue et son aiguille dans la boîte métallique, qu'il replace dans le tiroir du bureau.

Que va-t-il lui demander? Que devra-t-elle répondre?

« Alors mémère, on se décide? »

A quoi doit-elle se décider? Que veut-il? Elle ne peut rien dire, elle ne peut pas parler. Elle n'a rien à dire. On ne lui a rien demandé.

Sa langue devient de plus en plus dure dans sa bouche. Comme si elle gonflait. A l'étouffer. Elle va étouffer. Et cette chaleur. Insupportable. Une brûlure. Partout. De plus en plus intense. De plus en plus... Et ses yeux, qui gonflent. Comme s'ils allaient exploser.

L'image de l'homme devient trouble. Elle n'y voit plus. Mais elle entend encore : « Allez, salut mémère! Bon voyage et bonjour à saint Pierre. »

L'impression de sombrer, dans un trou. Non, elle ne veut pas... Elle veut rentrer chez elle. Elle ne veut pas mourir.

# DEUXIÈME PARTIE

## *Nuit et brouillard*

Groupe 15, bâtiment 9, chambrée 3, lit 16 : Anna Abroweski, vingt-deux ans, juive polonaise, nationalité française, parents décédés. Arrêtée le 29 juin 1942. Application stricte du décret du 7 décembre 41 * alinéa 6 : « Intelligence avec l'ennemi. » Signalée par KDS de Paris.

Elle a été jetée là. Parmi soixante-quatre autres femmes. Dans ce bâtiment sinistre qu'elle n'a tout d'abord pas regardé. Elle est tombée sur la paillasse qui lui tient lieu de lit et a pleuré longtemps.

Ses compagnes ont respecté ses larmes.

Mözek. Mözek. Regarde ce qu'ils ont fait. Je voudrais mourir, Mözek. Je voudrais mourir. J'ai mal. J'ai honte. J'ai honte de n'avoir pas su protéger mon petit. Tu peux comprendre toi, dis? Ils me l'ont pris. Pris.

« Je m'appelle Éliane. Et toi? »

Anna se tourne vers la voix douce qui s'est adressée à elle. Découvre la main qui lui caresse l'épaule.

Elle ne pleure plus, maintenant. Elle n'a plus de larmes.

Éliane est brune. Assez jolie. Plutôt grande.

« Il faut essayer de manger quelque chose. Je t'ai apporté un peu de soupe! »

D'autres femmes, en blouse grise, font cercle autour de sa détresse. Jeunes ou vieilles, leurs visages reflètent une peur tragique qu'accentue leur silence. Seule Éliane sourit. Un sourire plein de gentillesse, chaleureux.

« Tiens! » dit-elle en lui tendant un quart métallique aux deux tiers rempli d'un bouillon malodorant sur lequel nagent deux ou trois bouts de légumes.

Anna n'en a guère envie : « Je n'ai pas faim. Je ne peux pas. Pardonnez-moi!

---

* Tristement célèbre sous le nom d'ordonnance *Nacht und Nebel* (nuit et brouillard).

– Mais si, mange un peu. Force-toi.

– Je ne peux pas. Non, je ne peux pas. »

Toutes ont l'air consterné.

« Tu es arrivée comme ça? Avec seulement une robe sur toi? Ils ne t'ont pas laissé le temps d'emporter tes affaires? »

Anna secoue la tête : « Ils m'ont arrêtée dans la rue. Ils... m'ont conduite ici. »

A cet instant, elle décide qu'elle ne leur parlera pas de son fils. Elle a honte, trop honte de n'avoir su le protéger. Une des femmes lui tend une blouse. « Tiens! Tu pourras mettre ça. Si tu veux me donner ta robe, je la mettrai au placard.

– Laissons-là se reposer un peu, maintenant », dit Éliane.

Le petit groupe se concerte et lui donne raison avant de se disperser en chuchotant.

Comment ne pas devenir amie avec Éliane? Elle est d'une gentillesse à toute épreuve. A la demande d'Anna, elle s'est déjà renseignée, un peu partout, pour savoir si une certaine Irène Deteau, ou Kunezow, était récemment entrée dans le camp. Jusqu'à présent son enquête n'a pas eu de résultat.

« Il ne faut pas rester inactive. Je t'ai inscrite avec moi pour une corvée de cuisine. Tu verras, il y a des petits avantages. Pas bien gros, mais c'est toujours ça. »

Anna a donc suivi Éliane aux cuisines et découvert qu'en échange d'un travail de pluches digne du bagne elle pouvait avoir un petit supplément de nourriture. Ni l'une ni l'autre n'exploite l'avantage à leur unique profit et, au retour, elles rapportent le plus possible pour leurs camarades.

Éliane paraît aimer beaucoup cette corvée de cuisine, et aucune femme dans la chambrée ne sollicite d'y aller à sa place, car toutes connaissent le secret. Dans l'équipe des hommes affectés au charroi des charges, se trouve un certain Didier.

Elle ne s'est bien sûr pas fait prier pour raconter : « Didi et moi, on se connaît de toute éternité. Il venait m'attendre à la porte de l'école des filles pour porter mon cartable. J'étais déjà à lui. On nous a arrêtés tous les deux dans la même rafle. Mais on ne le savait pas. On s'est retrouvés ici, aux cuisines, par hasard, au début du mois dernier. Il pense que si j'étais enceinte je pourrais sortir du camp. Je lui laisse croire que c'est vrai. Tu comprends, dans cet enfer, si ça lui donne un tout petit peu de bonheur, à Didi... Voilà pourquoi on s'absente, dès qu'on le peut. Mais ce n'est pas toujours bien commode. »

Ce matin-là, elles sont une centaine à gratter la peau des légumes pour éliminer la terre et arracher quelques feuilles vraiment trop pourries. L'ambiance est agitée. Survoltée. Entre deux passages des surveillants, on suppute sur des bruits de couloirs. Il paraît que de nombreuses arrivées devraient avoir lieu dans la semaine.

« Mais qu'est-ce qu'ils veulent faire de nous?

– C'est pour le travail obligatoire, en Allemagne. Ils vont nous envoyer nous taper le boulot à leur place dans les champs, dans les usines, tout ça.

– Certains sont déjà partis. »

Profitant de cette effervescence, Didier est venu s'asseoir discrètement sur le banc, près d'Éliane, et lui parle à l'oreille. A l'approche d'un surveillant, il fait semblant d'éplucher avec les autres.

Bien entendu, il est tout de suite repéré : « Alors, mademoiselle, pas trop dure cette corvée? »

Les femmes en rient. C'est bête de leur part, car elles sentent, elles savent la menace. Elles ne peuvent s'empêcher de rire : c'est tout!

Didier se lève et quitte la table. Suivi par le gardien qui le promet aux rigueurs des représailles réglementaires.

« Qu'est-ce qui va se passer? » s'inquiète Anna.

Éliane n'a pas l'air trop émue : « Ça va s'arranger. Pernod-fils, c'est un bon cheval. T'en fais pas », dit-elle.

Une des femmes se met à chanter :

« Colchiques dans les prés, fleurissent, fleurissent. »

Les autres reprennent en chœur, en contre-chant :

« Fleurissent, fleurissent. »

Pour couvrir une voix, clandestine, qui promet tout bas de vaincre ou de savoir mourir.

De retour au bâtiment, Anna et Éliane découvrent que les informations du matin étaient exactes. Des paillasses ont été distribuées, destinées à s'insérer entre les lits, pour permettre à la chambrée d'accueillir une trentaine de nouvelles, dès le lendemain 22 juillet. On ne sait que très peu de choses. Presque rien. On parle d'une grande rafle qui aurait eu lieu dans Paris. De plusieurs milliers d'hommes, femmes et enfants, qui auraient été provisoirement regroupés au Vél'd'hiv'.

Dès le lendemain matin sept heures, dans les hurlements des haut-parleurs, a commencé la ronde des cars de police. De chacun, sont débarquées sans aucun ménagement une cinquantaine de personnes hagardes, titubantes, épuisées. Les hommes portent les paquets, les valises. Les femmes ont parfois dans les bras des enfants en bas-âge. Ils sont accueillis, au sol, par les SS qui les trient à coups de crosses de fusils. Les femmes sont séparées de leurs enfants mâles sitôt que ceux-ci semblent avoir plus de six ans. Revolver au poing, des gardiens français en uniforme bleu marine jettent les ordres par aboiements furieux et se prennent sans doute pour des chiens de bergers.

Aux cuisines, les effectifs de la corvée ont été doublés.

Surveillant du groupe ou travaillent Éliane et Anna, Pernod-fils lui-même semble avoir mangé du lion. « Vite-vite-vite! Schnell! » braille-t-il d'un bout à l'autre de la travée en donnant des grands coups de matraque sur les tables pour se montrer au goût du jour de la sauvagerie. Les haut-parleurs du camp ne font pas plus de bruit.

« Il se prend pour un général SS, le père machin? » s'exclame Anna un peu fort.

Éliane lui jette un regard la suppliant de se taire.

Après une heure de pluches – aussi sommaires soient-elles – la corvée n'en peut plus et cède la place à des ardeurs plus fraîches. Une promenade est organisée, on les emmène se refaire une santé, en tournant en rond dans la cour, les mains dans le dos et en silence, sous la surveillance distante des SS impassibles, aux regards perdus vers la ligne sombre d'une Forêt-Noire lointaine.

« Toi et toi! Vous restez là! » ordonne Pernod-fils au moment de la seconde sortie, en écartant Anna et Éliane.

« Qu'est-ce qu'il nous veut? » s'inquiète Anna.

– Chut! » lui souffle Éliane.

Justement, il revient.

« Suivez-moi! »

Elles lui emboîtent docilement le pas au long d'un interminable couloir, traversent l'une des cuisines où elles sont accueillies par des sifflements de satisfaction de la part des détenus masculins qui travaillent dans cette étuve. La plupart d'entre eux, d'ailleurs, sont nus, ou pratiquement.

« Silence! Travaillez! » hurlent leurs surveillants.

Un nouveau couloir. Personne. Pernod-fils leur dit de se dépêcher. Une porte, à droite. Il ouvre. C'est un local à poubelles. Il s'en dégage une odeur insoutenable.

« Cachez-vous là. On va venir. Et bonne chance. »

Ni l'une ni l'autre n'ont le temps de rien répondre ou demander. Déjà, il a refermé la porte. A clé.

Il ne fait pas tout à fait sombre dans ce local. Une faible lumière parvient par une série de soupiraux grillagés. L'odeur, qui à leur entrée les a prises à la gorge, devient peu à peu supportable. Le plus inquiétant, ce sont les rats. Elles les entendent se régaler d'un festin d'épluchures. Bien qu'elles n'aient sur la peau que leur blouse grise, une chaleur accablante les terrasse. Pour l'instant, le bâtiment est encore à l'ombre mais quand le grand soleil de juillet viendra frapper les tôles, au-dessus de leurs têtes, si personne ne les tire d'ici, elles vont crever.

Anna ouvre largement sa blouse. Éliane lui assure qu'on va les faire sortir mais ne paraît pas en mener large non plus. En attendant, elle aussi ouvre sa blouse.

Ça fait sans doute plusieurs heures qu'elles sont là, adossées contre la porte, n'osant ni se baisser ni s'asseoir. Elles s'éventent tant qu'elles peuvent, à tour de rôle. Le soleil a tourné : c'est insupportable.

Enfin, elles entendent arriver des camions. Des camions qui s'arrêtent tandis que les portes du local s'ouvrent en grinçant.

Elles se sont cachées, le plus vite possible, derrière un amoncellement de vieux cageots. Quatre hommes entrent. Quatre détenus du camp qui se mettent à l'alignement et attendent les ordres.

Elles voient l'arrière d'un camion de la Sita s'arrêter juste devant l'ouverture sur la cour. Le moteur se tait. Un gros bonhomme en salopette bleu marine vient rejoindre la corvée. Probablement, le chauffeur de la benne. Arrive un soldat allemand, l'air débonnaire, la bretelle de son fusil sur l'épaule. Le gros l'accueille en disant : « Salut Helmut! Je t'ai apporté le truc que tu m'as demandé.

– Za, c'est chantil! » apprécie l'Allemand avant d'ordonner la mise au travail. Il assiste un moment au remplissage du premier wagonnet par les hommes de la corvée puis – certain que tout va bien – s'éloigne en compagnie du gros avec lequel il échange quelques grandes et démonstratives bourrades d'amitié.

L'un des hommes de la corvée donne alors un léger coup de sifflet entre ses dents : « Venez! Sortez! C'est le moment! »

Éliane ne se le fait pas dire deux fois et entraîne Anna par la main.

« Des femmes? » s'étonne celui qui les accueille.

Sans autre commentaire, il les fait s'installer dans le wagonnet à moitié plein d'ordures que les autres continuent de remplir, et explique : « Là-haut, il y a juste le passage, à gauche, entre la grille et la paroi. Faites vite. Bonne chance. »

A l'arrivée du wagonnet, elles ont juste le temps de s'accrocher à la paroi et de pénétrer à l'intérieur du fourgon grâce à une dent de la grille qui a été tordue pour permettre de s'y glisser.

« Par ici! Par ici! » s'entendent-elles appeler.

C'est la voix de Didier. Sans trop y voir clair, elles gagnent le fond de la benne et sont tirées, hissées, sur un rebord étroit où elles ont juste la place de poser les pieds.

Didier est accompagné d'un inconnu.

Au fur et à mesure que les wagonnets se renversent, une grille qui ressemble à une monstrueuse fourche pousse les détritus plus loin. De nouveaux détritus poussent eux-mêmes les précédents. Des poignées ont été prévues pour leur permettre de se cramponner. Les quatre fugitifs sentent les immondices se coller contre leurs jambes, leurs reins, leurs dos, leurs épaules.

Heureusement, juste au-dessus de leurs têtes, fonctionne un des trois aérateurs de sécurité. Ça ne brasse que de l'air chaud mais c'est de l'air, un peu d'air.

A l'extérieur, la corvée a interrompu le chargement.

« Vous defez en mettre blus! » crie le soldat allemand.

Ils protestent, c'est plein. Il insiste. Un nouveau wagonnet monte déverser son contenu que les dents de la grille tassent vers le fond. Un second wagonnet. Un troisième. Le volume des ordures augmente sérieusement et comprime encore plus les fugitifs. Cette fois, ils sont quasiment aplatis, le nez collé sur la paroi.

« Gut! Za va! Za va! » crie l'Allemand.

Le moteur se met en route. Le chauffeur embraye. Direction la sortie. Ça bringuebale, ça cahote, mais finalement ils sont bien calés : le volume meuble des immondices fait comme une sorte de matelas dans leur dos.

Arrêt. Sous le soleil. L'aérateur envoie son air chaud. La tôle de la benne est brûlante. L'obscurité est étouffante. L'odeur, atroce.

Ça rebringuebale.

« On est sorti du camp », apprécie Didier.

L'inconnu assure : « Il y en a pour environ dix minutes, avant d'arriver à la décharge. »

Didier explique : « Au déchargement, cramponnez-vous aux poignées. La benne va s'incliner, on sera suspendus dans le vide le temps que les ordures glissent dans le trou. Après, nous n'aurons plus qu'à attendre qu'on vienne nous tirer de là. »

La benne avance. S'arrête. Avance. S'arrête. Enfin, au cours d'une manœuvre un peu plus longue, ils comprennent que leur tour est venu. Un bruit de moteur électrique s'ajoute. Ils s'élèvent, doucement, à la renverse. Dans leur dos, ils sentent mollir la masse des immondices et entendent la chute des premiers paquets d'ordures.

« Halte! Halte! Police militaire du camp. Deux fugitifs sont cachés à l'intérieur.

– Foutus! commente sobrement l'inconnu qui est tout près d'Anna. On va se rendre! souffle-t-il encore. Les filles savent ce qu'il faut faire. Quand ils nous auront, une chance sur deux qu'il ne viennent pas visiter l'intérieur. »

Éliane éclate en sanglots. Didier la supplie de se taire. Au moment où la benne achève de se vider, les deux garçons se laissent glisser, pour une chute libre de trois ou quatre mètres. Anna et Éliane les voient se relever, mains en l'air, criant : « Ne tirez pas! On se rend! Ne tirez pas!

– Remontez par ici! Mains sur la tête! leur ordonne une voix française.

– Schnell! Schnell! s'impatiente une voix allemande.

– Non! Didier! » hurle Éliane en lâchant les poignées auxquelles elle était cramponnée.

A son tour, Éliane se reçoit, en bas, sur le matelas d'épluchures et les détritus.

« Was ist den loss? hurle la voix allemande. Achtung!

– Les mains en l'air ou je tire, crie la voix française.
– Tirez pas! Elle était avec nous! Elle était avec nous! »
Suspendue dans le vide, cramponnée aux poignées, Anna terrifiée sent ses forces l'abandonner. Ses doigts se raidissent, durcis par les crampes. Arc-boutée sur l'étroite plate-forme, il s'en faudrait d'un rien pour qu'elle glisse dans le vide.
Éliane s'est redressée mais, assise, les jambes repliées sous elle, les mains en l'air, elle ne semble pas pouvoir se relever.
« Komm hier! Schnell! Schnell! ordonne la voix allemande.
– Je ne peux pas! hurle-t-elle.
– Debout! crie la voix française.
– Je me suis cassé la jambe.
– J' m'en fous! Debout!
– Laissez-moi aller la chercher, intervient Didier.
– Ta gueule!
– Schnell fraulein! Schnell! » s'impatiente la voix allemande.
Anna, de plus en plus tendue, ne sent plus ses doigts, ni ses poignets. Elle ne saurait dire comme elle tient. Par les crampes de ses mains, uniquement. Des mains qu'elle ne peut plus ni ouvrir ni fermer, qui n'obéissent plus à sa volonté.
Deux coups de feu claquent.
Un pied d'Anna glisse dans le vide. Une de ses chaussures se détache et tombe, tout près d'Éliane. D'Éliane inclinée, buste en avant. Les salauds! Ils ont tiré. Ils l'ont tuée. Les salauds!
Anna n'en peut plus. Elle est au bord de l'évanouissement. Elle va lâcher. Elle va tomber. Il n'y a pas eu de réaction, après la chute de sa chaussure, elle aurait peut-être encore une chance de s'en tirer, mais elle va tomber.
Éliane vient de bouger, d'essayer de se redresser. Ils n'ont pas tiré sur elle. Simplement à côté.
« Je peux pas! hurle-t-elle. J'ai trop mal. Trop...
– Va la chercher! ordonne la voix française.
– Schnell! Schnell! » s'impatiente la voix allemande.
Anna ramène précautionneusement sa jambe sous elle, jusqu'à la plaque métallique de la plate-forme. Son pied parvient à se raccrocher, juste sur le rebord. Ses doigts mollissent. Elle ne peut rien faire. Sa volonté est impuissante. Elle va tomber. Elle va tomber sur Éliane. C'est inévitable. Inévitable.
« Schnell! Schnell! » hurle toujours l'Allemand.
Anna ferme les yeux. Son sang bat à ses tempes. Sa gorge est sèche et l'empêche de crier pour annoncer son arrivée. Crier. Ne pas tomber sur Éliane. La prévenir. Crier.
« Grouille! Grouille! Grouille un peu! Ramène-la! » vocifère la voix française.
De plus en plus gagnée par le vertige, la vision qu'elle a d'Éliane, assise au-dessous d'elle, se trouble, se met à tourner, devient toute rouge, puis toute noire.
« Schnell! Schnell! So fort! »

Un bruit. Le moteur électrique, qui vient de se remettre en marche.

« Loss! Loss! entend-elle encore. So fort! So fort! »

Une secousse. Très forte. La sensation de devenir plus légère. Puis, la chute. L'inévitable chute.

Le choc de son corps, sur quelque chose de dur. L'impression fugitive de s'être disloquée. Elle voudrait s'excuser d'être tombée. Tombée.

***

Une Peugeot 201 noire, équipée de deux volumineuses bouteilles fixées sur le toit qui lui permettent de rouler au gaz de charbon de bois.

Côte à côte sur la banquette avant, deux hommes. Ils sont d'âges différents : on pourrait les prendre pour le père et le fils. C'est le plus vieux qui conduit. A l'entrée d'une petite rue charmante bordée de tilleuls il s'arrête devant un pavillon :

« Voilà, c'est ici. Vous avez bien pris note du trajet, mon lieutenant? Vous saurez vous retrouver?

– Je saurai. C'est tout droit depuis la gare de Colombes. »

Une femme qui les guettait derrière sa fenêtre vient à leur rencontre. Plutôt jeune. Les cheveux teints, dans le genre fausse rousse. Elle leur ouvre la porte du jardin.

On remarque immédiatement ses yeux, bien dessinés, avec de très longs cils, qui lui donnent un air vaguement insolent et joyeux.

« Je vous présente ma fille, Odette, dit le chauffeur.

– Enchanté! » lâche son compagnon d'un ton indifférent.

La jeune femme prend en charge le visiteur, tandis que son père se dirige vers le garage.

« Vous voulez peut-être le voir tout de suite?

– C'est possible?

– Il dort, mais je peux aller le réveiller.

– Ne vous donnez pas cette peine. Indiquez-moi seulement le chemin. »

Elle se détourne, gracieuse, avec un sourire charmant, et l'invite à la suivre, grimpant devant lui quelques marches d'un petit perron. Elle est bien peu vêtue sous la robe rose de cotonnade légère qui souligne chacune des formes de son corps. C'est ce qu'on appelle une belle femme.

Dans la cuisine, un homme assis à la table lit un journal et écoute la radio. A l'arrivée du visiteur, il se lève.

« Jacques Lambert, mon mari, s'empresse de présenter la jeune femme. Si vous voulez venir, c'est au premier étage. »

Le visiteur la suit. Elle lui sourit, l'entraîne vers un escalier de bois ciré. Elle ondule en montant les marches. Son corps a les épanouissements de sa trentaine d'années, peut-être un peu plus.

Parvenue sur le palier, elle chuchote :

« Il y a longtemps que vous ne l'avez pas vu?

– Un peu plus d'un mois.

– Il vaudrait quand même mieux que ce soit moi qui le réveille. Il risque d'avoir peur. Il s'est bien habitué à moi, depuis quinze jours.

– Soit! Vous avez sûrement raison. »

Alors, elle pousse une porte et le fait entrer dans une chambre. Une jolie pièce, baignée de pénombre, dans laquelle dort un petit garçon de deux ans et demi, qu'elle tire doucement de son sommeil, qui s'éveille en pleurnichant un peu : « Regarde mon bébé, c'est ton papa. »

Le petit garçon lève les yeux sur l'homme, au pied de son lit, hésite, éclate en sanglots : « Ma-ma-man. »

Sans mouvement brusque, son père s'approche et le prend dans ses bras : « Mon chéri? Tu me reconnais, dis? Tu reconnais papa?

– Man-man? » demande le petit garçon en pleurant.

Son père le serre tout contre lui : « Elle reviendra mon chéri. Elle reviendra. Je te promets. Elle va venir.

– De-main? hoquète le bambin.

– Oui. Demain.

– Man-man. Veux man-man. Veux man-man. »

Et, dans ses larmes, c'est vers la jeune femme qu'il tend ses bras Vers la jeune femme qui lui sourit, d'un peu plus loin, tandis que Helmut Zeitschel serre tendrement son fils entre ses bras : « Karl! Karl! Mein Söhn » lui murmure-t-il, à l'oreille.

En vertu de la délégation de pouvoirs dont il est investi par le KDS de Paris, l'Untersturmführer SS Zeitschel ne cache pas son mécontentement à son supérieur hiérarchique : le chef de bataillon de la Wehrmacht qui était chargé du commandement de l'équipe allemande d'encadrement de la police française pour l'opération des 16 et 17 juillet derniers.

« Nous avions prévu 27 000 arrestations. Les statistiques de la préfecture de police française et les nôtres sont concordantes, à quelques centaines près. Nous arrivons péniblement à 14 000 interpellations. Et encore, en ajoutant les enfants. Les services de la question juive sont furieux. Le général Oberg exige une information, immédiate et précise, sur les juifs que des policiers français auraient volontairement laissé échapper, et l'Obersturmbannführer Lischka demande que vous nous remettiez, avant deux jours, un rapport détaillé sur cette opération et son insuccès. Quarante-huit heures. Pas une de plus. »

Sur ces derniers mots, Helmut s'est levé. « Heil Hitler! »

L'entretien est terminé. « Heil Hitler! » répond le commandant de la Wehrmacht avant de se détourner pour sortir.

« Quarante-huit heures, Herr Kommandant! lui rappelle une dernière fois l'Untersturmführer SS avant qu'il franchisse la porte de son bureau.

– Ja! » grommelle le Kommandantkorps, sans se retourner.

De sa poche, Helmut tire un papier et relit les indications suivantes : « Groupe 15, bâtiment 9, chambrée 3, lit 16 : Anna Abroweski, vingt-deux ans, origine polonaise, nationalité française, parents décédés. Arrêtée le 29 juin 1942. Application stricte du décret du 7 décembre 41, alinéa 6, *Intelligence avec l'ennemi* », signalée par KDS de Paris. »

Karl a besoin de sa mère. Il la réclame...

Faire sortir Anna de Drancy? Compte tenu de sa position, non seulement il le peut mais personne ne viendra lui réclamer de rendre des comptes. Elle a été internée sur dénonciation anonyme, et ne saura jamais à qui elle doit d'être passé par là. Donc, s'il la fait libérer, placé dans la situation de lui dire qui il est, il pourra aussi bien lui expliquer qu'il joue un double jeu dans l'organisation nazie. Qu'il est resté, comme jadis son père, un opposant à Hitler, mais qu'il a choisi de mener le combat depuis l'intérieur. Il saura bien la convaincre. Elle ignore tout de ce qui s'est passé vraiment, depuis leur séparation. Elle ne pourra que le croire demeuré fidèle à ses idées d'avant la guerre : même sous cet uniforme. Aller la chercher à Drancy? S'il doit le faire, alors il faut faire vite!

Zeitschel ouvre un dossier. Aucun convoi de juifs en partance pour l'Allemagne n'est prévu avant six jours. A condition de trouver les wagons nécessaires. Les instructions de déportation par catégories mentionnent : 1 324 Roumains, 98 Bulgares, 1 064 Grecs. Mais – aussi – 1 569 personnes sans distinction d'origine ni de nationalité. Ce qui est le plus à craindre, pour elle, ce sont les conséquences de l'alinéa 6. En cas d'incident, c'est d'abord dans cette catégorie qu'on choisit les otages. Là, il n'y aurait plus rien à faire : lui-même ne pourrait rien contre une désignation par le commandant du camp. Sans doute s'est-il trop pressé pour remplir le formulaire d'internement. Il a perdu de vue les conséquences de l'alinéa 6.

Autour d'elle, tout est obscurité. Il règne une odeur de pourriture. Une sensation d'étouffement la tient à la gorge. C'est à hurler. A peine lui reste-t-il un tout petit filet de voix pour un léger cri, brisé.

Dans l'instant qui fait suite, Anna entend remuer non loin d'elle. Puis, le jaillissement lumineux d'une ampoule qui pendouille dans ce lieu sordide. Un homme, en bleu de chauffe, assez vieux, se frotte les yeux et la regarde.

« J' m'excuse. Vous voir dormir, j'ai dormi aussi! dit-il en se levant pour se servir un verre de vin.

– Où...? Où...? Où?... répète-t-elle trois fois sans parvenir à articuler la suite.

– Vous êtes en sécurité. Vous en faites pas. Les boches viendront pas vous chercher ici.

– Mais, où...? où...?

– On vous a trouvée évanouie dans la benne et je vous cache. Demain matin, à six heures, on viendra vous chercher. Ce sera fini. Pour les autres, on a tout vu et rien pu faire.

– Qui doit venir me chercher?

– Qui? Qui? Comme si vous saviez pas! »

Non, elle ne sait pas. Elle ne sait rien. Elle voudrait savoir. Elle voudrait comprendre. Sa hanche. Que sa hanche lui fait mal. Bouger lui arrache un cri de douleur.

« Bougez pas, m'dame! C'est presque rien! Seulement des contusions. Vous avez fait une sacrée chute. »

Elle se souvient, tout à coup. Sa chute. Oui, Elle est tombée. Dans la benne. Elle se souvient.

« Vous en faites pas, vous avez marché tout à l'heure, appuyée sur nous. Vous avez rien d' cassé. »

L'odeur. Insoutenable, cette odeur, Est-ce elle qui sent cette odeur? Elle est toute gluante. Toute poisseuse... Quel état! Elle s'aperçoit que sa blouse est troussée jusqu'en haut de ses cuisses. Elle tire dessus pour cacher un peu ses jambes et ça lui donne l'impression d'être collée sur les planches où elle est allongée.

« Vous voulez vous débarbouiller un peu?

– Oh oui! »

Sur la table, l'homme dépose une cuvette. La remplit d'un broc d'eau. Puis, il sort un tout petit morceau de savon et une serviette aussi douteuse que son bleu de chauffe.

Anna se lève. La douleur de sa hanche lui arrache un nouveau cri. Elle se traîne jusqu'à la table et s'y cramponne. L'homme la regarde déboutonner sa blouse sans penser à se tourner. Elle hésite. Il ne comprend pas. Elle ne veut pas le lui demander, pour ne pas le vexer. Elle enlève donc sa blouse. Sa combinaison est dans un état lamentable. Les taches ne sont rien, c'est surtout l'odeur. L'homme ne se tourne toujours pas. Il a de petits yeux porcins. Il fait celui qui ne comprend pas. Tant pis, elle ne peut pas garder sur elle cette ignoble combinaison. En la voyant surgir, torse nu, il cligne des yeux. Elle plonge ses mains dans l'eau. Tout se met à tourner.

Elle reprend conscience dans une petite pièce carrelée de faïence blanche, allongée sur un chariot.

« Eh bien, ça y est? On revient? » lui sourit une des deux bonnes sœurs qui s'activent autour d'elle.

« Puisqu'on va vous passer à la désinfection complète, annonce l'autre sans sourire, on va en profiter pour vous changer un peu de tête, ma fille. Vous serez moins reconnaissable, avec des cheveux courts. »

***

Avant d'intervenir, avant de faire sortir Anna du camp de Drancy, Helmut Zeitschel voudrait être sûr de ce qu'il pourra faire pour elle.

S'il n'y a que deux mois qu'il est au KDS, l'Untersturmführer n'en a pas moins – déjà – ses documents secrets. Classés inaccessibles, sinon pour lui-même. Il sort la fiche signalétique d'une certaine Jacqueline Mornet. Arrêtée par la police française, le mercredi 25 juin, pour trafic de cartes d'alimentation provenant de l'attaque de la mairie de Joinville par les FTP, le dimanche 22 juin. Le dossier lui est parvenu par la voie hiérarchique. Comme il voit tout en premier, il l'a intercepté. Uniquement à cause de la photographie de Jacqueline Mornet. Il l'a trouvée à son goût. Fraü Doktor la lui garde au secret dans une cave. Il n'a pas encore eu le temps d'aller s'en occuper. Vingt-deux ans, mère d'un petit garçon de l'âge de Karl, né, lui aussi, de père inconnu, Jacqueline Mornet pourrait devenir le nom de la femme ayant eu un fils du jeune Helmut Zeitschel. Il suffirait de glisser Anna dans cette identité. Karl deviendrait Norbert Mornet. Le tour serait joué après avoir liquidé Jacqueline et son bâtard. Pas de famille. Peu d'amis. Un simple petit nettoyage de sécurité suffirait. Nuit et brouillard par là-dessus.

Et en plus, il peut faire disparaître Jacqueline et Norbert Mornet sous les identités d'Anna et Karl Abroweski...

Il faut qu'il réfléchisse.

Quand on a sonné, Odette s'est abstenue de répondre.

Elle est sortie par-derrière, a fait le tour par le jardin, et ne s'est manifestée qu'après avoir reconnu son visiteur. Maintenant, elle est assise dans la cuisine, agitée de tremblements nerveux, pâle dans sa longue chemise de nuit blanche à petites fleurs roses.

« Je voulais voir mon fils, s'excuse Helmut.

– Quelle peur vous m'avez faite!

– Allons, remettez-vous. »

Puis, il se fait soupçonneux : « Auriez-vous des raisons de redouter quelque chose?

– On a tout à craindre, de nos jours. Vous le savez bien.

– La police allemande n'arrête personne pendant la nuit.

– Qu'est-ce que j'en sais, moi? Mon mari n'est pas là. Je suis seule avec votre fils et on vient frapper à ma porte passé minuit. Vous trouvez ça normal?

– Je suis désolé! assure Helmut en lui tapotant la main. La prochaine fois, je vous ferai téléphoner... Je voudrais savoir, mademoiselle Rospié. Mais, je devrais vous appeler madame. Madame, comment?

– Je m'appelle toujours Rospié. Je ne suis pas mariée avec Jacques Lambert. Nous vivons ensemble, c'est tout.

– Très bien! Je voudrais savoir si... si mon fils vous parle souvent de sa mère?

– Sans cesse. Évidemment. Un petit garçon de son âge qui a toujours vécu avec sa maman n'accepte pas d'en être séparé. Et trois semaines loin d'elle ne suffisent pas à la faire oublier.

– Est-ce qu'il pleure encore?

– Moins. Je l'emmène au square Ambroise-Paré, tout proche. Il s'est déjà fait quelques petits amis. Nous nous entendons bien, ça l'aide! »

Helmut s'est tu. Il arpente la cuisine, les mains dans le dos, méditatif.

« Vous n'allez tout de même pas réveiller Charles à cette heure-ci?.

– Charles? ».

Elle se trouble soudain : « Pardonnez-moi! Je l'appelle ainsi pour faciliter le contact avec les autres enfants du square. C'est moins provocant, et plus sûr. Lui-même dit Karl parce qu'il n'arrive pas encore à bien prononcer les sons mouillés.

– Vous avez raison. Je n'avais pas songé à ce détail. Charles... Après tout, pourquoi pas? »

Odette Rospié se lève de sa chaise et s'approche de l'évier pour se servir un verre d'eau. La fine cotonnade de sa chemise de nuit dessine les formes pleines de son corps.

« Je vais vous laisser, mademoiselle.

– Vous ne voulez pas voir votre fils?

– Non! Mieux vaut qu'il dorme. Il se pourrait... que je sois en mesure de vous amener sa mère, d'ici quelques jours.

– La mère de Ch... Karl?

– Ne lui en parlez pas. Rien n'est encore sûr. Je voulais seulement vous demander si vous accepteriez de la prendre en pension, elle aussi?

– Elle...? Bien sûr, elle peut venir.

– Pour vos frais, ne vous inquiétez pas!

– Elle sera la bienvenue. La maison est grande. Elle pourra s'installer près de son fils, ou dans la chambre à côté, comme il lui plaira.

– Je vous remercie mademoiselle. Votre... votre mari... n'y verra pas d'inconvénient?

– Mais non!

– A propos, que fait-il dans la vie?

– Inspecteur d'arrondissement, à Paris. Il est policier. Quand pensez-vous amener la maman de karl?

– Je ne sais pas encore. Prochainement sans doute. »

Helmut consulte sa montre : « Il faut que je m'en aille, maintenant. »

Elle est restée appuyée contre le bac de l'évier. La cuisine n'est éclairée que par une grosse lampe à pétrole. Un éclairage suffisant pour être indiscret. Les seins d'Odette se soulèvent au rythme de sa respiration.

« Bon retour », dit-elle.

Fasciné par cette poitrine qui gonfle le léger tissu de la chemise de nuit et se dessine par transparence, Helmut prend la main tendue vers lui. Une main toute gelée.

« Qu'avez-vous? Vous vous sentez mal? Vous êtes glacée.

– Ce n'est rien. C'est... une... petite réaction à l'émotion que vous m'avez f... »

Un spasme nerveux lui interdit de reprendre sa respiration. Les doigts crispés sur le rebord de l'évier elle est toute contractée, tremblante.

Helmut se saisit d'un torchon, le passe sous le robinet d'eau froide.

Quelques gifles du chiffon mouillé lui cinglent le visage. Elle semble se reprendre.

« Vous allez mieux? »

Elle s'efforce de sourire. Difficilement.

« Ça va! dit-elle. Ça... »

De nouveau elle suffoque, elle étouffe, elle oscille, et comme abandonnée de ses forces s'amollit doucement...

Helmut la rattrape de justesse dans ses bras, l'enlève et l'allonge sur la table.

Odette n'est pas évanouie. Elle s'agrippe à ses épaules. Un long moment, ils demeurent ainsi. Immobiles, les yeux dans les yeux. Imperceptiblement, elle fait non de la tête, comme sous l'effet d'une sensation qui la déchire, qui l'épouvante. Le mouvement de sa tête s'accélère, obstinément. Helmut lui prend le cou entre ses mains. Elle est terrifiée. Les doigts se serrent autour de sa gorge. Elle tente de se débattre. Il l'étrangle un peu plus fort. Elle ne proteste plus. Renonce. S'abandonne. Violemment il arrache sa chemise qui se déchire jusqu'à la taille. Elle se cambre, lui offre ses seins. Il approche ses mains. Elle ferme les yeux. Sa chemise de nuit se déchire jusqu'en bas. Elle est nue. Complètement. Sous le regard de cet homme. Elle n'a pas peur. Son cœur bat vite et très fort pour une sorte de désir qu'elle n'a jamais connu...

En trois jours, sous l'effet des sédatifs et des soins, Anna a surmonté le choc de son évasion. Ne restent que le souvenir de ses angoisses et, sur sa hanche droite, la douleur bleuissante d'un hématome.

En fin de matinée on lui a apporté des vêtements et précisé de se tenir prête pour dix-huit heures.

Il est à peine seize heures. Assise sur son lit, dans cette chambre d'hôpital, elle est déjà habillée. Une petite robe légère en tissu imprimé, un gilet en fibre et une paire de chaussures à semelles de bois, la grande mode de cet été 1942.

Que va-t-elle faire? Comment va-t-elle vivre? Et son fils, le retrouvera-t-elle? Et Irène? Helmut s'est-il fait prendre par la Gestapo? Profitant de la pause du déjeuner, elle s'est glissée dans le couloir. Jusqu'au bureau des infirmières. Personne. Elle a appelé Sarah. Difficile conversation. Elle a pu dire d'où elle venait. Pas où elle allait. Pour l'essentiel, aucune nouvelle d'Irène ni de Karl. Sarah retournera voir rue Jacob. Communication interrompue par l'arrivée d'un intrus dans le couloir.

Mözek. Mözek, qu'ont-ils pu faire de... mon bébé?

Anna se lève, marche jusqu'au lavabo, revient vers son lit, retourne sur ses pas. Les questions se bousculent sous son crâne. Karl, Karl... Mözek, qu'en ont-ils fait? Le reverrai-je?

Avec une paire de ciseaux et un fer à friser sœur Marie-Agnès a fait un miracle. Comme son Christ. Le jour où elle n'aura plus la vocation, elle pourra toujours aller travailler dans les salons de coiffure parisiens. Les cheveux courts lui donnent quand même un drôle d'air. Karl ne la reconnaîtra pas, il...

Les larmes lui viennent d'un coup, débordent de ses yeux.

Soudain, la porte s'ouvre, Anna sursaute.

Sur le seuil, un inconnu en blouse blanche le visage angoissé. Il se passe quelque chose d'anormal.

« Venez, Anna! Vite! Les Allemands sont dans la cour de l'hôpital. »

Ils courent. Des enfilades de couloirs. Une descente d'escalier de deux étages. La traversée d'une immense cuisine, sous l'œil ébahi des cuistots qui préparent le repas du soir. Un nouvel escalier. Une porte en fer. Anna est épuisée.

« Arrêtez, monsieur. J'en peux plus » gémit-elle.

Il ouvre la porte en fer avec une clé de son trousseau et la referme soigneusement derrière eux. Ils sont dans un couloir de cave, chichement éclairé par des lanternes électriques décorées de toiles d'araignées.

Appuyé, le dos contre la porte, l'inconnu reprend son souffle lui aussi : « Le médecin qui vous soignait a été arrêté, explique-t-il. Aussitôt après, les boches ont débarqué dans le service. Deux internes ont été emmenés séance tenante. L'infirmière chef également. Quand j'ai compris qu'ils cherchaient les juifs et les malades en situation irrégulière j'ai prévenu Marie que je vous prenais en charge. Ici on est à l'abri, mais il serait plus prudent de filer. » Tout en parlant, il a ôté sa blouse blanche de l'Assistance publique. « Je m'appelle Roger, précise-t-il.

– Et où allons-nous?
– Nous balader dans les égouts. »
Après son aventure dans les poubelles, elle ne s'y sentira pas trop dépaysée.

***

Faire sortir Anna de Drancy. La décision n'est pas facile à prendre. Indépendamment de toute considération personnelle, Helmut Zeitschel doit s'assurer de complicités sûres. Évidemment, il a pensé à Charles-Ernest Rospié.

Il tient l'inspecteur français dans le creux de sa main, et sa fille sert de caution à sa loyauté. Sa fille...

La situation a brusquement évolué, la veille, avec Odette Rospié. Sans doute, son couple avec Jacques Lambert est-il en survie d'habitude? Elle se sentait disponible et n'a pas caché sa vulnérabilité. Peut-être a-t-elle voulu le dissuader de ramener la mère de Karl? Qui sait si elle ne s'est pas déjà attachée à ce gamin au point de souhaiter le garder pour elle? Il n 'y aurait rien là de si étonnant chez une femme de son âge n'ayant pas d'enfant.

Il va tout de même sortir Anna de Drancy. Dès que possible, il l'expédiera en Suisse, ou en Espagne, avec Karl. Là-bas, au moins, ils seront tranquilles.

Maintenant qu'elle est là, devant lui, il se dit qu'il n'aurait pas dû venir la voir. Fascinée par son uniforme noir, elle ouvre de grands yeux terrifiés.

Elle est assise sur une chaise. Elle attend.

Il a fait apporter un projecteur et l'a fait se placer en pleine lumière, pour mieux la regarder. Bien qu'éprouvée par les conditions de sa détention et peu avantagée par la blouse grise qu'elle porte, sa photographie ne mentait pas. Elle est jolie.

« Vous faites partie d'une organisation de francs-tireurs, n'est-ce pas, mademoiselle Mornet?

– Non! »

Elle répondrait oui que ça ne changerait rien. Il n'est pas venu pour ça. Les francs-tireurs de Joinville sont actuellement la dernière de ses préoccupations. Un prétexte. Rien de plus. Il est venu uniquement vérifier ses impressions. Voir de ses yeux cette jeune femme. Il est fixé, maintenant.

« Levez-vous et marchez jusqu'à la porte. »

Elle s'exécute, docilement.

L'essentiel du souvenir qu'on gardera d'elle dans les années qui viennent : celui d'une fille brune d'un peu plus de vingt ans. Jolie. Bien faite. Dans ses grandes lignes, le portrait d'Anna.

« Très bien! Revenez vers moi. »

Elle obéit. S'approche. S'arrête à un mètre.

« Déshabillez-vous. »

Elle hésite.

Helmut répète : « Déshabillez-vous. Complètement. »

Pour déboutonner sa blouse, elle se détourne.

« Dépêchez-vous, mademoiselle! Et faites-moi face, je vous prie. »

Gênée, tortillant sa blouse, elle obéit.

Il la fait se tourner, se retourner, l'examine attentivement et ne relève qu'une seule trace notable : la cicatrice d'une appendicite.

« Quand vous a-t-on fait ça?

– Il y a deux ans.

– Très bien. Vous pouvez vous rhabiller. Où avez-vous été opérée?

– A l'hôpital Cochin.

– Sous quel nom? »

Elle plisse le front, visiblement surprise par cette question.

« Je sais que vous viviez à l'époque avec le père de votre enfant. Les femmes françaises ont cette réputation d'emprunter le nom de leur amant quand elles ne sont pas mariées.

– J'ai toujours gardé mon nom. »

Donc il existe un dossier Mornet dans cet hôpital. Il le fera récupérer.

« Et comment se nomme le chirurgien qui vous a opérée? »

La jeune femme se trouble, hésite.

« Alors, son nom?

– Rou... Rougier. Le docteur Rougier.

– Rougier? N'avez-vous pas déclaré lors d'un interrogatoire que c'était lui le père de votre enfant? Vous affirmiez ne pas savoir où il travaille?

– Il n'est plus dans cet hôpital depuis au moins un an et j'ignore où il est allé. Nous sommes séparés. Son enfant ne l'intéresse pas!

– Bien. Ce sera tout pour aujourd'hui. »

Jacqueline Mornet s'est rassise sur son lit.

« Mon fils? demande-t-elle craintivement.

– Frau Doktor va vous le ramener. »

Comme Helmut Zeitschel quitte la cellule, Fritz Mühler, l'aspirant officier qui est son adjoint lui apporte un message urgent : « *Impossible prendre livraison. REC.* »

REC : le nom de code de Rospié Ernest-Charles. Que signifie cet « impossible »?

***

Après leur fuite par les égouts, ils se sont réfugiés dans cette chambre et n'en sont plus ressortis depuis six jours.

Ils attendent faux papiers et instructions.

La planque est inconfortable. Ni eau ni électricité. Pas de cabinet de toilette. Un seau hygiénique presque plein. Un broc d'eau presque vide. Ils s'arrangent au mieux en se détournant l'un de l'autre pour les besoins indispensables.

Ils dorment, mangent ce qu'on leur apporte, pour tromper le temps, ils parlent. A force de parler, Anna a l'impression de tout connaître de Roger. Trente-quatre ans, ingénieur, son boulot de brancardier à l'Hôtel-Dieu est une couverture qui lui permet d'avoir l'Ausweis spécial de nuit. Une grande gentillesse ressort de ses propos, de ses souvenirs sur son enfance, ses copains, ses anciennes petites amies, ses vieux camarades des Arts et Métiers... Il est franc-tireur. Elle ne savait pas vraiment bien ce que c'était et se l'est fait expliquer.

De son côté, elle a raconté Mözek, Karl, Helmut, Sarah, Irène, Coline, Nicolas... Roger pose beaucoup de questions. Il revient sans cesse sur les détails, réclame des précisions. Une insistance étonnante parfois.

A propos des francs-tireurs, au début elle le soupçonnait d'être un peu vantard. Au fur et à mesure de ses confidences, elle a compris que non. Surtout lorsqu'il a évoqué ses peurs. Sa simplicité pour en parler conférait une sorte de noblesse à l'aveu de ses faiblesses d'homme qui a choisi de dominer ses possibles défaillances pour porter ses coups à l'ennemi. Plus que ses exploits, lui importaient les grandes ou petites victoires issues des mille et une luttes secrètement menées contre lui-même dans les heures de l'action.

« Ton Allemand... Tu me disais bien que... »

Il recommence! Depuis qu'elle lui a parlé d'Helmut pour la première fois, Roger est obnubilé par l'idée que celui-ci ait pu retourner sa veste et devenir nazi. Après tout, il a peut-être raison? Qu'est-ce qu'elle y peut, elle? Reconnaître, une fois de plus, qu'elle a trouvé bizarre de ne l'avoir pas revu après qu'il eut fini de détruire ses papiers personnels de jeunesse? Ça n'apporte rien de concret. En tout cas, ce n'est pas une preuve qu'il soit devenu nazi. Il disait qu'il était recherché par la Gestapo. Irène aussi peut avoir raison de redouter qu'il ait été pris?

Elle n'a pas écouté ce que disait Roger qui a continué de raisonner à haute voix et vient de poser une question qu'elle n'a pas plus compris. La réponse sera donc la même que d'habitude : « Je suis comme toi, mon vieux! Je peux tout supposer sans être sûre de rien. Je n'ai ni indice, ni preuve...

– Moi non plus, je n'ai pas de preuve et c'est justement le problème. Parce que si ça se trouve tu travailles pour lui. Qui me dit qu'il ne t'a pas fait entrer à Drancy pour infiltrer la résistance intérieure dans le camp et...

– Assez! hurle-t-elle. Ça suffit! »

La soudaineté, la violence de sa réaction les laissent tous deux stupéfaits.

Elle n'aurait pas dû crier. Et si quelqu'un du voisinage avait entendu? Elle en tombe assise sur le rebord du lit.

Pour économiser la fraîcheur de leurs habits en prévision du départ, ils vivent en sous-vêtements. Elle n'a sur elle qu'une petite culotte de jersey et une combinaison rose en indémaillable. Une suée brutale vient de l'en déshabiller.

Ils écoutent le silence. Aucune porte ne s'est ouverte sur le palier. Aucune voix n'a réagi à son cri, ni dans la cour, ni par les fenêtres ouvertes à cause de la chaleur de ce 1er août. Les coups de marteau n'ont pas cessé : probablement certains voisins qui arrangent leurs fenêtres aux carreaux éclatés par le bombardement de la veille.

Roger est assis sur le fauteuil délabré. Avachi. Écrasé de chaleur lui aussi. Il lui en a dit des choses, depuis six jours. De toute évidence, certaines qu'elle n'avait pas besoin de savoir : un peu comme si – parfois – ça lui échappait. Ces imprudences de langage vont assez mal avec le personnage.

« Je ne t'en veux pas! Je comprends! souffle-t-elle.

– Qu'est-ce que tu comprends?

– Que tu veuilles savoir qui je suis. D'où je viens. Tu m'as fait beaucoup de confidences. C'est normal que tu sois inquiet. Mais tu vois, je m'en fous, moi, de toutes ces histoires. Je ne veux qu'une seule chose : retrouver mon fils. Tu entends, retrouver mon fils! C'est tout! Le retrouver, s'ils... »

Elle vient d'évoquer Karl d'une façon trop subite. Trop aiguë. Ça lui fait mal. Ça lui tord le ventre. Elle se jette aux genoux de Roger, le corps secoué de sanglots.

« Ils l'ont tué. Ils l'ont tué! »

Roger lui caresse doucement les cheveux.

« Ne dis pas cela. C'est stupide. Il faut garder espoir. »

Il a raison. Elle ne doit pas penser, ni à cela, ni comme ça! Ne plus penser!

Elle redresse le buste, essuie ses larmes. Ne plus penser! N'importe quoi pour ne plus penser.

Elle est à genoux, devant un homme. Un homme vers la poitrine duquel elle tend la main.

Il en frissonne. Helmut aussi frissonnait, quand elle lui faisait ses doigts magiques.

Roger a fermé les yeux et renversé la tête sur le dossier du fauteuil. Elle fait courir ses doigts, ils glissent doucement vers le ventre, qui se tend, et qui vibre, et qui bouge, et qui s'impatiente. Le désir d'un homme n'est pas si redoutable. Il manque un peu de mystère dans sa franchise. Il est émouvant, il exprime si simplement sa reconnaissance à l'autre destinée. Autre, qui est elle. C'est rassurant, de ce fait, comme la preuve absolue d'exister.

***

Anna évadée de Drancy? Incroyable! Quand Dannecker va apprendre qu'il y a eu une évasion le commandant du camp sera bon pour aller reprendre sa formation sur le front russe.

Anna évadée. Autant ne pas se leurrer.

Sans utiliser les moyens à sa disposition, les chances de la retrouver sont quasiment nulles et le remède risquerait d'être pire que le mal.

Karl et sa mère, séparés. Certainement, à jamais. Par sa faute. Sans doute a-t-il hésité trop longtemps. Le ciel aura donc finalement décidé à sa place. Cela changera-t-il quelque chose pour Jacqueline et Norbert Mornet? C'est à voir. Il va y réfléchir.

Et puis, il y a ce docteur Marc Rougier, arrivé de l'après-midi... Celui-là, au moins, il va dire ce qu'il sait sur les FTP de Joinville.

« Allô! Mühler? Avez-vous mis mon invité au régime?

– Ja ja! Vous pourrez le voir d'ici quarante-huit heures. »

Deux jours de harengs salés absorbés de gré ou de force sans une goutte d'eau à boire : c'est la mise en condition préalable aux interrogatoires maison. Une méthode inventée par l'ex-Sturmbannführer Lischka au temps où il interrogeait lui-même. Ceux qui, à la suite de cela, tentent de boire leur urine, Frau Doktor les fait attacher.

Marc Rougier n'est pas encore attaché. Signe qu'il a du caractère.

Non sans amusement, Helmut découvre que Fritz Mühler et Fräu Doktor Lipman avaient raison d'affirmer que ce docteur Rougier lui ressemble. Sans aller jusqu'à prétendre qu'ils auraient pu sortir du ventre de la même mère ni qu'ils soient de parfaits sosies, ils ont assurément un grand nombre de points communs.

Pour ce qui est des confidences, l'invité n'est pas loquace.

Au terme d'un quart d'heure, il finit néanmoins par reconnaître qu'il voit toujours Jacqueline Mornet.

« A titre privé ou dans le cadre des activités des FTP? »

Rougier retourne à son mutisme. Aucune importance. L'Untersturmführer Zeitschel n'est pas pressé : « Je comprends, ironise-t-il, c'est une réponse grave. Je vous laisse la méditer. En attendant, je ne modifierai pas votre régime alimentaire, cher docteur. J'y ajouterai simplement quelques piqûres de sérum physiologique, à la discrétion de Frau Doktor Lipman. Vous êtes médecin, et vous saurez apprécier, j'espère, notre volonté de ne pas affecter trop vite votre santé! »

Marc Rougier comprend surtout que la torture de la soif n'est pas prête de s'arrêter.

Silencieux durant quelques instants, Helmut songe aux fascinations de son étrange pouvoir de bourreau. Il ne veut personnellement aucun mal à cet homme. Cette misérable affaire des FTP de Joinville est un prétexte plus qu'un réel enjeu. Si Rougier admet que la force, sans restriction de morale ou de pitié, brise toute résistance et fait office de loi, il tirera la leçon initiatique de son expérience. Lui-même a payé cher le prix de cette éducation, Frantz Zeitschel y a veillé.

« Réfléchissez Rougier. A demain. »

Pour l'heure, il a un autre rendez-vous. Sur ses indications, les services d'aménagements spéciaux ont installé un dispositif de glace sans tain dans un mur de son bureau. Il va donc pouvoir observer sans être vu. Mühler l'attend. La jeune femme est arrivée. Assise dans son fauteuil, jambes croisées, elle détaille d'un regard inquiet les objets de la pièce.

L'Untersturmführer Zeitschel connaît cette femme sans l'avoir jamais rencontrée. Il ne se montrera pas en prévision de possibles événements à venir. Son adjoint sait ce qu'il doit faire.

« Gehen sie, Fritz. Sehr korrect, ja? »

Mühler entre. La jeune femme se lève, probablement intimidée par l'uniforme noir de la SS. Lui faisant signe de rester assise il va s'asseoir derrière le bureau.

« Je suis désolé de vous avoir fait venir jusqu'ici mais j'ai tellement de travail que je n'ai pu vous rendre visite comme je l'aurais souhaité. »

Elle ne commente pas. Elle paraît anxieuse maintenant.

Elle décroise les jambes dans un sens et les recroise immédiatement dans l'autre en faisant bien attention que le bas de sa robe reste sagement tiré sur ses genoux.

Helmut se félicite d'avoir choisi pour travailler avec lui, ce stagiaire qui vient en droite ligne de Bad-Tölz. Fritz est parfait. Il examine attentivement la carte d'identité française posée sur le bureau, la replie et la rend à l'intéressée avec un sourire.

« Vous êtes encore plus ravissante au naturel que sur cette photographie, madame Friedmann », dit-il dans un français impeccable. Une autre qualité de Mühler : il parle sans accent.

***

A six heures ce matin, ils ont frappé à grands coups de poings dans la porte.

« Ouvrez. Police allemande. »

Qu'ont-ils fait de Roger? Où l'ont-ils conduit?

Elle est enfermée dans une cave. Une seule fois on est venu la voir, un homme qui lui a demandé si elle désirait parler à quelqu'un en particulier. Un officier du Reich, par exemple... Elle n'a pas répondu. Il a eu l'air mécontent, puis il est parti. C'était hier matin. Aucune visite depuis, à l'exception du Français, en uniforme bleu marine de gardien de prison, venu lui apporter ses repas.

Elle n'est pas dans une prison. Elle le sait. Elle a très bien vu, en arrivant, qu'il s'agit d'une simple villa, au fond d'un parc, dans la banlieue parisienne.

Ceux qui l'ont amenée étaient français, comme son visiteur et comme son gardien. Pour le moment, elle n'a vu aucun Allemand. On dit que des Français travaillent pour la Gestapo. Elle doit être entre leurs mains.

Elle n'a pas pu rappeler Sarah. Peut-être Irène et Karl sont-ils rentrés rue Jacob! Elle ne parvient presque plus à se rappeler exactement le sourire de son fils. Elle se souvient mieux de sa voix. Elle ressent, aussi, l'étrange sensation d'engourdissement qui la gagnait quand il faisait câlin dans ses bras, quand il mettait ses mains dans ses cheveux, quand il jouait avec son collier, quand il gazouillait « mam-mama-mam », quand il pleurait des larmes tièdes sur son épaule ou dans son cou. Elle sent. Elle sent, très précisément, son odeur de bébé.

Que vont-ils faire d'elle? Sans doute la renvoyer à Drancy. Mais que veulent-ils, qu'attendent-ils d'elle? Que cherchent-ils à savoir? Que peut-elle leur dire? Que doit-elle répondre à leurs questions? Qu'ont-ils fait de Karl? Qu'ont-ils fait d'Irène?

Le même homme est revenu.

Il est assis à un bout du lit. Elle, à l'autre. Elle n'a plus peur.

« Qu'avez-vous fait de mon fils?

– Parce que vous ne le savez pas?

– Non je ne le sais pas!

– Il a été remis à votre amie Irène Deteau-Kunezow... Madame Abroweski pourquoi jouez-vous ce jeu avec nous?

– Je ne joue pas de jeu. Quel jeu?

– Celui de nous faire croire que vous n'êtes pas vous-même.

– Je ne comprends rien! Ni ce que vous dites, ni ce que vous voulez.

– En arrivant à la Kommandantur, votre ami Roger a faussé compagnie à ses gardiens et s'est jeté dans le vide par-dessus la rampe de l'escalier.

– Il... Il est... mort?

– Sur le coup. »

Ainsi Roger s'est suicidé pour ne pas risquer de parler sous la torture... Une dernière peur qu'il n'a pas dominée... et malgré tout une dernière grande victoire sur lui-même... Roger... Anna éprouve soudain une violente bouffée de tendresse.

« Allez-vous enfin vous montrer raisonnable, madame Abrowe-ski? On peut vous aider. Nous savons que vous bénéficiez de protections en haut lieu. Encore faut-il que vous nous disiez lesquelles. Cela nous évitera de commettre une erreur. Vous com-prenez, nos amis allemands sont chatouilleux sur ce chapitre. Ils ont horreur que nous maltraitions leurs agents... Alors, quel est l'officier dont vous dépendez?

– De mon fils», le défie-t-elle.

L'homme hausse les épaules en souriant. Puis son expression se fige : « Vous parlerez, madame Abroweski!

– Mais de quoi, à la fin? Je ne comprends même pas ce que vous me dites.

– Bien. Procédons autrement. Racontez-moi ce que vous avez appris de votre ami Roger durant les six jours que vous avez passés ensemble.

– Ce n'est que ça?

– C'est ça!

– Il est né dans le faubourg du Temple. Il allait à l'école communale de la rue Saint-Maur. A quatorze ans, il a eu sa première aventure sentimentale avec la fille du boucher de son quartier...

– Soyons sérieux, voulez-vous? Ce n'est pas ce qui m'intéresse. Parlez-moi plutôt du parachutage sur Villetaneuse dans la nuit du 7 juillet dernier.

– Villetaneuse? Mais... Il ne m'a rien dit.

– Il ne vous a pas non plus parlé de l'attentat du boulevard Barbès contre le Kriegsmarine Officiert?

– Un attentat? Roger? »

Anna se contrôle parfaitement. Les yeux écarquillés de surprise, elle semble abasourdie par les révélations de l'homme.

« Faites un effort, madame Abroweski. Il a reconnu en être l'auteur et s'en être vanté auprès de vous. Je vous signale que nous avons eu l'opportunité de l'interroger deux fois, avant son suicide. Nous savons donc certaines choses. Êtes-vous sûre que vous ne voulez toujours pas nous désigner votre contact?

– Mais je ne connais personne.

– Pas même monsieur Zeitschel, l'Untersturmführer Helmut Zeitschel? Le père de votre enfant!

– Désolée, monsieur. Je connais bien un Helmut Zeitschel, mais il est représentant en machines agricoles.

– Ah bon! Et ce Zeitschel-là, vous l'avez revu récemment?

– Oui. Il y a environ six semaines. Plusieurs fois. Cinq exactement. Si vous me confiez un calendrier je pourrais même vous préciser les dates. Mais je ne vous apprends rien. Vous savez déjà tout, puisque vous le recherchez. »

L'homme n'a pas répondu. Il s'est levé, la physionomie impénétrable.

« A demain matin, madame Abroweski. Nous reprendrons cette conversation.

***

Il est clair que Sarah Friedmann ignore ce qu'est devenue Anna. Helmut en est convaincu. Fritz a été très bien. D'emblée, il a perçu que cette femme était sensible à son charme. Il en a usé au mieux et s'est montré subtilement persuasif.

« Si elle vous contacte, persuadez-la de m'appeler. Dites-lui bien de ne pas se laisser impressionner. Nous autres, Allemands, avons un idéal politique mais aussi les qualités propres à notre race dont vous savez que nous sommes fiers. Il en est une qui passe au-dessus de toute considération quelle qu'elle soit : c'est notre sens de la fidélité à l'amitié. Helmut Zeitschel a été mon camarade d'université. Je n'approuve pas son opposition au régime mais il est mon ami. Je tiendrai la promesse que je lui ai faite, d'aider en tout madame Abroweski et de veiller sur elle quoi qu'il advienne. Ma parole d'honneur n'a aucun rapport avec nos engagements réciproques dans cette guerre. »

Quelle femelle, cette Sarah Friedmann. Depuis que Fritz lui parle sur ce ton elle n'arrête plus de jouer des cils, de tripoter les boucles rousses de ses cheveux, de croiser et décroiser les jambes. Son attention pour le bas de sa robe n'est plus du tout de la même nature. Assurément Mühler est à son goût; c'est une raison d'espérer qu'elle fera ce qu'il lui demande, si l'occasion se présente.

« Vous avez bien réfléchi, madame Abroweski? Vous ne voulez pas parler à l'Untersturmführer Zeitschel?

– Je ne désire parler à personne. Je veux mon fils. Allez me chercher Karl, ensuite je verrai si j'ai quelque chose à dire et à qui. »

L'homme tient un journal plié dans la main. Quelques secondes durant, il le tapote contre son genou. Ce matin, il est vêtu avec élégance. Chemise blanche, costume bleu marine avec de fines rayures claires largement espacées les unes des autres : en 1938, Mözek s'était acheté un costume semblable au Carreau du Temple.

« Avez-vous mesuré les risques que vous faites courir à votre enfant, madame Abroweski?

– Absolument. De toute façon, il est en danger, qu'il soit près ou loin de moi.

– Vous avez raison de le penser. Une voiture est partie prendre votre amie Irène Deteau et votre fils. Ils seront ici dans un quart d'heure. Je crois qu'il serait préférable que nous ayons terminé cette conversation. Je précise : préférable pour eux! Et surtout pour Karl... »

Il a proféré sa menace d'une voix douce, lointaine, avec l'intonation neutre des personnes blasées. Anna devine que l'homme est un professionnel et qu'infliger des violences à un enfant l'indiffère autant que s'il devait en exercer sur elle. Il est habitué. La douleur, quelle qu'elle soit, doit le laisser totalement insensible.

Insidieusement, la peur s'est emparée d'elle. Sa bouche est sèche et quand elle répond, elle ne reconnaît pas sa voix.

« Je ne sais rien. Pourquoi, mon Dieu, vous acharnez-vous ainsi sur moi? »

L'homme a un mauvais rictus.

« Je vous donne encore une chance, madame Abroweski. Si vous répondez à cette question, je vous promets de vous laisser tranquille, et nous ne toucherons pas à votre enfant. Que vous a dit Roger au sujet d'un émetteur radio? »

L'homme ne finasse plus. Anna est effondrée. Roger lui a effectivement parlé d'un émetteur clandestin. Elle sait même qu'il est caché dans l'ancien silo à grain d'un entrepôt désaffecté du bord de Seine, près de Juvisy... Que vaut ce matériel face à la vie de Karl? Si ce n'est que cela, elle va le dire. Elle va le dire tout de suite. On ne torturera pas Karl pour si peu. Karl, le fils d'Helmut Zeit...

Helmut Zeitschel!... Elle est prise tout à coup d'un fou rire. Helmut Zeitschel! Comment n'y a-t-elle pas songé plus tôt?

L'homme la toise, surpris. Et d'une voix hachée, Anna lui lance : « Votre prétention à torturer mon fils est absurde.

– Absurde?

– Karl... Karl... Si vous touchiez un seul cheveu de sa tête, vous auriez affaire à son père. Croyez-vous qu'un officier allemand laisserait torturer son fils par un Français?

– A condition qu'il le sache, chère madame. »

Pour qu'il ne soit pas trop incommodé par la vue et l'insoutenable odeur d'excréments dans laquelle baigne le malheureux Rougier, Frau Doktor a fait recouvrir celui-ci d'une épaisse couverture. Un puissant ventilateur a été mis en marche dans la cellule.

« Alors docteur, êtes-vous dans de meilleures dispositions pour bavarder? »

Rougier s'économise l'effort d'une réponse. Sa langue a gonflé dans sa bouche tuméfiée et le moindre mot lui occasionne de terribles douleurs.

« Vous avez compris, mon cher, que Frau Lipman vous maintiendra en vie aussi longtemps qu'elle le voudra. Vous êtes dans l'antichambre de la mort mais encore loin du seuil. A quoi bon souffrir inutilement? Croyez-vous que vos amis ont besoin de votre silence pour se protéger? A l'heure qu'il est, ils sont en sécurité. Vous pensez bien qu'ils ont filé, depuis votre arrestation. Donnez-moi leurs noms, expliquez-moi le rôle de chacun, et ce sera fini. »

Frau Lipman a été formelle. Elle décline la responsabilité de le maintenir en vie au-delà des quarante-huit prochaines heures. Rougier est médecin et doit donc savoir que s'il tient bon il sera, à jamais, dispensé de parler.

« Comment vont les escarres de votre dos, docteur? »

Toujours pas de réponse.

Au cours des heures qui viennent de s'écouler, l'interrogatoire de Rougier a permis d'obtenir diverses informations sur les FTP de Joinville. Cette affaire à laquelle il n'accordait aucune importance s'est révélée plus importante qu'il ne le croyait et Helmut Zeitschel a soigneusement mesuré qu'il renforcerait son crédit auprès du Sturmbannführer Lischka en démantelant ce réseau.

« Vos amis n'hésitent pas à tuer lâchement des soldats de mon pays. C'est la guerre, monsieur Rougier. Que feriez-vous à ma place? »

Pas de réponse.

Un coup de pied dans le lit provoque un gémissement étouffé.

« Tout le réseau, Rougier. Je veux tout le réseau. »

Rougier garde les yeux clos. Il respire fort. Alors, l'Untersturmführer pose son pied sur le ventre du malheureux et appuie férocement.

Un hurlement se noie dans un gargouillis. Rougier s'est évanoui. Frau Doktor arrive, furieuse, bougonnant que les forces d'un homme ont des limites et assurant qu'elle ne peut rien faire pour le ranimer avant qu'il se repose.

Les renseignements qu'il veut, il les aura. Pas pour empêcher de nouveaux assassinats de soldats du Reich. Il s'en fout des soldats du Reich. Et de Hitler par-dessus le marché. Ce qu'il veut : c'est renforcer une position dans laquelle il n'a de comptes à rendre à personne. Il ne laissera pas passer cette occasion.

« Fritz! hurle-t-il, de retour dans son bureau. Fritz! Schnell! Schnell! Arrestation immédiate de Florence Rougier. Je la veux, ligotée sur une chaise, au chevet de son frère quand il se réveillera.

– Heil Hitler! »

Resté seul, c'est à Hilda qu'il pense. On lui a fait imaginer sa sœur, de dix-sept ans, envoyée dans un bordel militaire en Pologne. Il sait ce que ça fait. Rougier parlera. Il parlera, pour ne pas voir torturer Florence sous ses yeux.

Pour l'heure, l'Untersturmführer reprend le dossier. *Marc Rougier, vingt-huit ans. Titulaire d'un doctorat en médecine depuis seulement quatre mois. Précédemment interne en chirurgie des hôpitaux de Paris. Une sœur : Florence, treize ans. Mère morte en couche de cette dernière. Père chirurgien, soixante-six ans, plasticien. Suspect de sympathie avec des éléments subversifs de la région de Châteaudun : à surveiller...* Cela signifie qu'Edmond Rougier a un dossier dans la maison. Fritz devra le faire sortir.

Comme dit Frau Doktor : « C'est votre version française, ce Rougier. » Il est vrai que leur ressemblance est troublante. Même taille. Même couleur d'yeux. Même couleur de cheveux. Pas des sosies certes, mais quelque chose en commun. Peut-être, Florence Rougier ressemble-t-elle aussi à Hilda?

***

L'homme n'a pas été dupe de la provocation.

Anna s'est exécutée. Elle a ouvert le journal. Page 6. Et elle a regardé la photographie. Quoique le format soit réduit, elle reconnaît sans difficultés le SS en uniforme noir. Helmut. Aucun doute. La légende le confirme: il s'agit de l'Untersturmführer SS Helmut Zeitschel, du KDS de Paris.

« Ce n'est pas possible! C'est un trucage. »

Son visiteur n'a pas commenté. Elle a pleuré. En silence. Des larmes qui ont coulé toutes seules, sans qu'elle puisse rien faire pour l'empêcher.

Mözek. Où tu es, tu dois savoir toi, que ce n'est pas lui. Ce n'est pas lui, Mözek. Souffle-moi que ce n'est pas lui. Mözek. Mözek. J'ai mal. J'ai peur. Je suis fatiguée. Je suis très fatiguée, Mözek. Je voudrais te rejoindre. Appelle-moi, tu veux? Et Karl? Le fils d'un SS? Non, ce n'est pas possible! Que deviendra Karl, sans moi? Je te le jure, Mözek, si je revois Helmut, je le tuerai!

« Je le tuerai!

– Pardon? »

Les mots lui ont échappés. Elle jette vers l'homme un regard vide, désespéré.

« Je tuerai..., reprend-elle, je tuerai jusqu'au moindre souvenir de cet homme dans le cœur de mon enfant. Quand doit arriver mon fils?

– D'une minute à l'autre.

– Je le verrai?

– Si vous m'y contraignez, vous le verrez forcément.

– Que vouliez-vous savoir, déjà?

– Ce que vous aviez appris à propos de l'émetteur clandestin.

– Je ne sais presque rien. Roger s'est vanté de tant de choses. L'attentat contre l'officier de la Kriegsmarine abattu à Barbès, vous êtes déjà au courant. Il m'a aussi parlé d'actions de représailles contre certaines personnalités politiques françaises qui collaborent avec les Allemands. Mais cela aussi vous le savez. Je ne me souviens pas d'autre chose. »

L'homme ne commente pas. Il attend.

« Quant à l'émetteur... Il y a effectivement fait allusion, une nuit. Il a insisté pour me dire où il était caché après m'avoir expliqué quelle en était l'importance pour l'organisation d'une résistance à l'occupant. Je lui ai répondu que je n'avais pas besoin de savoir et que je voulais seulement retrouver mon fils. Il a insisté en précisant que je devais bien m'en rappeler pour pouvoir communiquer ce renseignement à une personne, dont il me donnerait le nom et l'adresse, en cas d'urgence. »

L'homme hoche simplement la tête pour l'inviter à continuer.

« L'appareil est enfoui dans le silo à grain d'un entrepôt de céréales désaffecté, en bordure de Seine, à Juvisy. Je n'en sais pas plus. Nous avons été interrompus par une alerte. Roger avait très peur des bombardements. Pour nous rassurer, nous avons fait l'amour. Et après, nous avons dormi. Le lendemain, il a voulu me reparler de cette histoire d'émetteur. J'ai refusé de l'écouter. Finalement, nous avons transigé. Il a reconnu qu'il suffisait que je prenne un contact avec une personne donnée qui, elle, saurait retrouver le matériel. Le nom et l'adresse de cette personne, il les a inscrits, sur une feuille de papier à cigarette. Je n'ai pas voulu lire. Je l'ai pliée et ensuite collée avec de la cire de bougie à l'intérieur de ma chemise. Quand vous m'avez arrêtée, j'ai pris peur et j'ai avalé ce papier. Voilà. Je ne sais rien de plus.

– Vous mentez, madame Abroweski. Vous connaissez le nom et l'adresse de la personne à contacter. Vous connaissez aussi le lieu exact où est caché l'émetteur.

– Non!

– Oh! que si, madame Abroweski!

– Mais je vous dis que non!

- Assez! »

Avant qu'elle ait compris ce qui lui arrivait, une gifle est partie à toute volée, lui écrasant le nez et lui ouvrant la lèvre. Abasourdie, Anna porte la main à sa bouche et ramène ses doigts pleins de sang.

« Ne tachez pas votre robe, madame Abroweski. Enlevez-la!

– Je...

– Enlevez-la! répète l'homme en élevant à nouveau la main.

– Non! » hurle-t-elle en essayant de se protéger.

Après qu'elle a ôté sa robe, l'homme lui tend un mouchoir, impeccablement blanc.

« Essuyez-vous... Vous avez fait une grande partie du chemin, madame Abroweski. Il vous reste à me dire le lieu précis de la cachette et l'adresse de votre contact. Pour ce dernier, je vais vous aider : il s'appelle Michel Barbey, n'est-ce pas?

Michel Barbey. Vingt-quatre ans. Membre du parti communiste. Chargé d'exécuter les traîtres et renégats ralliés au parti populaire français de Doriot. Pourquoi Roger lui a-t-il dit tout cela? Elle ne demandait rien.

– Je n'ai jamais entendu ce nom! » affirme-t-elle tremblante derrière son mouchoir.

Cette déclaration a l'effet d'une décharge électrique sur celui qui l'interroge. Il bondit sur elle, revolver au poing. Un revolver dont elle sent la gueule froide posée contre sa tempe.

« Tu vas parler salope ou je t'abats! »

Il ne peut pas tirer. S'il tire, il ne saura pas. Donc il ne peut pas tirer.

« A genoux! » ordonne-t-il.

Anna obéit docilement. Maintenant, l'homme a posé le canon sur sa nuque, l'obligeant à coller son menton contre sa poitrine.

« La façon de contacter Barbey? Je compte jusqu'à trois. Un...

– Jamais entendu ce nom! répète-t-elle avec conviction.

– Deux... »

Il ne tirera pas. Tant qu'elle n'a pas parlé, il ne peut pas. S'il tirait, ce serait fini. Fini. Le repos. Ne plus souffrir. Le calme. Le néant. Qu'il tire. Mais qu'il tire et qu'on n'en parle plus... Karl?

Avec son revolver, l'homme donne de petits coups secs qui lui vrillent la nuque.

« C'est bien décidé? Tu ne veux pas... »

Un bruit derrière eux. La porte de la cellule vient de s'ouvrir. Elle entend l'ordre : « Arrête Félix! Tu vois bien qu'elle ne parlera pas! » Une voix qui lui glace le sang.

***

Rougier est passé aux aveux.

La jeune Florence n'aura eu qu'une lèvre fendue et deux légères brûlures de cigarette sur les seins.

Le menu fretin frayait avec de gros poissons. Vingt-quatre arrestations et la récupération d'un arsenal conséquent : cent kilos de cartouches, cinquante détonateurs à retardement, des containers de tétranitrométhylaniline explosive étiquetés en anglais, etc. Un attentat contre le Soldatenkino de la rue Marbeuf a pu être évité, et grâce aux interrogatoires, le KDS a déjoué l'opération de sabotage d'un train militaire contenant du matériel d'artillerie destiné au mur de l'Atlantique.

L'Obersturmführer Zeitschel est satisfait. Il a reçu les félicitations personnelles du général major Oberg et a été immédiatement promu au grade supérieur. Sa position auprès de Kurt Lischka s'en trouve renforcée, ce qui entraîne à la fois une extension de ses pouvoirs occultes et une consolidation non négligeable de son indépendance en marge de la hiérarchie.

Le sort de Marc Rougier, Jacqueline Mornet et de leur fils Norbert reste lié aux discrètes tentatives pour retrouver Anna. Devenus trop célèbres au KDS ils ne pouvaient rester rue des Saussaies et Frau Lipman les a pris en charge dans sa clinique spéciale.

Le malheureux Rougier a beaucoup souffert. Jacqueline Mornet pourra lui prodiguer quelques soins personnels qui adouciront son sort. Quant à Florence Rougier, rien ne se serait opposé à sa remise en liberté si elle n'avait éveillé un certain intérêt chez le nouveau promu Standarten Oberjunker Fritz Mühler. Un intérêt qui, selon Frau Doktor, aurait déjà été consommé. Florence Rougier a donc également une chambre à la clinique et Mühler pourra poursuivre en toute quiétude ses travaux d'initiation.

Après l'interruption de son interrogatoire, Anna s'était évanouie. Roger lui avait appris qu'elle n'avait jamais été entre les mains de la Gestapo mais se trouvait au siège d'un groupe de résistance, on avait voulu s'assurer qu'elle n'était pas un agent infiltré par l'ennemi.

Elle avait réclamé son fils. Il s'en était suivi une difficile explication. Les informations recueillies établissaient que depuis son arrestation du dimanche 29 juin, Irène Deteau n'avait pas reparu rue Jacob. Karl était donc, peut-être, avec elle... Mais, où?

En ce début du mois d'août 1942, nul ne pouvait en dire plus.

# TROISIÈME PARTIE

## *Fuites et poursuites*

A force de la lire et la relire, Helmut Zeitschel connaît presque par cœur la directive numéro 51, signée de Hitler lui-même et datée du 3 novembre 1943. Il vient de la recevoir. Elle souligne qu'une attaque alliée pourrait se produire à l'Ouest, au plus tard vers le printemps 1944, et que ses conséquences seraient catastrophiques pour l'avenir de la guerre si les troupes allemandes, réduites au minimum du fait des exigences en hommes sur le front russe, devaient se trouver débordées.

Au cours des quatorze mois écoulés, Helmut a mesuré la mauvaise tournure que pourrait prendre cette guerre.

Après l'arrestation du général Delestraint, l'armée secrète de la France occupée a perdu son chef mais n'a pas déposé les armes. L'arrestation de Jean Moulin n'a pas déstabilisé les actions de la résistance civile. Les saisies d'arsenaux militaires clandestins effectuées depuis l'occupation de la zone Sud, un an plus tôt, ont mis en évidence que les alliés préparent le terrain de l'offensive atlantique. Les nouvelles du front Est multiplient les communiqués de victoires qui n'en sont pas. Au mois de mai, les troupes anglo-françaises ont obtenu la capitulation de l'occupant italien en Tunisie et Mussolini serait en déconfiture complète si l'Allemagne ne s'était portée à son secours pour ériger le front Sud contre les alliés. Même les Japonais commencent à éprouver de sérieux revers en Nouvelle-Guinée et dans la mer de Corail.

L'industrie de guerre du III^e^ Reich est à son plus haut point d'extension. Reste que les nouvelles armes dont l'armée allemande devrait bientôt disposer ne sont pas encore prêtes. Toute la question est de savoir si l'avance technologique de cet armement peut permettre au III^e^ Reich d'affirmer sa suprématie.

En ce dernier trimestre de l'année 1943, il manque au Hauptsturmführer Zeitschel d'en être complètement sûr. Son intuition lui dicterait plutôt d'organiser la protection de son fils et la sienne propre en prévision d'un total retournement de situation.

Ce lundi 8 novembre, c'est avec le sentiment d'accomplir un acte important qu'il a convoqué son adjoint dans son bureau. Fritz

Mühler n'est pas en uniforme, Helmut Zeitschel lui désigne un siège et l'interroge : « Où en êtes-vous, avec Florence Rougier? »

Mühler peut tout supporter mais, dans cet étroit secteur de sa vie privée amoureuse, il a des pudeurs de jouvenceau. Sa réponse est évasive : « Je la vois, de temps en temps, chez Frau Doktor!

– Si je vous demandais de la supprimer, l'accepteriez-vous? »

Surpris par cette question, Mühler marque un temps d'arrêt, indécis. Puis il se raidit :

« Naturlich! Herr Hauptsturmführer.

– Donnez-moi des nouvelles de Rougier et de Jacqueline Mornet?

– Ils vont bien. Ils n'ont pas quitté la clinique, ils ne semblent même plus s'en étonner. Quinze mois de repos. Comme dit Frau Doktor, ils seront à point pour faire de très beaux morts, le jour du Jugement dernier. »

Au passage, Helmut Zeitschel a reconnu le sourire du Walhalla sur les lèvres de Mühler. C'est un sourire de certitude absolue de tenir le monde au creux de sa main. Un sourire de puissant. Le sourire du seigneur ayant tous les droits et surtout celui de vie ou de mort.

« Fritz, je vais vous confier plusieurs missions délicates. Toutes sont de la plus haute importance et devront rester secrètes. D'abord vous allez organiser l'évasion de Florence Rougier... Vous croira-t-elle si vous l'assurez que vous l'aimez et que vous avez l'intention de déserter l'armée allemande pour l'épouser?

– Absolument! J'en fais mon affaire.

– Pensez-vous qu'elle accueillera cela favorablement? »

Nouveau trouble du SS Mühler. Décidément, quelle pruderie sentimentale!

« Il me semble, en effet, qu'elle est amoureuse de moi, Herr Hauptsturmführer.

– Vous lui donnerez de l'argent pour qu'elle puisse gagner Châteaudun, où réside son père. Mais pas trop : qu'elle ne prenne pas une autre direction.

– Ja, Herr Zeitschel.

– Ensuite, vous emmenerez Mlle Mornet et son bébé au crématorium. Liquidation pure et simple. Aucune trace d'identités. Compris?

– Compris.

Enfin, vous ferez sortir Marc Rougier. Au préalable, vous lui aurez remis un uniforme de Hauptsturmführer m'appartenant. Veillez aux retouches si celles-ci sont nécessaires : un tailleur juif s'en occupera. Faites en sorte qu'après il disparaisse. Nous abattrons Marc Rougier en un lieu que je vous désignerai. Il faudra le vitrioler au visage et à l'endroit d'une tache que je porte au sein gauche. Le but de l'opération est d'accréditer, pour tout le monde, la thèse d'un attentat qui m'a coûté la vie. Seules, quatre personnes sont au courant : Herr General, Herr Lischka, vous, et moi. Après cette exécution, je serai votre prisonnier, mon cher Fritz. Sous une identité provisoire vous me conduirez chez le docteur Edmond Rougier, à Châteaudun. Je vous donnerai alors d'autres instructions. Avez-vous des questions à me poser?

– Vous ne m'avez pas précisé si vous aviez donné à Frau Doktor Lipman l'ordre de reproduire sur le corps de Rougier les cicatrices et autres signes qui vous sont personnels, à l'exception de la tache de naissance que le vitriol doit effacer.

– C'est fait depuis quinze mois. Mais la remarque était excellente, mon cher Fritz. Voyez les derniers détails avec elle.

– Les dates?

– Je vous les donnerai d'ici quelques jours!

– Et pour Frau Doktor Lipman?

- Je vous laisse le soin de nous assurer d'une discrétion exemplaire. »

Comme mû par un puissant ressort Fritz Mühler jaillit de son fauteuil et tend le bras droit vers le ciel :

« Heil Hitler!

– Heil! »

***

Intégrée en août 1942 au groupe Espoir de Paris, placé sous le commandement de Roger, Anna a reçu des faux papiers et vit depuis sous le nom de Gisèle Lenormand.

Grâce à Marie, une petite infirmière résistante qui s'était occupée d'elle durant son séjour à l'hôpital, après son évasion de Drancy, elle a trouvé un emploi à la lingerie centrale de l'Hôtel-Dieu. Marie a également pourvu à son hébergement puisqu'elles partagent la même chambre sous les toits, quai de Montebello, face à Notre-Dame et à deux pas de leur lieu de travail.

Fin août 1942, après deux mois d'absence de la titulaire, la loge de concierge de la rue Jacob avait été réattribuée. Le fragile espoir d'y voir reparaître Irène Deteau en compagnie de Karl était ainsi brisé. Le 1er septembre suivant, comme il fallait s'y attendre, le notaire avait fait réquisitionner le petit appartement dont la locataire ne payait évidemment plus les loyers.

Enfin, le 17 de ce même mois, était survenue l'arrestation des Friedmann. Dans cette horreur, s'était éteint l'ultime espoir d'un point de chute où Irène et Karl pourraient reprendre contact.

Heureusement, en ces heures difficiles, il y avait eu Marie.

Elle avait été là, en cette veille de Noël 1942, pour éviter à un banal coup de cafard de tourner en tragédie. Anna s'était convaincue de voir le SS Zeitschel pour lui demander de retrouver leur enfant. Marie l'avait rattrapée d'extrême justesse, alors qu'elle était déjà dans la rue des Saussaies, prête à franchir le porche du KDS de Paris.

Trois mois plus tard, au début du printemps 1943, Marie avait encore été là. Pour lui sauver la vie cette fois. Anna voulait mourir. Exister, sans Karl, n'avait plus de sens. Elle avait ouvert le gaz après une conséquente absorption de somnifères. Marie, inquiète de ne pas la voir à l'hôpital, était venue la chercher supposant qu'elle s'était endormie...

Début novembre 1943, Anna entame donc son quatorzième mois d'action résistante. Cela signifie plusieurs centaines de missions sans grande gloire. Pour l'essentiel, des transports d'armes ou de munitions vers différentes planques aménagées dans divers points de Paris. Mais cela veut dire aussi une centaine de déjeuners (fort appréciés par ces temps de restrictions) en compagnie de Flora, une auxiliaire féminine de la Wehrmacht. Toujours dans le même restaurant : L'Agneau de lait, quai de la Loire. Un lieu très fréquenté par les officiers allemands. La côte de veau normande n'y souffre pas plus des restrictions de crème fraîche que le gâteau du chef ne tolérerait d'être privé de chocolat. Deux fois par semaine. Une régularité de métronome. Déjeuners en apparence innocents avec conversations d'une frivolité au-dessus de tout soupçon. Au retour, Félix, l'adjoint de Roger, l'homme qui l'avait interrogée dans la cave, pose des questions précises sur toutes sortes de détails. Anna a vite compris qu'elle transmettait ainsi certaines informations codées.

Une tiède douceur automnale enchante l'après-midi de ce vendredi 5 novembre 1943. Anna a rendez-vous, au café de l'Arrivée, devant la gare Saint-Michel, à l'angle du quai et du boulevard. Une personne, dont elle ignore l'identité, l'abordera. A seize heures précises.

En attendant, elle flâne devant les boîtes des bouquinistes. L'un d'eux lui ayant proposé quelques livres d'écrivains interdits à la vente, elle a choisi un roman de Georges Duhamel sous une couverture portant un autre titre et un autre nom d'auteur.

La célèbre horloge du coin du quai, indique quinze heures cinquante-cinq. Malgré certaines avanies de fonctionnement, cette pendule est régulièrement remise à l'heure. Probablement une manière de service consenti par la SNCF à l'intention des usagers de la petite gare souterraine.

Anna s'est assise à une table en terrasse. Côté boulevard, comme convenu. Immédiatement, son attention est retenue par deux hommes en complets gris et feutres sombres qui discutent au milieu du trottoir, presque devant le kiosque à journaux. Ils ne sont pas formellement identiques et pourtant ils se ressemblent tellement que, même en civil, on les dirait en uniforme. Toutes les vingt secondes, l'un d'eux se retourne – jamais le même – et son regard balaye la terrasse comme s'il cherchait quelqu'un. Plusieurs fois déjà les yeux se sont posés sur Anna. Danger. Tout crie : « Police allemande. » Quinze heures cinquante-huit. Elle est assise depuis trois minutes. Le garçon a pris sa commande mais ne lui a pas encore apporté son succédané de café. Que faire? Se lever et partir? Ce serait suspect : elle aurait toutes les chances de se faire arrêter avant d'avoir fait cinquante mètres...

Quinze heures cinquante-neuf. Dans une minute à peine, quelqu'un qu'elle ne connaît pas va l'aborder et se précipiter dans le piège qu'elle pressent.

Mözek, j'ai peur! Si tu savais comme j'ai peur!

Les deux hommes continuent de parler, apparemment indifférents.

Anna scrute désespérément le visage des consommateurs qui l'entourent. Des Allemands en uniforme, par groupes ou avec des femmes. Quelques jeunes gens et jeunes filles à l'allure étudiante. Un type seul, assis trois table derrière elle, qui lit *Paris-Soir*. Peut-être lui?

Mözek. J'ai peur tu sais. J'ai peur. Vraiment.

Tournant les yeux sur sa gauche, en direction du boulevard, Anna découvre, sortant de la bouche de métro, une petite jeune femme blonde qu'elle jurerait connaître. Qu'elle reconnaît. Qu'elle reconnaît même très bien : Coline! Coline Weisenberg! Qui s'approche à pas pressés, ralentit imperceptiblement, jette un regard circulaire sur les consommateurs. Coline, qui l'aperçoit. Coline, qui vient vers elle, souriante dans son tailleur clair, totalement inconsciente du danger.

Quelques mètres et il sera trop tard. Anna observe les deux hommes à la dérobée. Ils ont cessé leur bavardage. Ils guettent. Maintenant leurs yeux fouillent ouvertement la terrasse, dévisagent, jaugent, interprètent.

Coline est à dix pas. Anna la fixe tant qu'elle peut. Ne répond pas à son sourire. Au contraire, fronce les sourcils, durcit son expression, tord sa bouche dans une sorte de rictus. Coline doit comprendre. Il faut qu'elle comprenne. Qu'elle passe sans s'arrêter. Encore deux pas...

Coline s'arrête devant sa table.

« Eh bien, Anna? Tu ne me reconnais pas? »

Anna, sans se lever, détourne la tête en direction du quai. S'efforçant ce sourire, et d'un geste assez large, lui désigne l'horloge en disant d'une voix forte : « Vous voyez, madame, juste quatre heures! »

Coline comprend. Elle affiche un air amusé et désolé.

« Merci, mademoiselle! » répond-elle, en forçant elle aussi la voix, avant de poursuivre son chemin vers l'intérieur de la brasserie.

Anna s'est plongée dans la lecture de Georges Duhamel. Soulagée. Au moins Coline est-elle sauvée.

Elle ne veut pas lever la tête mais elle sent les regards des deux hommes peser sur elle... Ils vont l'arrêter. Elle en est sûre. Elle en est plus que sûre. Peut-être même font-ils déjà mouvement vers elle. Ses faux papiers! Jamais ils ne résisteront à une vérification approfondie...

A l'abri de son livre, elle glisse un coup d'œil furtif : son intuition ne l'a pas trompée. Ils se sont engagés dans l'allée conduisant à sa table. Ils s'approchent.

Très curieusement, elle éprouve une sensation de calme immense. Les appréhensions et la peur précédemment ressenties ont cédé la place à une sorte de plénitude indifférente. Comme une acceptation.

Elle a relevé la tête, machinalement. La grosse pendule du quai indique seize heures et une minute.

Ils sont là. Devant sa table.

Soudain, une tornade humaine les bouscule sans ménagement et s'empare d'elle. Baisers. Effusions. Enlacement. Et une voix essoufflée qui la couvre de « Chérie...Chérie... J'ai eu si peur de te manquer. J'ai couru comme...

– Police allemande! » interrompt sèchement l'un des deux hommes.

Alors la voix prend la forme d'un jeune homme qui bredouille en se redressant :

« Je suis désolé, messieurs. Je n'ai pas voulu vous heurter. J'ai été emporté par mon élan.

– Vos papiers! »

Les conversations alentour se sont arrêtées. Plus personne n'ose bouger.

L'arrivant fouille interminablement dans les poches de sa veste et finit par sortir ce qu'on lui demande. L'un des deux hommes s'en empare. Les déplie. Les regarde. Les montre à celui qui l'accompagne, qui les examine à son tour.

« C'est bon! La prochaine fois, ne vous pressez pas tant. La demoiselle ne se serait pas envolée.

– Excusez-moi encore, messieurs. »

Anna n'a pas esquissé le moindre geste. Spectatrice, elle a suivi la scène comme si l'injonction de présenter ses papiers ne l'avait pas concernée. Les policiers vont-ils les lui demander, maintenant? Non. Ils la saluent poliment, portent deux doigts à leur chapeau et s'éloignent vers l'intérieur de la brasserie.

Les conversations reprennent, alentour.

Le jeune inconnu s'est installé à sa table.

« Comment va ta mère? demande-t-il assez fort.

– Bien! Elle t'embrasse!

– Tu lui diras que j'ai retrouvé son ami Roger.

– Roger?
– L'ami de Félix. Tu te souviens? » Se penchant à son oreille, il ajoute : « Ne tremblez pas, tout va bien.
– Mais qui êtes-vous? souffle-t-elle.
– L'ange gardien! » répond-il sur le même ton.

Une vingtaine de minutes plus tard, de l'autre côté de la place Saint-Michel, feuilletant des livres et des revues d'occasion à l'étal d'une échoppe de bouquiniste, ils ont retrouvé Coline qui les attendait.

Le temps pour Anna d'embrasser Coline, le jeune homme inconnu avait disparu : « Où est-il?

– Ne t'inquiète pas, il veille, assure Coline. On a eu chaud! Figure-toi que mon programme a été changé au dernier moment. A l'origine, je devais te remettre une enveloppe... »

Elles s'éloignent, se tenant par le bras.

« ... On ne pouvait plus te joindre après ton départ de l'hôpital, poursuit Coline en l'entraînant vers les escaliers qui descendent sur les quais du bord de Seine... Compte tenu de certaines circonstances, je suis dans l'obligation de me cacher chez toi durant quelques jours. Voilà! Tu sais tout! »

Anna s'en réjouit avant de demander plus discrètement : « Tu es arrivée quand? Comment? Pourquoi? »

Coline jette un regard autour d'elles. Personne n'est assez proche pour entendre sa réponse : « Un parachutage, avant-hier, près d'Hirson. Mauvais accueil d'une mitrailleuse allemande. Par bonheur, le maquis est intervenu, sinon tu n'aurais pas eu ton message :
– Un message? Pour moi?
– Un baiser. De la part de... Nicolas!
– Nicolas? Il est à Londres?
– Après son évasion du gymnase Jappy, où il était en instance de départ pour Compiègne, il a réussi à gagner Gibraltar puis, de là, l'Angleterre. Coline s'assombrit tout à coup : « Roger m'a dit ce qui t'était arrivé. Ton fils... Tu as bien fait d'entrer dans la Résistance. »

Sous aucun prétexte Coline ne doit sortir.

La chambre du quai de Montebello a pris des allures de terrain de camping. Anna et Marie ont rapproché leurs deux lits pour dormir à trois. C'est loin d'être confortable. Marie s'est proposée pour prendre un service de nuit à l'hôpital mais Félix lui a formellement interdit de modifier ses habitudes.

Ce soir, la table est dressée. Champagne et foie gras. Elles n'en reviennent pas : « Le Père Noël? – Mais il s'est trompé d'un mois? – C'est de la part de Roger! leur explique Coline en riant de leur surprise. Il est venu cet après-midi.

– Je terminerai la guerre obèse. Jamais je n'ai tant mangé que dans la Résistance! » soupire Anna qui, ce même jour, est allée déjeuner à L'Agneau de lait avec Flora. Elle ne rentre d'ailleurs pas les mains vides. Ce 13 novembre est un anniversaire. Celui de Marie. « Vingt et un ans, ma chérie, ça se fête! » dit-elle en déposant un paquet sur l'assiette de l'intéressée avec défense absolue d'y toucher avant l'heure du dîner. Rude épreuve que celle imposée à la mineure sur le seuil de sa solennelle entrée dans le monde des grandes personnes.

Entre les brouillages allemands, elles écoutent le speaker de Londres lire une longue liste de messages personnels.

« L'oncle Rodolphe avait deux cents ans. » A cette phrase, Coline se lève, coupe la radio et leur annonce : « C'est notre dernière soirée, les filles. Je vous quitte demain! »

Elles en sont toutes les trois interdites.

« J'ouvre le champagne! décide Anna pour couper court à l'émotion.

– Moi, mon paquet! » ajoute Marie impatiente. Elle devient rouge comme une pivoine en y découvrant dix paires de bas de soie et une combinaison de satin gris, incrustée de dentelle.

« Oh! C'est trop! s'extasie-t-elle, au bord des larmes.

– Il faut bien que les traficotages avec les *gretchens* de la Wehrmacht nous servent un peu à nous aussi. »

A sa troisième coupe de champagne, la victime de l'outrage des ans sur son état civil ne peut plus résister à la majeure envie d'essayer sa nouvelle lingerie.

« Si on la faisait belle? » suggère Coline.

Elles vont jouer une heure : à coiffer Marie, à maquiller Marie, à cajoler Marie, à rendre divine leur poupée vivante.

« Et maintenant? Qu'est-ce qu'on fait? On l'emmène au bal? »

C'est le terrifiant mugissement des sirènes d'une alerte qui leur répond : « Maintenant, on tremble! »

Coline ne doit pas se montrer et ne peut descendre dans les caves. Fidèle à son principe, Anna s'y refuse. Marie, qui a pourtant très peur des bombardements, décide de rester avec elles.

Bougie et allumettes sont sorties d'un tiroir juste avant que s'éteigne le courant électrique.

A tâtons, elles gagnent le lit et s'y allongent. Rien à faire d'autre qu'attendre. Les premiers claquements secs des canons de la DCA précèdent de peu l'arrivée du grondement grandissant des avions.

« On dirait qu'ils viennent au-dessus de nous?

– Non, non! Ils sont beaucoup plus loin! »

Nichée entre Coline et Anna, Marie tremble comme une feuille et se met à pleurer.

Elles ont beau essayer de la réconforter, de lui dire que ça va faire couler son maquillage; rien à faire, Marie a trop peur pour se dominer et entrer dans leur jeu.

Une explosion. Une autre. D'autres. C'est sûrement assez loin mais on dirait que c'est dans l'escalier.

« Assez! hurle Marie. Assez! Assez! »

Les explosions se poursuivent. C'est une succession quasi ininterrompue de coups de tonnerre : comme la rencontre de plusieurs orages. Ils font rougeoyer la nuit de lueurs si intenses qu'elles illuminent la chambre malgré les carreaux bleuis et l'épaisseur des calfeutrages.

Marie sanglote d'angoisse. Anna lui caresse les cheveux, lui serre la tête dans ses bras. Coline lui tapote les mains.

« Tiens! Écoute! Voilà les chasseurs allemands. Ils vont les faire partir! promet Anna.

– Ça va finir! » promet Coline.

Presque instantanément, le bruit change en effet. Ce ne sont plus les mêmes grandes déflagrations puissantes qui se répercutent en écho dans le ciel mais les petits bruits de crécelles des mitrailleuses et les vrombissements miauleurs des piqués d'une aviation plus légère.

Crispée sous un oreiller qu'elle maintient sur sa tête pour essayer de moins entendre, Marie est secouée de soubresauts nerveux.

« J'ai peur! souffle-t-elle. J'ai trop peur! »

Tranquillement, Coline a tiré les rideaux et ouvert la fenêtre. Le ciel est en feu. Le bruit sourd des gros moteurs ressemble à un long, très long, roulement de tambour qui n'en finit pas. Le temps se ponctue des éclatements de bombes qui précèdent de lointains flamboiements.

« Nous ne risquons rien! Paris n'est pas leur objectif. D'ailleurs ils s'éloignent.

De puissants projecteurs balaient la nuit à la recherche de la masse sombre des bombardiers : une nuit que les mitrailleuses des Stukas de la chasse allemande semblent pointiller de leurs courtes traînées de feu roses et jaunes.

Coline referme la fenêtre. Tapies dans le noir, elle écoutent les canons de DCA qui tonnent encore. Puis s'espacent. Puis se taisent.

Coline craque une allumette. Tend la flamme vers la bougie.

Dans une lumière vacillante et craintive, elles se retrouvent, toutes les trois, échevelées, hagardes comme des échappées d'un film d'épouvante.

Marie pousse un soupir. Déchiqueté. Nue, dans sa combinaison de satin, elle se met à trembler de froid, Anna l'enveloppe d'une couverture. Elle leur lance en claquant des dents : « Ça tient toujours, votre proposition de m'emmener au bal? »

Vers six heures moins le quart, Marie est partie sans bruit prendre son service à l'hôpital.

Réveillée, Anna contemple Coline qui dort encore.

Dans son sommeil, sa chemise s'est ouverte sur sa poitrine. Un peu de jour parvenant par l'imposte de la porte éclaire ses seins menus, à peine pointés de rose. Anna aurait aimé avoir un semblable buste de femme enfant. D'adolescente. Elle a été plus généreusement dotée par la nature.

« Tu ne dors plus? » s'étonne Coline, ouvrant un œil. Elle s'étire, se redresse sur un coude, et à brûle-pourpoint ajoute : « Est-ce que tu pourrais me dire ce qu'il faut faire, pour devenir juive? »

Un bonjour aussi déconcertant qu'embarrassant.

« Juive? Mais... Tu... Tu ne l'es pas?

– Non! quand je me suis mariée j'ai gardé ma religion.

– Alors pourquoi vouloir changer maintenant?

– A la mémoire de celui qui était mon mari. Tout simplement. »

Gênée, Anna préfère passer à un autre sujet.

« Quand dois-tu rentrer à Londres?

– Je ne sais pas au juste. Le plus vite possible.

– Si tu vois Nicolas, tu...

– J'ai déjà demandé à Roger d'essayer de lui faire envoyer un message. J'espère que c'est fait. A l'heure présente Nicolas devrait savoir que tu es vivante. Pourquoi ne vas-tu pas le rejoindre? Je peux te faire passer si tu veux. »

Anna se lève et va tirer les rideaux. Le jour afflue dans la chambre.

« Ma place est ici, dans la Résistance. Je ne peux pas laisser Marie, elle est fragile. Et puis, j'espère retrouver mon fils. J'espère, tu comprends?

– Non seulement je comprends mais... j'espère avec toi. De tout mon cœur. Nous en avons un peu parlé, avec Roger, hier après-midi.

– Qu'es-tu venue faire, au juste, à Paris?

– Je te l'ai dit, une mission préparatoire. »

Coline se lève à son tour. Sa chemise, courte, met en valeur ses jambes longues et fuselées, son corps aux formes fluides.

« Au nom du général de Gaulle, je dois contacter les groupes de résistants non contrôlés par la France Libre. J'ai à négocier des entrevues avant l'arrivée de mon colonel.

– Pour ton histoire de religion : le mieux serait d'aller consulter un rabbin, quand tu rentreras à Londres. Moi, tout ça, j'y connais pas grand-chose. »

Flora doit occuper un poste important, à la Kommandantur. Elle dispose d'une voiture de fonction et d'un chauffeur. Habituellement, en sortant de l'Agneau de lait elle dépose toujours Anna devant Notre-Dame à égale distance de l'Hôtel-Dieu et du quai de

Montebello. Aujourd'hui, elle est pressée de regagner son bureau et l'abandonne au carrefour Richelieu-Drouot.

C'est un bel après-midi d'automne mais Anna n'est guère enthousiasmée par les perspectives qui s'offrent à elle pour rejoindre Notre-Dame. Pas question de prendre le métro, il est fermé entre onze et quinze heures. Les vélos-taxis sont très chers. Les fiacres sont d'autant plus rares qu'il est difficile de nourrir convenablement les chevaux. Reste la marche à pied : la plaie, surtout avec des semelles de bois.

Avant d'entreprendre son trajet, elle décide d'aller boire quelque chose de chaud et entre au Cardinal, une grande brasserie du boulevard des Italiens, à l'angle de la rue Richelieu. L'affluence est grande. Il n'est que treize heures quarante-cinq et les employés des bureaux du quartier traînent jusqu'au dernier moment pour profiter de ce jour avec alcool.

Dans la salle, Anna repère une petite table vide, près d'un couple. Lui, est officier subalterne dans une section administrative d'un régiment du génie de la Wehrmacht : depuis qu'elle va déjeuner à l'Agneau de lait, au milieu de tous ces Allemands en uniforme, elle est devenue incollable sur les insignes de l'armée d'occupation comme sur la signification des grades indiqués par les galons.

En gagnant sa place, elle heurte la chaise de sa voisine, qui se retourne et marque un temps de surprise.

« Anna? – Sarah? Mais... tu...? »

L'Allemand, étonné, les regarde s'embrasser.

« Je te présente Werner! »

Anna se ressaisit.

– « Enchantée! » assure-t-elle mais sans l'être plus que ça.

Werner est lieutenant. Regard presque violet, sourire éclatant, un chic incontestable dans son uniforme vert-de-gris.

« Que je suis heureuse de te revoir. Tu prends quelque chose avec nous, n'est-ce pas? »

Sarah devrait comprendre qu'une telle proposition ne soulève pas un enthousiasme immédiat. Le fridolin, lui, réalise certainement le motif de l'hésitation puisqu'il s'empresse de préciser : « Je vous en prie, mademoiselle. Je dois partir... »

L'arrestation des Friedmann ne s'est pas soldée par le pire. Elle en a été si heureuse de voir Sarah qu'elle a failli commettre une imprudence devant le boche.

Ils achèvent leur conversation. Elle les entend prendre un rendez-vous pour le surlendemain dimanche, l'après-midi, à l'Opéra-Comique.

Sarah est toujours aussi jolie. Élégante, comme à son habitude. Elle porte une robe ravissante et son petit chapeau à voilette blanche lui va vraiment très bien. Novembre : elle a déjà sorti son manteau de fourrure.

Le garçon s'approche pour prendre la commande à l'instant où le beau Werner se lève. Baise-main galant et prolongé à l'égard de Sarah, classique et militaire à l'égard de l'amie de cette dernière. On peut leur reprocher beaucoup de choses, à ces Allemands, pas de manquer d'éducation.

Nanti de sa commande, le garçon de salle se dirige vers le comptoir en braillant : « Et cinq National qui marchent! Chaud devant les cousins germains! Va y avoir du jus impur dans les sillons! » Chacun fait la provocation qu'il peut, sa résistance à lui.

« Laisse-moi te regarder! dit Sarah sitôt qu'elles sont seules, tu n'as jamais été plus belle! Si je m'attendais! Si je m'attendais!

– Et Fred? Et votre arrest...

– C'est une longue histoire. Je vais te raconter. »

Elles ont beaucoup de choses à se dire. A se dire et à éviter de se dire peut-être aussi?

« Tu n'as pas retéléphoné! reproche Sarah.

– Non! reconnaît Anna. Tu n'as pas de nouvelles de...

– Tu penses bien que je te l'aurais dit tout de suite. Et même devant Werner.

– Qui c'est, ce fridolin?

– Un ami.

– Tu as décidé de faire comme Angèle, finalement? »

Sarah hoche la tête avec une expression navrée : « Ne juge pas aussi vite ma chérie! Je t'expliquerai.

– Tu n'es pas obligée. C'est ta vie! Tu as le droit de coucher avec autant de doryphores que tu voudras! »

Anna regrette aussitôt la véhémence de son propos. Sarah a baissé les yeux et légèrement rosi.

« Écoute. Un jour, en 1934, j'ai failli mourir. Une congestion pulmonaire. Je me rappelle ça comme si c'était hier. Dans mon délire, je me disais que ça ne faisait rien de mourir, que je ne regretterais pas grand-chose. Sauf de n'avoir pas pris plus de plaisir. J'aime l'amour. Les caresses des hommes. J'aime les hommes. Tous les hommes. Peu m'importe qu'ils soient juifs, catholiques, protestants, allemands ou français, blancs ou cuivrés. Même aussi noirs qu'un boulet Bernaud. Je les veux beaux, sains, séduisants, généreux de ce qu'ils ont à donner. Je prends ceux dont j'ai envie. Uniquement. Jamais par intérêt. Pas non plus pour satisfaire une inextinguible passion de sexe, car je vais te faire une confidence : ce qui m'incite le plus, en amour, c'est cette petite peur de la première fois. Cette petite peur d'un corps nouveau. Cette crainte sournoise que le miracle ne se produise pas. Voilà! Je suis comme ça et j'ai décidé de ne plus jamais rien me refuser. Je n'en ai pas honte. Tu peux comprendre ou pas.

– Et ton mari?

– Fred est mon mari. Un point c'est tout. Je l'ai épousé en 1928, j'étais vierge et je lui ai été totalement fidèle durant six ans.

– Ce n'est pas ce que je voulais dire! Je te demandais où il est, depuis votre arrestation?

– Pour l'instant, il se cache. Nous sommes passés à Drancy, nous aussi. On nous avait dénoncés comme faisant du marché noir. Les flics sont venus, des Français. Il n'ont rien trouvé parce qu'il n'y avait rien à trouver bien entendu. Ils nous ont embarqués quand même. Des Juifs, tu penses... quelle aubaine. On s'est retrouvés à la Kommandantur et puis de là, direction Drancy, sans explication. J'ai pu m'évader la première. Depuis, j'ai fait sortir Fred.

– Tu t'es évadée?

– Un Allemand que je connaissais. J'ai réussi à lui faire savoir où je me trouvais. Il m'a fait relâcher.

– Un Allemand bien placé alors?

– Exact! » convient Sarah.

Elle n'en dira pas plus. La réflexion d'Anna au sujet de Werner, le souvenir lointain du jour où elles regardaient dans un journal la photographie d'Angèle au bras d'un officier de la Wehrmacht : tout cela l'empêchera de dire que l'officier allemand qui l'a fait sortir du camp de Drancy s'appelle Fritz Mühler, qu'il est lieutenant de la SS au siège de la Gestapo à Paris, et qu'il lui a confié pour mission de retrouver Anna Abroweski – la mère du fils de son camarade d'université Helmut Zeitschel. Sarah ne le dira pas. Sarah ne dira rien.

Leur conversation se noie, alors, d'anecdotes en anecdotes, multipliant des informations sur les presque dix-huit mois qu'elles ne se sont vues. Anna raconte ce qu'elle n'avait eu le temps de dire au téléphone, sa fuite dans les poubelles. Pas Roger. Pas Félix. Pas les transports d'armes clandestins au nez et à la barbe des Allemands dans Paris occupé. De la même manière, Sarah s'abstient de lui dire à quoi elle travaille avec Werner.

Nicolas Roseinweig vivant et à Londres : cela non plus Anna ne le dira pas. De qui, et comment, tiendrait-elle cette information en provenance d'outre-Manche?

Elles sont reparties ensemble, bras dessus, bras dessous, par la rue de Richelieu.

« Je peux t'obtenir une paire ou deux de chaussures en cuir! propose Sarah. Quelle est ta pointure?

– Je me suis très bien habituée aux semelles de bois, tu sais! Ça ne me gêne plus du tout, maintenant.

***

De tous les joyeux bambins du square Ambroise-Paré, Charles, trois ans et demi, est certainement le plus turbulent. Il ne fait pas preuve de moins de caractère que son papa.

Le père de Charles : un tournant dans la vie d'Odette Rospié.

Adolescente, elle n'avait pas échappé aux longues rêveries sur fond de contes de fées des pages sentimentales des magazines. Parvenue à l'âge de considérer plus sérieusement les choses, elle avait rencontré Jacques Lambert. Honnête, d'humeur toujours égale, fonctionnaire bien noté, il ne pouvait la prendre pour épouse devant Dieu du fait d'un précédent divorce. Après avoir longtemps hésité à passer outre ses convictions religieuses et à s'engager sur la voie du concubinage, elle avait finalement pris la décision de l'accepter pour compagnon de route. Douze années s'étaient écoulées. Lentement. Douze années de fidélité exemplaire et de dévouement durant lesquelles rien ne lui avait jamais permis de penser que ce n'était pas une vie, en tout cas, pas la sienne.

Tout cela avait chaviré, en quelques minutes, une nuit d'août 1942, sur la table de sa cuisine. Elle n'avait pas été violée. Elle avait été soumise. Elle l'avait accepté, déterminée à devenir, dès lors, la femelle dont dépendrait ce mâle.

Lorsque le père de Charles était revenu, elle avait éprouvé le besoin de lui préciser certaines choses. Sur son âge, par exemple : elle avait trente-six ans et lui à peine vingt-cinq. Sur sa moralité aussi : contrairement aux apparences elle n'était pas une femme légère. Sur ses aspirations, enfin... Il l'avait écoutée. Elle lui avait confié son vœu de l'ensevelir sous les caresses les plus tendres, les plus douces, les plus délicatement complices, les plus délicieusement raffinées. Il lui avait répondu, en la contraignant, impitoyablement, à s'agenouiller, à se prosterner devant l'impétuosité d'un désir qu'elle avait reçu en toute humilité et jusqu'à l'ultime palpitation de cette jaillissante communion.

Jacques Lambert était rentré de mission quelques jours plus tard. Elle lui avait exposé de vagues raisons de mettre fin aux années de leur vie quasi conjugale. Leur séparation s'était inscrite dans cette ultime scène de ménage.

Depuis bientôt seize mois, Odette vit donc seule – avec Charles – dans son petit pavillon de Colombes.

La multiplication des tâches de l'Obersturmführer ne favorise pas forcément les relations amoureuses de l'homme. Elle s'en arrange. S'il vient à Colombes pour voir son fils, elle s'efforce de lui faire goûter tous les charmes d'une vie calme et harmonieuse. S'il l'invite à Paris, elle sait qu'elle doit être prête à... toute éventualité.

Nul pacte mystérieux avec le diable : elle est amoureuse d'Helmut Zeitschel, tout simplement.

Au début, Helmut avait supposé une simulation de vertu. Les candeurs d'une innocence criante d'inexpérience amoureuse l'avaient détrompé.

Il s'était fait un jeu de l'initier à d'autres mystères du plaisir, Odette lui avait apporté la preuve de son désir de lui plaire en brûlant les étapes.

En cette soirée de décembre 1943, elle doit venir chez lui. Peut-être pour la dernière fois car l'après-midi même, il a donné à Fritz Mühler l'ordre de mettre son plan à exécution. Dans les journées graves qui s'annoncent, il va devoir enlever Charles à Odette Rospié sans qu'elle se doute qu'elle ne le reverra jamais.

Il est rare, lorsqu'elle vient dîner chez Helmut, dans ce somptueux appartement du boulevard Murat, qu'ils soient en tête-à-tête. Ce soir n'échappe pas à la règle. Face à six officiers en uniformes noirs ou verts Odette s'efforce de tenir au mieux son rôle sans se laisser impressionner. Au demeurant, ils sont charmants. Galants, empressés, ils la traitent en princesse. Un vrai bonheur, cette moisson d'hommages et de compliments.

Après que le maître d'hôtel est venu débarrasser les couverts du dessert, Helmut annonce : « Messieurs, comme vous le savez un cadeau attend notre belle amie au salon. Je propose que nous l'y conduisions.

– Un cadeau? Pour moi? Mais ce n'est pas Noël! ».

Riant de son étonnement ravi, on ne lui bande pas moins les yeux pour épaissir le mystère et des bras empressés s'offrent instantanément à l'encadrer et à l'escorter jusque dans la pièce voisine.

On lui enlève son bandeau. Elle est devant le piano. Sur le plateau, attaché sur le dos, bras et jambes en croix, un homme, nu, la regarde avec terreur.

« Prends-en le plus grand soin, ma chérie! » lance Helmut.

Déconcertée, elle ne sait que penser.

Cet homme a été torturé. Il a un bâillon, sur sa bouche, tout maculé de sang séché.

« Ne perdez pas votre temps à lui faire la conversation, lui glisse-t-on à l'oreille. La Gestapo lui a coupé la langue la semaine dernière. »

Et ça les fait rire.

Qu'attend-on d'elle? Que doit-elle faire?

Helmut se met au piano et joue du Wagner. Plus qu'une musique, un état d'esprit.

La terreur précédente s'est effacée dans le regard du malheureux. Elle laisse la place à l'angoisse de se trouver ainsi livré à ce nouveau bourreau en robe du soir.

Riant fort, l'un des Allemands lui verse du champagne sur le sexe.

« Arrêtez! Vous n'avez pas le droit! »

Il la foudroie du regard. Elle réalise. Les droits, il les a tous. Y compris de lui faire subir le même sort s'il le veut. Elle se reprend et ajoute avec douceur : « Il est à moi. » Elle trempe un doigt dans la coupe de champagne que ce barbare tient dans la main pour en déposer délicatement une goutte sur la poitrine de son cadeau.

Helmut joue toujours du Wagner sans s'occuper de rien.

Les cinq Allemands l'entourent, la regardent, attendent.

Elle hésite, puis, se penchant, va reprendre des lèvres la goutte de champagne précédemment déposée.

Ils rient et l'applaudissent. Elle n'ose regarder le martyr dans les yeux. Elle redoute ce qu'elle pourrait y lire. Maintenant, Helmut joue du Schubert. Qu'attend-il? Que veut-on lui faire faire?

Une main se pose au creux de ses reins qui la pousse doucement à se rapprocher du piano.

Les traces de tortures sont anciennes. Plusieurs jours sans doute. Comment ont-ils pu le laisser dans cet état?

Puisqu'il est à elle, elle doit s'en occuper. Avec un volant de la manche de sa robe de soie, elle essuie les gouttes de sueur qui perlent sur la poitrine de l'inconnu.

Les cinq Allemands se mettent à rire, échangeant dans leur langue des commentaires qu'elle ne comprend pas. Un cliquetis la fait se retourner. L'un d'entre eux vient d'approcher une table roulante surchargée de divers instruments de torture.

D'un coup, l'horreur se précise. Ce qu'ils veulent, ce qu'ils attendent, est clairement exprimé. Odette fait un effort pour résister au vertige.

Comme dans un cauchemar, elle se retrouve avec une sorte de bistouri qu'on lui a mis dans la main. Elle ne sait qu'en faire. Et ils rient... ils rient...

Pour gagner du temps, elle rejette le bistouri sur la petite table et va tranquillement se servir une coupe de champagne, qu'elle vide d'un trait. Dans son esprit les questions se bousculent : que faire? Comment échapper?

Un SS, en uniforme noir, vient la rechercher et, l'entraînant tendrement par la taille, la ramène vers le piano devant celui qui attend de subir le sort ignoble auquel il est destiné.

Helmut ne la regarde pas. Il joue du Mozart maintenant.

« Faites-lui les ongles! » lui dit-on en lui tendant une pince de chirurgie.

Elle réagit. Sous la tête et les reins du malheureux garçon, elle installe des coussins. Ils la laissent faire. Ils l'observent. Intéressés. Elle peut encore gagner du temps. Avec du champagne, versé sur une serviette, elle entreprend de laver la poitrine de son cadeau. Ça les amuse beaucoup. Ils la laissent faire. Elle ne se dépêche pas. Elle lui lave aussi les bras. Les pieds. Les jambes. Ils rient de plus en plus. Elle sait pourquoi et ce qu'ils attendent.

Le pauvre cadeau vivant a fermé les yeux. C'est un homme jeune. Peut-être trente ans?

« Il faut finir ce que vous avez commencé! dit un des Allemands en lui tendant des tenailles.

– J'y compte bien! le défie-t-elle. Mais j'ai une meilleure idée. »

Ce n'est pas vrai. Elle n'a aucune idée. Elle sait seulement qu'elle ne fera pas de mal à cet homme. Qu'elle ne veut pas. Quoi qu'il doive lui en coûter.

Ils attendent, figés dans leurs demi-sourires. Féroces.

Que peut-elle faire? Elle décide de partager l'humiliation de la victime. Tranquillement, elle défait le premier bouton du corsage de sa robe. Le deuxième. Ils la regardent intensément. La robe tombe à ses pieds. Ils frémissent. Sa combinaison passe par-dessus ses épaules. Ils sont tendus. Captivés.

A l'exception de ses bas, elle est nue.

Helmut joue du Chopin.

Elle dénoue le chignon de ses cheveux, secoue la tête pour les ébouriffer, se paie le luxe et le culot de leur sourire. Ils semblent pétrifiés. Dans les yeux de l'homme-cadeau elle lit aussi une réaction de stupeur. C'est fugitif. Elle ne peut le regarder trop longtemps car son bâillon souillé de sang séché lui soulève le cœur.

Les Allemands attendent de voir ce qui va suivre.

Très doucement, avec ses lèvres, avec sa langue, avec ses cheveux, avec ses seins qu'elle a humectés d'un peu de champagne, elle obtient très naturellement ce qu'elle demande. Ils sont fascinés. Ils sont médusés. Ils voulaient qu'elle le torture : elle préfère le caresser.

Et puisqu'elle en est là, pourquoi ne pas aller au bout?

Tranquillement elle escalade le piano. Elle enjambe l'homme-cadeau, se place au-dessus de lui, le regarde dans les yeux et lui dit :

« Oublie un instant ta souffrance. Oublie ton humiliation. En ce moment, c'est toi le seigneur. Tu as le droit du maître, je te le donne... »

Peut-être lui sourirait-il sans cet affreux bâillon qui cache sa bouche mutilée?

Ils sont partis.

Helmut veut accomplir une dernière formalité. Odette le supplie de n'en rien faire et lui retire son revolver des mains.

Curieuse prise de conscience. Dans cet instant, Helmut Zeitschel réalise combien Odette Rospié fait partie de sa vie. Combien il ne peut plus se passer d'elle. Pour lui, elle peut souffrir. Elle peut tout consentir. Mais elle est douceur, sollicitude, amour, et même pour lui elle ne peut faire le mal. Elle n'est pas son esclave. Elle s'est inventée pour lui.

« Va! murmure-t-il. Ma voiture va te ramener à Colombes. Prépare tes valises. D'ici quelques jours, Charles et toi, je vous emmènerai en voyage. »

*
* *

Livide et épuisé, accroché d'un bras autour du cou de Marie, il est arrivé dans la lingerie et s'est laissé aller sur un fauteuil avec un gémissement de douleur.

Officiellement, il vient d'être opéré de l'appendicite. En vérité, le chirurgien lui a extrait du ventre deux balles de revolver. Il s'appelle Yves. Roger a donné l'ordre de le prendre en charge et de l'assister.

Anna et Marie ne savent rien de plus.

Anna doit le garder pour la nuit dans la lingerie de l'hôpital. Demain matin, Marie aura trouvé une voiture et viendra le chercher, vers sept heures, pour le transférer dans une planque.

Nuit difficile. L'opéré a beaucoup déliré, malgré les calmants.

Il est six heures du matin. Il vient juste de s'endormir.

Grand branle-bas de combat, les Allemands sont dans la cour. Anna descend s'informer. Ils cherchent un terroriste blessé qui a tenté d'assassiner un officier de la Luftwaffe devant le théâtre Sarah-Bernhardt. Elle n'a que le temps d'évacuer Yves. Il tient à peine debout. Les Allemands sont déjà dans l'escalier. Ils ouvrent toutes les portes. Elle entend leurs ordres brefs. « Raus! Raus! Schnell! Schnell! »

Une seule issue : installer Yves dans la morgue.

Elle l'y entraîne. En chemin, elle trouve une autre solution. Dans un coin d'une cour stationne la cantine roulante. C'est une caisse métallique, fermée, servant au transport des repas pour les vieux du quartier. Un homme peut y tenir. Pour le blessé, il va s'agir surtout de tenir le coup jusqu'au quai de Montebello. En principe, avec sa tenue d'infirmière, poussant son coffre de l'Assistance publique, elle ne devrait pas être inquiétée en cas de mauvaise rencontre avec une patrouille.

Après les premières journées difficiles, Yves est allé de mieux en mieux. Anna l'a veillé, nourri, soigné. L'ordre de transfert est arrivé. Demain, elle doit l'accompagner à Courbevoie. Il n'a ni papiers ni Ausweis. Elle est très inquiète de cette expédition.

« Si tu savais comme j'appréhende...

– C'est normal. Dans notre situation on ne fait rien sans avoir peur. Il faut éviter d'y penser. A Londres, j'ai suivi un stage d'entraînement psychologique. C'est très dur. Enfin, après la guerre, ça me servira toujours. Dans mon métier...

– Qu'est-ce que tu fais?

– Fonctionnaire. Flic.

– Et elle dit rien ta femme? Moi, j'aurais pas aimé. »

Elle le fait rire. Il avoue :

« Elle a supporté pendant une douzaine d'années puis, un jour, elle a dû en avoir marre et elle m'a viré. Je partais souvent en mission. A cette époque, je faisais passer des gosses juifs en zone libre.

– Elle le savait?

– Non. Je voulais le lui dire ; puis j'ai pensé que ce n'était pas la peine de lui faire courir de risques. Si je devais être pris, elle aurait été questionnée. Elle avait plus de chance de s'en sortir en ne sachant rien. L'innocence, ça ne s'invente pas. Je n'ai pas regretté mon silence, au fond. Pour rendre service à son père, elle avait pris un petit môme en nourrice. C'était le fils d'un Schleu. Rien à dire, le père payait grassement la pension. Ce que je n'avais pas pifométré c'est que ma bourgeoise allait se faire sauter en prime. En fait, c'est pour ça qu'elle m'a lourdé.

– Et c'est pour ça, que tu es parti pour Londres!

– Oui et non. Pas tout de suite. J'ai d'abord voulu essayer de savoir. D'être sûr, tu comprends? J'ai fait des planques. On habitait Colombes. La maison était à elle, donc elle y était restée. Le frisé venait la voir. Pas n'importe quel guignol de la ligne verte. Rien moins qu'un SS. Un officier. Officier subalterne, mais officier. Je voulais le descendre. Je n'ai pas pu trouver la bonne occasion. Ensuite, j'ai été hébergé par une vieille copine. Elle m'en a dissuadé. Il y aurait eu des otages. Elle m'a fait connaître Félix... Tu devines la suite?

– C'est Félix qui t'a mis à l'avion.

– Eh oui! Je ne suis pas vraiment parti par héroïsme mais par écœurement d'avoir trouvé ma femme dans mon lit avec son Obersturmführer SS, Helmut Zeitschel, de la direction centrale de la Gestap...

– Comment dis-tu? Son nom? »

Il est six heures du matin. Elles sont toutes les deux toutes nues, en train de faire leur toilette. Un clé tourne dans la serrure. C'est Roger. Nullement gêné de n'avoir pas frappé et de les surprendre.

« Ne vous en faites pas, les filles. J'ai vu pire.

– Voilà presque un compliment! » apprécie Marie en se dissimulant comme elle peut derrière sa serviette.

Roger se laisse tomber sur un lit.

« Continuez votre astiquage. Ne vous mettez pas en retard. Vous pouvez m'écouter en vous habillant. Grâce aux indications de Jacques Lambert. Appelons-le, Yves. Ben, voilà... on a vu ton fils, Anna. Il est du genre J1 * turbulent qui règne en terreur sur la marmaille d'un square de banlieue. »

* Classification des plus jeunes sur les cartes d'alimentation.

Entendant cela, Anna reste interdite. Immobile. Puis, c'est... l'éclat de joie. L'espoir devient un rire. De paix. De bonheur.

« C'est la première fois que je l'entends rire! s'en émeut Marie.

– Il est retrouvé. Tu te rends compte? Retrouvé! Pour de vrai.

– Chut! Chut! intervient Roger. Fais pas tant de bruit. Écoute plutôt. Il est sous la garde de l'ancienne femme de Jacq... d'Yves. Une dame Odette Rospié. On a monté une filoche. On va pratiquer l'enlèvement. »

A cette nouvelle, Anna en oublie sa serviette et se jette sur Roger. Dans ses bras. Folle, de joie, lui embrassant les mains, les joues, n'importe quoi, tout ce qu'elle trouve.

« Calme-toi panthère! Calme-toi! Calme-toi! »

Les « merci-merci-merci » tombent, comme des perles de cristal, comme les larmes, aussi, qui coulent sur ses joues, qui noient son visage, qui lui font dire malgré tout : « C'est le plus beau jour de ma vie! Presque mieux que... quand je l'ai mis au monde. » Elle pleure, elle rit. Repleure, rerit... Roger est obligé de la serrer très fort contre lui tant elle tremble.

Par degrés, elle s'apaise.

Marie est prête. Habillée. Anna est toujours toute nue, en retard, et heureuse. Malade d'être heureuse. Assise sur le bord du lit, elle entend Roger lui dire : « Maintenant, le plus difficile, pour toi, va être l'attente. Tu ne dois rien faire. Surtout ne pas intervenir. Simplement avoir confiance.

– J'ai confiance! assure-t-elle en se levant pour aller pleurer un peu dans les bras de Marie qui pleure, elle aussi, par solidarité.

– Quand les héroïnes auront fini de jouer les fontaines Wallace, je pourrai expliquer la suite...

– La suite, c'est que tu ramènes son fils! » renifle Marie.

Roger, conscient que sa propre larme à l'œil n'ajouterait rien à sa dignité de chef, se lève et disparaît comme il était arrivé.

Marie serre Anna dans ses bras et tout doucement, à l'oreille, elle promet : « Je vais t'aider. Je suis là. A nous deux, l'attente te paraîtra moins longue. Et maintenant, si tu t'habillais? »

Pour la convaincre de se dépêcher, elle va débrancher les deux gros paraboliques électriques et l'oblige ainsi à sauter sur ses vêtements. Ce 17 décembre est glacial. Quel sale hiver! Tout en s'habillant à la hâte, Anna s'interroge tout haut : « Dans une semaine, c'est Noël. Tu crois qu'ils m'auront rendu mon fils, d'ici là?

Fritz Mühler s'est penché sur les instructions de cette opération qui doit rester secrète. Il y veillera. Pour commencer, Marc Rougier a reçu un tout petit plombage au ciment sur la première prémolaire gauche. Les médecins SS sont pointilleux sur le bon état de santé dentaire. Moins qu'en 1940, où un détail de cet ordre aurait interdit à Helmut Zeitschel d'entrer à Vogelsang. Trois cicatrices sont répertoriées au descriptif statural de Zeitschel. Frau Doktor les avait fidèlement reproduites sur Marc Rougier dès octobre 1942. La ressemblance physique entre ces deux hommes est un point, mais c'est surtout leur ressemblance administrative qui doit être flagrante.

Jacqueline Mornet et son fils Norbert, quatre ans, ont été liquidés de 10 décembre. Proprement. Ils sont passés au crématorium avec certificat de Frau Doktor attestant leur contagiosité. Mühler a assisté en personne à l'opération.

Maintenant, il prépare Florence Rougier. Elle n'a pas vraiment été surprise, quand il lui a proposé de la faire évader et de déserter l'armée allemande pour la rejoindre à Châteaudun. Après tout, n'est-il pas son amant depuis seize mois? Son premier amant. Elle s'est facilement laissé convaincre qu'il l'aimait et depuis, elle rêve. A quatorze ans, quoi de plus normal? Frau Doktor lui a expliqué que Jacqueline, Norbert et son frère avaient été transférés. Elle trouve le temps long, depuis. A son nounours, elle a confié qu'il irait bientôt à Châteaudun et qu'il connaîtrait son... grand-père. Elle lui raconte aussi tout ce qu'il verra dehors : tout ce dont elle se souvient.

***

Au-delà d'une première journée d'attente, Anna n'a plus pu tenir. Elle est allée aux nouvelles à la villa de Saint-Cloud. Ni Roger ni Félix, n'ont eu le cœur de lui faire observer que c'était une infraction inutile aux consignes de sécurité.

Félix ayant vu Karl, de loin, l'après-midi, il a fallu qu'il raconte, qu'il explique, qu'il raconte encore, qu'il réexplique. Et puis qu'il recommence tout, depuis le début.

Un plan très simple a été prévu. Deux hommes se faisant passer pour des inspecteurs de police interpelleront Odette Rospié et l'emmèneront avec l'enfant à bord d'une traction avant noire maquillée en voiture de la préfecture. L'opération est prévue vers dix-sept heures. Le lieu idéal est une petite rue, très peu passante, qu'Odette emprunte chaque jour pour se rendre chez le boulanger. Marie attendra, à partir de dix-sept heures quinze, devant le Royal Villiers, une brasserie de la porte Champerret. Là, on lui remettra Karl. Odette Rospié sera libérée un quart d'heure plus tard.

« Quand? demande Anna. Demain?

– Non! Demain c'est impossible. C'est le jour de fermeture hebdomadaire de la boulangerie. Ce sera après-demain. »

Deux larmes silencieuses débordent des yeux d'Anna et Félix, pudiquement, tourne la tête pour lui parler d'autre chose : « Je suis inquiet au sujet du capitaine Weisenberg. Nous devions rester en contact et depuis une semaine elle ne s'est plus manifestée. Avant-hier, elle avait un rendez-vous, avec un de nos agents. Elle ne s'est pas présentée.

– Tu crois qu'il lui serait arrivé malheur?

– Aucune idée!

– Qu'est-ce qu'on peut faire?

– Absolument rien. Attendre. Tu la connaissais bien, je crois?

– Oui! Un de mes amis l'a hébergée quelques temps, en 1940, quand les Allemands ont arrêté son mari. C'est à cette époque qu'elle a décidé de gagner Londres.

– Elle ne t'a pas laissé un endroit où la joindre? Un contact? Une boîte à lettres?

– Rien du tout! Elle ne savait même pas où elle irait. Elle devait être prise en charge par un réseau de partisans, je crois. »

Félix doit impérativement se rendre à Paris et, puisque Anna doit rentrer, ils ont décidé de faire le trajet ensemble. Tout en bavardant de la guerre, de l'espoir d'un débarquement anglo-américain, des batailles inévitables qui s'ensuivront sur le sol français et qui risquent d'être pour le pays une succession d'épreuves encore plus dures que celles de juin 1940, ils gagnent la gare de Saint-Cloud. Face au bâtiment se trouve une sortie de l'hôpital municipal. Une ambulance franchit précisément le seuil de cette porte gardée par deux soldats de la Wehrmacht.

« Regarde bien cette voiture! indique Félix. C'est l'ambulance de la mort. Au mont Valérien, qui se trouve juste derrière, on interroge, on torture et on fusille. De temps en temps, quand les boches y sont allés un peu trop fort, ils envoient leurs victimes ici. Les médecins les retapent un peu. Ensuite ils viennent les reprendre et recommencent... »

Félix regarde passer l'ambulance avec respect.

« Certains matins, vers six heures, suivant le sens du vent, on entend les déflagrations de la mitrailleuse du peloton d'exécution. »

Le train les a emportés pour le court voyage de sept minutes qui les sépare de la gare Saint-Lazare. Un monde fou. A l'arrivée, les portes ne s'ouvrent pas.

« Les schleus sont sur le quai! lance quelqu'un.

– Merde! grince Félix.

– Ils fouillent! informe un autre voyageur qui se trouve à proximité de la fenêtre et voit très bien ce qui se passe.

– Des miliciens sont avec eux! dit une femme.

– Les sbires du fascisme sont souvent plus redoutables que les Allemands eux-mêmes! murmure Félix à l'oreille d'Anna. Si tu as le choix, essaye de passer avec les boches. »

A leur descente du wagon, dix par dix, les voyageurs sont réceptionnés par le comité d'accueil. Fouille sommaire, mais précise. L'un palpe les poches, l'autre visite les sacs et les valises.

« J'allais porter un pétard anglais dans une planque, dit Félix. Je te le laisse. Essaye de descendre en dernier. Je vais revenir à contre-voie par derrière. Si possible, tu me le jetteras par la fenêtre, sinon tu t'en débarrasses sous une banquette. »

Félix a passé la fouille sans encombre et s'éloigne d'un bon pas. A l'extrémité du quai, comme sur tous les quais de toutes les gares de Paris, les Allemands ont construit un de ces étranges petits blockhaus en béton dans lesquels se trouvent les sentinelles affectées à la garde permanente. L'air détaché, mains dans les poches, Félix contourne le bout de ce quai juste au moment où un autre train vient s'arrêter sur la voie voisine du convoi où se trouve Anna. Les voyageurs en descendent librement. Quelques Allemands sont parmi eux. Félix monte dans ce train, identifie la fenêtre derrière laquelle se trouve Anna. Elle aura juste à tendre le bras.

Elle vient de le voir et lui fait signe de se dépêcher. Ce doit être bientôt à son tour de descendre. Félix baisse la vitre tend le bras vers Anna qui tout à coup change d'expression. Change de visage. Le vise. Tire.

Il a senti la chaleur à deux doigts de sa joue.

Derrière lui, un Allemand s'effondre.

Il tend le bras, s'empare du revolver. Le canon lui brûle les doigts à travers le cuir de son gant. Dans le dos d'Anna, il voit surgir un soldat et un milicien. Félix enjambe le cadavre de l'Allemand, se prend le pied dans la mitraillette, manque de tomber, se rattrape et part en courant vers la sortie latérale en direction, de la rue de Rome.

Anna s'est sentie vigoureusement agrippée par le bras. Un soldat allemand la serre à lui briser les os. Pour la tenir comme ça, c'est qu'il a tout vu. Elle est foutue. Elle vient de tuer un soldat allemand. Devant tout le monde. On va l'arrêter.

On la conduira au mont Valérien. On la torturera. Elle allait retrouver son fils et ils vont la fusiller.

A la demande personnelle d'Himmler, Kurt Lischka est parti pour réorganiser la police allemande sur le front Est. Depuis, un officier subalterne expédie les affaires courantes dans l'attente de l'arrivée de l'Obersturmbannführer Neinfeind qui rentre de Crimée pour prendre ce nouveau commandement.

Helmut Zeitschel est conscient que le temps de sa position exceptionnellement privilégiée au sein du KDS est désormais révolu.

Lors d'une récente tournée d'inspection, Ernst Kaltenbrunner, le successeur de Heydrich à la tête de la Gestapo, l'a longuement interrogé et écouté s'expliquer sur les fonctions indéfinissables qui lui avaient été confiées depuis sa nomination. Il s'est légèrement étonné.

« Neinfeind jugera lui-même! a-t-il fini par conclure, mais sachez que j'ai un poste de Sturbannführer, par voie de nomination, dans l'unité combattante Das Reich. Je souhaiterais y voir un ancien de Bad-Tölz. Chef de bataillon, à vingt-cinq ans, dans l'une des plus glorieuses divisions SS du Reich une telle promotion devrait vous combler, Herr Zeitschel?

– Jawoll! Mein Führer! »

Si Kaltenbrunner a souri de s'entendre appeler ainsi – comme Adolf Hitler lui-même – il a dû se dire, aussi, qu'il en était après tout l'ambassadeur direct.

Jusqu'à présent, cette guerre, Helmut Zeitschel ne l'a vue qu'à travers l'atmosphère feutrée des bureaux. Cette guerre, il ne veut pas la faire autrement. Il a intimement peur de la violence directe des champs de batailles. Ce n'est pas tant l'idée de sa mort qui l'épouvante, c'est la perspective de devoir vivre sa propre souffrance.

Depuis un peu plus de dix-huit mois, dans l'ombre de Lischka, il a su manœuvrer pour prendre des dispositions propres à protéger l'avenir de son fils et le sien. Il s'est remboursé pour le sort qu'on lui a jadis imposé, à Magdebourg. Si – grâce à Dieu – il était du bon côté ces quatre dernières années, il ne peut que s'en remettre à cette même grâce divine pour les années à venir.

***

Effondrée sur la banquette de bois de ce wagon de troisième classe, elle raconte sa version des faits. Un attroupement de voyageurs s'est formé autour d'eux. Un sous-officier de la Feldgendarmerie arrive et les repousse sans ménagement.

« Schnell! Raus! Loss! Loss!

– Je l'ai vu! Là, dans l'autre train. Un homme qui a tué un Allemand! » dit une femme anonyme, d'une voix pointue.

Anna, qui joue les effets de l'émotion, à mi-chemin entre la crise de nerfs et l'évanouissement ouvre discrètement un œil et jette un regard en direction de celle qui vient de parler. Cette femme est peut-être la seule voyageuse de ce coin du wagon à avoir vu ce qui s'est réellement passé. D'autres personnes confirment sa version qu'ils expliquent aux soldats avec des mimiques émaillées de petit nègre franco-allemand. Toute cette effervescence favorise d'autant la fuite de Félix. Maintenue par le système de sécurité à air comprimé la porte à contre-voie ne s'est pas ouverte. Le temps que le détachement parti en courant arrive sur l'autre quai, Félix aura disparu.

Arrive un officier. Son subalterne lui résume la situation en phrases courtes et rocailleuses.

« Y a-t-il des témoins? s'informe l'officier.

– Moi! se propose la femme blonde qui a peut-être tout vu. J'étais près de mademoiselle! explique-t-elle en désignant Anna. Elle a eu un malaise dans la file d'attente pour la fouille. Le coup est parti juste au moment où elle me disait qu'elle est enceinte. »

L'officier l'écarte sans ménagement et s'approche d'Anna.

« Pourquoi avez-vous ouvert cette fenêtre? Vous avez vu quelque chose, mademoiselle?

– Oui! Je... Enfin, non! Rien. Je parlais à cette dame!

– Elle a dit avoir vu l'homme qui a tiré! intervient le soldat qui a recueilli ses premières paroles.

– Seulement de dos! proteste Anna. Une silhouette. »

L'officier n'écoute pas. Il lui demande d'ouvrir son sac.

« Vous êtes enceinte?

– Oui, monsieur.

– Bon, restez assise. Personne ne bouge pour l'instant. »

Devant l'unique porte de sortie, deux soldats en armes interdisent la descente sur le quai.

« On va tous leur servir d'otages! » lance une voix d'homme au fond du wagon.

Personne n'ose réfuter cette angoisse exprimée tout haut.

L'officier est revenu. Il a demandé à Anna ce qu'elle avait vu. Elle a expliqué qu'elle avait un malaise au moment du coup de feu. Il a paru croire en cette version. Un soldat a recopié son nom et son adresse avant de lui rendre sa carte d'identité. Puis l'officier a dit qu'elle pouvait partir, après avoir désigné dix personnes devant rester. Parmi elles, la femme blonde. En passant, Anna lui a adressé un sourire affligé. En réponse, elle a distinctement lu sur ses lèvres : « Bravo! » Cette femme avait donc bien tout vu.

Sur le quai, alors qu'elle se dirige vers la sortie, Anna se sent fermement empoignée par le bras et se retourne.

« Où allez-vous? lui demande un milicien.

– L'officier m'a autorisée à partir.

– Et la fouille?

– Il m'a déjà fouillée.

– Ce n'est pas suffisant! Venez par ici! »

Il l'entraîne un peu à l'écart : « Ouvrez votre sac. »

Elle obéit. Il en examine le contenu.

« Déboutonnez votre manteau. »

Elle obéit.

Directement, il lui prend les seins à pleines mains. Elle ne peut contrôler un brusque mouvement de recul offensé.

« Comment? » s'étonne-t-il.

Il est très jeune. La vacherie se lit dans ses yeux. Son béret trop large lui fait une toute petite tête qui lui donne un air idiot.

« On joue sa mijaurée? Allez, suis-moi la belle! » Joignant le geste à son intention de l'emmener, il la prend par l'épaule et la pousse devant lui. Au bout du quai, une sorte de baraquement. Il y a déjà du monde. Le milicien la fait attendre. Pas très longtemps. La porte s'ouvre. Un homme sort, menottes aux poignets, entraîné par deux miliciens.

« A toi. Vas-y! Entre! »

A l'intérieur, une très grande table. A une autre table, plus petite, un gendarme allemand qui tient un registre.

« Donne tes papiers, qu'on voie s'ils ne sont pas faux! »

Anna ouvre son sac.

« Enlève ton manteau! »

Elle n'a pas le choix.

Le Feldgendarme épelle tout haut : « Gisèle Lenormand.

– Enlève ta robe, maintenant! »

Anna hésite.

« J'ai dit : enlève ta robe! » répète le milicien menaçant.

Le Feldgendarme a levé la tête. En attendant qu'elle enlève sa robe, il demande : « Vous êtes toujours domiciliée quai de Jemmapes?

– Oui.

– Alors, cette robe? » s'impatiente le milicien.

Anna s'exécute. Avec beaucoup d'humilité.

« Très bien! La chemise, maintenant!

– Mais?

– Tu ne veux pas que je te touche, alors je veux voir. Ce sont les ordres. »

Il ne fait pas très chaud. Anna frissonne.

Un à un, le milicien lui fait ôter chacun de ses vêtements. A l'exception de ses bas de coton gris maintenus sur ses cuisses par de larges jarretières en élastique qui n'ont rien de troublantes. En allemand, il dit quelque chose au Feldgendarme. Celui-ci éclate d'un rire gras. Anna simule l'incompréhension, mais, mentalement, elle a traduit : « Je la mettrais bien au travail obligatoire pour me faire quelques cochonneries! »

Tenant sa poitrine un peu lourde entre ses mains, elle attend, tête baissée.

Le milicien lui tourne autour.

« Tu sens drôlement la juive, toi? Tu es bien sûre de t'appeler Lenormand? »

La peur lui noue la gorge. Elle préfère ne pas répondre.

« Regarde un peu, Oscar » interpelle-t-il le gendarme allemand. Désignant de l'index la brune toison du triangle pubien, il ajoute : « Un tablier de sapeur aussi noir, tu crois que c'est normal pour une descendante de Wiking? »

Nouveau rire gras d'Oscar qui replie Ausweis et carte d'identité, les tend à l'intéressée. Comme il est de l'autre côté, elle doit s'approcher de plusieurs mètres. La main gantée du milicien se place entre ses fesses et l'accompagne, jusqu'au bout, en essayant de la pénétrer d'un doigt, à chaque pas. Tête baissée, elle subit sans protester.

« Un cul pareil! Vraiment dommage que j'aie pas le temps de l'enfiler. Allez! Rhabille-toi, la belle! Et grouille un peu! »

Il est juste dix-neuf heures lorsqu'elle se retrouve sur le trottoir. Devant la gare. Elle entre dans le premier café et commande un Fernet-Branca.

« C'est jour sans! » lui répond le garçon.

Tant pis, elle prendra un de ces affreux jus de fruits synthétiques.

Mözek. J'ai tué un Allemand, Mözek. J'ai tué un homme, Mözek. J'ai tué. C'est affreux. Il le fallait. Il allait tirer sur Félix. J'ai tué un homme, Mözek. Elle n'en finira donc jamais, cette guerre? Elle ne finira donc jamais?

Quai de Montebello, Félix était là. Qui l'attendait. Lorsqu'elle est entrée, il s'est levé, lui a ouvert les bras. Elle a fondu en larmes tandis qu'il l'embrassait dans les cheveux, lui disant : « Merci. Merci ma grande. Merci. Tu m'as sauvé la vie! »

Marie était toute bouleversée.

« Après demain, je te ramènerai ton fils! » promet Félix.

Karl? Depuis un peu plus de deux heures, elle n'y a plus pensé. Revoir Karl. Retrouver son enfant. Elle va retrouver son enfant. Elle a tué un homme et elle va retrouver son enfant.

Mözek. Quelle journée Mözek! Quelle journée!

Dernière revue de détails pour Marc Rougier.

Habillé en Hauptsturmführer SS, il se tient, pâle, au milieu de sa chambre de clinique, sous le regard critique de Fritz Mühler et de la doctoresse allemande qui l'assiste.

Dans ses poches, divers objets censés lui appartenir. Les clés d'un appartement. Celles d'un bureau. Quelques pièces de monnaie. Une lime à ongle dans un étui de platine marqué aux initiales H. Z. Les papiers militaires du capitaine SS Zeitschel.

Marc Rougier se remémore le rôle qu'on lui a appris.

Habillé en capitaine SS, on l'emmène dans une prison. Il désignera Jacqueline et leur fils au lieutenant Mühler qui intimera l'ordre de les emmener. Il devra ensuite signer un registre du nom de Zeitschel. Puis ils partiront vers la liberté.

« Je vous recommande une certaine raideur! lui répète Mühler.

Étant donné votre grade, vous devez attendre que je vous ouvre les portes. Compris?

Rougier acquiesce.

« Un officier de la SS ne sourit jamais. Ne répondez à personne. Je suis là pour ça. Vous devez considérer avec mépris tout soldat de la Wehrmacht. N'oubliez pas que, dans cette tenue, vous représentez la pleine puissance militaire de notre armée. Vous avez encore des questions? »

– Nein! répond Rougier, conscient de devoir se prêter aux circonstances de cette mascarade imaginée par sa consœur allemande pour sauver un médecin et les siens.

– Ist es möglich, Frau Doctor?

– Das ist genug! convient-elle. Au revoir docteur Rougier!

– Alors, allons-y! » annonce Mühler.

Une voiture noire de la Gestapo stationne devant le perron, dans le parc intérieur de la clinique. Fritz Mühler ouvre la portière. Marc Rougier s'installe à l'avant, conformément à la règle pour deux officiers voyageant ensemble.

Mühler, le moins gradé des deux, a pris le volant. A la grille, deux civils leur adressent le salut nazi.

« Répondez évasivement! dit Mühler entre ses dents.

Marc Rougier lève vaguement la main et lance : « Heil Hitler! »

Le portail franchi, Mühler précise : « On ne doit pas entendre ce que vous dites lorsque vous répondez. A qui que ce soit. Heil Hitler, haut et clair, est réservé, de votre part, à vos seuls supérieurs en grade et uniquement si ce sont des SS. Compris?

– Oui! Affirme Marc Rougier. Mais vous croyez que je vais avoir besoin de tout ça?

– Peut-être. Peut-être pas. On ne sait jamais. »

Une dizaine de minutes plus tard, ils parviennent devant une sorte d'entrepôt sinistre, gardé par deux Feldgendarmes à l'abri sous leurs guérites blanches rayées rouge et noir.

« Quel jour sommes-nous? demande Marc Rougier en répondant d'une main mollement levée aux armes qu'on lui présente.

– Je vous l'ai déjà dit tout à l'heure : lundi 18 décembre 1943. Il est dix-sept heures quarante-cinq. »

La barrière se lève. La voiture entre. Franchit une première cour. Une seconde. Va s'arrêter le long d'un mur.

Distraitement, Marc Rougier cherche la poignée de la portière.

« Attendez que je vienne vous ouvrir! » l'interrompt Fritz avant de descendre.

C'est un endroit désert. Pas âme qui vive. Pas dans cette cour, en tout cas. Sous un hall, il y a un quai, près d'une voie ferrée rouillée où stationne un wagon de la SNCF. Un wagon de marchandise qui a visiblement essuyé un bombardement. Le toit est à demi arraché. Le flanc visible est criblé de gros éclats de balles de mitrailleuses. Au passage, Rougier peut lire : « *Bobigny. Frankreich nach Auschwitz. Deutschland, via Nancy – Forbach – Frankfort.* » D'autres inscriptions, à la craie, sont un peu effacées. Auschwitz : un nom inconnu. Probablement un bled allemand vers lequel est acheminé ce qui est volé à la France occupée.

Le quai est désert. Par endroits, dans la verrière peinte en bleu qui l'abrite, il y a des trous par lesquels s'infiltre la pluie. Elle goutte et forme des flaques, çà et là, sur le bitume gris.

« Marchez devant. Tête haute ! » ordonne Mühler.

Rougier s'étonne encore de ne voir personne. L'entrepôt paraît désaffecté. Une mauvaise impression lui vient tout à coup. Il se tourne. Mühler pointe un revolver dans sa direction.

Un choc dans la poitrine, à gauche. Le grand bruit que ça fait. Pourquoi habillé en SS? Deuxième choc. Trois...

Le corps de Marc Rougier se plie. S'affaisse.

Mühler s'en approche et vide les trois dernières balles de son chargeur, bien groupées dans la région du sein gauche. Il a tailladé ses balles en croix. Une fois dans la chair elles éclatent et déchiquettent tout.

De sa poche, il sort un petit flacon. De l'acide sulfurique, qu'il verse sur le visage de sa victime en épargnant autant que possible les yeux. L'effet est instantané. Les chairs grésillent, se boursouflent, cloquent, éclatent, rongées par l'effervescence bouillonnante du vitriol.

Une heure plus tard, Fritz Mühler est de retour à la clinique et demande à être reçu par Frau Doktor.

Dès l'entrée du jeune SS dans son bureau, la vieille femme a senti une étrange détermination.

« Que voulez-vous, Mühler? »

La mission continuait : elle mourut sans comprendre pourquoi.

Anna fait les cent pas devant la gare Pereire. Il est dix-sept heures trente-cinq. Marie ne devrait plus tarder. Le cœur d'Anna bat à se rompre. Plusieurs fois, elle a dû s'interdire de partir à leur rencontre par l'avenue qui conduit à la porte Champerret. L'attente est longue. Trop longue.

Mözek. On va retrouver Karl. Tu vois, on pourra l'emmener sur notre manège quand cette guerre sera finie.

Dix-sept heures quarante. Marie devrait être là depuis au moins...

« Anna? »

Elle se tourne d'un bloc à l'appel de son nom. C'est la voix de Marie. Marie, au visage tragique.

« Où est-il? »

Derrière l'épaule de Marie elle aperçoit Félix. Lui aussi a une expression catastrophée.

« Qu'y a-t-il? Que se passe-t-il?

– Viens! » dit Marie en l'entraînant par le bras.

***

Fritz Mühler, au volant d'une Mercedes noire du KDS, roule en direction de Châteaudun: petite sous-préfecture d'Eure-et-Loir située aux confins de la Beauce et du Perche. Près de lui, sur le siège passagers, chevilles et poignets entravés de menottes, son chef direct: le SS Hauptsturmführer Helmut Zeitschel, qui voyage en civil sous le nom de Marc Dilimon, résistant français détenu par la Gestapo.

Depuis la sortie de Paris, ils ont déjà franchi trois barrages de Feldgendarmerie. En ce mois de décembre 1943, les parachutages britanniques se sont intensifiés et les hommes qui opèrent en commandos sont activement recherchés. Fritz et Helmut connaissent les dernières statistiques: deux cent seize arrestations de parachutistes ou de pilotes anglais, rien que pour le mois de novembre. Des tonnes de matériel militaire saisies: mitrailleuses, pièces de DCA, même des Jeeps et des Half-tracks de fabrication américaine. Assurément, les Anglo-Américains préparent leur tentative de venir se battre sur le sol de France.

« Une dizaine de kilomètres avant Châteaudun, vous essaierez de trouver un endroit tranquille pour vous changer. Vous enterrerez votre uniforme.

– Ja! Herr Zeitschel!

– Dispensez-vous de m'appeler comme ça, désormais. Il va falloir vous contrôler devant M. Rougier. Nous allons être observés très attentivement. N'oubliez pas que je suis supposé être un Français.

– Oui, monsieur Dilimon.

– Appelez-moi Marc! Vous êtes tout de même censé m'avoir sauvé la vie en me faisant évader.

– En quelque sorte, je suis un traître à mon pays. Croyez-vous que M. Rougier aura quand même envie de me donner la main de sa fille?

– Mon cher Fritz, pour lui vous serez une sorte de héros. Quand il va apprendre que les Allemands ont tué son fils, il sera prêt à accueillir les déserteurs de notre armée comme s'ils étaient des aviateurs anglais. »

Fritz et Helmut, portant leurs bagages, sont arrivés, à pied, chez le docteur Edmond Rougier. Il faisait nuit. A deux reprises, ils ont dû se cacher pour éviter de rencontrer les patrouilles allemandes.

Fritz a sonné selon un signal convenu et c'est Florence elle-même qui est venue leur ouvrir.

Maintenant, ils sont dans le bureau du docteur Edmond Rougier où règne un froid polaire. La maison, trop grande, est à peine chauffée.

En quelques mots, ils relatent au père effondré la mort de son fils. Fritz, surtout, parle. A la fois clair et imprécis, expliquant qu'il tient ses informations de collègues mieux placés.

Le supposé Marc Dilimon opine du bonnet. « Marc était mon ami », dit-il de temps en temps pour appuyer le récit de Mühler.

Pour finir, Edmond Rougier se laisse tomber sur un fauteuil. Florence demeure debout. Près de lui, pleurant en silence. Son petit visage est ravagé de larmes et ses yeux brillent dans l'éclairage de la lampe.

Une vraie petite femme sous ses airs de gamine accentués par la coiffure qui dégage bien la base de son cou. Une vraie petite femelle. Une très jolie petite femelle, qui doit encore avoir quelques rondeurs potelées de l'enfance, des caprices un peu fous d'innocence, des abandons bouleversants de candeur... Helmut sent monter en lui une violente bouffée de désir et songe que la gamine serait parfaite, préparée pour lui par les bons soins d'Odette. Il avisera.

Si Edna n'était pas morte, c'eût été elle, la bonne fée de ses plaisirs. Différemment d'Odette. Avec Odette, il impose ses désirs, alors qu'Edna lui imposait plutôt les siens.

« Florence! Veux-tu te charger de montrer leurs chambres à ces messieurs, vient de dire le docteur Edmond Rougier. Pardonnez-moi, ajoute-t-il, nous nous reverrons demain. J'ai besoin d'être seul. »

Fritz s'incline légèrement, dans sa raideur bien germanique. Le supposé Marc Dilimon ajoute : « C'est bien naturel, monsieur! »

« Ils ne sont peut-être partis que pour deux ou trois jours? » suggère Anna qui ne veut pas renoncer.

Félix ose à peine lui exposer ce qu'il a appris mais sait aussi qu'il n'a pas le droit de laisser s'installer une illusion.

« Écoute, Anna... Un de nos hommes devait passer la journée à préparer le terrain. Vers midi, quand il a vu que la maison ne s'ouvrait pas, il a commencé à poser des questions. Odette Rospié et le petit sont certainement partis pour assez longtemps. Elle a prévenu plusieurs mamans du square, dans la journée d'hier, qu'elle quittait la région parisienne et s'installait en province.

– Mais pourquoi? Où sont-ils?

– Pour l'instant nul n'est en mesure de répondre à ces questions. On va chercher. Enquêter discrètement.

– Ils sont partis quand?

– Ce matin, vers sept heures! d'après une voisine.

– Elle reviendra. Elle ne va pas laisser sa maison.

– Elle reviendra sans doute. Elle reviendra certainement, répond Félix mais nous ne pouvons pas organiser une planque pour surveiller une maison vide.

– J'irai, moi! J'irai tous les jours! décide Anna.

– Une fois par semaine suffirait!

– Tous les jours! gronde-t-elle. Tous les jours!

– Tu seras vite repérée!

– Non!

– Si quelqu'un lui dit que sa maison est surveillée, elle risque de remettre sa décision de rentrer », suppose Marie.

Félix prend Anna contre sa poitrine : « Je comprends bien ta déception. La nôtre rejoint la tienne, tu sais. Ne gâche pas la petite chance qu'Odette Rospié refasse surface avec ton fils, d'ici quelque temps. Trop d'imprudences ne serviraient qu'à ça! Tu as du cran. Tu l'as prouvé. Il faut que tu continues. Ton fils est vivant. Cette femme... on sait qu'elle s'en occupe... C'est un peu une consolation, c'est...

– Félix! intervient Marie. Je t'en prie Félix, tais-toi! »

Le docteur Edmond Rougier croyait ses enfants en Angleterre depuis plus d'un an. De retour à Châteaudun, sa fille lui avait raconté ce qu'elle savait. Son frère l'ayant prévenue de ne pas s'inquiéter s'il venait à s'absenter quelques jours, elle n'avait pas signalé sa disparition durant la période qui avait précédé sa propre arrestation. Après cela, leurs sorts s'étaient liés dans la même détention prolongée en clinique. Puis, Fritz Mühler l'avait fait échapper.

Passé le choc des premières heures à la suite de l'annonce de la mort de son fils, de nombreuses zones d'ombre subsistaient dans l'esprit du vieux père. Florence n'ayant jamais entendu parler de Marc Dilimon, elle n'avait pu le reconnaître. Par ailleurs, n'ayant non plus jamais rencontré Helmut Zeitschel elle n'avait pas pu le dénoncer.

Edmond Rougier avait essayé d'obtenir des informations, Marc Dilimon et le SS déserteur Mühler avaient répondu au mieux à ses nombreuses questions, dans les limites de ce qu'ils étaient supposés savoir.

Au cours de longs entretiens, ont été mises au jour de nombreuses preuves des liens exceptionnels existant entre les deux Marc qu'une troublante ressemblance rapprochait. Le vieux docteur Rougier a désormais confiance en ce jeune Marc Dilimon, camarade de combat de son fils. En revanche, il se méfie de Mühler.

Dans sa position, Marc Dilimon ne peut qu'acquiescer à ces réticences mais non sans rappeler qu'il est tout de même l'auteur de deux évasions, dont celle de Florence. Edmond Rougier voudrait bien pouvoir se persuader de la loyauté de cet Allemand. Ce n'est pas tant le déserteur qui le gêne mais ce qu'il sait des circonstances dans lesquelles il a pu devenir l'amant de sa fille, très précisément.

Helmut Zeitschel, s'était donné dix jours. En moins de six, il a non seulement gagné sa confiance mais semé les idées qui justifient sa manœuvre.

« La fin de cette guerre est proche, monsieur Rougier. Les Alliés débarqueront peut-être avant le printemps. Votre fils avait une mission importante à remplir. J'en connais l'essentiel et je dois continuer. Seul. A sa place. Par fidélité à notre engagement pour la France. Je suis recherché par la Gestapo. Je ne peux plus vivre sous mon nom. D'un autre côté, je ne veux pas passer la fin de cette guerre à me cacher. Votre fils est mort. Il est sorti du fichier de recherche de la Gestapo. Donnez-moi les moyens de vivre sous son nom, c'est ma seule chance de passer au travers des mailles du filet. »

Ce langage résume les nombreux arguments qui lui ont été développés au cours des derniers jours. Le vieux médecin le connaît parfaitement et y a déjà longuement réfléchi. Laisser usurper l'identité de son fils reste une décision difficile à prendre mais... si cela doit servir le combat en faveur de la France libre...

« Eh bien, c'est d'accord, monsieur Dilimon.

– A la fin de cette guerre, nous rétablirons...

– Bien entendu. Ce n'est pas là ce qui me préoccupe.

– Vous pensez que sous l'identité de Marc Rougier c'est d'abord à Marc Dilimon que je ressemble?

– Vous courez assurément moins le risque de n'être pas reconnu comme étant Marc Rougier que celui d'être identifié sous votre véritable nom.

– Vous avez étudié ma suggestion?

– Évidemment.

– Et vous en avez conclu? »

Sous le coup l'émotion, Edmond Rougier fait tarder sa réponse. Il paraît très éprouvé. C'est un homme visiblement torturé par la décision qu'il doit prendre.

« Je n'exerce plus depuis quatre ans mais je ne pense pas avoir tant perdu de ce que je sais faire. Ce n'est pas l'essentiel de mon hésitation, monsieur Dilimon.

– Je m'en remets à vous, docteur.

– Votre ressemblance avec mon fils passe avant tout par une analogie de morphotype. Je peux atténuer votre ressemblance avec vous-même en arrangeant un peu votre nez, en vous décollant légèrement les oreilles, en rectifiant ce pli du menton. Il suffit pour cela d'une salle de chirurgie bien équipée. Seulement, après... Vous ressemblerez complètement à mon fils. Pour toute votre vie, monsieur Dilimon. »

Helmut Zeitschel se sent tout près du but. Il ne doit pas troubler le vieil homme par trop de précipitation.

« Je comprends bien vos hésitations, docteur. Avant de vous poser cette question, je m'étais moi-même interrogé longuement. Ma ressemblance avec votre fils nous a parfois gênés tout autant qu'elle a pu nous amuser. Nous en avions pris notre parti. Pour ma part, je fais passer ma chance de rester en vie avant mon intégrité physique et je suis prêt à m'en remettre à votre bistouri. Que vous estimiez personnellement au-dessus de vos forces de me donner les traits de votre fils, je peux le comprendre très bien et en ce cas ne plus insister...

– Pardonnez-moi, monsieur Dilimon. Je suis une vieille bête. Je devrais me dire au contraire que, par-delà sa mort, Marc sauve la vie de son ami. C'est une raison suffisante pour vous confirmer que j'accepte. Sans aucune réticence.

– Docteur, si je dois vivre assez longtemps pour ça, me consacrer pleinement à la libération de la France sera le seul remerciement que je pourrai vous adresser, à votre fils et à vous-même.

– Très bien. Nous n'allons pas nous attendrir.

– Pratiquement, vous avez une solution?

– Ici même. A Châteaudun. Le médecin directeur de l'hôpital général est un de mes amis. Il fait partie de la résistance locale. C'est donc à l'hôpital que je vous opérerai. Il m'assistera. Pendant ce temps, son frère, qui est secrétaire général de la mairie, fera le nécessaire auprès de la préfecture pour vous faire établir des papiers à votre nouveau nom.

– Vous êtes sûr de vos amis?

– Comme de moi-même.

– Ce sera long?

– D'ici trois semaines, si vous cicatrisez bien, vous pourrez vous montrer. Dans six à huit semaines, il n'y paraîtra presque plus. »

Helmut n'a plus besoin de Fritz dans l'immédiat et sa présence perturbe visiblement trop Edmond Rougier. Le vieux médecin a été jusqu'à dire qu'il aurait préféré pour Florence le même sort que son frère, plutôt que la voir dans le lit de cet homme. Mieux vaut donc l'éloigner pour quelque temps. Il convient en outre, que Mühler ait l'impression que leur mission se poursuit activement. Il s'impose donc de lui trouver un rôle.

« Nous avons bien progressé, mon cher Fritz. J'ai déjà obtenu deux renseignements précieux de la part du docteur Rougier. Vous allez rentrer à Paris pour une durée d'un mois. Inutile de me téléphoner ou de chercher à me contacter. Vous reviendrez directement me chercher le 20 janvier prochain.

– Que dois-je dire à Florence?

– Que vous partez pour préparer votre fuite en Amérique, avec elle. Rio, à son âge, cela devrait lui plaire. Dès votre retour au KDS vous remettrez un rapport au Brigadführer Oberg. Je le rédigerai cette nuit. Vous l'apprendrez par cœur et vous le transmettrez, codé *Abw.7*, sous la classification *Geheime Kommandosach.* A Paris, vous devrez vous en tenir à la certitude de ma mort. Le responsable intérimaire n'est pas au courant de cette mission. Quant à Neinfeind, s'il est arrivé, ce n'est pas à vous de lui en parler mais à Herr General Oberg d'en décider.

Cette nuit-là, Zeitschel rédigea un bref rapport. Daté de la veille de sa mort qui, par voie de représailles, avait coûté la vie à vingt otages français. Sujet : un réseau de l'Abwer infiltré par l'Intelligence Service. C'était là un dossier que le Generalmajor Oberg connaissait parfaitement mais dont Mühler, lui, ignorait tout.

*Un mois plus tard*

Une lettre codée attend Fritz Mühler, ce 20 janvier 1944, à son retour de chez le docteur Edmond Rougier. Ce sont ses ordres. Ils seront ponctuellement exécutés.

Le 22 janvier, le vieux docteur Rougier, le secrétaire de mairie de Châteaudun et son frère, le chirurgien de l'hôpital, seront arrêtés par la Gestapo pour activités résistantes. Ils seront fusillés dans l'heure sans avoir été interrogés.

Cela réglé, Mühler n'a plus qu'à gagner Nogent-le-Rotrou et attendre de nouvelles instructions.

Celles-ci lui parviennent le 2 février.

Ce même jour, à vingt heures, sa voiture s'arrête sur un chemin de forêt, en un point fixé par cotes d'état-major. Il y retrouve son supérieur hiérarchique accompagné de Florence Rougier.

Ultime étape de la courte vie de la jeune fille.

Dans l'éclairage des phares, Mühler remplit son office sans aucune hésitation et n'aura pas le temps de comprendre qu'il ne recevra plus jamais d'ordre du Haupsturmführer Zeitschel. Six balles de revolver bien groupées dans la région du cœur mettent fin à ses services.

Pour Helmut Zeitschel, en passe de devenir le nouveau docteur Marc Rougier, une dernière décision s'impose encore. Elle concerne

Odette Rospié. Après mûre réflexion il considère prudent et nécessaire de la rayer de la liste des témoins de sa métamorphose.

Depuis le jour où, lui ayant fait quitter Colombes, il l'a installée, avec Charles, à Nogent-le-Rotrou, elle a été tenue à l'écart de l'opération. Deux semaines plus tôt, à peine remis des suites de l'intervention pratiquée sur son visage par le docteur Edmond Rougier, il n'a pas résisté à l'envie de la rejoindre en ramenant Florence Rougier. Pour éviter tout impair devant la petite fille, il s'est trouvé en situation de donner certaines prescriptions.

Odette Rospié a été parfaite. Elle n'a commis aucune bourde devant Florence et s'est montrée l'incomparable magicienne des quinze nuits de plaisir qui ont suivi. Désormais, elle en sait trop.

Il doit au plus vite prendre ses distances avec cette région de France et emmener son fils.

Vingt et une heures. Son revolver est rechargé.

Odette a couché Charles. Le dîner est prêt. Elle l'attend.

« Florence n'est pas avec toi?

– Nous avons vu Mühler. Elle a préféré le suivre.

– C'est la vie. Dommage, c'était une gamine attachante, je l'aimais déjà beaucoup...

– Odette, viens donc un instant dans la chambre, j'ai à te parler sérieusement. »

# QUATRIÈME PARTIE

## *Au nom de la France libre*

*Juin 1944*

Comme chaque jour depuis ces quatre derniers mois, le nouveau docteur Marc Rougier travaille à étudier quelques notions de médecine allant de pair avec un passé d'interne hospitalier dont il espère bien n'avoir jamais ni à se justifier ni à faire état. C'est dans ce recueillement studieux que sa jolie épouse vient le surprendre. Elle est bouleversée par la nouvelle.

« Les Alliés ont débarqué. En Normandie.

– Sur le lieu, au moins, Hitler avait vu juste. »

Quittant sa chaise et les bouquins éparpillés sur sa table, Marc Rougier gagne la fenêtre ouverte. Un long moment, son regard se perd dans la calme campagne. Il fait grand beau temps sur la Provence. Le ciel a cette couleur bleue des cartes postales de vacances. Les criquets chantent inlassablement et répondent aux cigales dans un langage d'eux seuls connu.

« Nous sommes loin du front de l'Ouest et des zones de combats. Toutefois, si les Alliés ne sont pas repoussés, il faudra s'attendre à un second débarquement. Sur les rives de la Méditerranée. En principe, les Allemands ne devraient pas trop résister au-dessous de la Loire. Je pense qu'ici nous resterons hors des axes stratégiques... Néanmoins, au cas où un malheur arriverait, il convient que tu saches que l'argent dont nous disposons est enterré sous une trentaine de centimètres de pierres de remblai, au fond du vieux puits, dans un caisson étanche de l'armée allemande. J'ai caché la clé en haut du tablier supérieur du couvercle de protection de l'éolienne. Celle-ci est en parfait état; il suffit d'enfoncer le bouton vert pour inonder le puits. »

Tandis qu'il lui tenait ce discours, la délicieuse madame Rougier s'est approchée de son mari et a posé sa main sur son épaule.

« Ne sois pas inquiet mon chéri. Tout ira bien, tu verras!

– Je l'espère... Mais je préfère prévoir. »

Prévoir. De novembre 1943 à février 1944, il pensait avoir tout prévu. Sauf, une imprévisible idée de dernière heure.

Le 2 février 1944, au lieu d'éliminer Odette Rospié, il avait imaginé de lui confier une nouvelle mission. Sur une carte, il lui avait désigné une région de France, lui avait remis de l'argent, et l'avait laissée partir, seule, à la recherche de leur future habitation. Vingt et un jours plus tard, elle avait loué ce corps de ferme aménagé, dans le massif de la Sainte-Beaume, à six cents kilomètres de Châteaudun.

Il l'y avait rejointe, avec Charles, le 10 mars suivant.

Restait à sanctionner cette mission qui devait être ultime. Toutefois, ce qui avait été conçu dans l'esprit du Haupsturmführer Zeitschel en février 1944 n'était déjà plus réalisable, un mois plus tard par le nouveau Marc Rougier dans l'esprit duquel une mutation avait aussi commencé.

Il s'en était suivi un second imprévu. Un nouveau contrat. Un contrat de mariage, tout simplement. Mademoiselle Odette Rospié était très officiellement devenue madame Marc Rougier devant un représentant de l'État français et sous l'œil bienveillant de la photographie officielle du maréchal Pétain.

Depuis décembre 1943, chaque semaine, Anna fait le voyage de Paris à Colombes. Elle va se rendre compte elle-même si le pavillon déserté par Odette Rospié est toujours inoccupé.

La grande nouvelle – confirmée – du débarquement des forces alliées commencé à l'aube de ce 6 juin 1944, ne l'empêchera pas d'aller rôder, une fois de plus, aux alentours de la maison obstinément fermée.

Elle a été trop près de retrouver son fils pour pouvoir admettre que cette chance soit perdue à jamais. Depuis six mois, elle vit du seul espoir que, tôt ou tard, cette femme finira par le ramener dans ce pavillon de banlieue.

Le seul qui pourrait dire quelque chose de précis sur le sort de Karl, c'est évidemment celui qui l'a enlevé. Mais Anna n'a pas renouvelé sa folle intention de Noël 1942 d'aller directement à la Gestapo pour demander à rencontrer Helmut Zeitschel. En revanche, elle a souvent essayé de téléphoner. Jamais, elle n'a pu lui parler. Chaque fois on lui a répondu de se présenter à son bureau. Autant aller directement à Drancy. En février dernier, lors d'une nouvelle tentative téléphonique, le standard n'avait opposé aucune difficulté pour faire suivre sa communication. La perspective de lui parler – de pouvoir le supplier – l'avait un instant terrassée d'une joie pleine d'angoisse. Un inconnu lui avait répondu. La prenant sans doute pour une de ces petites putains françaises à la botte de l'occupant, il s'était présenté comme le successeur du Haupsturmführer Zeitschel. Elle avait raccroché.

De son côté, Roger a transmis deux messages à Londres pour essayer de contacter Lambert (alias Yves). L'ancien compagnon d'Odette Rospié pourrait peut-être fournir des indications permettant de la retrouver? Hélas, il n'y a pas eu de réponse et le message personnel de la BBC par lequel il devait leur annoncer son arrivée à bon port sur la terre d'Angleterre n'est jamais parvenu non plus.

Depuis la gare de Colombes jusqu'au pavillon d'Odette Rospié, il y a dix bonnes minutes de marche en suivant l'interminable rue Saint-Denis.

Sur son trajet, il est un endroit devant lequel Anna n'aime guère passer. Un café : L'Heure folle. Y gravite généralement une faune de jeunes gens peu recommandables et elle y voit souvent quelques affreux de la Milice.

Aujourd'hui, tout est calme. Les sbires de Darnand ne sont pas en train de fêter la nouvelle du débarquement. Au passage, elle a senti un regard qui la suivait. Celui d'un homme assis derrière la vitre. Elle ne l'a pas bien vu. Pourtant, ce visage entr'aperçu, il lui semble l'avoir déjà rencontré.

Une impression. Certainement une banale impression.

Au carrefour, avant de traverser, elle se retourne sur ses pas. L'homme l'a suivie. Il est juste derrière. Élégant. Encore un à qui la guerre profite. Il lui sourit. Anna s'abstient de répondre et poursuit son chemin. L'impression de connaître cet homme la taraude néanmoins. Qui peut-il être?

Ses semelles de bois martellent le bitume du trottoir par endroits tout défoncé et elle fait très attention aux nombreuses flaques d'eau qui subsistent des récents orages.

« Mademoiselle? »

Impossible de faire autrement. Elle s'arrête et se retourne. Le cœur battant. Qui est cet homme? Que lui veut-il?

« Monsieur?

– Pardonnez-moi, mais en vous voyant passer, vous m'avez rappelé quelqu'un. »

Elle ne répond pas. Son impression se confirme. Une trop bonne mise et une élégance loin d'être de bon goût, lui font un peu peur cependant. Il pue la collaboration, les petits trafics, le marché noir, tout ce qu'on voudra sauf un minimum d'honnêteté.

« Je suis désolée monsieur, je suis très peu physionomiste mais pour ma part je n'ai pas l'impres...

– Anna?

– Oui! convient-elle.

– Tu as oublié? Drancy! Juillet 1942. Les corvées de cuisine avec Éliane. Notre fuite dans la poubelle. Je m'appelle Didier. »

Cette rencontre, elle aurait préféré s'en passer. Ne pouvant refuser de voir Éliane, elle a suivi Didier chez eux.

Avenue de la Grande-Armée. Un appartement très luxueux. La terrasse, au septième étage, plein ciel, est fastueuse. Dans le salon, immense, somptueusement meublé, les cadres accrochés sur les murs ne laissent planer aucune équivoque sur la vocation des lieux.

« Eh oui! reconnaît-il. C'est un petit bordel. »

En buvant un verre, assis devant le bar, sur de hauts tabourets de style américain, Didier lui a raconté comment il avait pu s'enfuir de Drancy avec Éliane, huit jours après avoir été repris. Un récit fort douteux. Anna a préféré changer de sujet : « Et le débarquement? Qu'est-ce que tu en penses?

– Ben... Tu sais... Pour l'instant personne ne peut rien dire. Ici, il vient beaucoup d'Allemands. Des officiers supérieurs surtout. Ça fait des mois qu'ils s'y attendaient. D'après ce qu'ils en disaient, cette offensive n'avait aucune chance d'aboutir et leur mur de l'Atlantique était infranchissable. On verra bien. Et toi? Parle-moi un peu de toi. Tu ne dis rien. »

Elle ne va pas lui raconter qu'elle est entrée dans la Résistance... Alors, elle invente. Prise de court, et à défaut de mieux, elle prétend avoir été recueillie par un couple qui l'héberge et la cache. Elle n'a pas revu son ex-grande amie Sarah mais se rappelle ses confidences sur la cachette où elle se terre avec Fred. Elle les prend comme modèles pour tracer le portrait de ceux qui l'assistent : « ... Malgré le séquestre de leur appartement, ils ont pu faire sortir quelques affaires personnelles. Dont une petite emboutisseuse. Ils fabriquent quelques bijoux fantaisie pour le marché clandestin. Moi, je les écoule comme je peux. C'est pas tous les jours la fête d'être juifs par les temps qui courent. Ça ne l'est pas non plus pour vous, je suppose?

– Tiens! Je crois que c'est Éliane qui arrive? Elle va ête folle de joie de te voir. Tu sais, maintenant qu'on t'a retrouvée, on ne te laissera pas tomber!

Elle a promis qu'elle reviendrait. Finalement, elle est satisfaite : elle ne s'est pas trop mal tirée de son inopportune rencontre. En leur laissant une fausse adresse, elle a coupé les ponts. Reste que Didier lui a dit qu'il allait assez souvent à l'Heure folle. Quand elle retournera à Colombes, elle prendra soin de changer son itinéraire.

Quai de Montebello, Félix l'attend en bavardant avec Marie. Ils semblent inquiets.

« Tu n'es pas allée chez le notaire, j'espère? » demande-t-il avant même de répondre à son bonjour.

Elle s'étonne;

« Quel notaire?

– Maître Augier.

– Qui est maître Augier? »

Félix a l'air surpris et réagit vertement :

« Tu me prends pour une moule ou quoi, merde? »

Anna ne comprend rien. Elle jette un regard en direction de Marie. De Marie qui lui adresse un petit signe nuancé de sa propre incrédulité.

« Ne nous fâchons pas! Expliquons-nous. Pourquoi serais-je allé voir ce notaire? Je n'avais pas de mission.

– Tu es bien allée à Colombes, aujourd'hui?

– Oui?

– Et tu n'as pas vu la pancarte?

– Quelle pancarte?

– Tu n'as rien vu? répète Félix abasourdi.

– J'ai sûrement vu des tas de pancartes mais pas une seule n'a attiré mon attention.

– Tu es allée rôder devant chez Odette Rospié et tu n'as pas vu la pancarte sur la porte du jardin?

– Attends! Je n'ai pas pu aller jusqu'à la maison. J'ai fait une rencontre. Qu'est-ce que c'est que cette histoire de pancarte?

– Quelle rencontre? s'inquiète Félix.

– Qu'est-ce que c'est que cette pancarte? redemande Anna qui, d'un coup, associe les deux images : pancarte sur la porte et notaire. La maison est à louer? Ou à vendre?

– A vendre! précise Félix.

– Donc, par le notaire, c'est la possibilité de savoir où est Odette Rospié?

– Exactement! Qu'est-ce que c'était cette rencontre?

– Vraiment sans importance. Un type que j'ai connu à Drancy et qui m'a accostée dans la rue. Impossible de m'en dépêtrer. Un vrai fléau. Il m'a fait perdre ma journée à me raconter son évasion.

– Qu'est-ce qu'il fait, aujourd'hui?

– Très honnêtement, je ne crois pas qu'il soit des nôtres. Il est devenu infréquentable.

– Tu dois le revoir?

– Non! Je te dis que c'est sans importance. Parle-moi plutôt de cette pancarte et du notaire, s'il te plaît... »

Alors, Félix explique. Quelqu'un est passé la veille devant le pavillon mais ne l'a prévenu que dans l'après-midi de l'apparition de cette pancarte : « J'ai eu peur que tu prennes l'initiative d'agir seule. Roger te recommande de nous laisser faire. On s'occupe de tout. Sitôt qu'on aura du nouveau on te tiendra au courant. »

Le débarquement du matin c'est très bien, mais la guerre n'est pas finie pour ça.

« Aux cours des prochaines heures, suivant la tournure des événements en Normandie, nous allons certainement recevoir des ordres. Tenez-vous prêtes, toutes les deux. Il pourrait y avoir très prochainement de l'action. Pas d'imprudences surtout. Aucune initiative. Vous attendez les ordres. »

Marie, jusqu'ici silencieuse, prend la parole.

« Dis, Félix? Demain soir, j'ai prévu d'aller me faire sauter par un petit interne de l'Hôtel-Dieu mignon comme tout. J'ai une permission ou je suis consignée à jouer aux dames avec Anna?

– Je ne trouve pas ça drôle! grommelle-t-il en enfilant sa canadienne.

– Moi aussi, j'irais bien procéder à quelques exercices hygiéniques! » surenchérit Anna afin d'entrer dans le jeu déclenché par Marie.

« Si c'est seulement pour l'hygiène, j'ai cinq Anglais qui se morfondent dans une cave. Qu'est-ce que je fais, je leur annonce votre débarquement? »

Marie lui jette en riant un torchon au visage. Félix consent à rendre le torchon. Avant de sortir, il les embrasse et recommande : « Faites pas les connes. Au fond, je préfère que vous soyez ici à vous chatouiller, plutôt que vous savoir dehors.

– Se chatouiller! Se chatouiller! répète Marie pensive, une fois qu'il est parti. Tu crois vraiment que c'est un ordre? »

Anna se sent tout heureuse. Avec ce notaire, si on retrouve Odette Rospié, on va aussi retrouver Karl. Quelque chose va bouger. Joyeuse, elle répond donc : « Je ne sais pas si c'est un ordre mais c'est toujours une idée. Je me propose, pour ce soir, de t'inviter dans mon lit, et demain tu me rendras la pareille. Comme ça, on aura l'impression d'être un peu sorties? »

Marie hoche la tête : « Bon! soupire-t-elle. D'accord! On dîne avant de partir ou en rentrant? »

***

Le mercredi 7 juin, vers quinze heures, Marie et Anna quittent leur service à l'Hôtel-Dieu, et regagnent bras dessus, bras dessous leur domicile du quai de Montebello.

Il fait soleil sur Paris mais ça sent l'orage. Ce mois de juin est vraiment pourri.

Dans leur chambre, elles découvrent Félix et Roger endormis.

« On n'a pas roupillé de la nuit! s'excusent-ils.

– Vous avez fêté le débarquement? » s'enquiert Marie avec l'air de vouloir les mettre un peu en boîte.

Roger ne s'y laisse pas prendre. Il annonce la nouvelle :

« Le maquis est entré en action dans le centre du pays. Depuis treize heures cet après-midi, le drapeau de la France libre flotte sur Guéret, première ville de France libérée par des Français. »

Félix, moins vite réveillé que Roger, se gratte encore la tête.

« N'oublie pas de leur dire, à propos du décret.

– Oui! convient Roger. Nous avons appris par radio, cette nuit, que le gouvernement provisoire de la République française allait prendre un décret créant les Forces françaises de l'intérieur. Ces forces armées vont donc faire partie intégrante de l'armée française sous les ordres de leurs chefs, reconnus par le gouvernement.

– Pratiquement, ça change quoi? l'interrompt Marie.

– Que désormais vous bénéficierez de tous les droits et avantages reconnus aux militaires de l'armée régulière.

– On va recevoir un paquetage et des rations? » s'amuse-t-elle.

Roger ne peut s'empêcher de sourire : « Pas tout de suite mais ça viendra! Pour l'heure, je vous nomme toutes les deux sous-lieutenants. Félix est votre lieutenant. Je suis votre capitaine.

– C'est très rigolo! reconnaît Marie. Est-ce qu'on aura aussi des médailles plein partout pour épater les garçons? »

Il hausse les épaules, conscient qu'elles ne le prennent pas très au sérieux. Tant pis, le capitaine doit faire face avec ce dont il dispose comme troupe :

« Vous aurez un brassard. Il tiendra lieu d'uniforme.

– Et mon fils? demande Anna.

– Pour le moment, j'ai d'autres problèmes à résoudre... mais je n'oublie pas. J'ai chargé quelqu'un de s'en occuper. Dès qu'il y aura du nouveau, tu seras contactée et informée.

– En attendant, qu'est-ce qu'on fait? » demande Marie.

Roger a un sourire amusé : « Félix m'a parlé de tes projets contrariés d'hier soir. Si tu y tiens toujours, tu as quartier libre. »

⁂

Ce samedi 10 juin, Anna est cafardeuse. Marie est partie en mission avec Félix et la solitude lui pèse. D'autant qu'elle n'a reçu aucune information nouvelle sur le notaire chargé de vendre la maison d'Odette Rospié.

Depuis la veille, par décret au *Journal officiel* du gouvernement d'Alger, elle est soldat de l'armée française. Officier, comme prévu. Ce qui, hélas, ne change rien à sa vie de femme et ne calme en rien son angoisse de mère... Elle devait déjeuner avec Flora, à L'Agneau de lait, mais au dernier moment le rendez-vous a été annulé. C'est la première fois qu'un tel fait se produit. Dommage, Flora devait lui apporter douze tubes de rouge à lèvres qu'elle aurait pu échanger contre du beurre, des œufs et un peu de lard pour améliorer les topinambours de Marie.

A cause de cet Allemand qui l'accompagnait quand elles se sont rencontrées dans la brasserie de Richelieu-Drouot, Anna a donné à Sarah une fausse adresse et ne lui a pas rendu la visite promise. Depuis qu'elle a évoqué les Friedmann, dans la conversation avec Didier, elle ne peut plus s'empêcher de penser à eux. Il serait temps que Sarah arrête ses conneries avec les fridolins, si elle ne veut pas rendre de comptes.

Pour tromper l'ennui de cette soirée, Anna a branché Radio-Paris. Une prétendue « voix de la France » claironne sur un ton hystérique que les Anglo-Américains sont à la veille de rembarquer : « Le Feldmarschall Erwin Rommel a pris personnellement en main la situation, et la côte normande sera nettoyée d'ici une semaine. Par ailleurs, sur le front russe, les troupes allemandes se couvrent de gloire. Jamais plus qu'en cette fin du printemps 1944 la machine de guerre du IIIe Reich n'a été si puissante : l'Angleterre, comme Carthage sera détruite. »

D'après les nouvelles que possédait Félix, en début d'après-midi, lorsqu'il est venu chercher Marie, la tête de pont tenue par les alliés s'étendrait déjà sur plusieurs kilomètres et la Résistance ferait du bon travail sur l'arrière des lignes allemandes. Pourquoi l'ordre de levée des forces clandestines en Ile-de-France n'est-il pas encore donné?

Attendre. Il faut attendre. Attendre et supporter.

Des alertes. Des alertes. Encore des alertes.

L'une n'a pas le temps de finir qu'une autre est annoncée. Jusqu'à présent aucune n'a été suivie d'effet. Il s'ensuit un silence inquiétant. C'est éprouvant. Angoissant.

Sur le coup de trois heures du matin, en pleine alerte justement, Anna entend gratter. On gratte et on gémit.

Un gémissement... De femme?

Marie? Elle se lève comme une folle, allume vite la lampe à carbure et ouvre la porte. Ce n'est pas Marie mais une petite femme blonde, vêtue d'un grand manteau de cuir, qui lui tombe dans les bras. Évanouie.

Coline. Coline Weisenberg. Dans quel état!

Son visage est couvert de sang et de plaies. Par endroits ses cheveux ont été arrachés, ou brûlés. Ses lèvres ne sont plus que boursouflures, craquelées, éclatées.

Anna étend Coline sur son lit. Sous le grand manteau de cuir, probablement volé à un homme de la Gestapo, elle est nue. Atroce. Couverte de blessures sanguinolentes, de brûlures. Et ses mains : trois ongles ont été arrachés. Elle doit souffrir le martyre. Il faut la soigner. Tout de suite. Le plus vite possible.

Tandis qu'Anna s'habille en quatrième vitesse pour courir jusqu'à l'Hôtel-Dieu, Coline reprend conscience.

« Je vais chercher un médecin que je connais. Je reviens dans dix minutes » lui précise-t-elle avant de sortir.

Trop tard. Des hommes avec des lampes électriques sont dans les étages et frappent à toutes les portes en s'annonçant : « Police allemande. » Anna se replie sur sa chambre et s'enferme à double tour en se disant que c'est bien dérisoire.

« La Gestapo est dans l'escalier! » souffle-t-elle.

Coline se redresse, malgré ses blessures. Sur le qui-vive. Maîtresse d'elle-même et déterminée.

« Retarde-les, si tu peux. Je file par les toits.
– Mais tu es folle, tu n'es pas en état, tu risques... »
Coline lui met la main sur la bouche : « Je ne risque rien de pire que retomber entre leurs pattes »
Avec rapidité et précision, elle se lève ouvre la fenêtre, monte sur une chaise, enjambe la barre d'appui et demande : « Ferme derrière-moi! A tout à l'heure j'espère. »
« Ouvrez, police allemande! Ouvrez, police allemande! » Ils doivent être à l'étage en dessous. Les minutes s'écoulent. Angoissante. La fin d'alerte n'a toujours pas sonné.
Anna entend de grands coups. C'est sûrement une porte qu'ils défoncent?
Les voilà. Ils sont à son étage presque tout de suite chez elle : « Ouvrez! Police allemande! »
Tremblante, elle s'exécute.
Un homme lui braque le faisceau électrique de sa lampe-torche en plein dans les yeux : « Avez-vous vu une femme? En manteau de cuir? Une femme blonde?
– Non, monsieur! Je dormais. »
Il la pousse sans ménagement. Entre. Regarde autour de lui. Éclaire le lit défait puis celui qui ne l'est pas : « Qui dort ici?
– Mon amie. Quand elle est là. Elle est en congé. »
La lampe revient sur la fenêtre : « C'est la rue?
– Non, la cour. »
Il éteint sa lampe, tire les rideaux, ouvre, jette un œil de chaque côté. Semble réfléchir. Referme. Rallume sa lampe qui inspecte une dernière fois la chambre. Il va vers l'armoire, écarte les vêtements : « Bon. C'est bien », dit-il. Il va sortir.
Au passage le halo de la torche s'arrête sur l'oreiller du lit d'Anna : « Tiens? Qu'est-ce que c'est? » En même temps que lui, elle découvre une tache. Elle s'approche. C'est un peu de sang.
« Un bouton! dit-elle. J'ai dû me faire saigner en dormant. »
A nouveau la lampe dans les yeux : « Faites-voir? »
Machinalement, elle porte la main à son visage. Puis, dans ses cheveux : « C'est par là! fait-elle semblant de chercher.
– Keitel? vient l'appeler un autre. Tu as trouvé quelque chose? Wer ist? demande-t-il en braquant sa lampe-torche sur Anna.
– Sie ist krank.
– C'est pas elle?
– Nein. »
– Komm. Komm. »
Après que la porte s'est refermée en claquant, adossée contre l'armoire, Anna se met à trembler. Elle les entend s'éloigner, descendre les marches en parlant fort, en allemand. Pour essayer de se calmer, elle se raconte que ce n'est pas très digne pour un officier de l'armée française d'avoir une crise de nerfs. Rien n'y fait. Elle a l'impression qu'elle ne pourra jamais plus s'arrêter, s'arrêter de trembler.

Coline toute seule sur les toits. Pourvu qu'elle ne soit pas tombée. Anna ouvre la fenêtre. En bas, dans la cour, tout est calme. Dans le ciel aussi. C'est toujours l'alerte. Pas un bruit de moteur. Rien. Presque le silence s'il n'y avait les sifflements du vent dans les cheminées. Curieux mois de juin. Il fait aussi mauvais qu'un mois de novembre.

Aller à la recherche de Coline suppose de partir, comme elle, sur le rebord, le dos collé au toit, avec une marche de sept étages devant les pieds.

Impressionnée par le vide, indécise, Anna écoute à nouveau la nuit.

Ici et là, de puissants projecteurs explorent le ciel. Les Allemands cherchent les bombardiers alliés. Curieux tout de même, ces alertes blanches. Il faut aller chercher Coline. Il faut y aller.

Sa décision prise, elle enfile rapidement une salopette et, sans plus réfléchir, enjambe la barre d'appui de la fenêtre.

Elle se retrouve en équilibre au-dessus du vide, progressant timidement sur le bord du toit. Au fond, c'est presque plus facile qu'elle l'avait supposé... Il suffit de penser à autre chose. A son fils, qu'elle va retrouver. A ce notaire, Mözek? On le retrouvera n'est-ce pas? Encore dix pas.

Au passage, la bretelle de la salopette s'accroche à quelque chose. Il ne manquait plus que ça. Plus elle tire, moins ça vient. Si elle tire trop fort et que ça lâche d'un coup, elle risque d'être déséquilibrée. La seule solution consiste à reculer de quelques centimètres. La bretelle se décroche en effet. Une ardoise aussi, qu'elle entend s'écraser sur le pavé de la cour. Du coup, elle repense au vide, sous ses pieds, et demeure pétrifiée, flageolante, incapable de bouger.

Je ne peux pas rester là, Mözek. Dis-moi que je ne dois pas rester là. Il faut trouver Coline. Vite.

Elle reprend sa progression. Timidement. Un demi-pas. Encore deux mètres. C'est la plateforme. Elle saute.

Coline n'est pas allée plus loin. Elle gît évanouie à quelques mètres de là. Pas question de la ramener par le même chemin.

Anna inspecte les lieux. Son regard s'est bien habitué à l'obscurité et, par chance, la nuit n'est pas trop sombre.

Que faire?

En premier lieu, trouver l'accès pour gagner l'escalier.

Elle voit une trappe, s'en approche, soulève le battant. Une échelle de fer s'enfonce dans le noir complet. Pas question de partir par là avec Coline sur le dos. C'est impossible. Elle doit donc trouver du secours.

La descente de l'échelle n'en finit pas. L'obscurité, tout autour, devient de plus en plus épaisse au fur et à mesure que se perd ce qu'elle reçoit de la clarté de la nuit. C'est éprouvant.

Bon. La voilà sur un plancher. Dans le noir.

A tâtons, elle cherche une issue. Trouve une porte métallique. Fermée à clé! Rien à faire, elle ne peut que retourner sur le toit. Elle est prête à s'y résigner lorsqu'elle entend des pas. On monte ici. Des hommes. La Gestapo? Elle s'aplatit derrière la porte.

Ils arrivent.

Ils ouvrent. Ils entrent à la lumière de leurs lampes-torches.

« Tu viens René?

– J'arrive! J'arrive! Y'a pas le feu! »

Des Français. Le premier qui a parlé va tout droit à l'échelle et commence aussitôt à monter. Au passage, elle a vu sur son bras le brassard de la défense passive.

Le second, qui le suit, passe à son tour. Heureusement, il ne referme pas la porte. Elle les laisse s'engager tous les deux sur l'échelle, assez haut, puis leur lance :

« Ne bougez plus! Je suis armée. Qui êtes-vous? »

La surprise les fait s'arrêter de monter. Le premier à réagir lui répond : « Et vous?

– Lieutenant Abroweski, des Forces françaises de l'intérieur.

– La Résistance?

– Je vous ai demandé : qui êtes-vous?

– Défense passive, mais...

– Mais quoi?

– Vous êtes vraiment de la Résistance?

– Ai-je l'air de plaisanter?

– Alors déconnez pas! Nous aussi!

– Quoi, vous aussi!

– On est avec vous, quoi! Moi c'est René. Lui, c'est Marcel. On est du groupe Sébastopol.

– Qui est votre commandant?

– Aucuit.

– Aucuit? Connais pas!

– Je vous jure, c'est Aucuit. Il remplace le commandant Baron qui est parti depuis trois jours pour la Normandie. »

Anna n'a aucune idée de qui sont ces gens-là : ni le commandant, ni le capitaine, ni les simples soldats présentement sur l'échelle. Elle a bluffé. Apparemment, ça marche.

« Ne bougez pas! ordonne-t-elle. Voilà ce que vous allez faire. Il y a une femme évanouie sur le toit. Vous allez la descendre. En faisant très attention. Elle a été torturée par la Gestapo.

– Ce n'est pas la fille qu'ils recherchent? demande Marcel qui n'a encore rien dit.

– A votre avis?

– Dites donc, ça peut être dangereux! Ils sont encore en bas. Dans la rue! informe René. Ils discutent autour de leur voiture.

– Ils ne fouillent plus les maisons?

– Pas en ce moment.

– Vous avez eu l'impression qu'ils attendaient des renforts? »

Les deux hommes s'abstiennent de répondre.

« Descendez-la quand même! décide-t-elle. On ne peut pas la laisser où elle est! »

Coline est ramenée. Elle n'a pas repris conscience.

« Qu'est-ce qu'on fait, lieutenant? demande l'autre.

– Un de vous deux, en reconnaissance. Si la Gestapo est partie, nous transporterons la blessée à l'Hôtel-Dieu.

– Pendant l'alerte?

– C'est notre meilleure chance, non? Il n'y a pas de patrouilles pendant ces moments-là. »

Ils en conviennent.

« Mais, proteste tout de même Marcel, il y a des sentinelles allemandes à toutes les portes de l'hôpital.

– Pas à toutes! assure Anna. J'en connais une qui n'est pas surveillée, quai de la Corse.

– Et vous croyez qu'on pourra faire tout le chemin sans être repérés?

– Dites, c'est vous la défense passive, non? C'est votre boulot d'être dans la rue pendant les alertes. Objections? »

Vingt minutes plus tard, ils sont dans l'hôpital. Coline est prise en charge par deux internes des urgences.

« Si les boches la cherchent, ils ne tarderont pas à rappliquer ici. »

Après être passée à la lingerie troquer la salopette contre une tenue d'infirmière de l'Assistance publique, Anna a enfilé une pèlerine bleu marine et demandé à Marcel de la conduire jusqu'à son chef de groupe.

Il est six heures du matin, ce dimanche 11 juin. Le ciel de Paris commence à blanchir. La fin de l'alerte sonne alors que l'infirmière et le soldat de la défense passive sont en terrain découvert sur le trottoir de l'avenue Victoria, juste devant l'Hôtel-de-Ville. La première patrouille de soldats allemands à remettre le nez dehors les interpelle. Heureusement, le sous-officier de la Feldgendarmerie parle un peu français. Marcel et Anna s'en tirent en lui expliquant qu'ils se portent au secours d'une femme qui est en train d'accoucher.

« Ach! La guerre, la guerre, gross malheur! » convient-il.

Un homme les a reçus. Dans une salle de bistrot fermé : Le Grillon, boulevard de Sébastopol. Après avoir écouté Marcel, il a dit : « Je vais chercher les autres. »

Les « autres », ils sont deux. Anna en reconnaît un : c'est un artiste de cinéma, il s'appelle Aimos.

« Je suis coupée de mon groupe! explique-t-elle. J'ai besoin d'une planque pour un blessé. Il s'agit d'un capitaine de l'état-major du général de Gaulle recherché par la Gestapo. »

L'état-major du général de Gaulle produit un effet immédiat.

« Je m'appelle Potard. Je suis l'infirmier du groupe! se présente le compagnon d'Aimos. Amenez-le toujours, votre capitaine. On verra ce qu'on peut faire. »

Trois quarts d'heure plus tard, à bord d'une ambulance de l'hôpital, Coline franchit le porche de l'Hôtel-Dieu à l'instant où entrent deux voitures noires à bords desquelles se trouvent des hommes en imperméables et feutres mous.

Au PC de la Résistance, le commandant intérimaire est arrivé. Il marque d'abord une certaine réticence en découvrant que le capitaine de Londres est une femme. Il comprend toutefois que sous les pansements se trouve quelqu'un dont la Gestapo pensait vraiment qu'elle avait des choses importantes à leur dire.

« Dans l'état où elle est, il ne faut pas la laisser seule. Potard peut s'en occuper un peu mais j'ai besoin de lui pour d'autres tâches. Il faudrait une garde-malade et je n'ai pas cet article en stock.

– Je m'en occupe », annonce Anna.

« Anna! Ça alors! Anna! » Sarah n'en revient pas de la voir débarquer en infirmière dans la chambre de bonne qu'elle occupe avec Fred sous les toits d'un immeuble de la rue du Vert-Bois, à deux pas de la place de la République. « Que se passe-t-il? Entre vite ma chérie. »

Même au réveil, les cheveux emmêlés, les yeux encore gonflés de sommeil, Sarah s'arrange pour être belle. Fred, lui, a bien vieilli. Il a maigri. Mal supporté les deux dernières années.

« Est-ce que vous connaissiez les Weisenberg, avant la guerre? Paul et Coline Weisenberg, des amis de Nicolas?

– Oui, oui, Paul Weisenberg, je connaissais! affirme Fred. Peu, mais je connaissais. Pourquoi? »

Sarah a ouvert les rideaux et la fenêtre. Le jour éclaire la table sur laquelle est resté déplié un nécessaire à couture. « C'est joli! » dit Anna en dépliant une robe de petite fille.

Ni Sarah ni Fred n'ont le temps de rien dire. Quelque chose qui était dans la robe vient de tomber sur la table. Un brassard. Un brassard bleu blanc rouge marqué de trois lettres peintes : FFI.

Sarah le ramasse et le roule en disant : « Je suppose que tu n'as jamais pensé qu'il pouvait en aller autrement?

– Pourquoi dis-tu ça?

– Tu m'as donné une fausse adresse l'autre jour. Sans doute, Werner t'avait-il produit une mauvaise impression? »

Anna n'a pas de commentaire à faire. D'ailleurs, elle en a marre. Elle est épuisée. Elle a envie de pleurer. Chez des amis, elle peut le faire sans se gêner. Et puis, elle a aussi envie de leur parler, de leur raconter ses déceptions alors que par deux fois elle a été si près de retrouver son fils.

Sarah a accepté de servir de garde-malade à Coline Weisenberg.

Dans les jours qui ont suivi, Roger a fait transférer Coline à Saint-Cloud. A cette occasion, Anna a appris qu'il y avait quatre infiltrés de l'Intelligence Service au *Militarbefelshaber in Frankreich.* Parmi eux, Flora et Werner, à qui les Friedmann servaient de boîte à lettres.

Du côté de la Normandie, les combats font rage. Par la Résistance, on sait que les Alliés progressent. Lentement, mais ils progressent. Radio-Paris et les journaux collaborationnistes claironnent que ce n'est qu'une question de jours avant qu'ils ne rembarquent mais n'ont pas vanté l'horrible exploit de la division Das Reich qui, le samedi 10 juin, a rayé purement et simplement un village français de la carte en massacrant froidement près d'un millier de personnes. Les morts d'Oradour-sur-Glane réclament vengeance. Oradour : ce nom hier inconnu des Parisiens est devenu, en quelques heures, le symbole de la barbarie ennemie.

Depuis l'annonce du débarquement, maître Augier, notaire à Paris, a purement et simplement mis la clé sous la porte. Depuis le 7 juin, son étude reste « provisoirement fermée ». Pas une secrétaire, pas le moindre clerc, plus personne n'y montre le bout de son nez.

« Il ne va tout de même pas rester planqué jusqu'à la fin de la guerre? » s'est effondrée Anna lorsque Félix lui a appris que les recherches n'avaient pas progressé.

Sarah, un peu désolée de ne plus pouvoir être utile à Coline, a décidé de se transformer en Sherlock Holmes et de découvrir la retraite de ce notaire qui ne s'est tout de même pas volatilisé.

Chaque fin d'après-midi, elle passe à la lingerie de l'Hôtel-Dieu faire son rapport du jour. Anna n'est pas dupe de cette assiduité surtout liée à un jeune interne de chirurgie qui lui a tapé dans l'œil.

« Elle finira par l'avoir! » a prophétisé Marie un peu triste de voir s'amenuiser ses propres chances.

Dimanche de garde à la lingerie de l'hôpital. Soudain, la porte du petit bureau d'Anna s'ouvre à la volée sur Sarah rouge, essoufflée, folle de joie et superbe dans sa robe moulante du même tissu à fleurs que sa large capeline inspirée d'un modèle Maggy Rouff.

« Vu... le notaire! annonce-t-elle en se laissant tomber sur une chaise et en s'éventant des deux mains. J'ai... l'adresse... Rospié... Attends, je reprends... »

Anna est d'abord devenue toute pâle. Maintenant, elle se sent toute flageolante. Sarah ouvre son sac, sort un papier, le lui tend.

Une adresse : Charles-Ernest Rospié, 16, rue Saint-Ferdinand, XVII^e arrondissement.

« C'est le père d'Odette Rospié. Il connaît certainement l'adresse de sa fille... Qu'est-ce qu'on fait?

– Je n'en sais rien! » répond Anna toute dépitée que le but ne soit pas encore vraiment atteint.

En fait, si! Elle sait qu'elle doit en parler à Roger. Ou à Félix. Sarah les a vus plusieurs fois durant les heures où elle a veillé Coline. L'envoyer à Saint-Cloud? Ils risquent de prendre mal cette infraction aux consignes de sécurité. Et ils n'auront pas tort : il n'est de jour qu'on n'apprenne la chute d'un groupe de résistance, les imprudences sont presque plus dangereuses que les dénonciations de collaborateurs aux abois.

« Tu sais quoi, au juste, sur ce bonhomme?

– Pour l'instant, j'ai seulement appris qu'il est inspecteur de police.

– Un flic?

– Dans un commissariat d'arrondissement, d'après le notaire. Sa fille l'a chargé de la vente du pavillon.

– Bon! soupire Anna. Je vais réfléchir. Je te tiendrai au courant. »

***

Roger a exploité les renseignements fournis par Sarah.

D'abord, Charles-Ernest Rospié n'est plus inspecteur dans un commissariat d'arrondissement. Il a pris du galon et a été nommé principal, aux mœurs, à la police judiciaire.

Ensuite, il est en vacances. Jusqu'au 16 juillet.

Enfin, il n'est pas chez lui. Sa concierge l'a vu partir avec une valise, « pour la Bourgogne » lui a-t-il dit.

Rien d'autre à faire qu'attendre son retour.

Cherbourg a été libéré le 26 juin. Depuis, c'est le siège de Caen. A Paris, il est impossible de se ravitailler.

Ce mardi 11 juillet, Anna avait pour mission de conduire un inconnu au pavillon de Saint-Cloud. Elle ignore tout de lui, sinon qu'il s'appelle Jacques et, pour ce qui se voit, qu'il est un jeune et séduisant garçon. Leur voyage s'est passé sans encombre. Dans le métro et dans le train, ils ont bavardé, comme tout le monde, des difficultés d'approvisionnement et de la disette qui s'installe dans la capitale.

Enfin, ils sont arrivés.

Pour accueillir ce visiteur, Coline est levée. Habillée. Coiffée.

Avec même un soupçon de rouge à lèvres sous la gaze derrière laquelle, par pudeur, elle dissimule les plaies et les croûtes de son visage. Sa main droite, gantée, s'est posée sur le bras de Jacques quand il est entré, comme pour lui dire : « Un instant. Accordez-moi un instant. »

Anna ne l'avait pas revue, depuis son transfert. Coline est venue vers elle, l'a prise dans ses bras et l'a serrée longuement, en silence.

Derrière elles, un homme s'est avancé du fond de la chambre. Il a salué Jacques militairement et s'est présenté : « Commandant David. Je représente Fabien. Les partisans français. »

Coline s'est alors tournée vers Jacques : « Mes respects, mon général. »

Anna les a laissés.

« Tu aurais pu le saluer, lui a reproché Félix. Il est général tout de même. C'est Chaban-Delmas. Il représente de Gaulle.

– J'espère que ce soir j'ai mission de lui faire faire la tournée des grands-ducs?

– Pas question! Tu retournes dans tes quartiers.

– Dommage! Il est mignon. Marie et moi on l'aurait bien accueilli pour quelques nuits dans notre petite chambre.

– Et vous en auriez profité de façon malhonnête pour vous faire attribuer des décorations?

– Heil de Gaulle! » lui lance-t-elle avec un superbe levé de bras vers le ciel de gloire de la nation.

Une nuit, un homme est venu frapper. Odette s'est levée pour aller voir. Suivie de son mari.

« Le docteur Rougier, c'est bien ici?

– Oui, c'est moi.

– Té! Au village, on m'a dit que vous êtes médecin. J'ai ramassé un blessé. Il est très mal en point. Je sais pas quoi en faire. Avant de tomber dans les figues il a dit qu'il avait échappé aux Allemands après le nettoyage de Sarlat, en Dordogne.

– Sarlat? Comment est-il arrivé jusqu'ici?

– C'est que j'en sais rien, par la Bonne Mère. Mais ce que je sais, c'est qu'il a l'air pas plus vivant qu'une cougourde.

– Où est-il?

– Dans la carriole!

– Il vaudrait mieux le conduire à l'hôpital de Brignoles, vous ne croyez pas?

– Vé, je suis pas médecin moi! Qu'est-ce que j'en sais de ce qu'il faut faire? »

Marc Rougier, qui n'a d'un médecin que le diplôme de son prédécesseur dans sa nouvelle identité, n'est pas très rassuré en allant examiner son premier blessé, à la lueur d'une lampe à pétrole, sur le plateau de la carriole du métayer.

Qui a pu dire qu'il était médecin? Probablement quelqu'un de la mairie? Il a pourtant bien précisé qu'il n'exerçait pas. Finalement, c'est presque avec soulagement qu'il découvre un homme mort de ses tortures et, peut-être aussi, d'épuisement. Pas besoin d'avoir fait des études très poussées pour établir le diagnostic.

« Il y a longtemps que vous le promenez comme ça?

– Une petite heure, peuchère! »

La rigidité a déjà gagné le corps.

« Et maintenant, qu'est-ce qu'on en fait? demande le métayer.

– Si on l'emmène à l'hôpital on va nous poser des questions! assure Odette Rougier. Si on s'en débarrasse dans un fossé, il sera fatalement découvert, ce qui risque d'attirer les Allemands par ici. Le plus sage serait de l'enterrer. Vers le fond du terrain, par exemple?

– Vé! Je crois que votre dame elle a pas tort! A nous deux, ça sera pas la mer à boire de lui creuser un trou. »

Les cricris et les oiseaux s'en donnent déjà à cœur joie. L'aube commence à blanchir le ciel de la Provence.

« Soit! Dépêchons-nous avant le lever du soleil. »

Anna est effondrée. Charles-Ernest Rospié n'a pas repris son service à la préfecture de police le 16 juillet comme prévu. A son domicile, les volets demeurent obstinément clos. Chaque jour, elle téléphone à la brigade des mœurs ou s'arrange pour passer rue Saint-Ferdinand. Aucune nouvelle.

Par les temps qui courent, n'importe quoi peut arriver, à n'importe qui, n'importe quand.

Dans Paris devenu plaque tournante de l'armée allemande, qui part ou revient du front de Normandie, l'atmosphère est de plus en plus lourde. Les dénonciations pleuvent. Les arrestations se multiplient. La Gestapo et la Milice sont sur les dents. A Vincennes, à la République ou au mont Valérien, les Waffen SS fusillent tous les matins des fournées de résistants. Malgré les appels du parti populaire français à rejoindre le Selbstschutz et à s'engager aux côtés de l'Allemagne, les collaborateurs sentent venir l'heure de la défaite du Reich et peu nombreux sont ceux qui y répondent. Les moins publiquement engagés d'entre eux préfèrent prendre leurs distances et souhaiteraient plutôt se faire oublier.

Quelles que soient les raisons pour lesquelles Charles-Ernest Rospié ne reparaît pas, si sa disparition devait se confirmer le nouvel espoir de retrouver Karl se trouverait anéanti.

Le 31 juillet, c'est la rupture du front de Normandie. Les passions politiques divisent la Résistance parisienne. Les communistes veulent un soulèvement et les gaullistes redoutent les représailles allemandes.

Après la formidable percée de Patton, la libération de Paris ne semble plus être qu'une question de jours et, à partir du 10 août, la fièvre est telle que d'heure en heure circulent de nouveaux mots d'ordre pour l'entrée en action des FFI.

Lorsqu'on apprend, simultanément, le 15 août, que les Alliés ont débarqué en Provence et que le front Ouest s'est subitement rapproché, en une nuit, sur une ligne Chartres-Orléans, il ne manque plus qu'une étincelle pour allumer l'insurrection. Elle se produit dès le lendemain, par la diffusion de cette horrible nouvelle : trente-cinq garçons et filles de la Résistance, appréhendés dans un garage du passage Doisy, ont été fusillés à la cascade du bois de Boulogne et sauvagement achevés à la grenade. A midi, c'est le premier affrontement armé entre FFI et soldats allemands, place de la Concorde. A seize heures, mitraillage rue de Maubeuge. A vingt heures, un camion de la Wehrmacht flambe sur le boulevard Bonne-Nouvelle. Le 17 au matin, les hommes aptes à porter les armes peuvent lire l'ordre de mobilisation générale qui a fleuri sur les murs dans la nuit.

Pour Anna et Marie, une tâche simple mais non exempte de dangers : de cachette en cachette elles distribuent les armes aux porteurs de mission mandatés par Roger. Ordres et contrordres se succèdent : « Il faut se battre. – Il faut attendre. » Quelques escarmouches éclatent, çà et là, mais sans objet, sinon maintenir un climat insurrectionnel.

Le lundi matin 21 août, les premiers journaux de la Libération appellent aux barricades. En quelques heures, la ville prend des allures de camp retranché. Les chars Tigre et Panther des Waffen SS s'installent aux carrefours. Cinquante-deux batteries d'artillerie allemandes sont mises en place pour s'opposer à l'entrée des blindés alliés.

Les rues de Paris dressent leurs barricades de pavés.

Cette fin d'après-midi, Anna et Félix distribuent les dernières armes de la dernière cachette, boulevard Pereire. Deux FFI du secteur viennent les faire sortir de cette zone menacée d'encerclement allemand, et le hasard de leur itinéraire de dégagement les conduit à passer rue Saint-Ferdinand.

A leur grande surprise, au nº 16, les fenêtres de Charles-Ernest Rospié sont ouvertes. Il y a même un drapeau tricolore.

« Allons-y! Allons-y! » supplie Anna.

Félix hésite, à cause de l'encerclement du quartier. Mais l'amitié l'emporte sur la raison.

« Bon! D'accord! Seulement j'y vais seul. On ne sait pas comment ça peut tourner... Dans dix minutes, je te rapporte ton renseignement.

A contrecœur, Anna consent à demeurer sur le palier.

La porte s'est ouverte sans trop de réticence.

Félix est entré. Pour Anna, vient de commencer la dernière attente.

Mözek! Mözek! Dis-moi que cette fois je vais retrouver mon fils... retrouver mon fils... retrouver mon fils...

Comme la nuit de la visite de la Gestapo dans sa chambre du quai de Montebello, elle ne peut s'empêcher de trembler.

Dix minutes. Encore dix minutes. Enfin quoi, Mözek! Fais pas tout ce chahut : puisque je te dis dans dix minutes.

Félix reparaît. S'excusant : « Encore désolé de vous avoir dérangé, monsieur. » Serrant la main de...

... cet homme. Cet homme qu'Anna n'avait pas vu à l'arrivée. Cet homme qu'elle voit, maintenant. Cet homme qu'elle connaît. Quelle reconnaît. Formellement.

Elle s'est assise sur une marche. Félix la cherche du regard après que la porte s'est refermée.

« Alors ? l'interroge-t-elle.

– Il ne sait pas. Aucune nouvelle de sa fille depuis décembre 1943. Il a mis le pavillon en vente pour obéir aux instructions qu'elle lui avait laissées.

– Je connais cet homme! dit Anna d'une voix sourde. C'est lui qui m'a arrêtée en 1942 et conduite au camp de Drancy. Je suis sûre qu'il t'a menti. »

D'un bond elle s'est levée, a traversé le palier et frappé à la porte. Rospié ne devait pas être loin derrière et, supposant sans doute que son visiteur revenait, a rouvert sans aucune méfiance.

« Mad... mademoiselle? s'étonne-t-il. Vous désirez?

– Haut les mains! »

Il découvre alors le canon d'un revolver pointé à quelques centimètres de sa poitrine.

« Vous désirez? » répète-t-il mécaniquement, levant les bras et reculant prudemment d'un pas.

Anna pénètre dans l'appartement. Félix sur ses traces. Arme au poing lui aussi.

« Je veux l'adresse de votre fille Odette.

– Je viens de dire à ce monsieur...

– Donnez-moi cette adresse, monsieur Rospié. A trois, je tire : un...

– Mais, je...

– Deux! » compte Anna.

Rospié porte la main à la poche intérieure de sa veste.

Les deux revolvers sont pointés vers lui.

« Mon carnet ! » proteste-t-il.

Il le sort, le feuillette, note le renseignement sur une page d'éphéméride qu'il déchire et tend à Anna.

« Une adresse poste restante ? Vous n'avez rien d'autre ?

– Non !

– Vous ne savez même pas où elle habite ?

– Non ! Mais, on vous le dira en allant à la mairie. Dans ces petits villages de Provence, tout le monde se connaît plus ou moins.

– Vous n'êtes jamais allé la voir ?

Dans le même moment, Anna a le sentiment que Rospié vient de la reconnaître lui aussi.

Elle insiste : « Vous n'êtes jamais allé voir votre fille ?

– Non. Elle ne veut pas. Nous sommes un peu en froid depuis qu'elle est partie avec...

– Avec ?

Il hésite : « Avec, cet homme. » Il soupire et ajoute : « Avec, cet Allemand. »

Entendant cela, Anna a eu un coup au cœur. Elle ne veut pas en savoir plus. Elle préfère changer de conversation et, empochant son papier, questionne : « Vous souvenez-vous de moi, monsieur Rospié ?

– Pas du tout, mademoiselle. Nous nous connaissons ?

– Vous m'avez arrêtée en 1942. Le 29 juin, au coin de la rue Vaugirard, derrière le théâtre de l'Odéon. J'étais avec une autre femme. Et un enfant. Un dimanche après-midi. Vous m'avez conduite au camp d'internement de Drancy.

– Non. Je ne me souviens pas. Vous savez, il a fallu faire parfois certaines choses durant ces années d'occupation.

Anna est sûre qu'il ment. Ce type est de la dernière espèce de salauds : un fourbe doucereux. Hypocrite et dégueulasse. Son doigt la démange d'appuyer sur la détente. Félix intervient : « Laisse-le ! Il faut partir. Tu as ton renseignement, non ?

– Non ! Je ne me trompe pas ! Une sale gueule pareille ne s'oublie pas. On s'en rappelle toute la vie. Combien de juifs avez-vous contribué à envoyer à Drancy, à Fresnes, ou ailleurs, monsieur Rospié ? Combien d'hommes, de femmes et d'enfants avez-vous séparés ? Tirer serait vous faire grâce des remords que vous éprouverez, peut-être, un jour ? En revanche, si la vie nous remettait en présence : dans une heure ou dans dix ans...

– Arrête, Anna ! C'est idiot ce que tu dis, dans les instants que nous vivons ! »

Elle le réalise et en convient : « Partons ! dit-elle.

– Tourne-toi ! » ordonne Félix à Rospié qui, se doutant de ce qui l'attend, n'y consent qu'avec réticence et à fort juste raison puisque la crosse du revolver de Félix s'élève et s'abat sur la base de sa nuque d'un coup sec.

« S'il est vraiment le salaud que tu dis, autant ne pas prendre le risque qu'il tente de nous flinguer à la sortie. Allez. Maintenant, on rentre. »

Anna s'est agenouillée près de Rospié. Elle tâte ses poches.

« Qu'est-ce que tu cherches encore?

– Son carnet.

– Viens! laisse tomber. Viens. On n'a pas le temps. Il faut se tirer de ce quartier, on a autre chose à faire. »

Sitôt dans la rue, ils constatent que les chars sont partout. L'îlot est encerclé. Une nasse. Les gens se sont regroupés sur la place pour être protégés par les maisons. Il règne une odeur de fête sur fond de tragédie. Les Allemands ne tirent pas. Les barricades non plus.

L'après-midi s'écoule à attendre une levée de ce blocus.

Il fait chaud et humide. Une odeur de sueur. Une odeur de peur. Indéfinissable. L'école communale a été réquisitionnée pour servir de poste de secours aux blessés. Quelques personnes, venues par curiosité et qui se sont laissé prendre dans le piège, s'y sont réfugiées.

« Si on ne trouve pas de place dans un hôtel du coin, on pourra toujours aller dormir chez ton ami Rospié, suggère Félix qui, depuis qu'il a fréquenté quelques parachutistes anglais s'imagine avoir acquis le sens de l'humour.

– Cette fois, on prendrait le temps de lui piquer son carnet. Je suis sûre qu'on y trouverait une belle brochette de salauds... »

Le mot salaud, déclenche dans son esprit une fulgurante association d'idées qu'elle s'explique aussitôt. En quelques mots, elle expose à Félix ce qu'elle sait d'un appartement de l'avenue de la Grande-Armée servant de bordel aux officiers allemands et tenu par un couple dont elle avait fait la connaissance lors de son passage à Drancy.

Félix n'est pas long à réagir. Un gamin d'une quinzaine d'années portant un casque et un brassard de FFI fait les cent pas et se pavane au coin de la rue. Il va vers lui, l'interpelle, lui parle.

« Fastoche, mon lieutenant. Je connais toutes les caves », répond le gavroche illuminé à la perspective du rôle qu'il va pouvoir jouer.

Il est environ dix heures du soir lorsque Anna et Félix sonnent à la porte de M. et Mme Champi dont le nom est harmonieusement inscrit sur une belle plaque de cuivre.

Ils ont enlevé leur brassard FFI. Un majordome en tenue à la française vient leur ouvrir et s'étonne : « Monsieur et madame désirent?

– Voir Didier ou Éliane », répond Anna.

Le majordome s'incline cérémonieusement, les fait entrer : « Qui dois-je annoncer à Madame?

– Anna Abroweski. »

Une musique douce et langoureuse leur parvient, lorsque le majordome se glisse dans le salon.

« Eh bien, dis-donc! souffle Anna stupéfaite : ces cochons de fridolins ne manquent pas d'air. Ils se la coulent douce, malgré tout ce qui se passe. »

Éliane arrive quelques instants plus tard. Elle porte une robe du soir. Noire. Bras nus. Épaules nues. Dos nu jusqu'au creux des reins. Après avoir doucement refermé la porte, elle se retourne, offrant à leurs regards éblouis un époustouflant décolleté de paillettes : « Anna chérie. Quelle bonne surprise! » Lumineuse, souriante, les mains tendues, elle s'avance vers eux et sa longue jupe s'ouvre jusqu'au-dessus du revers sombre de ses bas.

« Je te présente Félix. Nous étions en situation délicate.

– Je sais, tout le quartier est bouclé. Vous avez très bien fait de venir.

– Il y a du monde, dans ton salon?

– Seulement un général, deux colonels, et un Français. Des habitués. Compte tenu des circonstances, ces messieurs ont autre chose à faire. Ça tombe bien car je n'ai que deux jeunes filles, ce soir.

– Tu es ravissante!

– Merci! J'ai mis cette robe pour compenser par un peu de spectacle ce qui manque de personnel. Je suis très excitée à l'idée que ces trois frisés emporteront d'ici le souvenir d'avoir caressé des yeux la peau inaccessible d'une juive. Quelle revanche sur Drancy! Tu devrais venir.

– Je ne suis pas habillée pour ça!

– Ce n'est pas un problème! » assure Éliane avec un rire clair avant de les entraîner jusqu'à sa chambre.

Tout est somptueux. La salle de bain est digne des *Mille et Une Nuits*.

« Vous trouverez bien là-dedans quelque chose qui vous ira! leur assure-t-elle en ouvrant les portes des armoires sur ses robes et les costumes de Didier.

Avant tout, ils ont profité de la salle de bain.

Félix est en smoking.

« Ça te va bien! » assure Anna.

Lui aurait plutôt tendance à juger qu'il a l'air d'un maître d'hôtel. Un maître d'hôtel qu'elle envoie achever de se pomponner, le temps d'enfiler la robe qu'elle a choisi de porter.

A son retour le lieutenant FFI manque de s'étrangler en découvrant sa subordonnée dans un long fourreau de satin blanc : « Beh... Ben... Heu... Tu... Je...

– Quelle éloquence, mon biquet.

– Tu... tu es... sublime! finit-il par s'exclamer.

– C'est un plan. Imagine qu'il y en ait un qui me plaise, parmi ces Allemands. La petite juive de Drancy prélèverait bien sa dîme sur leur cheptel de mâles humains. Quelle revanche!

– Tu ne... parles... pas sérieusement... quand même?

– En tout cas, ce que je peux te dire – très sérieusement – c'est que si nous devions prendre une bombe sur le coin du nez, je préférerais mourir habillée comme ça plutôt que dans mon uniforme de résistante. Un bout de chiffon bleu blanc rouge autour du bras, c'est peu pour affronter l'éternité. Fût-elle de gloire. »

Félix l'observe, dans ses efforts pour faire entrer son revolver et son brassard dans un sac trop petit. Contre toute attente, elle y parvient. L'obstination des femmes est sans limite.

Quelques minutes plus tard, le majordome les introduit au salon. Le premier regard d'Anna se porte sur un homme, assis, seul, légèrement à l'écart. L'apercevant à son tour, il affiche un air très étonné. Elle traverse tranquillement la pièce et s'approche de lui : « Vraiment, vous avez la tête dure, pour être tout de même sorti ce soir. » Ouvrant négligemment son sac, elle ajoute : « Si j'ai bonne mémoire, je vous avais promis quelque chose, n'est-ce pas? » Sortant son revolver, elle tire. Une fois. Deux fois. En plein cœur. A bout portant. Charles-Ernest Rospié s'affaisse.

Les deux colonels allemands se sont levés d'un bond.

« Veuillez ne pas bouger, messieurs! »

La scène a quelque chose d'irréel. Son arme à la main, Anna se sent troublée par la manière dont les deux hommes la regardent. Que regardent-ils, au juste? Que regardent-ils le plus? Les lignes de son corps mises en valeur par le fourreau de satin blanc ou la gueule noire du revolver braqué dans leur direction?

Une âcre odeur de poudre domine l'ambiance parfumée du salon.

Posément, Anna tire de son sac son brassard bleu blanc rouge et le dépose sur le guéridon : « Sous-lieutenant Abroweski, des Forces françaises de l'intérieur. Au nom du général Kœnig, notre commandant en chef, je vous demande de vous considérer comme prisonniers. »

Fascinés, sans un mot, ils lèvent lentement les mains.

Enfin Félix réagit. De son côté, il arrête le général.

Éliane et Didier ont suivi la scène sans dire un mot. Le majordome, lui aussi est resté silencieux. Même les deux jeunes filles de la maison n'ont pas poussé le moindre cri. Dans les bordels de France, on sait vivre les situations exceptionnelles.

24 août, les chars de la 2e DB sont à l'Hôtel-de-Ville.

26 août, le Comité national de la Résistance accueille le général de Gaulle à Paris.

Les Forces françaises de l'intérieur poursuivent le nettoyage de la capitale. Anna y tient son rôle. Toutefois, pour elle, faire la guerre va s'arrêter là. A l'heure des engagements dans l'armée régulière elle renoncera à partir vers l'Est, puisque c'est au Sud qu'elle veut aller.

D'après l'adresse donnée par Charles-Ernest Rospié sa fille vit dans le Var. Encore faut-il s'y rendre.

« Je t'accompagne, décide spontanément Sarah.

– Mais, je ne sais même pas comment partir.

– Je vais chercher. Je m'en occupe. »

Dans l'esprit de Sarah Friedmann, ce voyage doit avoir valeur de rachat. Même depuis qu'elle sait qui était vraiment Helmut Zeitschel, elle ne parvient pas à se sentir moins coupable d'avoir naguère dissimulé la mission dont l'avait chargée le SS Fritz Mühler. En se taisant elle a peut-être préservé Anna d'un danger? Au prix de l'avoir privée du droit de décider en fonction de l'enjeu. Une tardive révélation ne changerait rien. En revanche, Anna a besoin aujourd'hui d'une assistante prête à se dépenser sans compter.

Sarah a donc pris tous les risques. Dans les heures difficiles de la Libération, elle a cherché. Et trouvé. Une voiture en état de marche. De l'essence : il y a dans le coffre assez de jerricans pour parcourir deux mille kilomètres environ. Elle a troqué le tout contre le seul bijou qui lui restait : une étoile de David en brillants qui lui venait de sa mère.

Elles ne peuvent toutefois pas partir. Paris est libéré, soit. Mais, la guerre continue. Depuis son débarquement du 15 août, en Provence, la Ire armée française ne progresse que lentement à travers les Alpes et la vallée du Rhône.

Enfin, le 12 septembre, arrive la nouvelle tant attendue : de Lattre de Tassigny a opéré sa jonction avec l'armée du Nord. La voie du Sud est libre.

Libre, ne veut pas dire ouverte. Routes défoncées par les bombardements, ponts effondrés, nids de résistance allemande à contourner, barrages de maquisards soupçonneux, difficiles à convaincre, convois militaires gagnant le front de l'Est et leur coupant le chemin... Pas moins de six jours et cinq nuits pour parvenir à leur destination : Saint-Maximin-la-Sainte-Beaume.

De la vie d'Helmut Zeitschel, ce que Marc Rougier se gardera bien d'oublier : ce sont les principes de sécurité, de préservation de soi-même et de qui-vive permanent, naguère appris chez les SS. Son trésor de guerre lui permettra de voir venir pour de nombreuses années, mais à la condition de ne prendre aucun risque et d'observer en permanence une prudence exemplaire.

Pas plus que son identité n'avait été sujette à caution lors de son mariage avec Odette, elle ne l'avait été lors des démarches entreprises pour la reconnaissance en paternité de Karl, désigné sous le prénom de Norbert, fils de Jacqueline Mornet. Procédure expéditive. Un comité de restauration des archives municipales lui avait retourné sa lettre de demande, tamponnée d'une formule lui faisant savoir que les registres d'état civil de la mairie de Joinville avaient été partiellement détruits dans un incendie consécutif à un bombardement. A défaut d'acte officiel concernant cet enfant, le comité prendrait en compte une déclaration sur l'honneur pour réenregistrer sa naissance. La demande avait été refaite, et le 15 mars 1944 Karl était devenu Charles Norbert Rougier, né de Jacqueline Mornet et Marc Rougier. Grâce à ce petit tour de passe-passe administratif, au moins conservait-il la version francisée de son prénom.

S'il est une chose dont le nouveau Marc Rougier n'a pas l'intention de faire état, c'est bien de son doctorat en médecine. Toutefois il a dû préciser sa profession, lors de l'établissement de son acte de mariage. Le blessé clandestin qu'on lui avait amené avait joué le rôle d'un signal d'alarme : le 2 août suivant, Marc, Odette et Charles Rougier étaient partis s'installer à Montpellier.

Ni à la mairie de Saint-Maximin, ni à la poste, ni chez les commerçants, on ne connaissait Odette Rospié. Après une semaine d'enquête, Anna et Sarah en étaient très exactement au point zéro et commençaient à manquer d'argent.

Sarah avait alors dressé la liste de leurs priorités.

« D'abord, trouver de l'essence. Ensuite, aller dans une ville et chercher un travail. Après... on avisera.

– Après on rentrera! avait rectifié Anna découragée. Il est évident que ce salaud a menti. Nous ne retrouverons jamais sa fille, ni Karl. »

Pour la première fois elle venait d'exprimer tout haut ce que toutes les deux avaient commencé de penser tout bas dès le deuxième jour de leurs recherches.

Elles ont choisi Marseille.

Une ville folle. Une ville ivre de liberté. La plaque tournante des unités militaires américaines arrivant d'Afrique du Nord et d'Italie pour aller poursuivre la campagne d'Europe en direction du Rhin.

Profusion de rations US. Chewing-gums, chocolat, cigarettes, alcool de grain et – dernier cri du progrès – bas nylon. Dans ses bagages, l'Amérique apportait l'envie de superflu chez ceux qui avaient été longtemps privés du nécessaire.

Tout pouvait s'acheter, se vendre, se racheter pour se revendre plus cher à la minute suivante. Le quartier du Vieux-Port et la Canebière étaient devenus les points chauds de commerces tout aussi illicites que lucratifs.

Sarah en avait senti bouillonner son sens des affaires.

« Je prends en main le renflouement de nos finances ! » avait-elle solennellement déclaré dès les premières minutes de leur arrivée.

Trouver un lieu où dormir n'avait pas été la moindre de leurs péripéties. In extremis, elles s'étaient rabattues sur un hôtel borgne du quartier de la Joliette où on leur avait consenti la location d'une chambre, mais pour seulement cinq nuits. Au soir de leur quatrième journée, elles avaient déjà gagné assez d'argent pour avoir envie de continuer mais n'avaient pas trouvé de nouveau lieu où se loger et entreposer les stocks de leurs divers petits négoces.

« Rentrons à Paris, suggère Anna, épuisée d'avoir déjà fait plusieurs fois le tour de Marseille à la recherche d'une chambre à louer.

– Je vais tenter d'arranger ça avec le patron ! » décide Sarah.

L'homme est courtois. Il la reçoit, l'écoute.

« Bonne mère ! Je comprends bien, mes pôvres pitchounettes. Les temps sont durs pour tout le monde. Si vous pouviez travailler un peu pour moi, le soir, je vous logerais gratuitement.

– Travailler pour vous ? s'intéresse Sarah. Mais à quoi ? ajoute-t-elle méfiante.

– Vé ! C'est pas très difficile. Puis, c'est à la mode, comme on dit. Voilà, il s'agit... »

Ayant écouté son exposé, elle apprécie la proposition.

« C'est inattendu mais je dis pas non.

– Té ! Vous vous rendriez mieux compte en le voyant avé les yeux. Si vous voulez, je vous emmène.

– OK ! Je vais chercher mon amie. Nous arrivons tout de suite. »

De retour dans la chambre où Anna fait les comptes de la journée, Sarah est folle de joie : « J'ai trouvé une chambre gratuite, une occasion de gagner des sous supplémentaires, et une activité salutaire pour meubler les longues soirées d'automne », annonce-t-elle en vrac.

Anna n'en revient pas : « Et que doit-on faire, pour ce prix-là ?

– Vé ! Je t'emmène, tu te rendras mieux compte en regardant avé les yeux si on doit demander peuchère ou... beaucoup plus. »

Chemin faisant, leur hôtelier – qui ressemble un peu à Raimu – leur explique qu'il vient juste d'acheter cette nouvelle affaire. Sous son chaperonnage, elles traversent les rues les plus effervescentes d'un Marseille qui se donne des airs de Pigalle d'avant-guerre. Une fille, un GI. Une fille, deux GI's, etc.

De rue en rue, ici et là, ont été ouvertes des boîtes à soldats. Des boîtes à boire. Des boîtes pleines de bruits. Des boîtes à lumières multicolores et à musique de jazz. Les filles y font des affaires d'or avec ces hommes, noirs ou blancs, qui font une dernière fois la fête avant de repartir pour la guerre.

– Té! Voilà mon nichte-club! » annonce fièrement leur guide.

Un ancien garage à bateaux. Les murs en ont été hâtivement barbouillés, des photographies ou des dessins de pin-up épinglés. Les ampoules des projecteurs peintes en rouge diffusent une lumière rose, et devant une estrade tendue de velours noir s'alignent des bancs sur lesquels deux cents GI's à moitié ivres hurlent comme s'ils devaient se faire entendre jusqu'au Far West. Une fille arrive, enlève sa robe... le délire. Elle enlève ses bas... la fièvre monte. Elle enlève sa chemise, et c'est la frénésie. La lumière s'éteint. Une autre fille est déjà sur la scène. Celle-la retire ses bas avant sa robe : ça change tout, la fièvre monte avant le délire mais ça se termine quand même dans la frénésie des sifflets.

« Fan de chichourne! C'est pas si difficile.

– Les clients, non plus, n'ont pas l'air difficile, lance Anna.

– On n'est ouvert que d'hier soir. J'ai pas eu le temps de recruter. Avé ma femme, ma fille, et mes deux nièces, vous serez six : c'est le début d'une équipe.

– OK! se décide Sarah. Moi, je commence tout de suite.

– Mais, vous n'avez pas répété?

– Depuis trente ans que je fais ça tous les soirs sans compter les matinées récréatives, j'ai un certain entraînement.

Après un mois de strip-tease et de petits traficotages sur la Canebière, elles en avaient eu assez. Le 29 octobre, par un dimanche après-midi plein de grisaille et d'inquiétudes, elles avaient retrouvé Paris.

D'emblée, une atmosphère sans aucune comparaison avec celle de Marseille. La différence essentielle tenait à l'indicible fureur inscrite aux cœurs de ceux qui avaient subi mille cinq cent trois jours d'humiliations sous la botte nazie.

Le maître mot était : vengeance.

La vengeance, elle avait commencé au soir même du 25 août par quelques collabos maltraités. Femmes tondues ou marquées pour avoir couché avec des Allemands. Hommes sommairement jugés pour haute complicité avec l'ennemi dans la pratique du marché noir. Ainsi, avait été liquidé le plus gros des querelles d'immeubles ou de quartier. On ne s'était rendu compte qu'après : les vrais potentats de la collaboration, les véritables délateurs et autres exécuteurs des basses œuvres de la Gestapo avaient bien entendu pris la précaution de disparaître à temps. La chasse aux petits était impitoyable. La population civile s'était investie de la mission de nettoyage; les résistants la leur avaient abandonnée pour aller participer au grand règlement de comptes avec les soldats du Reich. Aux victimes d'Oradour, de Sarlat, de Tulle, de Guéret et d'ailleurs, s'ajoutaient les sinistres découvertes des suppliciés dans les casernements allemands. Hitler était peut-être un fou dangereux mais... il n'était pas tout seul, et sur le front du Rhin, la guerre était devenue croisade contre la barbarie de tout un peuple, sans distinction.

Quai de Montebello, Marie avait laissé une lettre, sur la table. Une lettre qui expliquait tout ça et les raisons de son engagement dans les Forces françaises libres. Elle avait rejoint en qualité d'infirmière, la Ire armée du général de Lattre de Tassigny.

Anna s'était interrogée, Tant de jours à s'exhiber, nue, sur les planches d'un boui-boui de Marseille n'avaient été que tant de jours vécus pour ne surtout plus penser à sa déconvenue de Saint-Maximin. Les gains des petits trafics avaient servi à mandater un détective de Toulon pour la recherche d'Odette Rospié, mais, lucidement, ses chances étaient maintenant à peu près nulles de retrouver un jour son fils. La dernière chance réelle lui avait peut-être échappé lorsque Félix l'avait empêchée de s'emparer du carnet d'adresses de Charles-Ernest Rospié.

En se rendant à la villa de Saint-Cloud, le lundi 16 mars, Anna savait qu'elle ne rencontrerait ni Roger, ni Félix. Ils s'étaient engagés avant même son départ pour Saint-Maximin. Elle supposait seulement qu'elle trouverait une permanence qui prendrait en main sa démarche pour rejoindre Marie.

Sur la grille, une pancarte FFI. Sur la façade : un drapeau bleu blanc rouge, marqué au centre d'une croix de Lorraine. Dans le hall, les nouveaux occupants. Ils ont entre dix-sept et vingt-deux ans et se sont dénichés de vagues uniformes qu'ils ont affublés de galons et médailles en tous genres. Les plus modestes ne sont rien moins que capitaines ou commandants.

On consent à l'annoncer chez « le vieux ». Il s'agit d'un colonel de vingt ans.

Elle n'a jamais rencontré ce parfait inconnu au bataillon. Elle se présente, néanmoins, sous son grade de sous-lieutenant.

Il vérifie dans un registre.

« C'est très bien tout ça! Je vais vous faire décorer.

– Ah oui? s'amuse-t-elle. Et de quoi?

– Ce que vous voudrez!

– Mais, je ne veux rien!

– Alors, dans ces conditions, vous n'aurez rien! dit-il en refermant son registre. Que puis-je d'autre, pour vous?

– Me donner des nouvelles de... du commandant Roger et du capitaine Félix.

– Connais pas!

– Ils se sont engagés.

– Alors, leurs dossiers ont suivi. Vous voulez vous engager, vous aussi?

– Moi? Je... Je... Non! »

L'entretien en est resté là.

Marquée par ce qu'elle vient de voir, son intention s'est altérée de dégoût. Elle a senti le besoin de réfléchir. C'est dans cet écœurement noyé d'indécision qu'elle s'en retourne vers la gare. Soudain, elle entend courir derrière elle. Elle se retourne et n'a que le temps d'ouvrir les bras pour recueillir celle qui vient s'y jeter. Elle est très jeune. Encore une petite fille. Cramoisie. Hors d'haleine. Elle pleure : « Emmenez-moi madame, je vous en supplie! Vite! Vite! Je me suis échappée! Emmenez-moi!

– Échappée?

– Vite! Vite! Je vous en supplie! Je vais vous expliquer! » assure la gamine en lui serrant convulsivement les mains.

Durant le court voyage de retour vers Paris, Anna a écouté l'effarant récit de sa protégée. Elle s'appelle Noémie. Elle a quatorze ans et demi. Elle habitait Saint-Cloud, avec sa mère, une mère veuve dès 1940. Une mère qui, durant l'Occupation, a eu pour ami un sergent de la Wehrmacht. Une dizaine de jours après la Libération, elles ont vu surgir une bande d'énergumènes se réclamant de la Résistance. La mère de Noémie a été conduite en prison, à pied, toute nue, rasée, marquée sur le ventre d'une croix gammée apposée au fer rouge, avec une pancarte autour du cou : « *Sort réservé aux putes des boches en attendant pire.* » La fille ne devait pas valoir mieux que la mère. Noémie a donc été emmenée elle aussi. Dans une cave. Pour y subir l'interrogatoire de la justice libre. Accusée d'avoir aussi couché avec des Allemands, elle s'est défendue, faisant valoir qu'elle était encore vierge... Elle ne l'est plus; depuis sa condamnation, en date du 11 septembre, elle a connu une dizaine de caves dans lesquelles, chaque jour, plusieurs fois et par les mêmes voies, elle a expié les fautes de sa mère avec tous les voyous de Saint-Cloud et des environs, qui ont civiquement contribué à une rigoureuse application de la sentence.

Durant sa première nuit, quai de Montebello, Noémie s'est réveillée dix fois, en sursaut, en pleurs, hurlant de terreur. Finalement, elle n'a trouvé un peu de calme que blottie dans les bras de celle qui l'avait sauvée de son martyre.

Une petite fille. Une petite fille à recueillir. Une petite fille à protéger. Une petite fille à réconcilier avec la vie. Est-ce toi, Mözek, qui m'envoies cet enfant?

Cette fin octobre annonce un hiver précoce et les restrictions dans Paris libéré sont presque plus dures qu'elles ne l'étaient dans Paris occupé. On manque de tout. Anna est retournée à l'Hôtel-Dieu. On l'avait cru morte. On a embauché quelqu'un d'autre. Tant pis, elle se débrouillera.

Pour commencer, elle fait appel à ses amis Friedmann.

Ils viennent de reprendre possession de leur appartement dans le Sentier. Il ne reste rien de l'atelier. Bureaux saccagés, machines-outils enlevées, tout a été vandalisé. Fred n'a plus d'argent et survit de bric et de broc, grâce à des amis. On lui a assuré qu'il y aurait des dommages de guerre. Mais quand? Encore faudrait-il que cette guerre soit finie! Sarah, de son côté, essaye de trouver le moyen d'en sortir. Contrairement à Marseille, le trafic avec les Anglo-Américains est ici considérablement organisé. Avant tout, il faut du répondant, de l'argent pour constituer ses stocks et quelques relations assez haut placées pour bénéficier de protections. Faute des deux, elle en est réduite à prélever quelques francs sur des cartouches de blondes ou des boîtes de poudre d'œufs.

Ah Mözek! Si tu voyais, Mözek! C'est la merde, Mözek! Pire que jamais!

Sarah aussi a été émue par l'histoire de Noémie. Elle lui a tout de suite trouvé un petit travail : faire des paquets de vivres et de vêtements pour la Croix-Rouge.

« Et toi, Anna? Qu'est-ce que tu vas devenir?

– Il faut que je me débrouille. Je ne sais pas. Il faut que je trouve le moyen de gagner quelques sous. C'est pour Noémie. Maintenant que le hasard me l'a confiée, je dois m'en occuper.

– Oui! Je comprends! Elle est un peu ta fille, non?

– Peut-être un peu ma fille? Peut-être un peu ma petite sœur? Je me sens liée à elle par ses souffrances. Tout ce que je pourrai lui donner, ce sera – exactement – comme si c'était pour Karl. »

Si, Noémie a eu d'abord besoin d'un peu d'amour et d'affection, elle a maintenant besoin de tout le reste. A commencer par retourner à l'école.

Sa participation aux petits trafics de Sarah lui rapporte à peine de quoi survivre et, en cette fin novembre, Anna doit régler six mois d'arriéré de loyer ou quitter la chambre du quai de Montebello. Pas d'autre solution que d'accepter la proposition d'hébergement des Friedmann. Le soir, Fred fait l'école à Noémie : c'est un avantage. Pour autant que l'amitié rend la misère moins dure à supporter, celle-ci ne peut plus durer. A Marseille, Anna a appris à se déshabiller en musique et en public. Peut-être trouvera-t-elle un engagement en allant traîner vers Pigalle? N'importe quoi : serveuse, entraîneuse, strip-teaseuse, elle est prête à tout.

De Pigalle à Blanche, les boîtes de nuits et les bars prospèrent avec les soldats des corps expéditionnaires alliés qui transitent par Paris. A peu de chose près, s'y retrouve l'ambiance de Marseille. Un peu partout on embauche. Dans la vitrine d'un établissement qui a l'air un peu mieux que les autres, une pancarte demande une danseuse. Anna se décide à entrer.

Il est trois heures de l'après-midi. La salle est vide mais, sur scène, un maître de ballet fait répéter les girls au son d'un piano.

L'apercevant, il s'enquiert de ce qu'elle veut.

« Je... C'est... pour me présenter. Je suis... strip-teaseuse.

– Danseuse?

– Surtout strip-teaseuse!

– Mais, tu danses?

– Je me déshabille!

– Tu te déshabilles en dansant, alors?

– Je me déshabille, tout simplement. Et même entièrement, si ça peut vous faire plaisir.

– Le strip-tease, j'aime pas ça! Les Américains en raffolent peut-être, mais c'est pas eux qui viendront nous imposer leurs goûts. Je suis un professionnel, moi! Je sais ce qui plaît. Ce qui plaît, c'est les danseuses! »

En matière de danse, elle pratique vaguement la valse musette et le tango argentin. Ce qui ne la place pas au rang des acrobates du swing, et encore moins à celui des spécialistes du french cancan. Certaine qu'il n'en démordra pas, elle s'excuse de l'avoir dérangé et va pour ressortir lorsque... la porte s'ouvre.

Venant de la rue, une petite femme blonde décolorée entre, emmitouflée dans un splendide manteau de fourrure. Sur leurs visages, se marque la surprise...

« Anna?

– Angèle? »

Elles n'en reviennent pas.

« Qu'est-ce... Qu'est-ce que tu fais là?

– Je... suis entrée me présenter comme strip-teaseuse. Je cherche du travail. »

Angèle éclate de rire : « Alors, j'ai beaucoup mieux à te proposer! Viens! Suis-moi! » dit-elle en l'entraînant par le bras.

Un bureau de directrice, de femme d'affaires. C'est même beaucoup mieux : un boudoir-bureau, confortable et douillet, un salon d'élégante.

« J'ai trois boîtes comme celle-ci dans le quartier. Je cherche quelqu'un pour s'occuper de l'une d'entre elles qui ne marche pas très fort. »

Ayant acquis une certaine expérience avec les Allemands, Angèle l'utilisait aujourd'hui avec les Américains, les Australiens, les Canadiens, les Britanniques... « J'en ferais autant avec les Zoulous, les Pygmées, les Touaregs ou les Bantous, s'il y en avait!

– Si tu me laisses les Ouataga-Boundou et les Yakatiti-Woualalpo, je suis prête à marcher avec toi. J'ai atrocement besoin d'argent. »

Anna s'était alors expliquée sur l'essentiel. L'enlèvement de son fils par Zeitschel. La disparition d'Irène. La chasse à Odette Rospié. Et puis, aussi, la rencontre avec Noémie : « Elle est devenue comme ma fille adoptive, tu comprends? »

Pour Angèle non plus les années de guerre n'avaient pas été tendres. Elle avait trouvé près d'un officier d'état-major allemand de quoi payer la pension de ses garçons placés en Suisse. A la Libération, il était parti si vite qu'il n'avait même pas pris le temps d'emporter son coffre-fort. Elle s'était servie : « De la simple récupération. Avec ses sous, j'ai acheté mes trois boîtes de Pigalle. Ça constitue la partie visible de mon activité. Par ailleurs, je monte des coups. Barnabé les exécute.

– Qui est Barnabé?

– Un héros de la Résistance. Quand il a vu les Allemands traverser le bois de Boulogne, il a attendu d'être sûr qu'ils soient dans le bois de Vincennes pour courir se couvrir de gloire sur la barricade de la Concorde. Entre devenir deuxième classe dans la division Leclerc ou lieutenant chez moi, il n'a pas hésité et a choisi les galons.

– Vous vous occupez de...?

– Récupération épurative.

– Ce qui veut dire?

– Qu'on reprend tout ce qu'on peut à ceux qui l'ont mal acquis.

– Un bien mal acquis n'est jamais perdu pour tout le monde, en quelque sorte?

– Il faut vivre avec son temps! » avait gravement affirmé Angèle. »

Noémie avait besoin d'un bon manteau pour affronter l'hiver rude qui se préparait. Noémie avait besoin de connaître un peu les douceurs de la vie après en avoir éprouvé les horreurs, Noémie avait besoin d'une bonne instruction, d'une bonne éducation, d'apprendre un vrai métier, de mettre quelques chances de son côté pour ne pas finir lingère dans un hôpital ou strip-teaseuse dans une boîte de nuit. Autant de bonnes raisons pour ne pas faire la difficile et passer l'éponge sur les activités d'Angèle.

Tu vois, Mözek, les circonstances m'ont enlevé mon petit garçon pour me donner une grande fille. C'est peut-être toi qui l'as placée sur ma route? Pour me consoler? Je ne peux pas la laisser, maintenant, n'est-ce pas, Mözek?

Avec Angèle, ça s'était immédiatement arrangé. Avant d'en venir aux projets plus ambitieux, Anna s'était vu confier le Démon-Vert. Les clients ne s'y bousculaient pas.

Appelée en consultation, Sarah avait confirmé son diagnostic :
« Il faudrait tout changer. Les danseuses, ça n'intéresse personne. Mieux vaudrait du strip-tease et que ce soit moins cher.

– Tu as raison! avait décidé Anna. Je vais prier le maître de ballet de rembarquer son escadron de perruches emplumées. Je t'embauche comme directrice artistique pour assurer le recrutement des artistes de notre prochain spectacle. »

Si trouver une douzaine de filles qui veuillent bien se déshabiller n'était pas une affaire, qu'elles soient aussi jolies posait quelques problèmes. Pour pallier le manque d'effectifs, au début, les deux organisatrices avaient dû prendre elles-mêmes du service.

Le soir, Fred mettait une casquette à galons pour racoler les GI's dans la rue. Vite remis à l'anglais il leur proposait un petit marché : selon l'importance du pourboire, Sarah ou Anna consentaient à avoir un incident de costume qui repoussait les limites légales interdisant le nu intégral.

Au terme d'une première semaine, Angèle était estomaquée :
« Incroyable! votre chiffre d'affaires a triplé.

– Parce qu'on a de l'expérience, ma vieille! avait répondu Sarah en éclatant de rire. »

Une quinzaine de jours plus tard, Anna avait fait la connaissance de Barnabé venu lui exposer les principes généraux de la récupération épurative.

Tout de suite, entre eux, le courant était passé.

Barnabé, de son vrai nom Paul, vingt-six ans, un physique de jeune premier musclé, une élégance de bon aloi, une détermination d'homme d'action, aurait pu faire un héros superbe. Il faisait donc un voyou très au-dessus du convenable.

Anna avait été séduite par sa façon d'être, par son ironie à propos de lui-même.

« Officiellement, je gagne ma vie comme salarié dans une compagnie d'assurances.

– Et officieusement?

– Je vis surtout de certaines relations. Je n'ai qu'un principe : devenir riche sans éveiller l'attention de ceux qui pourraient me soupçonner de faire des heures supplémentaires dans le crapuleux. »
En conséquence, Barnabé prenait le plus grand soin de garder – pour Paul – les mains parfaitement blanches.

Leurs premières opérations en récupération avaient été des succès.

Barnabé connaissait la musique et, en réalité, tout le monde : le monde qui trafiquait comme le monde qui troquait, le monde qui traquait comme le monde qui braquait... Aucun monde n'avait de secret pour lui, y compris celui qui protégeait tous ces petits mondes.

Accessoirement, Barnabé adorait rendre service.

Sa coéquipière cherchait un appartement, il lui en avait trouvé un. Rue de la Pompe, dans un bon quartier.

Le jour de l'emménagement, il avait fait la connaissance de Noémie. Ses quinze ans l'avaient libéré, sur-le-champ, de ses hésitations passées devant les fruits trop verts.

Éperdument amoureux, il s'était dès lors battu pour prouver le sérieux de ses sentiments. Ainsi avait-il obtenu la recommandation indispensable pour que la belle enfant puisse entrer dans une institution privée de Passy réservée aux meilleures familles.

En fait de famille, Noémie avait reçu des nouvelles de sa vraie mère. On l'avait sortie de sa prison pour y loger des cas plus sérieux que le sien. Depuis, elle rentabilisait sa croix gammée sur le ventre avec des bas noirs et quelques accessoires d'uniformes abandonnés par son sergent de la Wehrmacht. Les Américains en transit, pressés de savoir à quoi ressemblaient les barbares qu'ils partaient combattre, lui assuraient un convenable roulement d'amateurs.

Pour Noémie, bien entendu, pas question d'aller la voir. Anna ne s'était pas sentie le droit de la forcer, elle avait cependant exigé qu'elle lui écrivît au moins une fois par semaine. Chaque jeudi, elle réclamait l'enveloppe, cachetée, qu'elle se chargeait elle-même de timbrer et de mettre à la poste. Sans nullement préjuger de l'avenir, un pont entre une fille et sa mère devait être maintenu.

Aucun pont avec Karl et Odette Rospié, en revanche.

Un détective parisien avait repris le dossier. Tout ramenait à ce pavillon de Colombes qui servait désormais à héberger des réfugiés. Côté archives municipales, Odette Rospié était une parfaite inconnue. Elle n'était pas née dans la commune et son père était le seul légitime propriétaire de la maison. Les anciens amis étaient dispersés. La famille se réduisait à une vieille tante morte sous les bombardements de 1942. Quant aux papiers de Charles-Ernest Rospié, suite aux circonstances de sa mort, l'administration les avait placés sous séquestre en attendant que soient éclaircies ses activités durant l'Occupation. Le détective avait renoncé.

Anna en avait trouvé un autre. Moins scrupuleux. Les provisions pour frais qu'elle lui renouvelait ponctuellement ne faisaient pas vraiment progresser les recherches mais elles entretenaient, au moins, un très fragile espoir.

Ce 23 mars 1945, le Rhin est enfin franchi par les troupes alliées. Désormais, c'est sur la terre d'Allemagne que vont se poursuivre les batailles d'une guerre qui n'en finit pas.

Le Démon-Vert a complètement changé de clientèle. Les GI's n'y sont plus admis. Les officiers supérieurs de l'état-major interallié les remplacent. Chaque nuit, à partir de vingt-deux heures, Anna, en robe du soir, les accueille. Le spectacle, aussi, a évolué. Un chorégraphe américain a pris en main la direction artistique. Un bataillon de « girls » au physique « made in USA » a relayé les filles qui se déshabillaient en se trémoussant dans la lumière rose. Un seul vrai strip-tease demeure : celui de la directrice hôtesse de l'établissement. Anna a beaucoup travaillé pour mettre au point ce numéro. Chaque soir, il lui vaut un triomphe qui remplit le tiroir-caisse. Chaque matin, il lui vaut des reproches de la part de Noémie qui ne supporte pas que « sa mère » se déshabille en public.

En ce début de printemps 1945, le trio Angèle-Barnabé-Anna peut se considérer satisfait des résultats financiers de sa la récupération des « trop perçus » par les profiteurs de l'occupation.

Anna a investi ses premiers gains dans la reconstitution du capital de Paris-Bijoux. Équipé de nouvelles machines, l'atelier de Fred et Sarah Friedmann tourne à nouveau normalement.

Il s'agit d'argent propre. Le nettoyage des fonds de la récupération, c'est la spécialité d'Angèle. Leur trio n'est pas un ramassis de troisièmes couteaux; ils sont devenus une solide équipe de pros.

Pour réussir parfaitement dans la discipline qu'ils se sont choisie, il faut de la chance, de la santé et du courage. Le courage se cultive. La santé s'entretient. Seule, la chance, échappe à tout contrôle.

Ce 17 avril 1945, la chance d'Anna va se montrer hésitante.

Pour les besoins d'une opération récupérative, elle se trouve dans le salon de l'appartement parisien d'un ex-petit crémier de Nanterre qui, en quatre ans de collaboration active avec l'ennemi, est devenu un BOF * à dimension industrielle. Cet appartement de l'avenue Foch ressemble à un musée, doublé d'une salle des coffres digne d'une banque suisse.

Malchance, pour Anna : le peu recommandable propriétaire est revenu sur ses pas une heure après être parti.

Une chance : elle était armée et avait été plus prompte que lui à tirer.

Une chance, encore : elle avait pu se jeter dans l'ascenseur pour échapper aux coups de feu des deux hommes qui l'accompagnaient.

Malchance, enfin : elle était restée bloquée entre le premier étage et le rez-de-chaussée à l'heure de la quotidienne coupure d'électricité.

---

* *Beurre-œufs-fromages :* désignation méprisante de ceux ayant fait fortune dans le marché noir des denrées alimentaires.

Aucune lenteur pour la justice de la France libre. L'instruction menée tambour battant sera aussitôt suivie d'un procès aux assises.

Accusée : Anna Abroweski, vingt-quatre ans, gérante d'un établissement de nuit. Pas d'antécédents judiciaires. Vingt-deux mois de résistance active.

« Et vous n'avez rien trouvé de mieux à faire que du strip-tease, après la Libération? » s'étonne le président.

Effets de manches de la défense pour expliquer le destin d'une mère partie courir la France à la recherche de son enfant.

« Nous n'avons consenti à nous dévêtir en public que pour pouvoir subsister et continuer...

– Je vous en prie, je vous en prie! Gardez votre épitoge, maître. »

Rire du tribunal. Mouvements divers dans la salle. Flashes des photographes.

Après l'audition des témoins de moralité, simplicité de l'avocat : « Qu'ajouterais-je, messieurs les jurés, à ce passé d'héroïne de la France libérée? A ce présent de mère déchirée? A cette générosité d'une femme ayant ouvert son cœur à une enfant martyre? »

Deuxième journée des débats. Le ministère public représente la victime. Le dossier constitué par la défense est solide. Pas moins de quatre-vingt-onze témoignages pour tracer un portrait. Collaborateur des bureaux d'achats gérés par la Gestapo. Dénonciateur de plusieurs centaines de familles juives, ayant entraîné des internements, des disparitions et des morts. Auteur de nombreuses spoliations de biens d'industriels français partis se battre pour la France libre.

Au quatrième jour du procès, l'issue paraît acquise.

C'est devant une salle venue entendre le mot « acquittement » que vont se dérouler réquisitoire et plaidoirie.

Coup de théâtre. L'avocat général cite deux témoins de dernière heure. Deux hauts fonctionnaires. Leur intégrité au service de la France ne saurait être mise en cause. L'un et l'autre témoigneront en faveur de la victime : « Sous couvert des actes qui lui sont reprochés, il a servi son pays dans le cadre d'un plan secret de l'état-major de guerre.

– Et quel était ce fameux plan? s'indigne la défense.

– Par mesure de protection prolongée des agents qui ont été conduits à y participer, il doit demeurer secret et inaccessible pour une durée de trente ans. C'est la parole de la France qui vous est ici donnée. »

Salle consternée. Débats levés.

Le procès vient de basculer dans une impasse tragique. Avocats et chroniqueurs judiciaires en ont compris la raison. Elle s'appelle : l'informulable raison d'État. Le général de Gaulle a donné l'ordre de freiner spectaculairement les désordres entraînés par certains éléments troubles issus de la Résistance.

Pour que la France retrouve sa paix civile, il faut un exemple.

Reprise des débats. Le réquisitoire de l'avocat général ramènera les faits à leur stricte dimension de crime de droit commun. La plaidoirie ne sera qu'un baroud d'honneur.

La cause est entendue. Le tribunal et le jury se retirent pour délibérer.

« Accusée, levez-vous. »

Anna se lève.

Non loin d'elle, au premier rang, les visages crispés de Sarah et de Fred. D'Angèle, juste derrière, accompagnée de Noémie. Avec Angèle et Sarah pour s'occuper d'elle, Noémie ne manquera de rien : elle aura deux mères. Plus tard, Paul-Barnabé deviendra peut-être son mari? Il est là, lui aussi. Il est près de Coline Weisenberg et Nicolas Roseinweig.

Leurs appareils photographiques autour du cou, les reporters attendent. Personne ne parle. Son avocat lui tapote les mains. Il doit savoir qu'elle a froid, qu'elle a très froid aux mains. Elle a aussi envie de pleurer. Pourquoi le président ne dit-il pas... ne dit-il rien? Pourquoi lui fait-on subir cette attente?

« Accusée, veuillez regarder le tribunal je vous prie. »

Elle tourne la tête. Il a l'air ému. Ou alors, il est content de préparer son effet?

« La cour, après avoir pris connaissance des réponses du jury aux questions qui lui étaient posées, vous condamne à la peine de mort pour meurtre sans circonstances atténuantes. »

Ses paroles tombent dans le silence d'une assistance glacée.

La salle semble atterrée. Elle réagit à la sévérité de la sentence.

Les flashes des photographes lancent leurs premiers éclairs.

« Silence! » réclame le président.

Le tohu-bohu s'accentue.

« Silence ou je fais évacuer. »

A quoi ça sert, maintenant? Tu as entendu, Mözek? Condamnée. A mort. On va me tuer, Mözek. On va me tuer et je n'aurai jamais revu... mon enfant. Mon petit enfant, Mözek, mon tout petit enfant! Je vais mourir sans avoir revu...

Son avocat lui tient les mains. Il la secoue, comme pour la réveiller...

« Silence! Silence! » réclame encore le président.

Anna tourne les yeux vers Noémie. Noémie qui pleure sur l'épaule d'Angèle. Noémie qui n'ose même plus la regarder.

« Que se passe-t-il, maître? – Je ne sais pas! Je ne sais pas! – Il n'a pas besoin du silence pour donner l'ordre de l'emmener. – Par charité, il pourrait la faire sortir? – Qu'est-ce qu'on fait, maître? Qu'est-ce qu'on fait? – Je ne sais pas! Je ne comprends pas! »

Noémie a levé les yeux. Du bout de son doigt, Anna lui envoie un baiser.

« Attendu la conduite exemplaire de la condamnée... » hurle le président.

La salle s'apaise : « Taisez-vous! – Chut! – Écoutez! »

Progressivement, un calme relatif s'installe.

« Attendu la conduite exemplaire de la condamnée dans ses activités de résistance à l'occupant allemand, ici exposées et certifiées par ses chefs pour une période allant de juillet 1942 au 11 septembre 1944 inclus, un décret spécial du cabinet du chef du Gouvernement provisoire de la République française, sur requête introduite par le ministère de la Guerre et des Armées, commue, à la date de ce 25 juin 1945, la sentence de mort prononcée et la ramène à vingt années de réclusion criminelle. »

# LIVRE SECOND

*1961-1965*

## *CHARLES*

# PREMIÈRE PARTIE

## *Destins*

*Les Aurès, printemps 1961*

La lune éclaire comme en plein jour. Les hommes de la 1re compagnie du 4e bataillon de chasseurs à pied progressent lentement sur la pente escarpée et caillouteuse. Pas un bruit. Hormis quelques éboulements de pierrailles sous leurs pas et les jappements lointains de chacals solitaires qui se cherchent au fond de l'oued, le silence est impressionnant. La culasse des pistolets-mitrailleurs est en position. Une balle engagée dans le canon. Le doigt près de la détente.

Avant le lever du soleil, la colonne devra avoir pris position sur la crête. Cote d'état-major 132. Cinq nuits de marche forcée pour aller contempler le petit matin sur ce paysage de bout du monde.

Ils sont harassés. Crasseux.

Ils ont vingt ans ou à peine plus. Presque tous des appelés du contingent. Leur mission : rechercher à tout prix l'accrochage avec les rebelles. Ils sont là pour tuer ou être tués. Aucun ne saurait dire ce qu'il est venu faire d'autre ici. Occuper cent mètres carrés d'un désert de rocs et d'herbes sèches à la cote 132 n'est tout de même pas une fin en soi? C'est précisément ce que se dit Charles Rougier, soldat de première classe, tandis qu'il marche sur les traces de celui qui le précède.

Une attaque peut se produire à n'importe quel moment. S'il y a embuscade, alors c'est le jeu de la mort avec les fells. L'affrontement. Chacun le redoute et, pourtant, tous l'espèrent un peu. Dans l'action, au moins, ils voient ce qui se passe. Le pire, c'est l'incertitude. L'éprouvant, c'est l'attente. Dans l'attente, l'imagination travaille. Naît la peur. Une peur sourde, qui crispe le ventre.

Soudain, la colonne s'immobilise.

« Un rombier qu'a glissé. »

Le mot passe. Personne ne bouge. Dans de tels cas, il faut attendre. Ce sont les voisins immédiats qui portent secours. Un, deux, trois, ou quatre hommes, selon la gravité de l'incident.

Charles se souvient de son premier crapahutage, à son arrivée en

Haute Kabylie, à travers les talwegs, en pleine broussaille. Corali, son meilleur copain du moment, marchait devant, le FM sur l'épaule. Leur patrouille avait pour mission de surveiller la piste menant au village d'Aït-el-Hadj. Au passage sur une crête, l'embuscade. Corali fauché par une rafale bascule dans le vide. Mort pour la France sans avoir eu le temps de s'en rendre compte. Pauvre Corali, il n'aurait pas fait de mal à un fell, lui. Il ne pensait qu'à écrire des poèmes à sa Mireille restée au pays.

La chute n'était pas grave. La colonne se remet en marche.

Autant qu'ils sont, si on leur demandait ce qu'ils pensent, aucun ne saurait répondre. Ils souffrent. Ils souffrent autant qu'on peut souffrir dans une saloperie de guerre comme celle-là. Une saloperie de guerre qui ne sert à rien. Que défendent-ils? Pourquoi se battent-ils? Pour qui meurent-ils?

Vue de France, un an plus tôt, la révolution algérienne lui semblait une cause juste. Charles penchait du côté de ceux qui veulent arracher leur terre aux mains des exploiteurs. Depuis qu'on lui a mis sur le dos cet uniforme de merde, il ne peut que se battre pour échapper – sur le terrain – à ceux dont il est devenu la cible. S'il doit tuer celui d'en face, ça ne sera ni par haine ni par conviction mais seulement pour sauver sa peau. Voilà – pour lui – ce que signifie « une saloperie de guerre » : il n'a pas choisi son camp.

Nouvel arrêt.

Une patrouille se forme. Dix hommes. Charles en fait partie.

Abandon du paquetage à la base. L'équipement pour ce genre d'opération doit être au plus léger. Transformation à vue. Béret noir enfoncé jusqu'aux oreilles, visage bruni de cendre, treillis ficelé aux genoux pour éviter tout frottement, crosse du PM * recouverte d'une chaussette pour éviter tout cliquetis. Pas de cartouchière : un chargeur sur l'arme, deux dans les poches vidées de leur contenu.

« On va contourner ce piton rocheux, explique le sergent. Avant de laisser s'engager la colonne, il faut être sûrs que les fells ne nous attendent pas dans le défilé. Attention à vos nerfs, les fillettes. Si y en a une qui tire un coup pour rien, elle sera de corvée de chiottes jusqu'à la fin de sa campagne. Vérifiez vos chargeurs : une traçante toutes les cinq cartouches en commençant par la première. »

Heureusement, la nuit est claire. Les premières centaines de mètres peuvent donc s'effectuer sous le couvert des fusils-mitrailleurs de ceux qui sont restés sur la piste. Sitôt qu'il juge cette protection devenue inefficace, le sergent donne l'ordre de déploiement.

A partir de là, c'est chacun pour soi. Ou presque.

Le piton est contourné. La patrouille se reforme. Il ne s'est rien passé. La zone est réputée dangereuse mais, pour ce soir, les rebelles ne semblent pas décidés à intervenir.

La colonne peut s'engager dans le défilé.

---

* Pistolet-mitrailleur : arme individuelle pour le combat rapproché.

La patrouille redescend pour opérer sa jonction.
Soudain, claque un coup de feu.
« Couchez-vous, bon dieu! » hurle le sergent.
La riposte des balles traçantes est instantanée.
A moins de cent mètres, derrière les rochers surplombant l'autre côté de la route, une dizaine de fells arrosent abondamment. Une embuscade classique. Après un court mais violent harcèlement, ils décrochent très vite.
« Ça va? Tout le monde est là? » s'inquiète le sergent.
Les hommes se nomment. Réglementairement. Par l'annonce de leur matricule.
« Rougier? Alors, tu roupilles? »
Pas de réponse.
« Merde, Rougier! C'est pas l'heure de pisser! »
Toujours pas de réponse.
Cette fois, l'angoisse est au cœur du petit groupe.
« Trouvez-le! » ordonne le sergent.

*Prison centrale de Rennes, 30 avril 1961*

Après quinze ans et dix mois de réclusion criminelle, Anna Abroweski a bénéficié d'une remise de peine exceptionnelle. Pour bonne conduite.

Ce 30 avril 1961, c'est une femme de quarante et un an qui se retrouve, seule, sa valise à la main, sur le trottoir d'une ville inconnue.
1945-1961. Seize années qu'il faudra oublier.
Une rue mouillée, sous un ciel bouché.
Huit heures du matin.
Libre. Elle est libre. Elle est dehors.
De l'autre côté de la petite place stationne une voiture.
Sarah en descend et s'approche, les mains dans les poches de son grand imper, plus belle qu'elle n'a jamais été. A quarante-six ans, elle en paraît toujours trente-cinq.
« C'est gentil d'être venue!
– C'est gentil d'être sortie à l'heure! »
Elles se sourient.
Quelques gouttes de pluie les font se hâter jusqu'à la voiture.
C'est une petite Dauphine de la régie Renault, la dernière mode. Sarah démarre sans commentaire et sans attendre.
« Où m'emmènes-tu?
– J'ai respecté ce que tu me demandais dans ta lettre. Je n'ai prévenu personne de ta sortie. Moi, je pensais rentrer à Paris mais si tu préfères qu'on aille se balader c'est très possible.

– Se balader? Où ça?

– Où tu veux.

– Tu crois qu'on aurait encore nos chances si on allait faire un peu de strip-tease à Marseille?

– Pour le strip-tease je ne sais pas, mais on trouvera bien à s'occuper : " Il suffit pour ça, d'un peu d'imagination... " chantonne-t-elle.

– Alors, fouette cocher! Échangeons vite le ciel gris de ce petit matin breton contre un grand beau ciel bleu de Provence. »

***

Avec le trésor de guerre d'Helmut Zeitschel, Marc Rougier avait investi les capitaux nécessaires à l'achat d'un magasin de lingerie féminine, au nom de son épouse, et c'est ce qui les avait fait vivre, à Montpellier, jusqu'en 1954. Venus en vacances sur la Côte d'Azur, cette année-là, ils étaient tombés amoureux de Juan-les-Pins et – toutes dispositions prises – n'avaient eu que le mal de s'y transporter. Odette avait choisi de prendre un magasin plus grand pour exercer la même activité, à ceci près qu'elle avait ajouté un important rayon de mode de plage.

Ce 30 avril 1961, à huit heures trente du matin, Marc et Odette prennent leur petit déjeuner, au soleil, sur la terrasse de leur appartement situé sur le front de mer.

Odette est déjà prête.

Elle doit se rendre à Cannes, pour assister, dans la matinée, à une présentation de la nouvelle ligne lingerie de l'intersaison. Il n'y aurait ce prétexte, elle ne serait pas moins habillée, maquillée, pomponnée. A cinquante-trois ans, vivant avec un homme de onze ans son cadet, elle considère l'élégance matinale comme le prix à payer pour rester maîtresse de son attrait et de la situation.

Si, au cours de leurs dix-huit années de vie commune, Marc a toujours trouvé cette coquetterie féminine parfaitement normale, il en est un autre qui – lui – y a trouvé de bonnes habitudes puisque, depuis toujours, chaque matin, Charles a joué à faire la course avec elle pour être prêt le premier.

Charles. Comme chaque jour, elle s'est réveillée en pensant à lui.

Depuis qu'il est soldat en Algérie, elle ne vit plus que dans l'angoisse. Heureusement, son père est plus calme. S'il n'était là pour la rassurer, elle serait paralysée d'inquiétude.

« Tu ne trouves pas étrange qu'on n'ait aucune lettre du petit ces temps-ci? »

Marc repose sa tasse de thé en souriant.

« Avec tout ce qui s'est passé depuis dix jours, je suppose qu'il a autre chose à faire. C'était grave, cette affaire de putsch. Il y a eu état de siège, tout de même.

– Tu n'es pas inquiet?

– Je l'aurais été si la France n'avait eu d'autre recours que Michou la pétoche *. Mais de Gaulle a la situation en main. Lui ne s'en laissera pas remontrer par son " quarteron de généraux irresponsables ". »

A peine Marc Rougier vient-il de terminer sa phrase qu'un coup de sonnette interrompt leur conversation.

« J'y vais! » annonce Odette en se levant.

Quelques instants plus tard, elle reparaît, bouleversée, le papier bleu d'un télégramme entre les mains.

« C'est affreux! C'est affreux, chéri! C'est affreux! »

Marc Rougier n'a que le temps de se précipiter. Odette lui glisse entre les bras, évanouie.

Un évanouissement très bref. Quelques secondes.

Odette, toute pâle, reprend conscience dans les bras de son mari qui l'a transportée sur le canapé du salon.

« Charles! C'est affreux! » répète-t-elle avant d'être prise d'un tremblement insurmontable.

« Mais quoi? Charles? Qu'y a-t-il? »

Odette ne peut répondre. Elle éclate en sanglots.

Marc avise alors le télégramme tombé sur le sol devant l'entrée de la terrasse et va le ramasser.

*« Grièvement blessé au combat en Algérie, le soldat de première classe Charles Rougier a été rapatrié dans nos services de l'hôpital du Val-de-Grâce, à Paris. État critique.*

*« Le médecin inspecteur général*
*des services de santé*
*de l'armée de terre. »*

État critique. Deux mots pudiques. Deux mots cruels.

Si le Marseille de 1961 ne ressemble plus en rien au Marseille de 1944, Anna et Sarah n'en retrouvent pas moins l'impression de se plonger dans une immense marmite où grouille une population des plus cosmopolites.

« Bonne mère! C'est à cause des pieds-noirs. Depuis que le Général il a parlé du droit des Algériens à l'autodétermination, ceux qui n'avaient trop rien à perdre, par là-bas, ils sont vite venus voir par ici s'ils trouveraient pas quelque chose à y gagner. – Purée de mes os,

* Surnom donné à Michel Debré, Premier ministre de l'époque, après son appel alarmiste du 26 avril 1961, à la télévision, réclamant une levée en masse du peuple de France pour aller attendre les paras sur les aéroports.

dis! Je suis Francè. Tout comme toi. – Oh! Tu m'escagasses! Tu te la pointes ou te la tires, cette boule? »

Seul point sur lequel Marseille n'a pas changé : on s'engueule toujours ferme autour du cochonnet avant l'heure du pastis de la réconciliation au bar de la Fanny.

Ce 2 mai, on y commente aussi, avec une certaine perplexité, une affiche qui fleurit un peu partout sur les murs :

« *Une grande armée de maquis s'organise. La provocation du régime a neutralisé certains chefs félons. Les purs restent avec nous et poursuivent le combat. Écoutez-nous et tout peut être sauvé. Ne rendez pas vos armes. Regroupez-vous en petites sections. Descendez ceux qui veulent vous arrêter. Incendiez les places de l'Administration. Tuez tous les traîtres, petits et grands. Sabotez la presse et brûlez ses dépôts. N'écoutez plus la radio qui ment et intoxique.*

« *Signé : L'Organisation armée secrète* »

Encore sous le coup du putsch du 21 avril dernier, personne ne songe à plaisanter. Chacun a conscience que l'heure est plutôt grave de l'autre côté de la Méditerranée. En métropole, d'une façon générale, on sait encore assez mal ce qu'est l'OAS. Grosso modo on l'assimile à un rassemblement de militaires fascisants au service des gros colons.

« Ça ressemble à une proclamation de guerre civile! commente Sarah.

– C'en est une! affirme un inconnu qui lisait, lui aussi, le texte de cette déclaration.

– Vous y croyez vraiment, vous? intervient Anna.

– Vé! ma petite dame. Le père Salan, il sait plus comment se faire pardonner d'être allé le chercher, le de Gaulle, en 58. Avec tout le bordel qu'il nous a mis depuis, ce grand couillon.

– Si le putsch d'Alger a avorté en quatre jours, c'est tout de même que le gouvernement a la situation bien en main! note Sarah.

– Mais, fleur de coucourde! Il pouvait pas réussir, le putsch. Les civils, ils ont pas suivi l'armée. C'était fait pour donner un avertissement au pouvoir et inviter les Français d'Algérie à se mobiliser dans un combat qui est leur dernier espoir. De Gaulle, c'est eux qui l'ont fait revenir. Il n'a qu'à respecter sa parole : de Dunkerque à Tamanrasset, rien que des Français à part entière. »

Son interlocuteur manifestant un peu trop d'excitation, Sarah préfère s'en aller :

« Bon! Eh bien au revoir, monsieur. Excusez-nous, on a des courses à faire.

– Ah oui? Où ça? s'étonne Anna étourdiment.

– Il faut aller chercher ma robe, tu sais bien! » répond Sarah en s'empressant de l'entraîner.

Sitôt qu'elle se sont éloignées un peu, Anna comprend ce qui vient de se passer.

« J'ai encore des difficultés avec les réalités, convient-elle.
– C'est pas grave! la rassure Sarah. Ça va revenir.
– Oui! demain, quand je serai J 3 *.
– J 3?
– Jour 3 de liberté retrouvée. »

C'est une sorte d'étourdissement permanent. Une vague peur de l'espace. Des gens. Surtout des voitures depuis leur arrivée en ville. Ces impressions qu'elle n'arrive pas très bien à définir, Anna ne parvient pas mieux à les communiquer. Sarah s'étonne souvent de ses silences. Comment expliquer qu'on a perdu l'envie de parler après plus de quinze ans passés à se taire? Ça casse tout, la prison. Ça casse la relation aux autres, surtout. L'enfermement n'est pas seulement physique. Il est aussi moral. On ne peut qu'enfouir au fond de soi ce que l'on ressent et, peu à peu, le silence devient la règle du quotidien.

Il y a trop de choses dans ces vitrines. Anna n'y voit rien. En prison, chaque objet avait sa fonction. La cuillère. L'assiette. La timbale. Le lit. La chaise. La table de travail ou celle du réfectoire. Comment pourrait-elle, d'un coup, devant une vitrine de chaussures, distinguer telle forme, telle couleur, telle hauteur de talons, tel adorable petit motif sur tel modèle noyé parmi des dizaines d'autres?

« Qu'est-ce que tu en penses? »

Que pourrait-elle en penser? Que faut-il en penser? C'est une robe, claire, serrée à la taille par une grosse ceinture vernie, à jupe très ample. C'est joli.

« Eh bien? insiste Sarah.
– Je sais pas! Tout ça m'ennuie. »

Ce n'est pas la faute de Sarah si elle est allée en prison. Pourtant, elle lui en veut. Comme elle en veut à cette femme qui marche devant elle, à cet homme qui vient à sa rencontre, à cet enfant qui la bouscule. Elle en veut, finalement, à tous ceux qui... sont restés libres tandis qu'elle était enfermée.

Sarah vient de la rattraper.

« Dis-moi! Dis-moi ce qui te ferait plaisir?
– Rien! Ou alors...
– Ou alors?
– Perdre l'impression de souffrir. »

Le soir, au restaurant de l'hôtel, le serveur qui s'était occupé d'elles à l'heure du déjeuner n'en croit pas ses yeux.

« Belles comme vous êtes! Avé les robes! Lé peu-tits sacs! Et, lé cheu-veux! Vous irez danser, tout à l'heure?
– Danser? s'exclame Sarah. Pourquoi pas? »

Radieuse devant la perspective de mille et une folies nocturnes,

---

* Allusion à la classification des cartes d'alimentation pendant la guerre.

des papillons multicolores se sont allumés dans les yeux d'une Sarah qui ne s'est guère assagie avec les années et qui miaule à la lune de miel sitôt qu'un matou montre l'ombre de sa moustache.

***

« Voilà! dit le médecin en éteignant son négatoscope. Vous connaissez maintenant la situation. »

Odette Rougier, le visage tout détrempé de larmes, tamponne ses yeux avec un coin de mouchoir. Son mari l'aide à se rasseoir.

« Vous l'opérerez quand, mon colonel? demande Marc Rougier.

– Le plus tôt sera le mieux. D'ici quarante-huit heures. Vendredi serait parfait.

– Nous autoriserez-vous, d'ici-là, à venir le voir?

– Mon secrétariat vous remettra deux laissez-passer. Toutefois, je le maintiens en somnolence car tout mouvement trop brusque risquerait d'entraîner une catastrophe. Vous ne pourrez donc pas communiquer avec lui. Simplement le voir. »

Dans le taxi qui les ramène à leur hôtel, Odette ne parvient pas à se reprendre. Depuis le matin, elle a versé toutes les larmes de son corps. Réfugiée contre la poitrine de son mari elle se laisse tendrement bercer sans pour autant être soulagée de cette angoisse qui lui noue la gorge et lui tord le ventre. Durant ces dix-huit ans, Charles est devenu son fils. Son fils à part entière. Elle l'a connu si petit. Il a eu si souvent besoin d'elle. Elle a eu si souvent besoin de lui.

« Marc? J'ai peur! »

D'une pression des doigts, il la rassure.

Elle avait besoin de dire cette peur. Non pour l'exorciser puisque la peur demeure mais pour la partager : pour la partager avec l'homme qu'elle aime. Avec l'homme qu'elle a toujours aimé. C'est dans les bras de cet homme qu'elle a rencontré sa vocation de femme et c'est par l'enfant de cet homme qu'elle a connu la joie de se sentir mère. Marc et Charles sont toute sa vie. Une vie qui n'a eu de sens qu'avec eux et pour eux. Pas un seul jour, pas un seul instant elle n'a cessé d'être attentive aux désirs et aux plaisirs de l'un, aux sollicitations et aux besoins de l'autre. Ce que Dieu lui a donné, elle en a pris grand soin. Pourquoi le lui reprendrait-il aujourd'hui? Dieu ne lui reprendra pas Charles. Non! Il s'agit d'une épreuve. Simplement d'une épreuve.

Déjà le carrefour Sèvres-Babylone. Le taxi les dépose devant l'hôtel Lutétia où ils sont descendus comme chaque fois qu'ils sont venus à Paris au cours de ces quinze dernières années. Son mari s'arrange toujours pour y réserver la chambre 105. Cette chambre qu'il a habitée durant plusieurs mois, au début de l'année 1942, est le seul lien qu'il conserve avec son passé.

Sur le trottoir, devant la porte de l'hôtel, Odette attend qu'il ait fini de régler la course du taxi et songe à la lettre de Charles. Une lettre datée de juillet de l'année précédente. Une lettre qu'elle a dans son sac. Une lettre personnelle et pour tout dire secrète dont elle n'a jusqu'ici soufflé le moindre mot. Elle a répondu à cette lettre. Dans sa réponse, elle a pris un engagement. Il est temps, pense-t-elle, de mettre Marc au courant de ce mystère.

« Ça va mieux? » s'inquiète-t-il en venant lui prendre le bras.

Comme il l'entraîne en direction de l'hôtel, elle le retient.

« Je voudrais te parler.

– Me parler?

– De certaines choses, concernant Charles. Des choses qu'il m'a confiées, sur sa vie. Ses projets, desquels tu ne sais pas tout. Faisons quelques pas, veux-tu?

« Contrairement à ce que tu crois, Charles n'a pas fait les démarches nécessaires, lorsqu'il en était temps, pour bénéficier d'un sursis d'incorporation dans l'armée. Après son bac, s'il s'est inscrit à la faculté de droit, c'était uniquement pour te faire plaisir. En vérité, une seule et unique chose le passionnait...

– Le cinéma. Je sais. Mais ce n'est pas un métier. Avec une licence de droit, il pourra toujours s'inscrire au barreau, devenir avocat...

– Mais enfin, chéri. Pourquoi exercerait-il une profession pour laquelle il n'a aucun goût, aucun intérêt?

– Parce que c'est une profession. Un vrai métier. C'est lui qui a choisi le droit plutôt que la biologie ou l'architecture.

– Ne le prends pas mal mais, durant ses deux années d'université, à Aix, il s'était inscrit au conservatoire.

– Je n'ai jamais prétendu lui interdire les loisirs qu'il désirait.

– Justement, ça a très vite cessé d'être une banale activité de loisirs.

– Ce qui veut dire?

– Ce qui veut dire qu'il a pris l'exacte dimension de ce qu'il souhaitait faire dans la vie au sein de son conservatoire et non pas dans sa faculté de droit.

– Il n'avait tout de même pas abandonné ses études?

– Non! Bien sûr que non.

– En rentrant de l'armée, il verra bien... »

Odette songe à Charles. Blessé. Maintenu en vie dans l'attente d'une intervention chirurgicale de laquelle il ne reviendra peut-être pas. Les larmes débordent de ses yeux. Marc serre son bras, bouleversé lui aussi

« Est-ce si important, à l'heure présente?

– As-tu déjà entendu parler de Maryline Bernard?

– Ma foi non. Qui est-ce?

– Une jeune comédienne.

– Je devrais la connaître? Quel rapport? »

Il est comme ça. Elle lance un nom de femme, dans une conversation au sujet de son fils de vingt ans, et il trouve moyen de demander en quoi les deux personnages sont en rapport. Tout doit toujours lui être formulé clairement. Elle ne l'a jamais vu réagir autrement. Ce n'est pas vraiment qu'il ne fait pas l'effort de comprendre à mi-mots, c'est plutôt qu'il ne se doute même pas qu'il y a quelque chose à comprendre.

« C'est à cause de Maryline Bernard que Charles n'a pas demandé de sursis d'incorporation. S'il a voulu se libérer au plus vite de ses obligations militaires, c'était pour pouvoir... l'épous... »

La voix d'Odette s'est étranglée. C'est dans une buée qu'elle voit son mari s'approcher, l'embrasser sur le coin des lèvres en murmurant : « Calme-toi, ma chérie. Il s'en sortira. Il est mal en point mais il s'en sortira.

– Emmène-moi prendre un café, s'il te plaît. J'aimerais m'asseoir. Je suis épuisée. »

Passé la rue du Cherche-Midi, près du théâtre du Vieux-Colombier, un providentiel salon de thé.

« Je voudrais te faire lire une lettre », prévient Odette.

Choisissant une table assez éloigné vers le fond de la salle, elle y entraîne son mari.

« C'est une lettre ancienne. Charles me l'avait envoyée en juillet dernier. Ça fait donc presque un an. »

Ouvrant son sac, elle en tire une enveloppe à la bordure bariolée vert et rouge portant la mention *by air mail.*

« Si tu ne m'en as jamais parlé c'est...

– Lis d'abord », insiste-t-elle avec un pâle sourire.

*« Oran, le 16 juillet 1960*

*« Cette fois, ça y est! les classes sont finies. Ce matin, après l'appel de chambre, notre sergent nous a réunis pour nous annoncer : " Y en a marre de vous dorloter en Oranie. Préparez vos paquetages, on nous envoie en Grande Kabylie. " Bref! Il nous a conseillé de profiter des deux jours qui nous restent pour régler discrètement nos affaires personnelles. On ne peut être plus clair. Mourir, tu vois, c'est pas ce qui fait le plus peur. Mais, souffrir, je n'aimerais pas. Enfin, on ne choisit pas. Parce que, tant qu'à faire je serais plutôt dans le camp d'en face. Je ne vais pas revenir là-dessus. Tu connais mon point de vue sur la question. Je suppose que papa est toujours en faveur de la continuation de la mission civilisatrice et pacificatrice de la France. Enfin, il paraît que notre général serait en train de mettre de l'eau dans son vin, au sujet des prétentions françaises en Algérie. Tu te doutes bien qu'ici, les entretiens de Melun avec le FLN ont été largement commentés. A mon avis, le GPRA ne peut plus faire marche arrière sans désavouer l'esprit de la révolution. »*

« Vous désirez, messieurs dames?

– Deux thés! commande Odette.

– Chine ou Ceylan? »

Se désintéressant de cette question, Marc reprend sa lecture.

*« Je ne t'écris pas, à toi toute seule, pour te raconter ce genre de choses. Au fond, c'est idiot mais je suis en train de gagner du temps sur ce que j'ai à te dire. Lorsque je me suis inscrit au conservatoire, il y a deux ans, c'était pour ne pas perdre complètement ces années que je consacre au droit. Comme tu le sais, ce dont je rêve c'est de faire de la mise en scène et utiliser le cinéma comme moyen d'expression. En France, on commence seulement à s'apercevoir qu'il y a là autre chose qu'une entreprise de divertissement permanent pour les petites folies du samedi soir. »*

Tandis que Marc poursuit la lecture de cette lettre, Odette songe à Charles. Grand, mince, le profil bien découpé, l'œil gris bleu, il a le même port de tête, le même menton carré et volontaire que son père. Une mèche blonde lui barre le front et ses airs de romantique perdu en ce bas monde doivent lui valoir des suffrages féminins bien plus nombreux qu'il ne consent à l'avouer. C'est qu'il est beau, son Charles, beau, intelligent, artiste, sensible. Elle a confiance. Sa carrière au cinéma, il la fera. Il la fera parce qu'il veut la faire et qu'elle est convaincue qu'en toute circonstance il saura obtenir ce qu'il veut, de qui il veut, quand il le voudra.

Souvent, au cours de ces années, elle a songé à la mère de Charles, sa vraie mère. Marc s'est toujours montré si discret sur sa vie avant de la connaître que c'est exactement comme s'il avait préféré en conserver le secret. Sur ce point, son fils lui ressemble. Avec – en plus – une gravité parfois lointaine qui lui donne souvent l'air d'être un peu dans les nuages. Sans doute une de ces dispositions qui se transmettent dans les familles? A moins qu'elle ne lui vienne de... sa mère?

Marc s'interrompant, lève les yeux et hoche la tête : « J'ai eu raison!

– Raison?

– De ne lui avoir jamais rien dit de ses véritables origines. Je pense à sa rencontre avec... »

Reprenant les feuillets, il y recherche un nom : « ... voyons, il s'agit de... Voilà! c'est Alain Resnais.

– A propos de *Nuit et Brouillard*?

– Tu la connais par cœur, cette lettre?

– Presque!

– C'est une conversation qui semble l'avoir beaucoup frappé. Ça ne m'étonne d'ailleurs pas du tout. Il avait dix-neuf ans et comme beaucoup de jeunes Français de sa génération, il lui a fallu apprendre à surmonter la haine pour un ennemi vaincu dont il a découvert – avec les autres – quels avaient été les crimes. Puisqu'il n'était pas appelé à vivre en Allemagne, au milieu des siens, je crois vraiment que j'ai bien fait de ne pas lui révéler qu'il a du sang allemand.

– Tu ne le lui diras jamais?

– Bien sûr que si. Mais plus tard. »

Plus tard : ni l'un ni l'autre ne songent que sa vie est présentement suspendue à tant d'incertitudes.

La serveuse est venue apporter leur plateau de thé depuis un petit moment déjà. Odette profite de cette interruption pour le servir.

« N'as-tu jamais eu le sentiment que ton silence lui volait une partie de son histoire? demande-t-elle en reposant la théière.

– Que veux-tu dire?

– Dans un passage de sa lettre – à propos du film de son ami Resnais – il parle de la grande culpabilité que doivent ressentir les jeunes Allemands de sa génération pour les crimes de leurs pères...

– J'ai vu! coupe Marc. »

Sans un mot de plus, il reprend sa lecture.

*« C'est ce même soir où Resnais commentait* Nuit et Brouillard *que j'ai fait la connaissance de Maryline Bernard. Au cours du débat, nous nous sommes trouvés assis l'un auprès de l'autre. Resnais parlait de son intention de faire un film exposant la présence perturbatrice du passé dans le présent, d'après un scénario de Marguerite Duras. Nous l'avons vu, depuis. Il s'agit de* Hiroshima mon amour.

*« En sortant du ciné-club, Maryline et ses amis m'ont entraîné pour prendre un verre. Elle m'a invité à une répétition d'une pièce dont elle tenait le rôle principal. J'y suis allé le lendemain et l'ayant vue sur scène je n'ai plus eu que la seule envie de pouvoir, un jour, la diriger devant une caméra; être celui qui la filmerait et ferait d'elle une vedette.*

*« Nous ne nous sommes plus quittés. Elle, dans sa fac de lettres. Moi, dans ma fac de droit. Elle, dans son cours du conservatoire et moi dans le mien. Finalement, nous avons décidé d'habiter ensemble. Ces deux années universitaires, je les ai donc passées avec elle. Aux vacances, on s'arrangeait. Elle venait un peu à Juan. Moi, je n'étais pas sans monter à Paris. Nous en sommes finalement arrivés à nous dire qu'on devrait se marier. Elle est d'une famille dont le père, très autoritaire, n'aurait pas admis l'idée d'un mariage avec un garçon n'ayant pas encore été soldat. Hier, je considérais ce genre de position comme réservée aux gros bourgeois assis sur la montagne de leur connerie, mais aujourd'hui, compte tenu de ce qu'il nous faut vivre et risquer – durant vingt-six mois – dans cette putain d'Algérie, je ne suis pas loin de penser comme le père de Maryline. Car c'est finalement là qu'il me faut en venir. N'importe quoi peut m'arriver et surtout le pire. Jusqu'en juin, Maryline était à Aix. Elle a terminé son année de licence. L'an prochain, elle restera à Paris, chez ses parents. Elle s'inscrira à la*

*Sorbonne (si ce n'est au cours Simon?). Je voudrais te demander deux choses. L'une, au cas où il m'arriverait... un accident : c'est de le lui annoncer toi-même. De ne laisser ce soin à personne. Je sais que, s'il le fallait, tu t'occuperais un peu d'elle. L'autre, c'est de commencer à préparer le terrain du côté de papa et d'essayer de lui parler un peu de mes projets, pour mon retour. Si j'en reviens...*

*« Pardonne-moi cette nuance de pessimisme. J'ai vaguement le cafard. Peut-être, aussi, un peu la trouille. Moins celle d'aller me battre dans les djebels que de devoir supporter ceux qui partagent mon sort. Tu peux pas savoir comme c'est con, l'armée. Pire : ça rend con! Je redoute beaucoup moins le fellagha planqué derrière un cactus avec son fusil que la connerie du premier venu des sergents d'active qui ne rêve que d'en découdre pour ajouter une sardine sur sa manche ou une médaille de plus dans sa batterie de cuisine. Et les petits, les obscurs, les sans-grade, n'ont bien souvent rien à leur envier. Ici, celui qui a fait la moindre " sortie " – même s'il ne s'est rien passé ou presque rien – rentre en racontant ses prouesses. Il en rajoute tant qu'il peut sur l'horreur des combats qu'il a livrés contre les moustiques quand il n'a pas rencontré les fells et distribue des conseils comme un ancien combattant. Faut bien reconnaître qu'il se passe parfois des choses propres à nous ébranler le moral. Aujourd'hui, on ne parle que de ce libérable qui – au dernier jour de vingt-trois mois de crapahutage dans l'oued – s'est fait descendre d'une balle en plein front. C'est vache, le destin. Pardonne-moi le décousu de cette lettre. Il y a beaucoup d'excitation autour de moi. On entre. On sort. On ne parle que de la dernière cuite à prendre avant le départ. Toutes les deux minutes, on vient me chercher pour préparer le méchoui de la petite fête de ce soir. Moi qui n'aime pas le mouton : c'est tout de même un comble. Enfin, faut y aller. Je voudrais te dire plein de choses douces, alors je résume : tu sais, je t'aime plus gros que moi. »*

C'est avec des larmes plein les yeux que Marc relève la tête.

Odette aussi est bouleversée. En voyant son mari terminer sa lecture elle vient de repenser à la toute petite phrase de conclusion qui reprend une expression venue du fond de l'enfance. L'enfant est aujourd'hui un homme. Un homme qui souffre et pour lequel elle ne peut rien.

Par-dessus la table, Marc lui a pris la main. Elle aime beaucoup cette main : large, puissante, carrée. Dedans, la sienne s'y perd un peu.

« Chéri? Nous devons rencontrer Maryline Bernard, n'est-ce pas? »

Une blondeur évanescente ajoute de la fragilité à un visage adorable. Elle a des yeux violets, comme ont parfois les enfants mais que conservent rarement les adultes. Les larmes noient ses joues, rougissent un peu son nez.

Odette lui a annoncé les faits avec beaucoup de ménagement. Contrairement à ce que Marc redoutait, Maryline Bernard n'a pas sombré dans un désespoir plus ou moins hystérique. Il en est favorablement impressionné.

Ils la trouvent dramatiquement émouvante, cette petite fille qui sait pleurer comme une grande personne.

Une grande personne qui a quelque chose à leur confier, visiblement.

« A la suite d'une opération militaire à laquelle il avait participé, Charles a bénéficié d'une permission exceptionnelle, en février dernier. Nous avions passé ces onze jours ensemble...

– Et il n'est même pas venu nous voir? » s'écrie Marc dans le même temps qu'il perçoit – mais trop tard – le regard d'Odette qui le supplie de se taire.

La jeune fille s'empresse d'ajouter :

« J'ai beaucoup insisté pour qu'il reparte un peu plus tôt et passe au moins deux jours près de vous. Mais je ne suis pas parvenue à le décider. Je dois avouer que, moi-même, plus je voyais s'écouler les heures, moins j'avais de courage pour affronter cette nouvelle séparation... »

Odette lui tient les mains. Compréhensive.

Maryline domine courageusement ses larmes.

Marc a repoussé son indignation précédente.

« ... finalement, je l'ai raccompagné jusqu'à Marseille. Je ne vous en aurais pas parlé si... »

Semblant basculer de sa chaise, elle s'effondre et se réfugie dans les bras d'Odette en disant : « Je suis enceinte. De deux mois et demi. »

*Saint-Tropez*

Devant elles, le sable blond et la mer bleue. Autour d'elles, le cadre plutôt raffiné d'un restaurant de plage de ce Saint-Tropez qui voudrait devenir la capitale de l'été.

« La côte varoise, en mai, c'est le paradis terrestre, non? »

Ensemble, elles tournent la tête et reconnaissent Laurent : leur séduisant danseur de twist de l'avant-veille, à Marseille.

« Le monde est petit! convient Sarah souriante en lui tendant la main.

– Mon désir de vous revoir était surtout très grand! » rectifie-t-il en s'inclinant pour lui baiser le bout des doigts.

« Vous êtes ravissantes! Cette lumière vous habille presque trop. »

Lui aussi est en maillot de bain. Grand, beau, blond, musclé, déjà cuit par le soleil, il porte une chaînette d'or autour du cou et au poignet, une plaque sur laquelle est gravée son prénom.

« Je croyais que vous alliez en Italie? s'étonne-t-il en s'asseyant négligemment près de Sarah.

– Nous avons fait étape.

– J'ai été bien inspiré d'en faire autant. Vous êtes parties si vite, l'autre soir. J'ai été très étonné de ne pas vous retrouver.

– Notre marraine la fée a modernisé ses principes mais notre permission de minuit ne dépasse jamais deux heures du matin. Après, elle nous reprend nos robes de bal! lance Anna en riant.

– Et puis, pour nous punir, elle nous met des poches sous les yeux le lendemain! » assure Sarah avec beaucoup de sérieux avant de replonger dans son énorme coupe de fraises-chantilly.

Il est jeune. Peut-être vingt-cinq ans? Pas beaucoup plus. A voir sa façon d'envelopper Sarah du regard, il est évident qu'elle lui plaît beaucoup. L'autre soir, à Marseille, il la serrait de très près et c'est un peu par dépit qu'il se soit absenté qu'elle a finalement voulu quitter le dancing. Aujourd'hui, elle paraît tout heureuse d'avoir été retrouvée. Anna observe le manège de la séductrice. Elle sait qu'elle plaît à Laurent. Feignant l'indifférence pour sa présence, elle se laisse admirer et ne se consacre plus qu'à ses fraises. Non seulement elle sait qu'elle plaît mais elle sait aussi pourquoi. Ce qui – en elle – séduit le plus ce jeune étalon, ce n'est pas la ligne longue et pure de son cou, ni le velouté de ses épaules, ni l'arrondi de ses seins prisonniers de l'armature du soutien-gorge d'un maillot de bain qui les met audacieusement en valeur; ce ne sont ni ses yeux sombres brillants de convoitise devant la fraise rouge qu'elle élève si doucement jusqu'à une bouche gourmande, ni ses cheveux longs négligemment noués sur sa nuque, ni ses mains aux doigts si fins et aux ongles impeccables. Elle sait parfaitement que ce qui fascine ce jeune homme est plus subtil et s'inscrit en chiffres sur son présent : quarante-cinq ans. Anna repense à ce qu'elle disait, la veille, dans la voiture : « La quarantaine pour une femme, c'est le plus bel âge de la vie puisqu'elle peut – si elle veut – faire l'amour avec qui pourrait être son père comme avec qui pourrait être son fils. »

« J'espère que vous n'avez rien de prévu pour ce soir? Un de mes amis donne une fête, sur son yacht. J'aimerais vous emmener. Toutes les deux, bien entendu! » ajoute Laurent en se tournant vers Anna pour quêter un accord.

La perspective de conversations mondaines l'effraie un peu. Il n'y a que cinq jours qu'elle a recouvré sa liberté. Elle craint vaguement d'avoir l'air d'une idiote se désintéressant des mille et une anecdotes de l'actualité. Elle n'a toutefois pas le temps de trouver l'excuse qui lui permettrait de refuser que, déjà, elle entend Sarah minauder : « Bon. Soit. On accepte. Mais, pas plus tard que deux heures du matin n'est-ce pas? »

La fête bat son plein lorsque, vers vingt-deux heures, un chris-craft les amène jusqu'à ce yacht de rêve ancré un peu au large dans le golfe. Sans proprement parler de folies de toilette, elles ont fait comme tout le monde : elles sont entrées chez Vachon acheter les robes de cotonnade blanche et les ceintures dorées qui seront l'uniforme tropézien de cet été naissant.

Laurent les présente à leur hôte. Un homme d'affaires. Plutôt sympathique. Il les reçoit fort courtoisement.

Alentour, habits des laquais à la française, robes du soir et smokings blancs se mélangent harmonieusement aux formes plus dénudées d'un escadron de naïades toutes plus belles les unes que les autres. Leur cicérone est en pays de connaissance. Laurent manie avec aisance le shake-hand avec les messieurs et le baiser affectueux avec le plus grand nombre d'entre les dames.

Consciente de devoir faire quelque chose pour surmonter son intimidation, Anna accepte une coupe de champagne qu'elle vide d'un trait.

« Une femme qui boit à la russe? De grâce, Laurent, présentez-moi! » entend-elle alors dans son dos.

Une voix un peu cassée, aux inflexions douces et graves. Anna découvre en se retournant le petit démon blond auquel elle appartient. Elle pourrait passer pour un garçon avec ses cheveux courts. Un long fourreau de cuir glacé – dans un ton chair –, qui du buste jusqu'aux chevilles la rend plus nue de raison, ne laisse pourtant place à aucune équivoque.

« Je m'appelle Marie-Laurence. Et vous?

– Anna.

– Je suis la fille de Philippe de Simenoff. La jeune fille de ce rafiot, en quelque sorte. »

Elle n'est pas vraiment belle. Elle a les moyens de le paraître.

Un laquais s'approche. Anna le débarrasse de deux flûtes de champagne et, tendant l'une en direction de la jeune femme, lui lance d'une voix assurée : « Si vous êtes ange, vous en mourrez! Acceptez-vous de courir ce risque? »

Marie-Laurence tend la main en direction du verre et l'élève en portant un toast baudelairien : « Viens! Viens voyager dans mes rêves, au-delà du possible, au-delà du connu. »

Sautant allègrement par-dessus quelques rimes, Anna s'entend répondre : « Fantôme vagissant, on ne sait d'où venu, qui caresse l'oreille et cependant l'effraie, je te réponds : Oui! Douce voix!

– Vous connaissez *Les Fleurs du mal* par cœur?

– Ma foi, presque. J'ai eu beaucoup de temps pour lire, en prison. »

La laissant méditer sur la confidence, Anna vide sa deuxième flute de champagne en songeant que la première a déjà insidieusement commencé à produire son effet. La provocation est un art difficile réclamant à la fois de n'avoir pas de cœur et beaucoup d'estomac. N'y excelle pas qui veut. Elle se félicite donc de s'en être bien tirée, puisque le petit démon blond au cheveu coupé si court est resté perplexe.

L'orchestre vient d'attaquer une bamba endiablée. Sur son passage une farandole les entraîne en leur prenant la main.

La fascination ne pouvait que ramener Marie-Laurence dans le sillage d'Anna qui – d'ailleurs – n'attendait que l'occasion de mieux faire connaissance. « Vous le connaissez bien?

– Qui ça?

– L'homme qui vous parlait, tout à l'heure, après la farandole.

– Pas du tout! Nous parlions musique.

– Étonnant.

– Pourquoi?

– En général, les gens qui sortent de prison le connaissent bien et lorsqu'il consent à parler musique c'est, le plus souvent, avec ceux qui la connaissent. »

Étrange reprise de conversation.

Un court instant, Anna regrette sa provocation de tout à l'heure.

« Il y a d'autres barreaux que ceux des prisons de la société... » lance-t-elle d'une voix très évasive.

Marie-Laurence prend le parti de n'avoir pas entendu.

« Est-ce que vous fumez? demande-t-elle en lui tendant négligemment la cigarette qu'elle vient juste d'allumer.

– Non merci.

– Est-ce que vous vous droguez?

– Non plus.

– Vous jouez, alors?

– Pas du tout.

– Je parie que vous n'êtes même pas lesbienne?

– Perdu. Vous acquittez tout de suite le montant de l'enjeu? »

Décidément, ce soir, le champagne lui délie la langue.

« Vous venez de marquer un point. Ça vaut un renseignement. Méfiez-vous de l'homme avec qui vous parliez. Il est très dangereux. Je pense que vous êtes quelqu'un à qui l'on peut faire confiance. Est-ce que je me trompe?

– Si je vous posais la même question?

– Je ne m'explique pas comment je peux être si maladroite, ce soir, soupire Marie-Laurence.

– C'est que vous ne vous posez pas la bonne question. Ne conviendrait-il pas mieux de vous demander pourquoi vous êtes si maladroite – avec moi – ce soir?

– Ah oui! Pourquoi? » Elle tombe tout droit dans le panneau.

« Peut-être pour m'avoir prise trop vite pour ce que je ne suis pas? »

Marie-Laurence est tirée de cette conversation difficile par l'arrivée d'une jeune femme qui vient lui signaler qu'on l'attend.

« Nous nous reverrons! » promet-elle avant de la suivre.

On danse à perdre haleine, sur l'entrepont. Anna hésite à s'y diriger. Elle n'avait pas franchement l'occasion de danser, ces dernières années. Tous ces nouveaux pas, toutes ces nouvelles façons de se tenir, ces nouveaux rythmes l'effraient un peu.

Un verre à la main pour se donner une contenance, elle décide alors de visiter les lieux.

De-ci de-là, des groupes bavardent, jouent au bridge, semblent poursuivre de mystérieuses remises en cause du monde. Ils sont parfois dérangés par les jeunes qui se livrent des poursuites effrénées à travers les coursives.

Sans s'en rendre compte, elle a dû passer dans la partie privée du bateau.

Tant mieux! Être seule sera plus agréable pour admirer tranquillement les étoiles et les petites lumières de la côte. En prison, elle pensait tout le temps. Depuis qu'elle est dehors, elle n'en a plus le temps. Tout va si vite. C'est étourdissant. En prison, elle ne pensait qu'à sortir. Maintenant qu'elle est dehors, elle se demande pourquoi. Elle devrait rentrer à Paris. Noémie, Angèle, et Paul, ne savent même pas qu'elle est libre : ce n'est vraiment pas très...

« Non! Il n'en est pas question. »

Cet éclat de voix, tout proche, la fait sursauter.

Une lumière vient de s'allumer derrière le hublot près duquel elle est assise.

Une autre voix d'homme répond : « Si vous avez un autre moyen de faire parvenir la livraison au général, nous en reparlerons plus tard. »

En se penchant légèrement, Anna peut voir un petit bureau.

S'y tiennent deux inconnus. En smokings blancs.

Deux hommes aux cheveux grisonnants.

On frappe.

« Entrez! » dit l'un.

Stupéfaite, elle voit paraître Laurent.

« Bonsoir, monsieur. Mes respects, mon capitaine.

– Entrez Laurent. Entrez donc. Il y a du nouveau. Asseyez-vous. Vous allez pouvoir gagner Alger très prochainement. On vous y attend. Les futurs commandos Delta sont presque sur pied, désormais. Vous avez fait du bon travail. J'ai rencontré Roger Degueldre, hier à Tanger. Il a obtenu gain de cause auprès de Salan et de tout l'état-major de l'OAS. Il faut faire d'Alger un autre Budapest. Si les Algérois reprennent confiance, s'ils se sentent protégés et soutenus par l'OAS, ils passeront des palabres aux fusils. Cela implique de prendre la population en main. D'organiser la résistance de la ville, quartier par quartier, îlot par îlot. Il faut mettre les hommes en condition pour qu'à l'heure venue les forces de l'ordre gaulliste trouvent une riposte sans merci. C'est à ce prix qu'Alger et l'Algérie clameront à l'opinion internationale un refus de toute négociation avec le FLN et la détermination farouche de l'abattre. Nous sommes le 6 mai. Avant la fin de ce mois de Gaulle devra avoir cédé devant la volonté exprimée par les villes de l'Algérie insurgée. Un premier grand coup a été décidé. L'exécution du commissaire Gavoury, nommé par la grande Zohra * à la tête de la lutte anti-OAS. C'est Bobby Dovecart qui dirigera cette première offensive des Delta. Vous vous connaissez bien tous les deux. Il vous a choisi comme second pour cette opération. Quand pouvez-vous le rejoindre?

– Le plus tôt sera le mieux. »

L'autre homme intervient : « Compte tenu de votre passé, je vous ai fait établir un jeu de faux papiers. Vous entrerez en Algérie par la frontière tunisienne. C'est plus prudent. Pendant votre transit, méfiez-vous tout de même des sbires du néo-Destour. Avec Bourguiba, il vaut mieux être prudent. Je ne serais pas étonné qu'il envisage un coup fourré sur la base française de Bizerte pour profiter un peu de la situation difficile dans laquelle de Gaulle se trouve placé ces temps-ci. Votre arrivée... »

A cet instant, la porte s'ouvre sans précaution et une voix féminine leur lance : « Vous parlez beaucoup trop fort, messieurs. On vous entendra bientôt jusqu'à l'Élysée. »

Bien qu'elle ait parfaitement reconnu cette voix, Anna se penche et vérifie qu'il s'agit là de Marie-Laurence. Tout ce qui s'est dit jusqu'à présent, elle en comprend mal la portée car les échos des événements d'Algérie ne lui sont parvenus que sous forme de rumeurs au fond de sa prison. En vérité, tout cela ne l'intéresse pas vraiment, elle serait retournée se mêler aux invités sans l'arrivée du petit démon blond qui joue certainement un rôle dans cette affaire bien compliquée.

« Il y a ce soir, à bord, quelqu'un qui n'y a pas sa place. C'est un poisson du SAC, Georges Salicci. Ce nom vous dit quelque chose, mon colonel?

– Salicci. Salicci, répète par deux fois la voix du colonel. N'était-il pas l'auteur de l'attentat manqué contre Gaston Deferre, lors de l'élection municipale de 1947 à Marseille?

– Exactement. Ancien membre du service d'ordre du RPF aujourd'hui au Service d'action civique et toujours fidèle lieutenant de Jules Orsini.

– Que fait-il ici ce soir, ce Salicci?

– Peut-être Laurent pourrait-il éclairer notre lanterne? suggère Marie-Laurence. »

Il s'en suit un silence. Anna n'ose plus bouger.

---

* Surnom donné au général de Gaulle par les pieds-noirs à cette époque.

– Laurent? Interroge la voix du capitaine. Vous êtes au courant de la présence de cet homme?

– Non! Pas du tout. Jamais entendu ce nom.

– Pourtant, cher Laurent, il paraissait du dernier mieux avec une de vos amies. Une des deux femmes qui vous accompagnent, ce soir : Anna, je crois minaude Marie-Laurence.

– Du dernier mieux? » s'étonne Laurent.

– Je les ai vus bavarder ensemble. Sans doute entretiennent-ils une certaine complicité?

– Il faut prendre des mesures de sécurité! » ordonne la voix du colonel.

Anna est atterrée. Ce qu'elle vient d'entendre dépasse l'imagination. Elle a échangé deux phrases avec un inconnu dont Marie-Laurence lui a dit...

« J'ai fait le nécessaire! reprend cette dernière. J'ai donné l'ordre, en votre nom, au lieutenant Simon, de s'occuper de Salicci. Je pense qu'à la minute présente la section locale du SAC devrait compter un homme de moins. Quant à la fille, j'ai procédé à un test qui me semble révélateur. A propos de Salicci, je lui ai confié qu'il s'agissait d'un homme dangereux. Depuis, elle semble avoir disparu. Qu'en pensez-vous, cher Laurent?

– Mais?

– Si vous me permettez un commentaire, colonel? reprend-elle sans se préoccuper de la réponse à sa question. Je me demande si Laurent sera tout à fait à sa place dans les commandos Delta? Il a fait preuve, ce soir, d'une inqualifiable légèreté en ne surveillant pas mieux ses relations. Il n'est donc pas à l'abri de recommencer dans des situations plus délicates.

– Marie-Laurence n'a pas tort, Laurent. Qu'avez-vous à ajouter? »

Anna vient d'entendre un glissement. Brusquement elle se tourne. A deux pas derrière elle, une femme brune, entièrement nue, toute ruisselante d'eau, la contemple en souriant avant d'élever doucement son index jusque devant ses lèvres.

Sarah n'est pas contente. Ce type est franchement impossible. Il lui a déjà fait le coup, à Marseille, l'autre fois, de la laisser tomber sans rien dire et, ce soir, il recommence. C'est tout de même un peu fort de café, ce Laurent qui disparaît tout le temps. Il la met dans tous ses états, puis... Il va voir ailleurs, ou quoi?

Alors qu'elle s'approche du buffet pour se venger sur le champagne, une très jeune fille – une petite fille, plutôt : dans les treize printemps un peu trop vite montés en graine – vient l'aborder.

« Vous êtes madame Friedmann?

– Oui!

– Votre amie Anna vous réclame, madame. Si vous voulez m'accompagner.

– Bien entendu! »

Quelques instants plus tard, vers l'avant du bateau, dans une partie du yacht fermée aux invités, elle retrouve Anna, assise sur un caillebotis d'écoutille, près d'une jeune femme brune et nue qui essuie ses cheveux mouillés dans une serviette de bain.

La petite fille s'est éclipsée. Sarah va s'étonner mais Anna lui fait aussitôt signe de rester silencieuse. Après avoir enfilé un méchant bout de robe, l'inconnue aux cheveux mouillés les invite à la suivre sur une échelle de corde qui descend au chris-craft amarré contre le bateau.

Une fois qu'elles se sont un peu éloignées du yacht, Anna consent à informer: « Je me suis bêtement mise dans une affaire idiote. Je te raconterai... » hurle-t-elle dans le vent.

Déjà, le canot automobile se présente devant la passe du port de Saint-Tropez.

« Nous arrivons. You avoir toute comprise? demande la jeune femme brune.

– Oui! crie Anna. Ne vous en faites pas! »

A terre, assis sur le rebord du quai, un homme les attend.

La jeune femme lui jette la corde et accoste un instant.

« Remette you en Jeusé. Deu main, je faire porter vous your luggage. »

Malgré un accent à couper au couteau, Anna a compris l'essentiel des explications précédentes. « Merci », sourit-elle en lui tendant la main.

Une fois retrouvé le contact avec le plancher des vaches, Sarah voudrait bien les compléments d'informations promis.

« Que se passe-t-il? Où allons-nous? Pourquoi?

– C'est bien simple! commence Anna. Il se passe qu'il est deux heures du matin. Nous allons nous coucher, parce que je me suis souvenue que tu t'étais engagée à ne pas aller dormir trop tard. »

Sarah n'en revient pas : « Ça t'a pris comme ça, cette touchante compréhension pour le respect de mes intentions?

– Eh oui! » déclare Anna en l'invitant à monter dans la Bentley noire dont le dénommé José leur ouvre la portière.

Cette nuit de mai est des plus douces. José roule doucement.

« Où nous conduisez-vous? s'inquiète Sarah.

– A Nice, madame. »

Elle s'en étonne auprès d'Anna. « Qu'est-ce qu'on va faire à Nice?

– Parce que c'est beau, Nice. Surtout quand on y va la nuit, en suivant la route du littoral, dans une voiture si confortable qu'on se croirait déjà arrivées dans la chambre d'un palace international.

– Enfin, insiste Sarah. On ne va pas comme ça, à Nice, pour rien?

– Mais non! se moque Anna. Il paraît que pour concurrencer

Jérusalem sur le plan touristique ils ont fait construire un mur des Lamentations. On y va pour se rendre compte. Puis, tu pourras en profiter. »

D'un geste discret, elle fait comprendre qu'elle expliquera...

Saint-Tropez-Sainte-Maxime-Saint-Raphaël-la corniche de l'Estérel jusqu'à La Napoule-Cannes-Juan-les-Pins-Antibes par la route d'Eden Roc-Nice par le bord de mer : superbe balade qui a duré plus de trois heures. Il n'est pas tout à fait six heures du matin, lorsque le chauffeur les dépose devant le Negresco.

Un portier chamarré est venu leur ouvrir la portière et a congédié le bagagiste lorsqu'elles ont déclaré n'avoir pas de valise. Sur un mot de José, son visage s'est éclairé.

« Vous êtes attendues, mesdames! » informe-t-il avec respect.

A cet instant, paraît Marie-Laurence, souriante, toujours en robe du soir, qui vient vers elles, tendant les mains en signe de bienvenue.

« Je suis désolée d'avoir gâché votre soirée. Vraiment désolée! »

La Bentley s'éloigne. Le portier regagne l'intérieur de l'hôtel.

Un instant, elles demeurent toutes les trois au milieu du trottoir.

« J'avais demandé à José de traîner un peu pour pouvoir arriver avant vous. Vous avez fait la connaissance de Elke? C'est ma belle-mère. Elle est plus jeune que moi. Comment la trouvez-vous?

– Jolie! convient Anna.

– C'est une de mes meilleures amies. Avant son mariage avec mon père, je ne l'appréciais pas outre mesure mais, depuis que... »

A cet instant, un miaulement de freins leur fait tourner la tête. Une voiture noire – une 403 Peugeot – vient s'arrêter à leur hauteur. Deux hommes en descendent, le poing armé de pistolet. L'un des deux prend Anna par le bras et la pousse à l'intérieur de la voiture.

L'enlèvement n'a pas duré plus de dix secondes.

***

Marc fait les cent pas et fume nerveusement.

Maryline pleure. Odette lui tient la main, toute pâle.

Odette ne pleure pas. Elle est livide. Elle n'a pas dormi depuis deux jours. L'intervention chirurgicale devait avoir lieu vendredi matin, mais l'éclat est logé si près du cœur qu'un déchirement de l'artère pulmonaire risque de se produire à tout moment. La décision d'opérer a donc été prise, un peu en catastrophe, au cours de cet après-midi du jeudi.

Depuis une heure environ, c'est commencé.

Une vie se joue sous un bistouri.

Marc a relu plusieurs fois la lettre de son fils. Au cours des années, il s'est souvent félicité de la relation de tendresse qui unit Charles et Odette. Elle lui a souvent permis de garder ses distances et Charles, habitué très tôt à ce refus de complicité, s'est naturellement interdit de poser trop de questions.

Naguère, Frantz Zeitschel – qui avait aussi quelque chose à cacher – n'avait pas procédé autrement. Qu'aurait été sa vie, si son père avait eu une attitude différente? Par refus d'admettre la notion de hiérarchie entre les hommes, il se fût certainement opposé à ses idéaux nazis et – qui sait – ne pouvant l'envoyer à l'école de la SS peut-être l'aurait-il fait déporter dans un camp de détention politique?

Maryline vient de pousser un gros soupir avant de poser sa tête sur l'épaule d'Odette.

Charles a bien dû lui raconter ce qu'il croit : que sa vraie mère s'appelait Jacqueline Mornet et qu'elle a disparu en 1942, arrêtée par la Gestapo pour faits de résistance. Quelle importance? Qu'y aurait-il eu de changé pour eux s'il avait été en mesure de lui dire qu'il était le fils d'une petite juive émigrée de Pologne, disparue elle aussi dans le grand tourbillon de la guerre?

Il a eu bon goût. Elle est jolie, cette petite, en outre les parents, rencontrés la veille, font excellente impression. Odette est sans réserve de cet avis.

Au sortir de cette épreuve, ces deux enfants se marieront. Ils auront un bébé. Ils l'élèveront et seront heureux comme la plupart des jeunes époux et jeunes parents. Mais, si un accident devait se produire? Si Charles ne sortait pas vivant de cette salle d'opération? Quelle disposition faudrait-il prendre pour le bébé de Maryline? Un regard vers Odette. Elle le rassure, d'un sourire confiant.

Elle est là. Heureusement qu'elle est là. Elle sait toujours ce qu'il faut faire. Comment faire au mieux. Elle a été la chance – peut-être même l'unique vraie chance – de sa vie.

Une jeune femme en uniforme vient d'entrer dans la pièce.

« Monsieur Rougier? »

Coup au cœur.

« L'opération est..?

– Non, non, monsieur. J'ai simplement un message pour vous. De la part de M. et Mme Bernard. Ils viennent de téléphoner pour prendre des nouvelles de votre fils et ils m'ont demandé de vous assurer de toute leur sympathie.

– Comment ça se passe pour mon fils?

– Il est toujours au bloc opératoire. Tout est normal.

– Vous croyez qu'il y en a encore pour longtemps? demande Maryline.

– En principe non! » répond-elle, avant de refermer la porte avec un sourire d'encouragement.

Un instant, ils se regardent, tous les trois.
Maryline se lève. Toute blanche.
« Je sors! dit-elle. Je crois que je vais me trouver mal. »
Odette se précipite pour la soutenir, et Marc leur ouvre la porte-fenêtre donnant sur les jardins.

***

« J'aimerais que vous me disiez à quoi correspond cette mise en scène? attaque Anna, qui se dresse sur son lit à l'entrée désinvolte de Marie-Laurence de Simenoff.
« Je vais essayer de ne pas vous décevoir, chère madame Abroweski, mais je ne peux vous le garantir. »
Marie-Laurence est habillée de rose : pantalon de toile, chemisier, ballerines de chevreau teinté. Elle affiche un sourire parfaitement rassurant.
« Où est mon amie Sarah?
– Elle a passé la nuit au Negresco. Confortablement. Il ne tient qu'à vous de la retrouver, tout à l'heure, après que vous aurez entendu ce que j'ai à vous dire. Avant toute chose, laissez-moi vous signaler qu'il ne s'agit pas d'une mise en scène, comme vous le pensez, mais bien plutôt d'une solution d'urgence.
– Une solution d'urgence? »
Le plus tranquillement du monde, Marie-Laurence de Simenoff vient s'asseoir au pied du lit.
« Il faut que je vous fasse quelques confidences, ma chère Anna. Enfin, surtout une...
– C'est tout de même pas pour ça que vous m'avez fait enlever?
– Jugez-en : je suis... amoureuse!
– Amoureuse?
– De... Laurent.
– Compliments. Mais, je ne vois toujours pas...
– La conversation que vous avez surprise, la nuit dernière, à bord, vous aura donné à comprendre que Laurent s'apprête à partir pour une mission dangereuse. Vous avez pu voir comment je me suis servie de vous pour le discréditer aux yeux de ceux qui envisageaient de lui confier ce travail. Comme il m'a été impossible de vous retrouver au moment de me rendre à cette réunion, j'avais chargé Elke de vous chercher et de nous ménager une entrevue, à terre.
– A part vos sentiments, vous ne m'apprenez rien. Votre belle-mère m'a déjà raconté tout ça en me suggérant d'aller dormir à Nice pour n'avoir pas à répondre à d'éventuelles questions de Laurent sur l'homme dont vous vous êtes servie pour le discréditer. Ce que je voudrais comprendre c'est le pourquoi de ce rocambolesque enlèvement?
– Je vous l'ai dit : une solution d'urgence. Je n'avais pas prévu

votre indiscrétion. J'ai été conduite à prendre ce qu'on appelle des mesures de sécurité.

– Des mesures de sécurité?

– La longue conversation que j'ai eue cette nuit avec Mme Friedmann m'a appris des choses que j'ignorais à votre sujet. Ainsi, quand vous m'avez dit, hier soir, que vous aviez lu Baudelaire en prison, ai-je cru à une sorte de provocation. Une boutade innocente. Je voulais tirer au clair votre position dans les affaires d'Algérie. Sachant ce que je sais aujourd'hui, je veux bien croire qu'elle ne soit pas nettement tranchée en faveur de l'un ou l'autre camp. Est-ce que je me trompe?

– Êtes-vous si peu sûre de vous-même pour avoir besoin de poser la question?

– Il est inutile, je suppose, de vous rappeler dans quelles situations idiotes peuvent me plonger mes affirmations trop spontanées. N'ai-je pas perdu un pari que personne ne me demandait de prendre, avec vous, hier soir? »

Se désignant, dans sa robe blanche fripée par l'aventure de la nuit, Anna ne peut s'empêcher d'en rire : « Dans l'état où je suis, la dernière poissarde du port de Marseille ne voudrait plus de moi. »

Sans un mot, Marie-Laurence se penche et lui pose un léger baiser sur les lèvres pour la faire taire. « Acompte! affirme-t-elle avant d'ajouter : Ne nous perdons pas dans les détails. »

Se levant du lit, elle va ouvrir tout grand la fenêtre.

Sous leurs yeux, un paysage de vignes vertes et de terre rouge s'étend jusqu'à la mer, bleue, sur laquelle flottent de lointains points blancs.

« J'ai besoin de quelqu'un comme toi. D'une sirène : mi-femme, mi-poisson. Je cherche la directrice d'un futur établissement de soins pour clientèle masculine à haut niveau de revenus. Tu vois ce que je veux dire?

– J'ai beau n'être pas très au courant de l'actualité, j'ai tout de même entendu dire qu'on les avait... fermées.

– Restent... les tolérances.

– Je ne me vois pas finir mes jours dans la peau d'une sous-maîtresse de claque, mademoiselle de Simenoff. Navrée de vous décevoir, ma moitié poisson n'est pas celle d'une morue.

– Jolie repartie! souligne Marie-Laurence en souriant, avant d'ajouter : Hélas, cette nuit, dans votre chambre d'hôtel, à Saint-Tropez, deux policiers ont opéré une perquisition minutieuse. Leur rapport est accablant. A peine sortie de prison où vous avez purgé une peine pour meurtre après cambriolage, vous voilà impliquée dans les affaires de M. Jules Orsini, proxénète notoire. Largement de quoi vous faire retourner d'où vous venez, madame Abroweski.

– Vous êtes vraiment la reine des salopes, mademoiselle de Simenoff.

– Qu'en savez-vous? Je n'ai pas encore acquitté le montant de mon pari.

– Soit! A mon tour de vous féliciter pour la jolie repartie! convient Anna. Cela étant fait, où voulez-vous en venir?

– C'est pourtant simple. Vous avez surpris, cette nuit, des informations que vous ne devriez en aucun cas connaître, même si – provisoirement – vous n'en appréciez pas toute la portée. Deux solutions se proposaient. Vous éliminer ou vous neutraliser.

– Apparemment, vous avez choisi la seconde? En quelque sorte, vous m'avez sauvé la vie?

– En quelque sorte! » confirme Marie-Laurence sans émotion. Après un silence, elle reprend: « Vous aurez prochainement connaissance du détail de la procédure policière dont je vous parlais. Ce document n'ira pas jusqu'au procureur de la République, j'ai veillé à ce que le SAC vous prenne sous sa protection. Le SAC, vous savez ce que c'est?

– Oui! Enfin, vaguement. Enfin, oui!

– Alors, laissez-moi vous complimenter. En devenant membre du Service d'action civique, vous faites preuve de fidélité au général de Gaulle malgré le mauvais tour qu'il vous a joué naguère. Votre dévouement d'aujourd'hui rejoint votre héroïsme d'hier, voilà qui vous honore.

– Et en devenant la directrice de votre claque, je ferai la preuve de quoi?

– Que contrairement à ce qu'on croit généralement, les juifs polonais n'ont pas moins que les autres le sens du profit.

– Vous savez tout de moi, n'est-ce pas?

– Sur le coup de six heures du matin avec un ou deux verres dans le nez pour consoler sa peine, il est vrai que votre amie Sarah est assez bavarde.

– Je ne suis pas au bout de mes surprises, sans doute?

– Je n'aurais osé vous le dire mais ne craignez rien, tout va se passer très bien.

– Sans que j'y comprenne rien.

– Vous saurez et comprendrez en temps utile. Ne mettez pas la charrue avant les bœufs.

– Ah bon? Parce que se faire embringuer dans une histoire pareille ne justifie pas de vouloir comprendre par quel...

– Assez! coupe Marie-Laurence avec autorité. Il se prépare des événements graves. Qui vont compter dans la vie de la nation. Après ce que tu avais entendu je n'avais pas l'embarras du choix pour m'assurer de ta discrétion. »

La réapparition du tutoiement dans la fermeté de ton a pour effet de neutraliser leur soudaine exaspération.

« Après tout! reconnaît Anna en se levant du lit et en gagnant la fenêtre. Si j'étais rentrée directement à Paris plutôt que de venir voir la mer, je ne serais pas dans cette merde. »

Marie-Laurence s'abstient de commenter.

Dans la merde! songe Anna. Tu entends ça, Mözek? D'un coup,

sa vie vient de la rattraper : elle songe à Karl et Noémie lui manque, exactement comme si elle ne l'avait pas revue depuis la veille.

« Bon! Tout ça n'explique pas pourquoi on m'a enlevée hier soir. »

Surprise par la brusquerie de cette réaction Marie-Laurence marque une légère hésitation avant de sourire.

« Voilà une question à laquelle je peux répondre convient-elle. Tu es ici mon invitée. Jusqu'à la fin du mois. Au fur et à mesure des jours, tu recevras des explications sur les objectifs qui te seront désignés. Si tu as d'autres questions à poser, c'est le moment ou jamais, parce que j'ai autre chose à faire.

– Que pourrais-tu faire de plus? »

Déboutonnant tranquillement le poignet de son chemisier, Marie-Laurence soupire : « J'ai perdu un pari et je n'ai pas encore payé ma dette. »

***

L'intervention chirurgicale a été un succès. Après une courte période d'observation de quarante-huit heures, le soldat de première classe Charles Rougier a été déclaré hors de danger.

« ... Toutefois, il est bien évident que les tissus de la région péricardiaque viennent d'être maltraités, apprécie le médecin. Il faudra qu'il fasse un peu attention. Que fait-il dans le civil?

– Étudiant, répond son père. Il était en deuxième année de droit au moment de son incorporation.

– Et il n'a pas obtenu de sursis?

– Il souhaitait se libérer au plus tôt de ses obligations militaires pour pouvoir se marier.

– Je compte présenter son dossier à la commission de réforme. Il n'est pas question que ce garçon retourne au casse-pipes. »

Mis à part l'insigne fixé sur la poche de poitrine de sa blouse blanche qui rappelle son grade de colonel, ce médecin ressemble plus à un brave père de famille qu'à un soldat.

Odette Rougier, se sentant parfaitement en confiance, s'empresse de préciser... « Charles est avant tout un passionné de cinéma. Il rêve de caméra beaucoup plus que de prétoire.

– Le cinéma? Vraiment? J'en parlerai avec lui! affirme le médecin. S'il le désire nous pourrions contourner le principe de la réforme en demandant son affectation dans les services cinématographiques de l'armée. »

Sans doute, alors, se sent-il récompensé de son intention par le sourire ravi de cette femme délicieuse, élégante, très séduisante dans une robe d'été aux teintes pastel qui met en valeur un corps aux formes souples et pulpeuses.

« Vous habitez en province, je crois? fait-il semblant de se souvenir.

– A Juan-les-Pins.

– Quelle chance. Le soleil et la mer toute l'année. J'adore cette région. On s'y sent en connivence avec la nature... »

Marc songe que, depuis des années, il en a toujours été ainsi : Odette est habitée d'une sorte de charme mystérieux qui lui vaut d'avoir tous les hommes à ses pieds. Jeunes ou vieux ne savent que faire pour la séduire. Celui-là ne fait pas exception.

« ... Évidemment il n'est pas question que votre fils passe sa convalescence ailleurs que dans un centre de l'armée. Mais, nous avons une unité de soins de postcure, juste au-dessus de Nice. Je vais m'arranger pour qu'il y soit dirigé. De cette manière, vous pourrez aller le voir très facilement.

– Oh merci, docteur! »

L'entretien est terminé. Marc se lève, sitôt après le médecin.

La porte-fenêtre est entrouverte sur les jardins noyés de soleil.

A son tour, Odette quitte son fauteuil.

« Votre bureau est infiniment agréable, docteur », apprécie-t-elle en s'avançant dans la lumière.

Elle est comme ça : une de ces natures qui savent payer comptant les bienfaits qu'elles reçoivent. Ses jambes sont absolument parfaites, dessinées sous sa robe dans le contre-jour.

– Si vous passez par Juan-les-Pins, cet été, ne manquez pas de nous rendre visite, docteur. Mon mari et moi serions très heureux de vous accueillir.

– Hélas, pour être médecin je n'en suis pas moins... soldat. Et, comme tous les militaires par ces temps de guerre, mes permissions sont réduites à la portion congrue. »

Le téléphone sonne sur son bureau. Il leur adresse un regard désolé. Odette sort du contre-jour. Les formalités de prises de congé s'abrègent.

Depuis que Charles est hors de danger, Odette a retrouvé sa joie de vivre.

Sitôt confirmé que le soldat Rougier passerait sa convalescence au centre militaire de santé de Nice, les projets sont devenus dispositions : « En habitant chez nous, Maryline pourra aller te voir tous les jours... »

Charles est ravi. Son chirurgien lui a parlé de l'éventualité de le faire muter au service cinématographique de l'armée jusqu'à la fin de son temps de mobilisation. Certes, son dossier n'est pas encore visé mais il sait déjà que l'avis sera favorable. De son côté, Maryline vient de décrocher un contrat pour quatorze jours de tournage pour un film publicitaire à la gloire du shampooing Cadoricin.

« Mon premier rôle! » s'extasie-t-elle.

« Avec d'aussi jolis cheveux que les vôtres, apprécie Odette, ils auraient été bien mal inspirés de ne pas vous choisir.

– Quant à moi, si j'entre au SCA, je pourrai dire que c'est grâce au charme de ma mère! commente Charles malicieusement. Je ne sais pas ce que tu lui as fait, à mon chirurgien, mais quand il parle de toi c'est avec des étoiles au fond des yeux. »

Avant de les laisser repartir, les parents de Maryline ont tenu à inviter Marc et Odette à dîner. Il s'agissait de fêter la guérison du blessé, de célébrer les perspectives de fiançailles de leur fille, et d'en profiter pour faire un peu mieux connaissance.

Rue Mazarine. A deux pas de la rue Jacob. Un quartier qui, secrètement, a remué quelques vieux souvenirs dans l'esprit de Marc. Anna? Un bond de vingt-deux ans dans le passé. Qu'est devenue la mère de Charles, après son évasion de Drancy? Est-elle encore vivante?

Jean-Marie Bernard, administrateur de biens, a acquis ce somptueux appartement en 1950.

Maryline propose l'apéritif. Sa mère papote avec Odette. Marc, quant à lui, échange avec son hôte quelques points de vue sur l'actualité.

La presse du soir ne parle que de l'assassinat d'un haut fonctionnaire du gouvernement général d'Alger : fusillé sur le pas de sa porte de plusieurs balles de 11,43.

« L'attentat a été revendiqué par l'OAS précise Jean-Marie Bernard. Avec Jouhaud et Salan, il semble bien que de Gaulle ait enfin trouvé à qui parler.

– Parler, c'est toute la raison d'être des entretiens entre la France et le GPRA, me semble-t-il?

– C'est beaucoup d'honneur que nous faisons à ces fantoches de l'invraisemblable République algérienne. Il n'y a pas à parler avec ces gens-là, croyez-moi. Ils ne comprennent que la manière forte. Je ne m'explique pas pourquoi de Gaulle prend des gants avec eux. Avez-vous lu l'article de Tixier-Vignancourt dans...

– Jean-Marie! intervient son épouse. Nos amis seraient très heureux je crois, que vous leur fassiez les honneurs de la terrasse. »

Marc s'empresse d'approuver en espérant que la visite de cette fameuse terrasse modifiera le tour de la conversation.

Jean-Marie Bernard ne désempare pas : « Il faut être lucide, cher ami. Si vous pensez que les négociations d'Évian changeront quelque chose aux intentions révolutionnaires du FLN, vous êtes bien aussi naïf que la grande Zohra.

– Rien ne permet de penser que de Gaulle est aussi naïf que vous le dites. L'ère du colonialisme est révolue. Si les Algériens réclament de reprendre leur identité algérienne, un pays comme le nôtre – qui a tant fait pour le rayonnement des idéaux de justice et de liberté – ne peut que s'en réjouir. Notre rôle est donc bien celui défini par le général : aider ce jeune pays ami à se structurer.

– Enfin, cher ami, vous parlez comme si l'Algérie avait jamais été un véritable État souverain? »

Sylvaine Bernard vient les interrompre.

« N'est-ce pas que la vue est splendide? »

Marc apprécie vivement d'échapper provisoirement à son hôte. Il préfère, de loin, la conversation banale de la maîtresse de maison.

Jean-Marie Bernard, qui semble avoir compris, cette fois, la tentative de sa femme pour lui couper la parole sur son sujet favori, va enlever quelques fleurs fanées sur les plants de pétunias d'une jardinière et Sylvaine s'empresse de lancer à son intention :

« Savez-vous, Jean-Marie, qu'Odette et moi nous sommes exactement du même âge et toutes les deux du même décan du même signe?

– Ne laissez pas maman vous embarquer dans les planètes! prévient Maryline. Elle est presque aussi intarissable sur le sujet que papa sur l'Algérie française. »

Marc ne peut s'empêcher d'avoir un regard amusé en direction de sa future belle-fille.

« Alors, si vous nous parliez plutôt de votre futur rôle de star des écrans publicitaires? J'ai cru comprendre que Charles en était bien content?

– Je vais me laver les cheveux devant une caméra! expose Maryline souriante. C'est déjà un début. La prochaine fois, j'aurai peut-être la chance de me laver les pieds dans un film de Fellini. »

Écoutant la fille d'une oreille distraite, c'est surtout la mère qui attire irrésistiblement le regard de Marc. Sylvaine Bernard, dans les gestes, dans le maintien aussi bien que dans la voix, a un charme tout à fait exceptionnel.

Maryline poursuit : « Par l'intermédiaire d'une amie du conservatoire d'Aix, un petit rôle dans *l'Amour à vingt ans,* le film que prépare Truffaut pour l'an prochain et je... »

Sylvaine Bernard passe probablement ses nuits à écouter son mari lui raconter le coup d'éventail du dey Hussayn au consul de France, la prise de la smala d'Abd-el-Kader ou la manifestation du 13 mai, mais sûrement pas ses journées à écouter sa fille retracer les exploits artistiques de ses saltimbanques de la pellicule. Elle a sûrement un amant. Tout à fait le genre de femme qui doit aimer les rendez-vous discrets dans les garçonnières.

« Puisque Maryline doit venir habiter chez nous en juin, pourquoi ne viendriez-vous pas la rejoindre quelques jours? suggère Odette.

– Vous êtes très gentille de me le proposer. D'autant plus que...

Marc tourne la tête quelques instants. Odette a tout compris et prend les choses en main. Elle est vraiment merveilleuse.

– ... Mais alors, dans ces conditions je ne vous pardonnerai jamais de ne pas nous rendre visite. Sais-tu ce que j'apprends, Marc? M. Bernard part pour les États-Unis du 7 au 15 juin et abandonne Sylvaine à Paris.

– Vous nous feriez le plus grand plaisir d'accepter notre invitation à Juan, chère madame. »

Sylvaine se déclare confuse. Odette insiste un peu. Sylvaine accepte.

« Si nous passions à table? » suggère le maître de maison.

Jean-Marie Bernard est de cette espèce d'hommes qui se sentent supérieurement investis de responsabilités en tous genres. Conséquemment, rien pour lui ne saurait être pris à la légère. Il est probablement né sérieux. Il a tété sérieusement, étudié sérieusement, travaillé sérieusement. Aujourd'hui, il ennuie le monde sérieusement et, à cinq ans de la retraite, se demande – tout aussi sérieusement qu'il a vécu – ce qu'il pourra faire quand il n'aura plus ses dossiers, ses téléphones, ses secrétaires et ses affaires sérieuses pour l'occuper. Sans la fantaisie, le sens de l'à-propos, le charme et l'humour de sa femme, ce dîner aurait été mortel.

Maryline ayant besoin de repos et voulant à toute force rentrer chez elle, dans son petit appartement du boulevard des Batignolles, Odette a proposé de la déposer.

« Et maintenant, messieurs dames, où je vous emmène? » demande le chauffeur du taxi après qu'ils ont attendu un instant – comme elle le leur avait demandé – que Maryline ait franchi la porte de son immeuble.

« Vous devez bien connaître quelques bonnes adresses? suggère Marc en prenant tendrement sa femme par les épaules.

– Ça dépend ce que vous cherchez, répond le chauffeur en se tournant plus franchement sur son siège, le bras en appui sur son dossier. Un endroit, plutôt sélect ou... plutôt canaille? »

Odette se laisse aller dans les bras de son mari.

« Un petit côté canaille ne serait pas pour nous déplaire.

– Strip-tease? Cinéma cochon? Petites exhib' variées?

– Vous n'avez rien de moins conventionnel?

– Ça dépend si madame veut participer?

– Pas dans les ignobles hôtels à partouzes de la porte Maillot, en tout cas! » se récrie Odette.

Marc vient de poser la main sur son genou. Elle le laisse faire.

Le chauffeur baisse les yeux sur cette main qui, lentement, fait glisser le tissu soyeux de la robe, découvre progressivement les jambes : jusqu'au-dessus des revers sombres des bas, jusqu'à la chair blanche et fascinante des cuisses.

Le taxi est arrêté non loin de la place Clichy. C'est une partie du boulevard plutôt déserte à cette heure de la nuit. Les tubes au néon d'une enseigne éclairent l'intérieur de l'habitacle d'une lumière orangée parfois mouvante dans ses clignotements.

Marc a toujours beaucoup aimé l'offrir, pour mieux la regarder. Que lui importe, à elle? Une seule chose compte : son plaisir, à lui, puisque c'est là qu'elle rencontre le sien.

Impérieux et brutal, le désir de l'homme qu'elle aime est au creux de sa main. Dès lors, plus rien ne compte pour elle que d'exister du bout des doigts.

« On... pourrait aller... dans un endroit discret? » propose le chauffeur d'une voix étranglée.

Comme ils ne répondent pas, il ajoute : « Si vous voulez, après, je vous filerai une adresse extra, ...une adresse, secrète.

– Si elle vous taille une pipe, vous nous donnez votre adresse?

– OK, accepte le chauffeur en embrayant presque aussitôt.

– S'il te plaît, chéri. Après, j'aimerais rentrer! murmure Odette. Je voudrais bien passer au Val-de-Grâce, demain matin, avant que nous partions. »

Marc l'assure de son accord d'une pression des doigts.

Le chauffeur n'a pas perdu de temps. Il a rapidement trouvé une place dans une petite rue déserte. Il se retourne. La femme est prête. Elle a enlevé complètement sa robe. Son mari la retient un instant et lui dégrafe son soutien-gorge avant de l'aider à enjamber le dossier du siège pour passer à l'avant. Elle a des seins superbes.

Trop d'excitation, sans doute, est mauvaise conseillère, Odette se redresse déjà. Elle rapporte sur les lèvres de Marc la preuve encore brûlante de sa totale soumission. Ils la laisseront s'évanouir dans un profond baiser.

Peut-être un peu déçu le chauffeur propose : « Je vous emmène à l'adresse que je vous disais?

– Non! répond Marc en aidant Odette à revenir auprès de lui. Nous sommes est un peu fatigués. Déposez-nous à l'hôtel Lutétia. »

* * *

Dans les jours suivant leur entretien, Anna avait compris qu'elle n'était pas le jouet de l'imagination trop fertile de Marie-Laurence.

D'étranges réalités s'étaient déjà précisées.

Invitée à ne pas quitter la villa, elle s'y était installée, en compagnie de Sarah. Le régisseur, la femme de chambre, et José le chauffeur homme à tout faire, avaient reçu des ordres : tout était prévu pour rendre le plus confortable possible un séjour marqué par une double contrainte d'interdiction de sortir et d'avoir des contacts extérieurs.

Première visite : deux inspecteurs des renseignements généraux.

Un entretien de quatre-vingt-dix minutes.

Le fruit d'une minutieuse expédition spéléologique dans les bas-fonds de sa biographie avait beaucoup impressionné Anna. Moins, pourtant, que l'exposé qui avait fait suite sur tout le faisceau de charges retenues contre elle pour proxénétisme et transport clandestin de substances stupéfiantes prohibées. Les accusations figurant au rapport d'enquête de la police judiciaire étaient d'autant plus accablantes qu'elles avaient été fabriquées dans ce but. Seul un coup de baguette magique pouvait racheter tout ça : une signature au bas d'un engagement sur le chemin du rachat.

Une chemise cartonnée, blanche, rayée tricolore dans l'angle supérieur droit portait l'en-tête :

SERVICE D'ACTION CIVIQUE
Association sans but lucratif régie
par la loi du 1er juillet 1901
Déclarée à la préfecture de Police
de Paris en 1958

Adhérente N° 3 224. Nationalité : Française
Nom : ABROWESKI
Prénom : Anna, Irina, Xénia
Née en : 1920. A : Rzeszów, Pologne.

A l'intérieur, un texte, imprimé :

*« Je jure fidélité au général de Gaulle.*

*« Je prends l'engagement solennel d'obéir sans discussion à mes chefs et je jure d'engager solennellement ma responsabilité, mon honneur et ma foi à l'aboutissement des objectifs définis par le général de Gaulle.*

*« Si je trahis, j'accepte d'avance de subir les châtiments réservés aux traîtres.*

*« Signature :* »

« Comme ça, vous n'aurez pas d'ennuis », avait conclu l'inspecteur qui lui avait prêté son stylo le temps d'un paraphe.

L'autre avait ajouté en lui remettant sa carte de membre rayée de tricolore : « Nos compliments, chère compagnonne. Dans une quinzaine de jours, tu recevras, à Paris, une convocation pour un stage de formation. D'ores et déjà, tu peux prévoir de réserver sur ton agenda les trois semaines qui vont du 7 au 30 juin prochain. »

Seconde visite, quarante-huit heures plus tard.

Il s'agit, cette fois, d'un homme seul. Assez âgé : plus de soixante-cinq ans assurément. Il porte beau. Complet veston d'alpaga gris clair, presque assorti à la couleur de ses cheveux. Seule note de couleur : une rosette rouge à la boutonnière. Il ne s'est pas fait annoncer. Il la surprend donc, vers trois heures de l'après-midi, au bord de la piscine où elle se fait bronzer, en compagnie de Sarah. Aussi nues l'une que l'autre, naturellement.

Comme il est escorté de José – leur garde des corps – Anna suppose qu'il s'agit de quelqu'un dont la visite était prévue.

Elle se lève, enfile tranquillement une sortie de bain, et va rejoindre l'importun.

« Je suis Anna Abroweski. Vous désirez?

– Je ne tomberai certes pas dans le piège de répondre : vous entretenir, mademoiselle. A tout le moins donc, avoir avec vous une conversation. »

Allons bon. Le côté vieux minaudier. Elle raffole. Ça promet.

« Préférez-vous dehors ou à l'intérieur? »

Le visiteur laisse un instant errer son regard en direction de Sarah qui n'a pas jugé nécessaire d'interrompre son bain de soleil.

« Hélas, il me faut vous répondre à l'intérieur. Quand je suis dehors, j'ai beaucoup trop tendance à me laisser distraire par mon environnement.

– José va vous conduire. Le temps de passer une robe et je vous rejoins. »

Lorsqu'elle le retrouve, dans le bureau bibliothèque, il est en train d'examiner une édition ancienne de *l'Iliade.*

« Aimez-vous Homère, chère mademoiselle?

– Est-ce parce qu'en grec ancien son nom signifie aveugle, ou otage, ou peut-être encore celui qui ignore son destin, que vous me demandez cela? »

Le visiteur a l'air surpris.

« Vous avez fait des études de grec?

– Non, monsieur. Petite, j'ai fréquenté une école communale dans le XVIIIe arrondissement de Paris. Mais, plus tard, j'ai passé quelques années dans un établissement public où mes activités réduites me laissaient le temps de lire un peu. »

A son demi-sourire en coin, elle mesure que la dénomination établissement public vient de l'amuser.

Il remet précautionneusement en place la précieuse reliure, puis va s'asseoir derrière le bureau comme s'il se trouvait chez lui.

« Il n'est pas utile que je vous dise mon nom. Pour vous faciliter les choses, vous pouvez m'appeler par mon grade militaire. Je suis commandant.

– Je vous attendais! » dit Anna en portant une attention un peu excessive à s'asseoir sans froisser la robe empruntée dans les armoires de Marie-Laurence.

Croisant ses mains sur le bureau, le commandant poursuit :

« Notre amie Marie-Laurence s'est occupée de tout, au mieux, en sorte de faciliter votre tâche dans le cadre de la mission que je vais vous confier. Avez-vous eu le temps d'étudier un peu le petit dossier qui vous a été remis?

– Oui.

– Entièrement?

– Oui.

– Vous êtes donc au fait des événements et mieux à même de comprendre le sens du combat que nous entendons mener. Depuis que le général Salan a pris le commandement suprême de l'OAS, certains mouvements d'extrême droite essaient de devancer nos intentions et laissent entendre que si une partie de l'armée est entrée dans une guerre subversive contre le pouvoir gaulliste, c'est forcément pour instituer un régime néo-fasciste. La réalité est tout à fait autre. L'armée ne veut pas d'un colonialisme qui a fait son temps. Sur ce point, la position des généraux putchistes d'avril est claire et sans ambiguïté. L'échec de ce putch n'a en rien modifié la volonté d'intégration de l'Algérie chez ceux qui poursuivent le combat. La mise en contact de l'armée française avec le prolétariat musulman a provoqué des prises de conscience. On a vu les jeunes du contingent devenir moniteurs, instituteurs, infirmiers, organiser à tous les niveaux des services d'assistance quasi inexistants, ouvrir des routes là où elles étaient socialement utiles à défaut d'y être économiquement indispensables. Ces mêmes jeunes s'en sont pris aux colons en les accusant d'avoir pensé prioritairement à s'enrichir. L'armée s'est donc trouvée en situation de prendre le relais du pouvoir administratif. Aujourd'hui, après sept ans de guerre, la tâche commencée doit être achevée. Quiconque connaît le vrai problème de l'Algérie ne peut croire que le choix des musulmans serait une séparation d'avec la France. La seule chance de l'Algérie est d'ordre européen. Liée à la France, elle est européenne de droit et donc automatiquement membre du Marché commun avec tous les avantages qui en découlent pour elle.

– Pardonnez-moi de vous interrompre, commandant, mais la véritable chance de l'Algérie pourrait être – aussi bien – d'exploiter pour elle-même sa phénoménale abondance de ressources énergétiques au Sahara?

– Ma chère enfant, ce gaz et ce pétrole auxquels il faut ajouter le bon marché de la main-d'œuvre, font certainement du désert algérien le pays au monde où le cheval-vapeur sera le meilleur marché, mais que la France vienne à passer la main et l'Algérie n'aura plus qu'à aller se jeter dans les bras de Moscou pour obtenir les crédits nécessaires à son expansion nationale. Comprenez-le bien, cette guerre de subversion, que nous sommes une poignée de militaires à mener, vise à protéger nos frères musulmans des manœuvres du Kremlin et des fascinations bolcheviques de cette révolution. »

Elle n'est tout de même pas tout à fait dupe, sa « chère enfant ».

« Montreriez autant de grandeur d'âme pour une Algérie ne disposant pas des richesses potentielles qui sont les siennes?

– Comme le disait Jean-Jacques Rousseau : Les nations, comme les hommes, ont droit à l'égoïsme vital. En douteriez-vous? »

Anna change de position et, ramenant ses jambes sous elle, s'amuse un instant à lisser les plis de sa robe épanouie en corolle sur le large fauteuil.

« Ne tergiversons pas! reprend-il. Vous n'allez tout de même pas me dire que vous faites, spontanément, la même analyse que la gauche?

– Je ne sais pas!

– Vous pensez qu'il faut, en toute générosité, rendre leur boutique aux Algériens et les aider sur le chemin de l'indépendance sans aucune contrepartie?

– Ce serait le rôle historique d'une grande nation.

– Et qui paiera? L'Algérie est déjà, aujourd'hui – apportant ses ressources – un domaine trop coûteux, que de Gaulle rêve de brader. Ma pauvre enfant, quel curieux idéalisme est le vôtre! Et, que faites-vous avec nous?

– Je suis heureuse que vous abordiez ce point, commandant. J'en profite pour vous rappeler que je n'ai rien demandé. Si je perçois assez bien la détermination de votre petit groupe d'hommes qui veulent faire joujou à la guéguerre, en revanche je ne perçois pas du tout pourquoi vous voulez m'entraîner dans la galère de l'OAS? Qu'attendez-vous de moi? Le hasard de ma vie m'a conduite, naguère, à lutter contre l'occupant allemand. Il s'agissait d'un acte patriotique. Dans la cause que vous prétendez défendre, je n'identifie pas aussi bien ma motivation. »

Il paraît atterré. A tout le moins, vivement désappointé.

« Vous n'auriez pas quelque chose à boire?

– Bien sûr! Puisque vous avez la pris la place qui convenait pour cela, appuyez donc sur le bouton placé à votre droite. »

Immédiatement, on frappe à la porte.

Plutôt que répondre elle-même, Anna adresse au commandant un signe l'invitant à s'en charger, ce qu'il fait sans discuter.

« Madame m'a demandé?

– Notre visiteur m'a proposé un rafraîchissement et je l'ai accepté volontiers, mon cher enfant.

– Bien madame! » répond le majordome éberlué.

Une fois qu'il est ressorti, elle reprend : « Je sais que je n'ai pas le choix et qu'il me faudra en venir à accepter ce que vous allez me demander. Alors, sachez que les musulmans, le pétrole d'Hassi-Messaoud, le gaz d'Hassi-R'Mel, les intérêts des gros ou petits colons et le devenir politique de l'Algérie : je m'en fous. Je ne vous rappelle pas d'où je viens mais je vous rappelle que j'y suis restée longtemps. J'ai quarante et un ans et quelques années devant moi pour profiter au mieux des choses de la vie. Ce que je serai appelée à faire pour vous ne sera pas gratuit.

– Mais, n'êtes-vous pas la principale actionnaire d'une bijouterie?

– Soyons sérieux. Je possède, il est vrai, quelques actions dans une petite entreprise de bimbeloterie, sans plus.
– Très bien. Alors, soyons clairs.
– C'est ça! En bons soldats intéressons-nous d'abord aux cartes d'état-major de la pensée. Je n'ai que peu de raisons qui me rapprochent de votre combat. A vrai dire aucune. A l'exception d'une seule : votre principal ennemi n'est plus précisément de mes amis depuis... 1945. »
On frappe.
Anna élève le bras, en direction du commandant, pour lui signifier qu'il peut donner l'ordre d'entrer, mais avant d'achever son geste prend le temps d'ajouter : « Voilà qui devrait vous rassurer un peu sur ce que pourra être notre future collaboration... »
A l'injonction qui lui est faite, José entre en poussant devant lui une table roulante sur laquelle s'entrechoquent verres et bouteilles.
« Ça ira! » estime le commandant.
Sitôt le majordome ressorti, il reprend :
« Je ne suis ni un diplomate, ni un homme de salon, ni un intellectuel. Pardonnez-moi si ma question vous semble un peu abrupte. Où voulez-vous en venir et quelles sont vos intentions? »
Anna s'accorde un instant de réflexion.
La table supportant les rafraîchissements est à portée de sa main.
« Préférez-vous l'orangeade ou la citronnade, commandant? »
Comme il ne répond pas immédiatement, après un léger temps elle ajoute : « Je ne vous propose pas le sirop de groseilles. J'ai cru comprendre que vous aviez horreur du rouge.
– Citronnade! »
A coup sûr, ce militaire supporte mal les femmes qui se conduisent en petits soldats.
« Nous en étions restés à la question que je vous ai posée.
– Il me semblait y avoir répondu avant la lettre.
– Ce qui veut dire en clair que vous êtes surtout désireuse de gagner beaucoup d'argent?
– Disons que faute d'agir par idéalisme je ne serai pas exactement un agent bénévole.
– Croyez-vous vraiment être en position d'imposer votre...
– Je ne l'étais pas! convient Anna sans sourire. Je m'y suis placée. C'est bien la raison pour laquelle je viens de vous répondre avec tant de franchise.
– Soyez claire.
– Soit! Pour l'instant – bien que je vous le doive – je suis précisément dans le camp opposé au vôtre. Membre du Service d'action civique : une sbiresse gaulliste, en quelque sorte.
– Vous savez dans quel but...
– Certes! Mais raisonnons avec méthode. Je dois à cette

appartenance que vous avez favorisée de ne pas me trouver face aux ennuis considérables que vous m'avez collés sur le dos. La mission d'infiltration pour le compte de l'OAS que vous allez me confier n'ayant pas encore commencé, j'ai fait ce qu'il était de mon devoir de faire : une révélation écrite sur ce qu'il m'a été donné de surprendre au sujet des commandos Delta.

– Vous avez fait ça? Mais, à qui...?

– En vérité, une simple lettre. A destination d'un ami qui se chargera de la placer dans un coffre d'une banque. Cette révélation n'est destinée à voir le jour que dans l'hypothèse... »

Il se met à rire, doucement : « Chère Anna, vous êtes exquise. J'ai bien failli marcher. Il se trouve que, pour des raisons essentiellement pratiques, j'ai dû favoriser votre adhésion au SAC avant que nous ayons cet entretien. Cela n'était qu'une preuve de confiance relative car enfin, vous êtes dans cette villa comme dans une prison dorée : entourée d'un personnel à nous, vous ne mettez pas le nez dehors. A qui auriez-vous pu confier votre révélation?

– Mon cher commandant, vous avez peut-être surestimé votre surveillance.

– Impossible! Les ordres étaient stricts.

– Avoir su déjouer votre dispositif de sécurité vous apparaîtra d'autant plus comme une preuve de ma future efficacité.

– Encore faudrait-il que vous l'eussiez réellement fait.

– Mais je l'ai fait. Je peux vous en donner la preuve.

– C'est-à-dire?

– En écrivant devant vous trois lignes à l'ami à qui j'ai destiné mon pli, lui demandant une confirmation de mon courrier.

– Je ne vois pas ce que ça m'apporterait?

– La certitude que quelqu'un, en France, a reçu un message de ma part au cours des quarante-huit dernières heures. Que ce message comportait un pli fermé qu'il était chargé de mettre à l'abri dans un coffre bancaire avec des instructions très précises sur l'utilisation à en faire.

– C'est tout à fait invraisemblable.

– Allons, allons, commandant. Je suis une ancienne taularde. Déjouer la surveillance de la garde m'est devenu une sorte de seconde nature.

– Je vous interdis...

– Interdire : c'est le premier acte du tyran. Me donneriez-vous donc raison d'avoir suspecté à bon escient les prétendus motifs de généreuse humanité pour l'Algérie que vous m'exposiez tout à l'heure? »

Furieux, il quitte son bureau et les mains dans le dos se met à arpenter la pièce : « J'ai peine à croire que vous avez pu communiquer avec l'extérieur. Nous éclaircirons bientôt ce mystère. Sitôt que les Delta seront passés à l'action, vos révélations n'auront plus d'intérêt pour personne et – à ce moment-là – je vous demanderai de prouver ce que vous avancez. Si vous avez dit vrai, c'est que vous êtes douée pour accomplir la mission que j'attends de vous. En ce cas, nous discuterons utilement les détails de votre rétribution pour les services que vous nous rendrez en infiltrant le SAC. Pour aujourd'hui, il serait superflu de prolonger cette conversation.

– Dans ces conditions, cher monsieur, vous ne verrez pas d'inconvénient majeur à me laisser retourner à mon bain de soleil? »

D'un mouvement du menton il lui concède le droit de faire ce qu'elle veut, non sans ajouter assez sèchement : « Nous aurons l'occasion de nous revoir prochainement.

– ... ma chère enfant! » complète-t-elle avec insolence avant de dénouer les rubans qui tiennent sa robe sur ses épaules.

Le délicat plissé blanc tombe à ses pieds dans un froissement soyeux.

Pour être soldat d'une armée secrète, le commandant qui n'en est pas moins homme paraît troublé de la revoir aussi nue qu'à la minute de son arrivée. Retrouvant le ton affable et plutôt paternel du début de leur entretien, il se borne à commenter : « Si votre vérité est aussi sculpturale que vous-même, ce sera un plaisir pour moi de la voir sortir du puits.

– Merci, mon... colonel! » le gratifie-t-elle en le saluant militairement avec impertinence, avant de courir plonger dans la piscine en soulevant une splendide gerbe d'écume et de gouttelettes.

De l'autre côté du bassin, elle rejoint Sarah, qui n'a pas bougé, qui commence à sentir le brûlé mais qui ne bougera pas avant d'avoir pris son coup de soleil, histoire de se faire plaindre.

« C'était qui? s'informe-t-elle mollement en profitant de l'occasion pour faire rôtir un peu l'autre face et se mettre sur le dos.

– Un commandant, ma chère enfant.

– Un commandant?

– Parfaitement. Même que je viens de l'appeler colonel. Con comme seul peut l'être un militaire, il a pensé à son cinquième galon sans saisir mon allusion déplorant qu'à son âge il ne soit pas encore père d'un régiment. »

Sarah ne comprend pas trop ce qui fait rire Anna mais – tout bien considéré – s'en fout à peu près autant que de son dernier flacon vide d'Ambre solaire.

« On va rester encore longtemps dans cette cabane? »

Quelques gouttelettes froides lui coulent dans le cou et lui font ouvrir les yeux.

« Ma chère enfant, vous êtes ma prisonnière », murmure Anna tendrement, en approchant doucement son sourire de ses lèvres, de plus en plus près, jusqu'à l'effleurer. Dans un souffle, elle ajoute : « Autant que tu le saches tout de suite : tu ne repartiras d'ici que noire de soleil... Que tout le monde y en a va prendre toi pour une néguesse, dis donc mon vieux. »

Sarah n'a pas du tout envie d'en rire : « Tu ne m'as pas une seule fois embrassée depuis...

– ... 1939. Le soir de la déclaration de la guerre si je me souviens bien.

– Tu confonds. Ça... c'était... la première fois. Je voulais dire... depuis que tu es libre.

– Libre. C'est vite dit.

– Tu n'es pas libre?

– De te faire l'amour? Là? Tout de suite?

– Par exemple!

– Eh bien non! J'ai l'impression que... de loin... l'œil noir d'un commandant nous observe. »

Elles sont toujours l'une contre l'autre, leurs lèvres presque jointes sans pourtant se toucher.

« C'est de l'amour chatouilleur! dit Sarah.

– C'est une amitié chatouilleuse! rectifie Anna en riant.

– Alors dans ce cas, cesse de me peloter les seins!

– Pourquoi, ça te fâche?

– Non! Je trouve que tu portes l'amitié... un tout petit peu trop haut! soupire Sarah en l'enveloppant entre ses bras.

– Pense au commandant...

– Je ne pense qu'à ça. Si ça lui donnait des idées, peut-être qu'il s'approcherait? Je ne me suis encore jamais fait... un commandant. »

Elles éclatent de rire en roulant sur le côté : heureuses d'être ensemble, heureuses de s'aimer depuis si longtemps, heureuses d'être au soleil. Heureuses...

« Heureuse d'être en vacances, ma chère enfant? demande Anna en se faisant une moustache d'une boucle de cheveux et une grosse voix.

– Je suis surtout ravie que ça ne coûte pas un sou.

– Quelle sale youpine tu fais.

– Ben et toi?

– Oh, moi! Je te bats de plusieurs longueurs, je mijote un coup pour que ça devienne des congés payés... et qui plus est, par... des Arabes. »

Le 20 mai 1961, les négociations entre le gouvernement français et le gouvernement provisoire de la République algérienne s'ouvraient à Évian.

Dès le 27 avril précédent – au lendemain de la reddition du général Challe au Forum d'Alger – les autres généraux putchistes, Jouhaud, Salan, et Zeller, avaient fait savoir qu'ils entraient dans la clandestinité. Dans les premiers jours de mai le général Raoul Salan avait pris le commandement de l'OAS. Le dernier jour de ce même mois, le commando Delta I donnait le coup d'envoi de la guerre subversive en exécutant, à son domicile, le commissaire Gavoury chargé de la lutte anti-OAS en Algérie. Le 1er juin, l'opération était revendiquée et la preuve établie que l'OAS frapperait où elle voudrait, quand elle voudrait, qui elle voudrait.

Anna fut alors mise en demeure d'établir la preuve de l'existence du document qui aurait pu dénoncer l'opération Delta.

Le 4 juin suivant, le commandant, ayant fait récupérer l'enveloppe contenue dans le coffre YJ 347 de l'Union bancaire helvétique, devait convenir qu'elle n'avait pas menti. « Mais, je ne comprends vraiment pas comment, étant enfermée ici, vous avez pu communiquer avec l'extérieur? »

Anna n'avait pas promis de s'expliquer sur la question; elle n'eut donc pas à lui confier que son amie Sarah avait de fréquentes faiblesses pour les hommes et connaissait par là même toutes leurs faiblesses. Le chauffeur, José, n'eut pas à justifier sa coupable négligence de... « s'être endormi après coup » (pour employer l'expression de celle qui avait alors profité du repos de son guerrier pour sortir poster une lettre à l'intention de Fred, son mari, chargé en cette affaire de faire le nécessaire).

Fi de tous ces détails, puisque seul le résultat comptait. Le commandant fut dès lors persuadé qu'il tenait sous la main un agent qu'il lui faudrait également tenir à l'œil.

Pour commencer, il s'en tint à l'essentiel.

« Je crois savoir que vous êtes invitée au domaine Saint-Lambert du 8 au 30 juin?

– Sous réserve d'une confirmation qui me parviendra à Paris.

– Ce n'est qu'après votre stage dans cette école du SAC que vous deviendrez opérationnelle : pour eux, comme pour nous. Je vous ferai donc contacter, en temps utile, pour vous donner quelques précisions sur notre future collaboration. D'ici là, ne perdez tout de même pas trop votre temps. Serait le bienvenu tout renseignement concernant ceux qui diffusent de faux tracts visant à assimiler l'OAS à un mouvement d'extrême droite dans l'esprit des Français de métropole. Les mouvances groupusculaires politiques y sont peut-être moins impliquées que le SAC? Vous apprécierez.

– Comme j'ai déjà eu l'occasion de vous le dire, je ne vais pas travailler pour vous par idéalisme. Une espionne, ça se paye. Avez-vous étudié la question, commandant? »

Son état ayant été jugé satisfaisant, le soldat Charles Rougier avait été transféré, le 30 mai, à la maison de santé militaire des Alpes-Maritimes, au-dessus de Nice. Le jour même, Maryline s'installait à Juan-les-Pins, chez ses futurs beaux-parents.

Odette ne tarit pas d'éloges sur sa future belle-fille.

Maryline ne sait pas quoi faire pour être agréable à sa future belle-mère.

Pour que Maryline puisse se rendre plus facilement à Nice, Odette lui a acheté le petit cabriolet Floride Renault dont voulait se dessaisir une de ses anciennes vendeuses. Sur le plan mécanique le garagiste lui a assuré que tout était en excellent état.

– C'est que ma belle-fille est enceinte de plus de trois mois et je ne veux pas qu'elle pousse sa voiture dans les côtes.

– Vé! Y'a pas de danger, madame Rougier. Jolie comme elle est, elle aurait pas le temps de se la claquer, sa portière, qu'un beau jeune homme il se la serait déjà emportée, votre mignonne.

– Justement. Que dirait mon fils de ne pas la retrouver à son retour? »

Maryline a tout de suite trouvé parfaitement amusant de jouer à la vendeuse. En ce début du mois de juin, les affaires sont encore calmes mais la préoccupation des estivantes est tout de même de courir les boutiques à la recherche du maillot qui fera sensation sur la plage.

« Sitôt que je serai suffisamment au courant pour pouvoir vous remplacer, ce sera à vous d'aller voir Charles. Je ne lui ai rien dit, pour que vous lui fassiez la surprise. Il a été un peu déçu que vous n'y alliez pas dimanche dernier.

– Depuis le temps, il sait bien qu'en saison je n'ai pas une minute à moi. C'est l'enfer, ce métier. En hiver on s'ennuie et l'été on ne sait plus où donner de la tête.

– C'est tout de même bien agréable de vivre ici.

– Ça, oui! C'est même la raison qui me laisse espérer qu'après votre mariage on continuera de vous voir souvent, tous les deux.

– Et si vous me disiez tu, comme à Charles?

– Je trouve que tu... as une charmante idée. Je te l'emprunte : si tu me disais tu, comme le fait Charles? »

De son côté, Marc n'est pas moins subjugué par Maryline. Pour ce jeune futur beau-père de quarante-deux ans, c'est un peu comme s'il venait d'hériter d'une grande fille. En outre, comme elle a les plus beaux yeux violets du monde, sous une moisson de cheveux blonds pâles, il n'est pas peu fier de l'emmener partout.

S'il n'est pas parvenu à communiquer pleinement à son fils l'amour de la musique (à tel point que Charles est certainement le plus médiocre pianiste qu'il connaisse), Maryline, en revanche, joue comme une fée. Leur projet commun a donc été de travailler ensemble certaines pages écrites pour deux instruments. Un seul point noir : affronter Odette avec la perspective encombrante d'un second piano à queue dans « son salon ». Consultée sur ce point, la femme de ménage a immédiatement fait valoir sa neutralité. Même le chat Socrate, un superbe eunuque angora blanc de quatre ans, semble désapprouver cette tentative de coup d'État.

Connaît-on jamais les êtres? Le problème posé, Odette s'est absorbée dans une courte réflexion avant de déclarer : « C'est une idée épatante. Je vais faire enlever ce canapé et ces fauteuils dont on ne se sert jamais. Deux pianos en regard, un blanc un noir : ça ne sera pas mal du tout. – Pendant qu'on y est, a demandé Marc avec un sourire amusé, pourrais-tu nous affecter un coin de placard pour ranger les partitions? »

***

Sarah ayant discrètement téléphoné à son mari pour annoncer la date de leur retour, Fred s'est occupé de lancer les invitations et de préparer la fête.

A l'heure dite, ils sont tous là.

Surprise!

Du coup, Anna comprend brusquement pourquoi Sarah roulait à quatre-vingt-dix à l'heure sur l'autoroute et la raison de cette soudaine fringale d'histoire de France qui leur a fait visiter le château de Fontainebleau sans omettre aucune salle. Il s'agissait de ne pas arriver trop tôt.

La première à l'embrasser : Noémie. Noémie et Sarah étaient les seules autorisées à lui rendre visite régulièrement. Anna a donc vu sa fille adoptive s'épanouir à l'ombre des parloirs. Trente ans, déjà. Elle n'est pas très jolie mais elle sait s'arranger pour donner l'illusion du contraire. Mariée, avec Paul, quarante-trois ans, bonne situation dans l'import-export : le temps des exploits de Barnabé est oublié depuis longtemps. Et Angèle. La douce Angèle. Elle n'a obtenu que fort peu souvent – et très difficilement – des autorisations de visite. Elle envoyait des colis. A quarante-quatre ans, ses soucis de femme d'affaires lui donnent un air un peu trop sérieux. Elle est accompagnée de Moktar Dahlab, vingt-six ans, Algérien : des yeux noirs superbes, un sourire de prince des mille et une nuits. Et Fred, ce bon vieux Fred, qui résiste tant qu'il peut au choc des années : il a blanchi, il s'est voûté, il ressemble à un patriarche, mais il tient le coup.

« Je voulais inviter Nicolas Roseinweig. Hélas, il est à Montréal pour affaires! s'excuse-t-il en prenant un air fautif. Il a tout de même envoyé ça, pour toi. »

C'est un télex.

*«Anna chérie. On m'apprend la bonne nouvelle de ton retour parmi nous et je suis bouleversé de ne pouvoir être de cette fête. Je serai à Paris le 10 juin prochain. Je t'embrasse aussi fort que je t'aime.*

*« Nicolas. »*

« Ce doit être bien agréable d'avoir, comme ça, un ancien amant qui pense toujours à toi! vient soupirer Angèle à son oreille.
– Eh! convient Anna. C'est ma récompense d'avoir été une maîtresse inoubliable. »

C'est une soirée de fête. Elle couve pourtant un petit drame. Un petit drame que Noémie ne sait comment annoncer à Anna. Angèle est donc chargée de préparer le terrain. Elle suit Anna et Sarah dans la salle de bain où elles vont faire un peu de toilette et se changer avant l'heure du dîner.

« Vous n'avez rien remarqué entre Paul et Noémie? »

Sarah, sous la douche, passe la tête et demande : « Noémie est enceinte et Paul lui fait un peu la gueule?

– Pas du tout! répond Angèle. Ils vont se séparer. Depuis deux ou trois ans, ça ne marchait plus très fort entre eux. Noémie a rencontré un autre homme. Elle est amoureuse. Elle quitte son mari.

– Elle a raison! crie Sarah.

– Pourquoi t'en as pas fait autant? » lui demande Anna.

Nouvelle apparition de Sarah derrière son rideau de douche, la charlotte en bataille sur la tête : « Mais qu'est-ce que tu crois, moi, Fred, je l'aime. Je l'ai toujours aimé. A ma manière.

– Bon! L'amour : un jour on s'aime et le lendemain on se quitte. C'est notre lot à tous! philosophe Angèle. Pour ce qui concerce notre petite Noémie, elle est tout de même en âge de savoir ce qu'elle fait.

– T'as raison! déclare Sarah en sortant de la douche, ce qui permet à Anna de prendre la place.

– Seulement, il y a autre chose! annonce Angèle.

– Elle est enceinte! réitère Sarah.

– C'est obsessionnel, chez elle! assure Anna avant de faire couler l'eau. Cette grande vieille bique desséchée ne rêve plus que de grossesse. Celle des autres évidemment, vu son âge.

– Merci quand même! » grince Sarah.

Anna éclate de rire en demandant : « Oui ou non, elle est enceinte Noémie?

– Non, elle n'est pas enceinte! dit Angèle. C'est pire.

– Elle est devenue... féminino-sexuelle? plaisante Sarah.

– Pire!

– Elle a la syphilis?

– Pire! »

Le rideau de douche s'entrouvre. Anna passe la tête : « Dis donc, t'as pas une version abrégée de tes confidences?

– Mais vous m'interrompez sans cesse!

– En qualité d'aînée je prends la direction des débats du consistoire des anciennes! décide Sarah. Si Noémie n'est pas enceinte, ne s'est pas découverte homosexuelle, n'a pas la syphilis, et si elle n'a pas tout ça en même temps...

– Alors qu'est-ce qu'elle a? complète Anna en riant sous sa douche.

– Elle va partir!

– De chez son mari, on le sav...

– Elle va partir de France. Pour toujours. Elle va suivre l'homme qu'elle aime. Elle part pour les États-Unis, puisqu'il est américain.

– Américain? répète Sarah. J'ai connu un... Enfin, j'ai connu des...

– Aux États-Unis? s'effare Anna en fermant les robinets d'eau.

– La date du départ est fixée dans quatre jours.

– ... Ils ont de grosses vouâtures, rêve Sarah en se pomponnant devant la coiffeuse. Ils ont des côbôyes. Des dôllars. En plus, ils ne sont pas emmerdants pour la baise : ils s'endorment tout de suite après avoir tiré leur coup.

– Paul est d'accord? demande Anna bouleversée, en s'enroulant dans sa serviette.

– Bien sûr! Ils ont entamé une procédure de divorce. Il ne s'oppose pas à ce qu'elle parte.

– Alors, dit-elle tristement en poussant un peu Sarah pour prendre sa place devant la coiffeuse, c'est pas nous qui pourrons la retenir. Je crois, qu'il va falloir compter un peu nos sous, toutes les trois. Il n'est pas question qu'elle parte sans rien.

– Il est riche son Américain? s'intéresse Sarah.

– A ce qu'elle dit, il a une bonne situation. Mais riche, non.

– Donc elle ne manquera de...

– Celle-là! soupire Anna. Quand il faut lui faire ouvrir son tiroir-caisse, c'est tout une comédie.

– Mais non! s'indigne Sarah. Je voulais seulement dire qu'il n'y avait pas d'urgence.

– Urgence ou pas, Noémie doit partir avec un viatique à elle. Il faut qu'elle se sente libre. Si là-bas, l'envie lui prenait de...

– ... de changer d'Américain?

– ... de rentrer!

– Je m'occuperai de la question financière! décide Angèle. Dépêchez-vous maintenant, les autres nous attendent. »

Anna achève de se coiffer.

Sarah a déjà mis son porte-jarretelles, ses bas et ses escarpins.

« Je suis prête! annonce-t-elle.

– Oui, c'est ça! Elle prend seulement ses gants et son chapeau, puis elle y va! » lance Anna moqueuse.

Ce devrait être un soir de fête mais il y a la perspective du départ de Noémie. Personne n'ose en parler devant Paul qui fait des efforts louables pour se montrer aimable avec sa femme.

Au cours du repas, il annonce son intention de monter une petite affaire de production cinématographique, conseillé par quelques amis qui sont dans ce métier : « Au début on fera surtout des courts métrages, pour bénéficier d'aides à la création et de quelques subventions.

– Des films techniques? s'intéresse Moktar Dahlab.

– Par exemple. Mais l'objectif, à terme, sera tout de même de produire de grands films artistiques avec les stars du moment. Les nouveaux accords de co-production internat... »

Durant cette conversation, on a sonné à la porte de l'appartement. Fred s'est levé pour aller voir. Discrètement, il vient faire signe à Anna de le rejoindre.

Ce pauvre Fred a l'air tout retourné.

« C'est pour toi. Deux hommes. Enfin, deux... Deux flics. Ils t'attendent dans le vestibule.

– Deux flics? Tu es sûr?

– Ils ont montré leurs cartes.

– Retourne avec les autres et n'aie pas l'air inquiet. Après tout, j'ai donné ton adresse comme résidence provisoire : c'est peut-être une simple formalité post-pénale.

– A dix heures moins le quart, le soir? Formalité tardive, alors. Vas-y! Ne les fais pas attendre. Mieux vaut que tu sois fixée. »

La conversation a changé. C'est Moktar Dahlab qui parle. Il s'adresse à Paul : « ... Intéressant de montrer l'autre face de cette guerre. Probablement la censure gaulliste n'autoriserait-elle pas l'exploitation d'un tel film. Les Américains ont déjà réalisé quelques reportages très documentés et objectifs... »

Au regard interrogatif de sa femme, inquiète de la sortie d'Anna, Fred répond d'un petit signe désinvolte rassurant.

« ... Alors que la France met en ligne environ quatre cent mille hommes de troupe, elle n'arrive pas à réduire une vingtaine de milliers de soldats de l'Armée de libération nationale algérienne... »

C'est au tour d'Angèle, qui pourtant semble boire les paroles de Moktar Dahlab, d'interroger Fred du regard sur l'étrange disparition d'Anna. Il la rassure d'une expression voulant dire que ce n'est rien, qu'elle va revenir tout de suite.

« ... C'est vrai que l'ALN n'est pas une grosse armée mais, pour un moudjahidine tué au combat il y a trois mousblines aspirant à l'honneur de lui succéder... »

Noémie, maintenant, s'inquiète de la disparition d'Anna, Fred lui sourit pour la rassurer également.

« ... Vu de Paris, de Lille, de Lyon ou de Bordeaux, il n'est pas un seul Français qui puisse imaginer que chaque nuit des moudjahidines organisés en commandos de la mort passent des armes et des munitions à travers la fameuse barrière à vaches de la frontière tunisienne. Ils partent à dix, reviennent à cinq, et les combattants de l'ALN sont toujours vingt mille. Si l'Algérie se soulevait, l'armée française l'écraserait en moins d'un mois. Le véritable fait insurrectionnel – l'engagement –, il est dans le soutien en vivres et en argent, que chaque homme et femme du peuple apporte à l'ALN. »

Sarah et Angèle échangent un regard inquiet au sujet de l'absence d'Anna qui se prolonge.

« ... La question fondamentale n'en reste pas moins les intérêts français sur les ressources énergiques du Sahara... »

N'y tenant plus, Sarah se lève et quitte silencieusement la table.

« Le Maroc et la Tunisie, sous des apparences de neutralité qui ne permettent pas exactement à la France de les accuser de violation des accords, ne cesseront pas d'apporter leur aide à l'Algérie... »

Lorsque Sarah parvient dans le vestibule, Anna vient de refermer la porte derrière ses visiteurs. « Que se passe-t-il? Rien de grave, j'espère?

– Non! On est simplement venu me confirmer les dates d'une invitation à la campagne. Je vais partir trois semaines me reposer dans une luxueuse propriété du Morvan. Le domaine Saint-Lambert : tu en as entendu parler?

– Jamais!

– C'est une sorte de château qui appartient au général de Gaulle.

– Au général de Gaulle?

– Oui! Il paraît qu'il veut se faire pardonner. Alors, il m'offre des vacances.

– D'une certaine manière, tu vas te refaire une... santé! »

Les progrès de Charles sur la voie de la guérison sont d'autant plus rapides que la bonne nouvelle espérée lui est enfin parvenue. Sitôt la fin de sa convalescence, il rejoindra le service cinématographique de l'armée.

Chaque soir, à l'heure du dîner, Maryline fait un rapport fidèle sur le moral du soldat Rougier. Tout va d'autant mieux que le médecin commandant du centre régional de santé militaire a donné un avis favorable à sa demande d'une autorisation de sortie de quatre jours, pour le prochain week-end.

Ce week-end de la mi-juin, la mère de Maryline doit venir passer quelques jours. L'appartement n'étant pas extensible à l'infini, Odette se trouve confrontée à la délicate question d'attribuer les bivouacs.

« Je ne vois pas où est le problème, s'étonne Marc devant l'embarras de sa femme. Les jeunes dans la chambre de Charles, Sylvaine Bernard dans la chambre d'amis, nous dans la nôtre. » Réaction immédiate : « Charles et Maryline dans la même chambre?

Tu n'y penses pas, mon chéri? » Non, il n'avait pas pensé que même enceinte de plus de trois mois, Maryline avait le droit d'être considérée comme une pure et virginale jeune fille. « Surtout, en présence de sa mère », ajoute Odette pour clore le débat. Et le chat Socrate est bien d'accord, dans la mesure où personne ne réclame à occuper son panier-logement.

Tombant à pic pour les tirer de cette délicate situation, un télégramme annonce que leurs habituels locataires du petit deux-pièces attenant à la boutique se trouvent cette année dans l'obligation de renoncer à leurs vacances. Odette est ravie : Charles et Maryline pourront s'y installer à leur place. « Et là-bas, ils dormiront ensemble sans que tu y trouves à redire? – Là-bas, mon chéri, ils ne seront pas sous notre toit. » Il existe ainsi certaines subtilités dans la morale bourgeoise. Marc sait très bien qu'elles lui échappent un peu mais comme il peut compter sur sa femme pour en tenir grand cas, tout est bien comme ça. « Miaou », Socrate pense la même chose.

A première vue, la mère et la fille peuvent passer pour deux sœurs. Elles jouent même, un peu, à l'accuser. Ainsi, ce soir, pour se rendre au restaurant, ont-elles pris le parti de s'habiller et se coiffer pareillement. Elles sont ravissantes.

De manière à fêter la permission de Charles, Marc a choisi une auberge de qualité. Un haut lieu de la gastronomie cannoise.

« A propos? s'intéresse Sylvaine Bernard, s'adressant à sa fille. Tu ne m'as pas reparlé de ce film publicitaire que tu devais tourner en mai? »

Léger trouble de Maryline qui précise : « Finalement, ils ont trouvé que ma grossesse se voyait trop.

– Ah bon! Les femmes enceintes ne se lavent pas les cheveux? » s'étonne Odette. Trouble persistant de Maryline : « C'est que je devais sortir nue de la salle de bain, avoue-t-elle en rougissant un peu.

– C'est naturel! intervient Charles pour venir au secours de la future star en détresse. Vous ne mettez pas votre manteau de fourrure pour vous faire un shampooing. »

Sylvaine en convient mais n'en commente pas moins : « Je suis ravie que ça ne se soit pas fait. Je n'aurais pas du tout aimé te voir toute nue au cinéma. Je n'aurais pas osé dire que tu es ma fille. »

De retour à Juan-les-Pins, les amoureux – seuls au monde comme il se doit – s'en vont vivre leur noctambule destin du côté du Pam-Pam où on se dispute les tables pour écouter une formation de jazz réputée.

Marc et Odette entraînent Sylvaine vers le casino.

Sylvaine veut jouer. La chance lui sourit : elle gagne.

« Maintenant, il ne nous reste plus qu'à fêter ça! » déclare-t-elle en commandant du champagne.

Vers une heure du matin, Odette suggère un bain de minuit. Sylvaine, un peu grise, accepte avec empressement. Marc les conduit du côté de la Garoupe. Sur la plage, un petit groupe de jeunes, cinq garçons et deux filles grattent leurs guitares autour d'un feu.

« Allons les écouter! » s'enthousiasme Sylvaine.

On les accueille comme des amis. Une des filles leur offre même un verre de sangria. Les guitares changent de mains. Les verres se vident. La musique change de style. Dans sa jeunesse, Marc a appris à jouer de l'harmonica. On lui en propose un. Une improvisation commence, avec les guitares, sur le thème de *Little Mary Blues.*

La mer est là, toute proche, calme comme un étang d'eau dormante, habillée des scintillements de la lune. C'est une nuit enchantée. Au petit bruit de ressac des vaguelettes qui viennent mourir sur le sable, à l'odeur de la pinède toute proche, aux crissements discontinus des grillons qui s'en donnent à cœur joie, vient s'ajouter une voix de miel : celle d'un garçon qui chante, un peu dans le registre de Sinatra. On est venu pour être bien. On est venu – aussi – pour prendre un bain de minuit. Sylvaine n'y a pas renoncé puisque, tout à coup, elle se lève. Sa robe tombe. Sa lingerie suit. Nue, elle court s'engloutir dans la Méditerranée. L'instant suivant, Odette en fait autant. Les deux garçons qui ne jouent pas d'un instrument échangent un regard, se lèvent, se déshabillent à leur tour et partent les rejoindre. Une des filles profite de cette diversion pour ajouter quelques vieilles planches dans le feu. L'autre – celle qui a servi la sangria – s'approche de Marc, lui sourit, s'assied près de lui et s'allonge en posant sa tête sur ses genoux. Elle est très jeune. Probablement pas plus de dix-huit ans. Sa chemisette, nouée à la taille, s'ouvre sur sa poitrine nue et offerte aux caresses : la pratique de l'harmonica ne réclame après tout l'usage que d'une seule main.

Un peu plus loin, on entend rire les baigneurs qui s'éclaboussent joyeusement sous la caresse complice de la lune.

« Impro! Impro ! » réclame celui qui mène la musique.

Marc se lance dans une série de phrases musicales soutenues par la guitare solo. L'adolescente s'est redressée. Attentive, elle écoute ce monologue rythmé qui prend fin dans les applaudissements des deux guitares rythmiques auxquels elle joint les siens.

« Reprise du thème! » lance la guitare solo.

Les quatre instruments se retrouvent. La fille reprend sa place : la tête sur les genoux de Marc.

Les deux garçons ramènent Sylvaine et Odette qu'ils portent dans leurs bras, les déposent près du feu, tirent des serviettes pour leur permettre dc sc sécher.

Un instant plus tard, ils les entraînent vers la pinède. Marc les regarde s'éloigner, sans cesser de jouer de l'harmonica ni s'interrompre de caresser le buste menu de l'adolescente qui roucoule sous sa main. Sylvaine a suivi le garçon en courant et en riant. Odette et son chevalier servant, au contraire, s'éloignent tendrement enlacés. S'arrêtent, échangent un long baiser. Repartent. S'arrêtent de nouveau. Sortent, finalement, de l'éclairage dansant des flammes du feu de bois. Absorbés par la nuit.

Un trouble curieux a gagné Marc. Prendre Odette lui est un plaisir. La regarder se donner à un autre modifie l'intensité de ce plaisir et renouvelle certains accents de son désir. En revanche, la voir ainsi partir, seule, avec ce garçon, lui cause un étrange malaise. Il se sent presque trompé par celui qu'elle a choisi et en éprouve une sorte de jalousie anxieuse. C'est une fracture au principe même de leur indissociabilité qui, depuis si longtemps, s'est exprimée dans leurs envies de plaisirs mises en commun et les modalités du partage.

Dix-sept ans qu'il vit par Odette interposée. Pierre angulaire de sa transformation, sans elle Helmut Zeitschel ne serait peut-être pas si facilement devenu Marc Rougier. Elle a servi d'écran. Derrière elle, il a pu se tenir à l'écart des dangers susceptibles de mettre en péril sa sécurité. Assumant la totale responsabilité extérieure de leur vie quotidienne, elle leur a patiemment forgé une apparence sociale. Ainsi, se sont-ils façonnés l'un l'autre dans le repli l'un sur l'autre, depuis l'époque où il leur fallait fuir toute relation extérieure pour déjouer les risques d'une indiscrétion.

Le temps a fait son œuvre. Les clameurs de la haine se sont apaisées. La sérénité est encore loin d'être parfaite mais, peu à peu, il a retrouvé le sentiment d'exister. Qui supposerait aujourd'hui que la délicieuse et charmante Mme Rougier cache un criminel de guerre au fond de son lit?

Sans Odette aurait-il pu supporter son exclusion?

En choisissant d'être la clé de ses désirs par le biais de leurs jeux érotiques, pouvait-elle leur trouver passion plus clandestine?

Souriante, l'adolescente vient de se redresser.

Elle se penche à son oreille pour demander : « Tu viens? Si on allait dans la pinède? » Marc n'est pas dupe de lui-même. C'est moins par réelle envie de cette fille que poussé par le besoin de rejoindre Odette qu'il accepte de suivre.

Quelques dizaines de mètres plus loin, c'est le passage de la musique au drame. Odette soutient Sylvaine qui pleure sur son épaule. En quelques mots Marc est mis au courant : les deux garçons ont voulu s'amuser un peu en la prenant ensemble. Elle ne voulait pas, ils l'ont un peu battue, un peu forcée. Odette a eu beaucoup de mal à éviter que l'escapade ne tourne au pugilat.

L'adolescente, ça la fait rire : « Elle en fait des chichis, la vieille. Elle aurait mieux fait de rester devant sa télé.

– Je vais récupérer vos vêtements, décide Marc. Mieux vaut rentrer. »

L'adolescente, ça ne la fait plus rire du tout : « Alors pour moi, c'est terminé? » Marc lui prend la main pour la ramener vers le feu de camp. Elle ajoute : « Si je comprends bien, je retourne à la case départ? »

Odette a entendu. Elle lance : « Et comme le veut la règle du jeu, mademoiselle reçoit vingt mille francs. Anciens. »

En ont-ils assez fait des parties de Monopoly quand Charles était petit! Marc n'avait pas saisi l'allusion. L'esprit « à la française », il ne s'y fera peut-être jamais tout à fait. Payer les filles non plus, du reste.

Sylvaine ne pleure plus. Elle est en grande conversation avec Odette. Après leur avoir rendu leurs vêtements, Marc s'inquiète discrètement auprès de sa femme : « Elle va mieux?

– Elle a honte. Vis-à-vis de toi. Elle aurait préféré que tu ne saches pas ce qui s'était passé.

– Quelle importance?

– J'essayais justement de le lui faire admettre. »

Il se détourne vers Sylvaine et va la prendre dans ses bras : « Allez! On va rentrer maintenant. Ça ira mieux. » Elle ne lui répond pas mais il la sent secouer la tête affirmativement au creux de son épaule. « Odette et moi, on va s'occuper de toi. » Nouvel hochement de tête affirmatif. « On va te dorloter comme une grande malade qui sort d'une terrible épreuve. Tu veux?

– Oui! » souffle-t-elle dans son cou.

Elle fléchit entre ses bras. C'est infiniment touchant une femme qui renifle quelques larmes perdues. Surtout sous les pins, dans les senteurs d'herbes folles et les crissements des grillons. Tout ça rend parfaitement délicieux d'apaiser un gros chagrin qui ne demande pas mieux que d'être consolé.

Odette qui s'est approchée dans l'ombre caresse le dos de Sylvaine, lui embrasse le cou, lui griffe doucement les reins. Éperdue entre leurs bras, Sylvaine se laisse aller, gémit un peu, se cambre. Ses lèvres tendres et tièdes, mouillées de larmes, réclament les baisers. « Tu n'as plus peur maintenant? Dis, tu n'as plus peur? – Non! Non! » Elle cherche le désir qu'elle inspire, le trouve, s'exalte, se transporte, le repousse pour mieux le retrouver, pour mieux se préparer à l'accueillir et déchirer l'insupportable de cet instant qui la perturbe, de la gorge au ventre.

Distinctement, tandis que Marc ouvre la porte de l'appartement, ils entendent sonner le téléphone. Sitôt entrée, Odette va décrocher.

« Allô?

– ...
– Nous rentrons à l'inst...
– ...
– Oh? Non! Non! »
Livide, elle se retourne et dit : « C'est Maryline. Charles a eu un malaise. Il est dans le coma, à l'hôpital de Nice. »

# DEUXIÈME PARTIE

## *Les coïncidences n'ont pas d'âme*

*Paris, octobre 1961*

Marie-Laurence de Simenoff et ses associés ont bien fait les choses. L'institut de beauté dont Anna s'est vu confier la direction ouvre sur la rue de la Paix, à deux pas de la place Vendôme. Installations ultra-modernes : baignoires à remous, bains d'algues et de boue, cabines de soins, solarium de bronzage aux UV, salle de relaxation. Une publicité, discrète mais efficace, de concert avec une grande marque de produits de beauté, a même permis de remplir les carnets de rendez-vous des cinq esthéticiennes à dater du jour de l'ouverture.

Voilà pour la façade.

Côté arrière-boutique, les installations ne sont pas moins luxueuses. Elles sont légèrement différentes, voilà tout. On y accède par la rue Danielle-Casanova. Un porche d'immeuble parfaitement bourgeois. Un ascenseur. Une porte de chêne à double battant sur laquelle brille une petite plaque de cuivre bien astiquée : SERIB. Ces cinq lettres signifient : Société d'étude et de réalisation d'instituts de beauté.

Là, les esthéticiennes s'occupent essentiellement d'une clientèle masculine. Elles sont en uniforme maison : porte-jarretelles noir et bas résilles sous la blouse blanche. Les huit protégées de Marie-Laurence de Simenoff ont, elles aussi, des carnets de rendez-vous chargés.

Le bureau d'Anna, élégant et raffiné, communique bien entendu avec les deux zones d'activités. A certaines heures, il devient même le cadre d'activités d'un troisième type.

De ses trois semaines dans le Morvan, à l'école de formation des cadres du SAC, au domaine Saint-Lambert, Anna a rapporté de sérieuses compétences dans les techniques d'intoxication, infiltration, manipulation et autres pressions psychologiques utiles lors d'interrogatoires poussés.

Au terme de ce séjour, elle a reçu son ordre de mission :

*Ministère des Armées*
*Direction de la sécurité militaire*
*N° 0579/PSM/MET*

*La détentrice Anna Abroweski, en mission à la sécurité militaire en Métropole est autorisée à effectuer son service de jour comme de nuit et à transporter dans son véhicule des personnes dont elle n'a pas à décliner l'identité.*

*En outre, si les circonstances l'y obligent, elle est habilitée par le présent ORDRE DE MISSION à requérir l'aide des agents de la force publique ou militaire.*

*Elle est autorisée à avoir en sa possession une arme individuelle.*

*Pour le ministre*
*P.O. le lieutenant-colonel*
*chef de la sécurité militaire*

Sa tâche est d'être un relai d'orientation des volontaires de choc parrainés par le SAC, à destination du MPC *.

Le MPC a fait son entrée sur la scène politique le 9 juillet 1959, deux mois avant le discours du 16 septembre dans lequel le général de Gaulle parlait pour la première fois du droit de l'Algérie à l'autodétermination. Son maître mot est « l'association » : Étiquette peu compromettante pour assurer le contrôle des agents ** du cabinet anti-OAS d'Alexandre Sanguinetti. Objectif : liquider les commandos Delta de Roger Degueldre et les commandos Z de Jean-Jacques Susini. Rien moins que démembrer l'OAS sur son propre terrain : cela même que la DST et les renseignements généraux, sous l'autorité du délégué général du gouvernement en Algérie, ne parviennent pas à réaliser.

Ils ne se sont pas revus depuis les deux visites qu'il lui a rendues, à Nice, au mois de mai. Leur rendez-vous est fixé, ce mardi 15 octobre, à quinze heures trente précises, à la terrasse du Café de la Paix. A l'heure dite Anna s'installe à une table, côté boulevard des Capucines. Le commandant devait la guetter car il arrive presque aussitôt.

« J'ai choisi cet endroit pour vous éviter une trop longue absence de votre... magasin.

– Merci.

– Quelle belle journée, aujourd'hui, n'est-ce pas?

– Surtout pour Lucien Bitterlin. Vous êtes au courant?

– Oui! Sa nomination à la tête du MPC en Algérie va faire de lui le personnage numéro 1 de la riposte gaulliste à l'OAS. Nous avons déjà eu à faire à lui, peu avant le putsch d'avril. Il avait réussi

* Mouvement pour la communauté.
** Que Lucien Bodard nommera « les barbouzes » (*France-Soir*).

à nous infiltrer un de ses agents, Barthélemy Rossello. Ce Bitterlin n'est pas un enfant de chœur, c'est un homme d'action qui ne se contentera pas de coller des affiches.

– A dater d'aujourd'hui, le Mouvement pour la communauté prend en Algérie le nom de Mouvement pour la coopération et Bitterlin a les pleins pouvoirs. On recrute pour son équipe action quelques agents qui ne se contenteront certainement pas non plus de distribuer des conseils.

– Vous avez les noms? »

Anna ouvre son sac et sort une enveloppe. « Ce n'est pas une liste complète. Tout ne passe pas par moi. C'est l'avocat Pierre Lemarchand qui centralise les candidatures. Il n'y a là que les noms de ceux qui sont parrainés par le SAC. Il faut y ajouter quelques têtes brûlées de la Résistance, des anciens d'Indochine et autres durs à cuire qui se sont brillamment illustrés au Maroc ou en Tunisie : ils sont recrutés directement par les hommes de Sanguinetti.

– Verriez-vous un moyen d'infiltrer un de nos agents?

– Pas par le canal du SAC. Ce serait dangereux. J'ai peut-être une possibilité parallèle. Il faut que j'étudie la question et surtout comment intervenir sans éveiller de soupçon. La manipulation est possible mais délicate. A vrai dire, à la minute présente, je ne vois pas comment m'y prendre. D'après ce que je sais, ils ne seront pas plus d'une dizaine à rejoindre Bitterlin à Alger. Votre agent captif n'aura donc pas une grande marge de manœuvre.

– Il pourra rendre quelques services quand même. Enfin, voyez ça. Vous avez l'air de vous y entendre, vous êtes née pour ça, on dirait.

– Sûrement pas! J'étais née pour être une mère de famille comme les autres. Rien de plus. La vie en a décidé autrement. Sans votre piège ignoble je ne serais certainement pas là aujourd'hui.

– Vous avez des enfants?

– Non! Enfin, si : un grand fils, de... vingt et un ans.

– Militaire, je suppose?

– Aucune idée. Je ne l'ai pas revu depuis dix-neuf ans et je ne sais pas ce qu'il est devenu.

– Vraiment pas?

– Vraiment pas! Pourquoi cette question?

– Comme ça! Innocemment.

– Les questions innocentes, je n'y crois pas beaucoup. De votre part moins encore que de quiconque.

– Simple curiosité, Anna. Rien de plus. Vous m'êtes sympathique, voilà tout. »

Un ange passe.

« Voulez-vous que je me renseigne? Si ce garçon n'est pas sursitaire et se trouve présentement sous les drapeaux, j'aurai assez vite le renseignement.

– Vous croyez? demande-t-elle avec une lueur d'espoir dans les yeux.

– La dissidence ne m'empêche nullement d'entretenir d'excellentes relations avec d'anciens compagnons d'armes bien placés au ministère des Armées. Comment s'appelle-t-il, ce garçon? »

Brusquement Anna devient toute pâle. Son sourire se fige.

« Qu'avez-vous? » s'inquiète le commandant.

Les larmes aux yeux, elle répond : « Je ne sais même pas sous quel nom il vit. Son père, un Allemand, que j'avais connu avant la guerre, me l'a fait enlever en 1942. A cette époque, il occupait certaines fonctions au KDS de Paris. Untersturmführer Helmut Zeitschel. Mon fils portait mon nom : Karl Abroweski. Il est peu probable que son père lui ait conservé cette identité juive. Il est donc possible qu'il vive sous le nom de Karl Zeitschel. Si seulement il est toujours vivant. Enfin, il y a une troisième hypothèse : Zeitschel l'avait confié à sa maîtresse, une certaine Odette Rospié. Peut-être, vit-il sous ce nom-là?

– Son père l'a peut-être expédié dans sa famille allemande, avant la débâcle.

– Les Zeitschel vivaient à Magdebourg. J'ai fait faire des recherches par des détectives privés, en 1945. Le seul Zeitschel dont on ait retrouvé trace, c'est Otto, l'oncle d'Helmut, mort dans les bombardements des usines Krupp lors de la campagne d'Allemagne.

– Ma pauvre petite, ce n'est pas une affaire toute simple. On va toujours essayer de se renseigner sur Karl ou Charles, Zeitschel ou Rospié. Ça ne donnera peut-être pas grand-chose mais nous sommes bien placés pour savoir que rien ne doit être négligé. »

Ayant noté, il range son carnet et ajoute : « J'ai autre chose, à vous demander.

– Je vous écoute.

– Le 6 octobre dernier – il y a neuf jours donc – le gouvernement de Franco a brusquement pris ombrage de l'activité politique de seize des membres les plus marquants du groupe OAS madrilène. Ils ont été arrêtés et déportés dans l'île Santa Cruz de Tenerife. Le général Salan reste donc désormais le seul chef de l'OAS. Deux de ses représentants, qui agiront sous les pseudonymes de Verdun et Raphaël, vont s'efforcer, dans les meilleurs délais, d'organiser une OAS métropole qui n'est pas encore structurée. Il est probable que des hommes qui se trouvaient à Madrid auprès de Lagaillarde, Ortiz, Argoud et Castille, vont tenter de venir s'y agréger. J'ai des doutes au sujet de deux d'entre eux. Je suppose qu'ils pourraient manger aux deux rateliers du SAC et au nôtre. Pourriez-vous essayer de voir ça? »

Sortant une enveloppe de sa poche, il la lui tend en ajoutant : « Vous y trouverez tous renseignements nécessaires. Apprenez-les par cœur et débarrassez-vous-en. Inutile de conserver des pièces de cette nature. »

Anna jette un coup d'œil rapide sur sa montre.

« Il faut que je vous laisse. J'ai un rendez-vous, à mon bureau.

– Pour... »

Elle allait quitter la table. Elle tourne vers le commandant un regard interrogateur.

« Pour votre fils, je vais voir », achève-t-il avec un sourire d'encouragement.

Quelques minutes plus tard, de retour à la SERIB, Anna reçoit Yvan Messian. Un ancien des corps de volontaires français en Corée. Un beau baroudeur aux yeux bleus. Un musclé. Un à qui on ne la fait pas. Visiblement, prêt à tout. Prêt à tout, sauf – peut-être – à traiter une affaire sérieuse avec une femme.

A la suite d'une interruption de leur conversation qui l'oblige à le laisser seul quelques minutes, Anna le trouve, à son retour, installé à sa place les deux pieds posés sur son bureau.

« C'est de la provocation ou de la muflerie? demande-t-elle très calmement.

– Ma façon naturelle de me tenir quand je suis chez les putes! » répond-il en se levant pour lui rendre son siège malgré tout.

Passant près d'elle, il imagine spirituel d'avoir un geste déplacé.

Il s'en retrouve cloué au fauteuil qu'elle lui avait précédemment désigné, le souffle court et beaucoup moins souriant.

Ce n'est pas en vain qu'elle a sué sang et eau durant trois semaines au domaine Saint-Lambert pour apprendre les techniques du combat rapproché. Elle supposait pourtant n'avoir jamais à s'en servir.

« Désirez-vous vraiment que nous poursuivions cet examen de vos états de services ou préférez-vous être raccompagné, monsieur Messian? » demande-t-elle en retournant derrière son bureau.

Le petit trou noir du revolver qu'elle tient dans la main droite n'incite pas le héros à formuler de contrepropositions.

« Poursuivons, si vous voulez. »

Il semble si piteux, qu'elle en éprouve pour lui une vague compassion.

« Ce n'est pas moi qui vous engage, monsieur Messian. Vous rencontrerez ultérieurement les hommes avec qui vous serez appelé à travailler. Je ne suis que... disons, leur secrétaire. Un point de contact, sans plus. Si vous êtes engagé, ça ne sera pas par moi. Si vous n'êtes pas engagé, ça ne sera pas de ma faute. Pour, ce qui vient de se passer, je n'en ferai pas état. »

Rangeant son petit revolver dans le tiroir central de son bureau, elle ajoute : « Puis-je vous offrir à boire? Scotch ou jus de fruit? »

Il marque une surprise. Hésite.

« Je ne bois jamais d'alcool. Je suis tireur d'élite. »

Elle répond d'un sourire entendu et le laisse seul pour la seconde fois. Lorsqu'elle revient, avec le plateau, deux verres et une bouteille de jus d'orange, il ne s'est pas autorisé à investir le canapé.

Il n'y a que six semaines que l'institut de beauté est ouvert au public mais les fins d'après-midi d'Anna sont déjà installées dans une certaine routine. Vers dix-neuf heures quinze, elle reçoit Annick Leroy – l'esthéticienne en chef – qui vient lui remettre les comptes de la journée et faire un petit rapport de fonctionnement. A dix-neuf heures quarante-cinq, c'est Olga – la capitaine du bataillon de charme de l'arrière-boutique – qui à son tour vient remettre ses comptes et faire son rapport de la journée.

Vers vingt heures trente, en général à pied, par un itinéraire qui lui est habituel, Anna rentre chez elle rue de Castellane, à cinq cents mètres à peine de la rue de la Paix. C'est Angèle qui lui a trouvé cet appartement. Elle l'a acheté grâce aux intérêts des opérations de récupération naguère menées avec Paul-Barnabé.

Comme chaque soir, il est à peu près vingt heures quarante-cinq lorsqu'elle ouvre sa porte. Comme chaque soir, sa première visite est pour la cuisine et, comme chaque soir, elle fait la grimace devant le menu que lui a préparé la femme de ménage. Comme chaque soir, elle monte se déshabiller dans sa chambre. Comme chaque soir, elle déplore d'avoir un si grand lit et d'y dormir toute seule. Comme chaque soir, elle passe dans sa somptueuse salle de bain terrasse qui ressemble à un coin de paradis terrestre accroché sur un toit de Paris. Comme chaque soir, il est juste neuf heures lorsqu'on sonne à sa porte.

C'est Paul, qui – comme chaque soir – a le visage ravagé de larmes. Depuis trois mois que Noémie est partie, il traîne une grande détresse du cœur à laquelle s'ajoute une immense blessure d'amour-propre. Il vient donc – comme chaque soir – poser sa peine sur une épaule amie.

Aujourd'hui, ce qui n'est pas du tout comme chaque soir, c'est que Noémie vient d'annoncer une grande nouvelle : elle est enceinte.

Passé le premier quart d'heure, Paul pourrait y trouver une raison de réagir en faveur de son propre équilibre. Seulement voilà : combien de temps risque de durer ce premier quart d'heure?

Il est donc entré en disant : « Ça va toi?

– Moi, ça va. Mais toi, ça n'a pas l'air...

– Oh, moi...! »

Intéressant dialogue. La suite n'est pas mal non plus.

« Bien entendu, tu n'as pas dîné?

– Non!

– Bien entendu, tu n'as pas faim?

– Non! »

Pour ne pas s'installer dans une répétition abusive et donner un tour un peu original à la situation, ils changent de cap brusquement.

C'est lui qui demande : « T'as des nouvelles? »

C'est elle qui répond : « Non!

– Elle pourrait t'écrire plus souvent.

– Oui! »

Une fois qu'ils en sont là, ils ont déjà fait un bon bout de chemin ensemble.

« J'ai vu Sarah tantôt! annonce-t-il.

– Elle va bien?

– Pourquoi ne m'as-tu pas dit toi-même que Noémie est enceinte? »

Aïe! songe Anna. Sarah avait bien besoin de lui cracher le morceau : elle s'en fout, c'est pas elle qui console.

« Écoute mon petit vieux, une page est tournée. On est demain et toi tu en es encore à hier. »

A force, elle ne sait d'ailleurs plus comment s'y prendre pour consoler.

« Bon! déclare-t-elle énergiquement. Puisque tu es malheureux, puisque je ne peux rien y faire, si tu n'y vois pas d'inconvénient, eh bien je vais prendre un bain. »

Si elle n'avait éprouvé un gros besoin de vacances en sortant de prison, elle se serait épargné une rencontre avec Mlle de Simenoff et, n'ayant sur le dos ni OAS, ni SAC, ni institut de beauté, ni officine de prostitution, ni dossier à charge dans une double affaire de trafic de femmes et de drogue, elle aurait pu s'organiser une vie plutôt tranquille. Elle aurait consolé Paul. Elle a été dure de l'abandonner ainsi, tout seul.

Mollement allongée dans sa grande baignoire piscine, elle regarde le ciel limpide de cette belle nuit d'automne par le travers de la verrière et songe aux histoires merveilleuses que lui contait Mözek quand elle était petite. Elle a oublié la légende du mariage de la fille du vent avec le berger de l'étoile. Aucune importance, à qui la raconterait-elle? Quand Noémie aura son bébé, ne deviendra-t-elle pas un peu grand-mère? Si ça se trouve, elle l'est déjà, sans savoir? Après tout, Karl – s'il est vivant – a aujourd'hui vingt-deux ans : c'est un âge...

Et si les recherches du commandant aboutissaient? Si elle retrouvait son fils? Au fond de sa prison, elle a appris à se déshabituer de penser à lui mais, si demain on la plaçait devant un jeune soldat en lui disant : le voilà! Que reconnaîtrait-elle de lui? La petite tache en forme d'écusson, au-dessus du sein gauche, comme son père, ou alors... Non! Rien du tout. Par-delà les années, il est devenu un autre.

Elle se sent un peu de vague à l'âme. Sortant du bain, elle se retrouve devant le miroir. Quarante-deux ans. Elle se préfère aujourd'hui qu'à vingt ans. Son âge lui va bien. Tant mieux : autant se plaire que se faire la gueule d'être mal foutue.

L'envie de sortir lui vient d'un coup. Ne pas dîner seule. Elle trouvera bien une brasserie accueillante, sur les boulevards, n'importe où.

Paul est encore là. Il s'était endormi, la tête entre ses bras, sur la table de la cuisine.

« Tu sors?

– Je vais grignoter quelque chose, par là. Tu viens?

– Mouais! grogne-t-il.

– Eh bien! Quel enthousiasme. Tu comptes faire cette gueule toute la soirée?

– Non! » promet-il en se levant.

Ils sont installés devant un plateau de fruits de mer. Paul parle de ses projets professionnels, Anna l'écoute avec intérêt. Elle est contente de l'entendre se passionner pour son nouveau métier de producteur de cinéma. Il voudrait introduire le principe d'enseignement par l'audiovisuel dans les écoles.

Il finira bien par se remettre de son mariage qui a mal tourné. Noémie aurait pu faire un effort...

« ... Donc que j'obtienne au moins un rendez-vous avec Malraux mais, je me heurte... »

La vie en commun use les êtres, disent ceux qui en ont fait l'expérience. Elle était peut-être usée, Noémie?

– ... Tu comprends?

– Bien sûr mon petit Paul. Bien sûr. »

Vivre à deux, elle n'a jamais fait cette expérience. Sauf Helmut. Pas longtemps. Trois mois. Le seul homme pour qui elle ait fait la cuisine : elle en a été bien récompensée.

« ... Tu as l'air dans la lune? »

Anna réalise qu'elle n'écoutait plus ce qu'il lui disait.

« Je pensais que... Au fond, ce que tu souhaites, c'est une entrevue avec Malraux?

– Oui, mais ça...

– Ça, c'est comme tout : il suffit de frapper à la bonne porte.

– Tu crois?

– Je crois quoi?

– Que tu pourrais m'aider?

– Qu'est-ce tu perdras, si j'échoue? »

Il est un peu plus de minuit lorsque Paul la laisse devant la porte de son immeuble. Parvenue à son étage, alors qu'elle quitte la cabine de l'ascenseur, une silhouette d'homme sort d'un coin d'ombre et l'interpelle : « Anna? »

Étonnée, elle reconnaît Moktar Dahlab. Dans quel état!

« Que... vous est-il arrivé? »

Le visage tuméfié, les lèvres éclatées, il est couvert de sang. Elle ouvre sa porte, le fait entrer.

« Une ratonnade. Les flics nous sont tombés dessus au coin de la rue Tronchet, après l'heure du couvre-feu. Ils ont lâché leur chien. On était trois. J'ai pu m'enfuir. Je me suis rappelé ton adresse.

– Vous avez bien fait. Vous voulez appeler Angèle?

– Non! Pourquoi?

– Je... Je ne sais pas. Je croyais...?

– Angèle Dubois n'est que mon associée. Rien de plus.

– Excusez-moi! Venez jusqu'à la salle de bain, je vais vous soigner. »

Il la suit au premier étage. Il a l'air mal en point. Dans la salle de bain, il se laisse tomber sur un pouf et demande une paire de ciseaux pour ouvrir la manche de sa veste.

Son bras n'est pas beau à voir : « C'est le chien?

– Oui!

– Je vais appeler un médecin.

– Pas un Français.

– Enfin, Moktar, ne soyez pas...

– Si! coupe-t-il. Je suis. C'est la haine, tu comprends? La haine. »

Anna baisse les yeux. La présence de Moktar, chez elle, cette nuit, lui rappelle une autre nuit – lointaine – quand Coline Weisenberg avait échappé à la Gestapo et s'était réfugiée quai Montebello.

« Et, si je vous conduisais dans un hôpital?

– Non! Mais... Si, je te demandais de me conduire... à Saint-Denis, tu pourrais?

– Bien entendu.

– Tu as une auto?

– Oui. »

Il semble réfléchir un instant.

« Je peux téléphoner? »

En réponse, elle ouvre le dernier tiroir de sa coiffeuse dans lequel se trouve dissimulé un appareil.

« Voulez-vous boire quelque chose?

– Volontiers.

– Whisky? Cognac? J'ai un vieil armagnac...

– De l'eau. Simplement de l'eau fraîche. »

Il est musulman. Elle n'y pensait plus. Elle est juive. Il n'y pense peut-être pas non plus? Enfin, juive... sans aucune signification rituelle. Elle ne saurait pas faire la différence entre le Kippour, le Sabbat, la Pourim, la Chevouôt ou la Pâque. Youpine mais pas casher! comme dit Sarah qui n'est pas très au courant non plus.

C'est la troisième fois, qu'elle rencontre Moktar Dahlab. Il est beau. Elle aime beaucoup la couleur de sa peau. Est-il aussi austère que musulman en attente d'apocalypse?

« Vous êtes sûr que vous ne voulez pas appeler Angèle?

– Je t'assure Anna, Angèle et moi n'entretenons pas d'autres relations que des contacts d'affaires. Je suis surtout ami avec... un de ses fils. »

L'un des fils d'Angèle – l'un des fils d'Angèle et de Simon –, c'est pourtant vrai qu'elle a deux garçons. Le plus jeune avait deux ans, à la naissance de Karl. Pourquoi Angèle ne parle-t-elle jamais de ses fils?

Moktar la regarde. Avec intensité. Il lui prend la main, doucement : « Je n'oublierai jamais! dit-il. Tu es très gentille. Allah te protégera toujours, j'en suis sûr.

– Allah, Yahvé, Bouddha, Jésus et quelques autres, ne manquent pas de bonne volonté. C'est plus souvent nous qui manquons du courage nécessaire pour suivre leur enseignement.

– Angèle m'a dit des choses – enfin certaines choses – à ton sujet. Ce que tu as fait pendant la guerre. Comment vous vous êtes retrouvées à la Libération. Que tu faisais du strip-tease à Pigalle, aussi.

– C'est loin tout ça.

– Tu t'es battue pour la cause que...

– Non, Moktar. Je me suis battue pour sauver ma peau de juive et rien de plus. Je me suis aussi battue pour essayer de retrouver le fils qu'on m'a volé. Je ne suis pas une héroïne. Vraiment pas. »

Elle se reprend. Il lâche sa main.

« Donne tes coups de téléphone. Je descends à la cuisine chercher un peu d'eau fraîche. »

D'où lui vient cette émotion?

Devant la porte du réfrigérateur, ouverte en grand, elle contemple l'intérieur éclairé et ne se souvient même pas de ce qu'elle cherche. Une main – un peu plus bronzée que les autres mais qu'importe –, une main a pris la sienne. De l'eau. Elle est venue chercher de l'eau. Cette main était pure. Cette main lui a communiqué une sorte de paix étrange. Quelque chose comme de la sérénité. Ça fait comme un petit chahut intérieur, maintenant. Un petit chahut étrange et captivant comme une fascination devant quelque chose de très joli. Une main. D'homme. Une main d'homme, a doucement pris la sienne. Une voix d'homme lui a parlé : « Pourquoi est-ce que vous pleurez, mademoiselle? » Mözek. T'arrive-t-il encore de penser à moi? « Parce que, je croyais, que vous ne viendriez pas! » Mözek. Mözek, j'ai peur d'avoir confiance.

A son entrée, Moktar lui sourit. Il tient le téléphone à son oreille et il attend. On lui parle.

« ... Docteur Ben Kabyl... » répond-il d'une voix douce.

Avec une amusante mimique, il fait signe que le déclic du standard lui a fait mal dans l'oreille puis... : « Allô! Rachid? C'est Moktar. Moktar Dahlab. »

La conversation se poursuit en arabe. Pas très longtemps.
Il raccroche en disant : « Voilà. Il m'attend. »

Enveloppé jusqu'aux yeux dans un plaid, il ne dit pas un mot.

Elle le sent anxieux. Tendu.

Depuis l'instauration du couvre-feu à vingt heures trente auquel sont soumis les Algériens, les contrôles d'identité sont nombreux et Anna aimerait autant n'avoir pas à sortir son ordre de mission.

A partir de la porte de la Chapelle, Moktar lui indique un itinéraire tortueux qui permet d'éviter le grand axe de la nationale 1.

Après avoir roulé d'îlot pavillonnaire en îlot pavillonnaire et traversé des enfilades de ruelles mal éclairées, ils finissent par arriver devant une clinique.

« C'est là! annonce-t-il.

– Voulez-vous que je vous accompagne?

– Non! Je crois que mon ami Rachid va me garder pour la nuit. Demain matin, je prendrai un taxi pour rentrer sur Paris.

– Dans l'état où vous êtes...

– Rachid, c'est mon frère. Il me prêtera des vêtements corrects.

– Bon! Alors, dans ce cas, si je ne peux plus rien pour vous, allez vite vous faire soigner. Je vous souhaite une bonne... »

Elle n'a pas fini sa phrase. Il s'est doucement penché, pour lui poser sur les lèvres un fugitif baiser.

« Merci Anna. Peut-être à bientôt?

– Quand tu voudras! » répond-elle d'une voix étranglée.

La portière s'est ouverte. Il est descendu de voiture..

Il s'éloigne. Elle le suit des yeux. Il marche un peu difficilement. Avant de monter la première marche du perron, il se retourne et lui adresse un signe, de son bras valide.

Ce qui se passe alors s'effectue dans le heurt, la confusion, et à très grande vitesse. Une voiture surgit dans la rampe d'accès qui conduit au seuil de la clinique : une 403 noire. Moktar est attrapé, jeté dans cette voiture et emporté. La voiture redescend l'autre côté de la rampe dans un miaulement de freins, s'éloigne à toute allure.

Anna la prend en chasse. Au deuxième carrefour, elle se fait semer. La Peugeot, plus puissante que sa petite Neckar Europa, roule à tombeau ouvert en direction de Paris sans se préoccuper des feux de signalisation routière.

Qu'a-t-il pu se passer? Qui sont ces hommes qui viennent d'enlever Moktar? Pourquoi?

Rachid. Elle ne se rappelle qu'un prénom mais il ne doit pas y avoir cinquante médecins qui s'appellent Rachid dans cette cliniquc. Si Moktar a voulu voir un de ses coreligionnaires, c'est pour se faire soigner mais peut-être aussi pour autre chose.

Tant bien que mal, elle retrouve le chemin de la clinique.

Tout est calme. Personne ne semble s'être aperçu de ce qui s'est passé cinq minutes plus tôt. Au fond d'un vaste hall, un guichet derrière lequel somnole un gardien en blouse blanche.

« Monsieur?

– Oui oui! s'éveille-t-il en sursaut.

– Puis-je voir un médecin qui s'appelle Rachid... Rachid...

– Le docteur Ben Kabyl?

– Sans doute, oui. Il attend un blessé.

– C'est vous, le blessé?

– Non, non! Je voudrais voir ce médecin, s'il vous plaît. »

Le gardien décroche son téléphone.

« La salle de soins? Docteur Ben Kabyl? Y a une dame qui veut vous causer dans le hall. Vous v'nez ou j' vous la monte? »

Le gardien raccroche avec un soupir et grommelle : « Va v'nir tout de suite. Z'avez qu'à vous asseoir. »

Il est deux heures du matin. La clinique sommeille. Le gardien somnolait. Pas étonnant que l'enlèvement de Moktar soit passé inaperçu. Pourquoi l'a-t-on enlevé? Paul disait qu'il ne serait pas étonné si « le petit ami d'Angèle » faisait partie du FLN. Évidence logique : ce garçon cultivé, intelligent, fier d'être musulman, ne peut manquer de souhaiter une Algérie algérienne et indépendante. C'est sa guerre, après tout. Une guerre est une guerre et celle-ci en est une. Les adversaires d'une guerre se font rarement des cadeaux. Peut-être ne reverra-t-elle jamais Moktar? Un jour on a enlevé son fils et son amie Irène, sous ses yeux. Elle ne les a jamais revus : ni l'un, ni l'autre. Elle ne gardera que le goût d'un très fugitif baiser et l'impression qu'en cet homme-là elle aurait eu confiance.

Elle lève la tête sur une silhouette trouble, en blouse blanche.

« Vous pleurez, madame?

– Vous êtes Rachid Ben Kabyl?

– Oui!

– Je suis une amie de Moktar Dahlab. Il vous a téléphoné. Vous l'attendiez.

– Oui. C'est ça.

– Je l'ai amené. De Paris. Je l'ai déposé devant la clinique et... Une voiture est arrivée. Une voiture noire. Ils... l'ont enlevé. Ça fait sept ou huit minutes. Je me suis lancée à leur poursuite mais ils avaient de l'avance, une voiture plus rapide que la mienne. J'ai dû renoncer. »

Le médecin a l'air perplexe.

« Ça s'est passé ici, devant la clinique?

– Juste au bas du perron. La voiture a surgi sur la rampe d'accès des ambulances. Il n'a pas pu résister. Deux hommes sont descendus et l'ont embarqué avec eux. Ça n'a pas duré dix secondes.

– Moktar ne vous avait rien dit?

– A quel sujet?
– Sur les raisons de ses blessures.
– Une ratonnade dans le quartier de Saint-Lazare. Il était avec des camarades, les flics avaient un chien avec eux...
– Sur les raisons de sa présence à Paris pendant le couvre-feu?
– Non!
– Il ne vous a rien confié? Je veux dire, il ne vous a pas laissé un objet, quelque chose en dépôt ou à transmettre?
– Non non. Rien. »
Le médecin a l'air accablé. Assis sur un bras de fauteuil, il s'absorbe dans une assez longue méditation puis finit par dire : « Je crains, hélas, que nous ne puissions rien faire. »

Elle n'a tiré aucune information précise de ce médecin mais son opinion est faite. Moktar est certainement un militant du FLN. Peut-être même joue-t-il un rôle plus ou moins important sur le sol français? Si c'est le cas, qui peut l'avoir enlevé? Les flics? Le SDECE? La sécurité militaire? Infiltrée dans une organisation comme le SAC, elle peut essayer de savoir. On lui a déjà pris un fils avant qu'elle ait eu le temps de l'élever. Elle ne se laissera pas enlever un amant qu'elle n'a pas encore aimé. Elle va les mettre à l'œuvre, les petits copains. L'OAS se charge de lui retrouver son fils; pourquoi le SAC ne lui retrouverait-il pas son futur amant? Après tout, ils ont l'air d'être bien serviables, tous ces gens-là? Serviables, parce qu'ils la tiennent et qu'ils peuvent la renvoyer au trou. Et alors? A tout jeu n'y a-t-il pas une règle? Elle ne voulait pas jouer. On l'y a contrainte. Puisqu'elle est dans la partie, elle va apprendre à se servir de ses atouts.
En glissant la clé dans la serrure, elle a l'impression de quelque chose d'anormal. Ce verrou elle l'a fermé. Elle en est sûre.
Peut-être s'est-elle trompée?
Anna entre, donne de la lumière dans le vestibule. Elle traverse le couloir. Va jeter un coup d'œil dans le salon...
« Entrez madame. Après tout, vous êtes ici chez vous. »

***

L'éclat principal placé tout près du cœur en avait fait négliger un autre, minuscule, passé inaperçu lors de l'exploration des blessures à l'hôpital militaire d'Oran. L'organisme ayant fait son travail, cette particule étrangère, située à la base du cou, tout près de l'artère jugulaire, s'était enkystée, avait fini par grossir, comprimer l'artère et gêner son fonctionnement. Transféré de Nice au Val-de-Grâce, Charles Rougier y avait donc subi une seconde intervention chirurgicale. Plus question de service cinématographique des armées. La procédure de réforme n'ayant pu être évitée, le blessé de guerre

– futur pensionné – s'était trouvé rendu à la vie civile. Le 15 septembre suivant, devant l'officier d'état civil du VI$^{e}$ arrondissement, il avait pris pour épouse Maryline Sylvaine Béatrice Jeanne Bernard. Sous son voile, la jeune mariée, blonde, aux yeux violets, Vierge (du troisième décan), avait la grâce rayonnante de ses vingt ans dans l'épanouissement (soigneusement dissimulé par les plis de sa robe blanche) d'un sixième mois de grossesse.

Charles voulait manipuler une caméra, Maryline voulait être comédienne. Le plus difficile restait à faire. Forcer les portes des agents de casting, pour l'une. Forcer les portes des maisons de production, pour l'autre.

Durant les deux années passées à Aix, Charles s'était fait quelques copains. Parmi eux, Denis Pelot, avec qui il s'était le plus lié.

Ancien élève du conservatoire, Denis Pelot avait finalement renoncé à son amour pur et désintéressé pour le théâtre et succombé aux fascinations de la fée télévision. Cette ribaude mensualisait désormais ses services de journaliste au service des sports.

Par amitié plus que par intérêt, car il n'était pas exagérément optimiste sur le résultat, Charles avait renoué cette relation. En fait, pour Pelot, ce n'était pas encore précisément la gloire. Il avait de bonnes idées mais – au dernier moment – il se trouvait toujours un Michel Drucker ou un Thierry Roland pour lui piquer son sujet.

Malgré les efforts de son ami Pelot pour l'aider, les efforts de Charles pour trouver un débouché professionnel restaient à... être payés de succès.

*Paris, le 17 octobre 1961*

La place Vendôme est noire de monde.

Que se passe-t-il?

En remontant la rue de la Paix, Charles réalise que cette foule étrangement recueillie et silencieuse est uniquement composée d'Algériens.

Ils n'ont pas l'air hostiles mais tous ces gens donnent l'impression de se rassembler.

Dans la rue du 4-Septembre, plusieurs camions de gardes mobiles ou de CRS sont stationnés.

Charles est rassuré de retrouver Maryline comme convenu. Elle est inquiète de cette agitation. De leur table située près de la fenêtre panoramique – au premier étage de La Maison du Café – ils ont une vue d'ensemble de la situation sur la place de l'Opéra.

De minute en minute, la foule d'Algériens devient plus dense.

« Je crois que, pour ce soir, il vaudrait mieux renoncer au cinéma. Qu'est-ce que tu en penses?

– Oui, tu as raison. Ça risque de tourner mal, tout ça. »

Le temps qu'ils paient leurs consommations, il est déjà dix-neuf heures quarante-cinq lorsqu'ils se retrouvent sur le trottoir.

La situation a changé. Les CRS, casqués, matraque au poing, sont descendus des cars et bouclent la rue du 4-Septembre. Devant eux, groupés au centre de la place de l'Opéra, les Algériens ne manifestent toujours aucune hostilité. Ils paraissent plutôt attendre.

« On ne peut pas prendre le métro. Je ne veux pas aller au milieu de cette foule. J'ai trop peur! » supplie Maryline.

Charles propose d'emprunter l'avenue de l'Opéra en direction du Palais-Royal : ils chercheront un taxi.

L'avenue de l'Opéra est barrée elle aussi par les forces de police.

« Prenons la rue de la Paix, on tournera rue Saint-Honoré. »

Redoutant d'être bousculée, de trébucher, redoutant tout, Maryline se cramponne au bras de son mari. Les Algériens, très poliment, s'effacent sur leur passage. Une courtoisie presque suspecte.

Sur ce trottoir, ils sont pratiquement les deux seuls Français.

Tout autour, ils n'entendent parler que l'arabe. La cohue silencieuse les empêche d'avancer aussi vite qu'ils le voudraient. L'un et l'autre craignent d'être pris à partie.

Une précipitation de mouvements, de cris, d'appels, les fait se retourner. Derrière eux, sur la place de l'Opéra, les CRS semblent s'être avancés.

Il s'ensuit une légère bousculade.

Les premiers slogans sont jetés : « Assez de couvre-feu. »

A la faveur d'un mouvement de foule, Charles apprécie leur situation. Ils sont dans la rue de la Paix, pris entre deux feux. Les forces de l'ordre barrent la place de l'Opéra et la place Vendôme. De l'endroit où ils se trouvent, ils ne peuvent gagner aucune rue latérale qui leur permettrait de sortir de là.

Soudain, du milieu de la place Vendôme, jaillissent des coups de sifflets. Les gardes mobiles, au pas de charge, s'élancent sur les manifestants.

C'est la première bousculade sérieuse.

« On va être piétinés! » s'affole Maryline en se collant le dos contre une vitrine. D'un geste dérisoire mais combien touchant, elle protège son ventre de ses mains.

Charles la tire en arrière mais, épouvantée, elle refuse de le suivre.

Les gendarmes mobiles ne sont plus qu'à quelques dizaines de mètres. Les manifestants qui tombent sont impitoyablement matraqués.

Par-dessus tout ça, il se met à pleuvoir.

Les forces de l'ordre interrompent leur progression.

Le dos collé contre la vitrine, Charles et Maryline se retrouvent seuls dans la zone déserte entre policiers et manifestants. Maryline voudrait aller vers les policiers. Charles l'en empêche. Il connaît ces opérations de nettoyage de rue. Les ordres seront scrupuleusement respectés sans aucune considération de cas particuliers.

« Qu'est-ce qu'on peut faire? » pleure Maryline.

Charles l'entraîne à reculons, doucement, jusque dans l'encoignure d'une porte.

Malheureusement, elle est fermée.

A la prochaine charge, ils seront impitoyablement matraqués.

Coups de sifflets. Les gardes mobiles s'élancent.

Maryline pousse un cri de terreur.

***

« ... Tout à fait inadmissible! »

Et, sur ce dernier mot, Anna raccroche.

Depuis l'invasion de son appartement par les policiers de la DST, elle est folle de rage. Non seulement ils se sont montrés grossiers et se sont à peine excusés après avoir vu son ordre de mission de la sécurité militaire mais ils ont laissé la maison dans un chantier indescriptible. Elle leur a promis de ses nouvelles. Ils en auront. Elle s'y emploie.

Elle sait déjà certaines choses. Soupçonnée de recevoir des militants FLN en quête de soins, la clinique était sur table d'écoute. L'appel de Moktar au docteur Ben Kabyl avait donc déclenché le processus policier. Une première équipe de la brigade d'intervention était partie cueillir Moktar, et une seconde repérer les lieux d'où était issue la communication suspecte.

Agent de l'OPA *, Moktar Dahlab se chargeait du regroupement des fonds destinés au soutien de l'Armée de libération nationale. Au moment de son arrestation, il portait sur lui plus de vingt mille nouveaux francs en coupures usagées. La DST ne le lâchera pas avant d'en connaître la provenance exacte. Il sera tabassé jusqu'à ce qu'il parle, après quoi il sera jeté dans un camp de détention provisoire.

Elle a multiplié les contacts avec les gens du SAC. Tous, lui ont fait la même réponse : « Le FLN, ce n'est pas notre affaire. Ce qui nous intéresse, c'est de liquider Salan et ses sbires. » Aucun espoir de ce côté-là. Une seule proposition : faire évader Moktar après ses aveux, au moment de son transfert en camp de détention. C'est un service personnel que veut bien lui rendre Luigi, un petit truand minable dont elle avait fait la connaissance lors de son stage au domaine Saint-Lambert. Il est le seul en situation de pouvoir accomplir cet exploit. Ce « monopole » lui a permis de fixer son tarif : « C'est pas pour du blé, ma poule. Je crève d'envie de t'en filer

---

* Organisation politico-administrative du FLN.

un coup dans les baguettes, alors t'écartes les roseaux, tu m' laisses pêcher au large, et on s'ra quittes. »

Une si joyeuse perspective ne la pousse guère à se montrer clémente pour ses farfouilleurs de la DST. Ils paieront l'addition, si elle parvient à les faire coincer. La sécurité militaire fait le nécessaire.

Non, non et non, elle ne décolère pas.

Elle n'en veut à personne en particulier et à tout le monde en général. A ceux du SAC comme au commandant. Ils lui demandent tous des tas de choses, mais quand elle a besoin d'eux, plus personne. Certes, ils lui permettent de gagner pas mal d'argent. Mais elle n'a même pas le temps de le dépenser. Elle passe sa vie à magouiller dans ce foutu bureau, ne voit jamais personne – enfin, personne d'agréable à voir – et quand, précisément, elle rencontre quelqu'un... quelqu'un que...

C'est à pleurer de rage. Pour une fois qu'elle rencontre un homme qui l'intéresse.

« Quoi encore? Entrez! » crie-t-elle.

La mère Leroy, l'esthéticienne en chef, pénètre dans le bureau.

« Vous vous rendez compte de ce qui se passe dans la rue? Il y a des Algériens partout.

– Quoi, des Algériens. Qu'est-ce qu'ils font, vos Algériens?

– Je vous assure, madame. On dirait qu'ils veulent tout casser. »

Anna se lève de son bureau et suit l'esthéticienne.

« Il ne manquait plus que ça! » souffle-t-elle en contemplant le spectacle à travers la vitrine.

Des clientes qui étaient prêtes à partir n'osent évidemment pas sortir, non plus que les jeunes femmes du personnel.

« Qu'est-ce qu'on fait, madame? » insiste la mère Leroy.

Anna se retient de répondre : « On appelle ces messieurs de la DST pour qu'ils nous envoient une voiture. » Cet humour ne ferait rire personne. Même pas elle. « Eh bien protégez la vitrine. Descendez la grille, finit-elle par dire.

– On ne peut pas s'en aller, pleurniche une cliente.

– Qu'est-ce qu'ils veulent? se lamente une autre.

– Je vais essayer de me renseigner en appelant le commissariat du quartier. Ici, vous ne craignez rien. Je vous tiens au courant! » les rassure-t-elle avant de retourner dans son bureau.

Elle est troublée. Tous ces Arabes, dans la rue : c'est très impressionnant.

Que veulent-ils? Ils ne manifestent tout de même pas pour faire relâcher Moktar. Alors?

Le commissariat est occupé, sur toutes les lignes.

Après plusieurs tentatives, elle désespère de pouvoir les joindre.

Si elle téléphonait à la préfecture?

Elle est tout de suite renseignée. A l'appel de la Fédération de France du FLN, les Algériens de Paris manifestent pour protester contre les mesures de couvre-feu auxquelles ils sont soumis. La consigne est simple : restez chez vous, ne sortez pas. Les forces de l'ordre se mettent en place, il risque d'y avoir des affrontements.

Côté arrière-boutique, il n'en va pas différemment.

Olga est descendue jeter un coup d'œil et lui annonce que la rue Danielle-Casanova est bloquée par les gendarmes mobiles qui interdisent de sortir des immeubles.

« Tout le monde est parti?

– Non! J'ai encore deux messieurs en cabine.

– Vous pouvez toujours dire à vos filles de prendre leur temps. »

Là-dessus, Anna retourne dans son bureau.

Sa colère est tombée, maintenant. Elle se sent moins énervée. Elle se sent plutôt lasse, lasse et un peu triste.

Faire évader Moktar quand il sera transféré dans un camp d'internement : soit! Mais, quand? Angèle – qui était au courant de ses activités politiques – n'a pas été surprise par son arrestation. Elle lui a confirmé qu'il n'était pour elle qu'un associé dans des affaires qu'ils ont en commun. Elle lui a aussi conseillé de se méfier : « Il est charmant mais c'est un fanatique. Rien ne compte pour lui que son pays. »

Elle est prévenue, donc. La véritable sagesse serait peut-être de laisser les choses se dérouler comme elles se présenteront, sans intervenir. Si elle ne doit jamais revoir ce garçon...? Après tout, n'a-t-elle pas déjà eu assez de désagréments avec un Allemand? La leçon devrait avoir porté ses fruits et la dissuader, aujourd'hui, de prendre de nouveaux risques avec un Algérien. D'autant que... les hommes... Enfin, peut-être ne s'est-elle pas donné la peine d'en chercher un qui lui convienne? Elle ne sait pas. Elle ne veut pas savoir. Elle s'en fout. Tout bien considéré, elle préfère peut-être les femmes? Les hommes, elle n'en a pas connu assez pour les comprendre. Elle ne sait pas. Elle sait seulement qu'il manque quelqu'un, dans sa vie : homme ou femme. Il y a Marie-Laurence, quand elle est à Paris. Donc, rarement. Puis, c'est comme ça : pour le plaisir. Hier soir, quand elle a dit à Paul : « Mais enfin, qu'attends-tu pour te remarier? » Il n'a pas hésité à répliquer : « Et toi, pour suivre tes bons conseils? » Ils font une belle équipe, tous les deux. Lui à pleurnicher sur ce qu'il a perdu et elle sur ce qu'elle n'a pas trouvé.

Ce qui serait merveilleux, c'est que... la démarche du commandant aboutisse. Si, vingt ans plus tard, elle retrouvait... son fils. Non, bien sûr, elle ne peut pas y croire. Non. Jamais, elle ne reverra Karl.

***

Soudain, ils se sont sentis tirés en arrière. La porte de l'immeuble s'est ouverte dans leur dos et refermée sur eux. Charles et Maryline ne savent comment remercier ces dames qui viennent de les sortir de la situation périlleuse dans laquelle ils se trouvaient.

« Ma pauvre petite, dit une des femmes, mais vous êtes enceinte?

– Oui! » soupire Maryline dans un sanglot d'émotion.

Charles n'a même pas le réflexe de s'occuper de sa femme. A travers la vitrine, il assiste, médusé, à la sauvagerie des gardes mobiles qui frappent à coups de pieds et à coups de matraques deux jeunes gens tombés par terre. D'autres ont aligné leurs prisonniers contre le mur de l'immeuble d'en face. Eux aussi, ils frappent, à coups de crosse de fusil. Plus loin, la foule proteste. Des cris, des clameurs, les « you-you-you » des musulmanes, aigus, pointus, pleureurs. « Algérie algérienne. – Levez le couvre-feu. – Vive le FLN. – Libérez Ben Bella. » Les slogans fusent, montent la colère, se confondent. Et la pluie tombe. Tombe. Tombe. Les fusils lance-grenades sont entrés en action, du côté de l'Opéra. On entend leurs déflagrations.

Deux femmes s'occupent de Maryline, lui sèchent les cheveux qui sont trempés de pluie : « Pauvre petite. – Vous avez l'air si fragile. – Et dans votre état. »

« Algérie algérienne. – Libérez Ben Bella. » : les manifestants reprennent le terrain, les gardes mobiles reculent.

Une femme, élégante, distinguée, arrive et demande comment évolue la situation?

« Ils se battent, madame Anna. C'est affreux. Ces agents sont d'une brutalité inouïe.

– On a tiré ces pauvres gens de leurs pattes. »

Supposant, à la façon dont on lui parle, qu'il s'agit de la propriétaire ou à tout le moins de la directrice, Charles se lève.

La dame lui sourit et s'approche.

« Est-ce que je peux faire quelque chose pour vous, monsieur?

– Merci infiniment. Un abri, c'est déjà beaucoup.

– La femme de ce monsieur est enceinte », l'informe-t-on.

Elle se détourne un instant vers Maryline, lui sourit également et puis suggère en s'adressant de nouveau à Charles : « Vous devriez l'installer pour qu'elle puisse s'allonger.

– Dans la salle de relaxation! propose une voix féminine.

– Excellente idée madame Leroy. De toute façon ce qui se passe n'est pas un spectacle pour une future maman. »

Les esthéticiennes s'empressent autour de Maryline. Charles

remercie encore une fois cette dame charmante avant de les accompagner.

Anna s'approche de la devanture juste comme la foule des manifestants commence à refluer aux cris de « Vive le FLN. – Algérie algérienne. »

Il est vingt heures trente passées. Toujours pas question de sortir.

Elle retourne dans son bureau pour y écouter la radio.

« Flash spécial sur la manifestation des Algériens de Paris : le ministère de l'Intérieur a la situation bien en main. D'importantes forces de police quadrillent la capitale. Sept mille gendarmes mobiles et CRS sont sur les lieux. Un bataillon de harkis a pris position sur le pont de Neuilly et refoule les manifestants venant des communes limitrophes. Sur le boulevard Saint-Germain, la situation est redevenue normale et la circulation est rétablie. Les quartiers à éviter sont : la Concorde, le carrefour Strasbourg-Saint-Denis, la place de l'Opéra. Le cortège des manifestants semblerait se diriger vers la Madeleine. Dans quelques instants, avec nos reporters qui sillonnent Paris, nous ferons le point, en direct, quartier par quartier. »

Bon! Songe Anna. Voilà qui n'est pas près de finir.

On frappe à sa porte. Côté arrière-boutique.

C'est Olga.

« Les filles et les clients sont partis. La rue Danielle-Casanova est dégagée jusqu'à l'avenue de l'Opéra. Je venais vous dire bonsoir. Vous restez ici?

– Oui! Il y a du personnel et des clientes qui sont encore dans l'institut. Côté rue de la Paix la situation ne s'est pas améliorée. Je ne veux pas éveiller les curiosités en les faisant passer par l'arrière-boutique. Ça finira bien par s'arranger. Avec tout ce qu'il y a comme policiers en action. D'après la radio, les manifestants seront vite dispersés.

– Vous avez entendu qu'ils parquent les Algériens qui se font prendre au stade de Coubertin. C'est le nouveau Vél'd'hiv' quoi! J'avais douze ans en 1942. Il y avait beaucoup d'israélites dans l'immeuble où habitaient mes parents. Les agents les ont tous emmenés. David, aussi. C'était mon petit amoureux. Le fils de nos voisins. Je n'ai plus jamais eu aucune nouvelle de lui.

– L'itinéraire est simple à reconstituer, vous savez. La plupart se sont d'abord retrouvés à Drancy. Et puis après... Auschwitz, Buchenwald, Matthausen, Dachau, etc.

– Vous avez été à Drancy, je crois?

– Oui! Comment le savez-vous?

– Par Marie-Laurence! avoue Olga en rosissant légèrement.

– Ah bon? Parce que, quand elle est seule avec vous, Marie-Laurence ne trouve rien de mieux à faire que parler de moi? »

Olga éclate de rire. Un rire clair et frais.

« Vous savez, entre Marie-Laurence et moi, c'est une histoire d'anciennes combattantes du dortoir de notre institution de jeunes filles. Alors – forcément – on se raconte toujours des choses sous l'oreiller pour retrouver l'ambiance de nos jeunes années.

– Vieilles complices de polochons.

– Vieille! Vieille! proteste Olga en éclatant de rire. Ma fille va allègrement sur ses quatorze ans, donc j'en ai... à peine dix-sept.

– Félicitations, vous ne les paraissez pas!

– Mais j'ai quand même l'âge de mes désillusions commente tristement Olga.

– Des désillusions, on en a tous. On n'a pas tous la chance d'avoir son enfant près de soi pour les faire oublier. Elle, s'appelle...?

– Ma fille? Nathalie.

– Vous trouvez le temps de vous occuper d'elle?

– Pas toujours exactement comme je voudrais. Elle vit en Seine-et-Marne. A Brie-Comte-Robert. Chez ma sœur, avec mon beau-frère et leurs deux filles, ça lui fait une vraie famille. Je vais la voir tous les week-ends et parfois je vais y passer la soirée. Aujourd'hui, elle a eu ses règles pour la première fois. C'est le plus grand jour de sa vie. Je voulais aller la voir, ce soir, mais avec tout ça...

– Allez-y quand même!

– Il est plus de neuf heures. Je vais arriver, elle sera déjà couchée et pas encore levée demain matin quand je repartirai.

– Prenez votre matinée!

– Je peux? » s'illumine Olga. Puis, se ravisant : « Non, c'est impossible, j'ai un client demain matin, à onze heures moins le quart.

– Et alors? Si vous étiez souffrante? Ne vous tracassez pas je verrai ça avec... vos autres filles. L'une d'elles vous remplacera. Allez donc voir votre petite jeune fille qui a besoin de sa maman.

– Vrai, ça ne vous ennuie pas?

– Une femme doit avant tout pouvoir s'occuper de ses enfants, non? »

Le téléphone sonne. Anna décroche. C'est la mère Leroy : « Je me demandais si vous étiez encore là. La rue de la Paix est dégagée.

– Tout le monde est parti?

– Tout le monde est parti.

– Et le petit couple, la jeune femme enceinte?

– Elle s'était endormie. Son mari l'a réveillée, ils viennent juste de s'en aller.

– Bon! C'est très bien. Bonne fin de soirée et à demain. »

Olga est toujours là. Anna s'en étonne. Elle affiche un air embarrassé et finit par dire : « Je ne voulais pas partir avant de... vous avoir redit : merci!

– Allez allez, dépêchez-vous. On vous attend là-bas, vous allez avoir un questionnaire serré sur les conditions et conséquences de la féminité. »

Devant l'Olympia sont alignés une douzaine de camions de CRS.

Les manifestants arrêtés sur les lieux d'affrontements sont amenés là sans ménagement, à coups de matraques et à coups de crosses. Certains sont alignés contre les fourgons. Mains et visages collés contre les carrosseries. Ils sont impitoyablement frappés au moindre geste.

L'accès de la chaussée est interdite au petit groupe de Parisiens qui voudrait traverser le boulevard en direction de la rue de Sèze et que les policiers contiennent sur le trottoir.

Muet d'émotion, chacun écoute les clameurs lointaines de la foule qui répondent aux déflagrations sèches des coups de fusils.

« On ne peut vraiment pas traverser? » s'inquiète une voix de femme.

Maryline se retourne et reconnaît la personne qui vient de poser cette question. Elle lui répond d'un sourire résigné avant de préciser : « Les agents sont venus nous dire de ne pas bouger.

– C'est gai! On ne vas pas rester là, tout de même? »

Charles jette un coup d'œil à la dérobée sur celle qui parle avec sa femme et reconnaît la dame du salon de beauté qui les a fait installer dans la salle de relaxation.

« Vous allez loin? leur demande-t-elle.

– Boulevard des Batignolles! répond Maryline. Et vous?

– A deux pas. Mais c'est de l'autre côté.

– Si on essayait tout de même de passer? suggère un inconnu.

– Deux par deux, ou trois par trois! » ajoute un autre.

« On va pas rester ici. – Tout ça, à cause des bicots. – Ils tuent déjà nos soldats et faut encore qu'ils nous emmerdent. – Allez, allez traversons. – On verra bien. – Les flics ne nous frapperons pas. – A mon avis, c'est pas prudent. Tout ce qui bouge marche ou court dans ce quartier est susceptible d'être matraqué. – Ce sont des fous. De vrais fous. – Heureusement qu'ils sont là, monsieur. Sans eux, Paris serait aux mains des égorgeurs du FLN... »

« Qu'est-ce que vous décidez? demande Anna.

– On va tenter le coup. On va traverser, lui répond Charles.

– Je viens avec vous. On soutiendra votre femme chacun de notre côté. Elle se sentira mieux protégée.

– C'est très gentil, madame! » apprécie Maryline.

Finalement, ils sont les premiers à se risquer sur la chaussée. Deux CRS viennent à leur rencontre en courant : « Où allez-vous? Où allez-vous? »

« Il faut qu'on traverse, on doit rentrer chez nous, crie Charles.

– Bon! dit l'un. Mais vite. »

Les cafés du quartier se sont fermés. Au coin de la rue Godot-de-Mauroy, des agents ont regroupé une cinquantaine de femmes algériennes. Certaines ont des bébés dans les bras. Celles qui protestent ou demandent à partir sont rappelées à l'ordre à coup de pèlerine roulée, pour le moins ça fait aussi mal qu'un coup de matraque. Les képis bleus s'en donnent à cœur joie. Maryline, Charles et Anna passent facilement tandis que le groupe qui les suit à une vingtaine de mètres est refoulé par les agents : « Défense de passer, défense de passer », entendent-ils crier derrière eux.

Au-delà de la Madeleine, c'est à peu près calme. Ni CRS ni Algériens. Seulement des Parisiens, venus en curieux. Certains commentent les informations données par la radio : « Les affrontements les plus violents ont lieu sur les grands boulevards. »

Anna les trouve gentils, ces deux gosses. Elle est surtout émue par la grossesse de la jeune femme.

« Vous êtes enceinte de combien, madame?

– C'est pour dans trois semaines.

– Vous portez en pointe, ce sera un garçon! prédit-elle, sans certitude absolue de son diagnostic pour avoir elle-même jadis porté un garçon qui ne se faisait pas remarquer.

– Mon mari préférerait une fille.

– Mais vous?

– Grosse comme je suis, je me demande parfois s'il n'y en a pas quatre ou cinq. J'aurai peut-être l'embarras du choix.

– S'ils ont d'aussi jolis yeux que vous, gardez-m'en un! »

Oubliant un instant le tragique qui les entoure, elles rient.

Leur attention est alors attirée par un groupe en conversation sur les dernières nouvelles des événements : « Cette fois, les crouilles ont sorti les armes. – Plusieurs flics ont été tués à Strasbourg-Saint-Denis. – C'est surtout au pont de Neuilly : les harkis ont tiré sur leurs frères. – Le ministre de l'Intérieur a déclaré l'état de siège. – Mais non! Le préfet de police assure sur *Europe nº 1* que les Parisiens n'ont aucune raison de s'inquiéter. »

« Voilà, j'habite là! » annonce Anna en s'arrêtant à l'angle de la rue de Castellane.

« Merci de votre aide, madame! dit Charles en lui tendant la main.

– Doublement! ajoute Maryline en se tapotant le ventre.

– Quand vous serez relevée de couches, venez me voir au salon. Nos esthéticiennes vous aideront pour la remise en forme.

– Merci! C'est très gentil. Je n'y manquerai pas.

– Bon retour! » leur lance Anna en tournant les talons.

Elle aurait pu les inviter à monter se reposer un peu...

Quand elle se retourne, ils sont déjà loin.

Tant pis!

Sa journée a été difficile et l'atmosphère compliquée de cette soirée s'y ajoutant... Elle renonce à les rappeler. Un peu à cause de... ce léger malaise – de cette émotion superflue – ressentie lorsqu'elle a évoqué le temps lointain où elle était enceinte d'un garçon, d'un petit garçon, de son petit garçon...

La femme de ménage a fait des prouesses. En deux jours, elle a pratiquement tout remis en ordre. La liste des détériorations est longue : serrures de meubles fracturées, coussins éventrés, etc. Ces petits salauds de la DST n'y sont pas allés de main morte. Leur fouille tenait du vandalisme.

Sur la table de la cuisine, Anna trouve son repas du soir. Un œuf en gelée et un gratin d'aubergines provenant de chez Fauchon. Chic alors, elle adore ça. En prime, un petit mot : « Réchauffez dix minutes à four doux. »

Elle a du courrier. Son abonnement à *Télé-Magazine*. Une carte postale de Sarah : elle est en Bretagne, pour affaires.

« Ils ont des chapeaux ronds, et moi : un parapluie. Je t'embrasse. »

Quelques factures : EDF, téléphone. Et une lettre.

*« Chère amie,*

*« Il me manque encore la réponse de l'Armée de terre, mais ni l'Air ni la Marine n'ont dans leurs effectifs un soldat répondant à l'un des deux noms que vous m'avez donnés. Je suis désolé. Je vous tiendrai informée de la réponse de la troisième arme. Votre dévoué.*

*Signé : illisible »*

Elle n'y croyait pas trop, donc elle n'est pas vraiment... Si! Elle l'est. Elle est même très très déçue. Déçue? Plus que ça : elle est découragée. Au fond, tout en sachant bien que les chances de succès étaient à peu près nulles, elle s'était prise à espérer. Espérer l'impossible, envers et contre toute logique.

« Allons bon! Ici aussi? » grogne Charles.

Les clameurs : « Assez de couvre-feu. – Libérez Ben Bella. – Algérie algérienne », sont diversement perceptibles.

« Qu'est-ce qu'on fait? Comment va-t-on rentrer? s'effraie Maryline.

– Attend-moi là! décide Charles. Je monte jusqu'au boulevard jeter un coup d'œil et je reviens te chercher si on peut passer sans danger.

Sur le boulevard, il n'y a aucun affrontement à proprement parler mais des groupes de policiers qui poursuivent des manifestants isolés ou peu nombreux.

Le porche de son immeuble n'est plus qu'à cinquante mètres. Il s'y passe quelque chose. L'agitation est intense. Son mouchoir sur le nez pour se protéger des vapeurs de gaz lacrymogène, Charles fait demi-tour.

« N'allez pas par là! » lui crie-t-on.

Les paroles se perdent dans les cris et les claquements des lance-grenades. Dans un caniveau, deux Algériens sont étendus dans une mare de sang que lave l'eau de la pluie.

Charles s'élance, le cœur battant.

Vers le bas de la petite rue – précisément là où il a laissé Maryline – des cris d'indignation s'élèvent.

Installés sur la terrasse devant leur petit déjeuner, Marc et Odette écoutent la radio et n'en croient pas leurs oreilles.

« ... Vingt à trente mille manifestants selon les estimations de la préfecture de police. Plus de cinquante mille, selon le communiqué de la Fédération de France du FLN. Le cabinet du ministre de l'Intérieur a précisé que plus de dix mille interpellations ont été effectuées. A la préfecture de police, on estime que sur ordre du gouvernement un millier de musulmans seraient refoulés d'ici la fin de la semaine vers leurs douars d'origine...

« C'est incroyable! commente Odette en baissant un peu le son du transistor. Ici on vit sans se rendre compte de rien. Pourvu que les enfants ne soient pas sortis hier soir : Charles est toujours si curieux.

– Écoute, écoute! interrompt Marc. C'est le téléphone, non? »

La sonnerie se répète. Elle se lève.

Marc la laisse aller et remonte le volume du son du transistor.

« ... Il est alors vingt-heures quarante-cinq et les Nord-Africains de Nanterre et de Puteaux marchent sur le pont de Neuilly où vient de prendre place une compagnie de harkis... »

« Allô?

– ...

– Bonjour mon chéri! On était justement en train d'écouter les informations sur ce qui s'est passé...

– ... »

Marc boit son café, en regardant la mer bleue aux crêtes d'écumes blanches sous les miroitements du soleil.

« Il pleut sur Paris. Il est vingt heures quarante environ et la manifestation qui devait se dérouler dans le calme va se transformer en violentes échauffourées. Au carrefour Strasbourg-Saint-Denis, un premier coup de feu, venant des manifestants, frappe un policier en pleine poitrine... »

« Marc! Marc! Marc! Viens vite! C'est Charles! »

Devant l'affolement d'Odette, Marc comprend immédiatement qu'il se passe quelque chose d'anormal : « Qu'y a-t-il?

– Maryline a été enlevée, hier soir, à la manifestation.

– Enlevée?

– Oui! Tiens, le petit va t'expliquer. »

Agitée, inquiète, elle lui tend la combiné et se saisit de l'écouteur.

Charles a passé la nuit à courir les commissariats et les hôpitaux. Il avait laissé Maryline dans un coin tranquille. A l'attendre. A son retour, elle n'y était plus. Elle n'est pas rentrée à la maison. Il ne sait plus que faire et pleure tant d'angoisse que d'épuisement.

Abasourdi, lui aussi, Marc ne sait quoi dire ni conseiller.

« Montons à Paris! Décide Odette.

– Oui! Ta mère a raison. On va venir. Tu as prévenu les parents de ta femme?

– Tu penses! J'ai d'abord cru qu'elle s'était réfugiée chez eux. Son père a quelques amis bien placés à la préfecture. Ils lui ont dit que certaines femmes françaises s'étaient jointes aux Algériens et que celles qui avaient été prises dans les échauffourées des manifestations avaient été emmenées elles aussi. Il y a eu tellement d'arrestations cette nuit que les interpellés ont été parqués dans différents endroits. Le père de Maryline est avec un de ses amis au palais des Sports où s'est faite, paraît-il, la plus grande concentration. Sa mère est à Coubertin. Moi, je pars pour le fort de Vincennes.

– On arrive! répète Marc. Je vais essayer d'avoir un vol sans réservation le plus tôt possible. Avec un peu de chance, on sera à Paris en début d'après-midi.

– Je ne serai sûrement pas chez moi.

– Je m'en doute. Établis le contact à l'hôtel Lutétia. Tu peux laisser un message. Je téléphone pour prévenir de notre arrivée. A ce soir. »

Odette est effondrée.

« Pourvu que personne ne l'ait frappée. Dans son état.

– Allez, prépare-nous une valise. Ne perdons pas de temps. »

Le chat Socrate, qui déteste l'agitation, debout sur ses quatre pattes, le dos rond et le poil hérissé, les regarde avec un air réprobateur

***

Cette manifestation de la nuit n'a sûrement pas arrangé les affaires de Moktar. Heure par heure, Anna a suivi les informations données par la radio. *France 1* a d'abord annoncé que c'étaient les militants du FLN qui avaient ouvert le feu contre les forces de l'ordre. *Radio-Luxembourg* a fait état de huit morts parmi les policiers. Le bilan du premier journal de la rédaction d'*Europe nº 1* évaluait à une centaine de morts les conséquences des affrontements.

L'institut n'ouvre qu'à dix heures et l'arrière-boutique à onze. Pourtant, dès neuf heures Anna était à son bureau.

Elle n'a rien à faire. Elle s'est réfugiée-là pour n'avoir pas à expliquer à sa femme de ménage pourquoi elle n'a pas touché au gratin d'aubergines. Un refus de parler. Un refus qu'on lui parle. Elle est dans un état intermédiaire et ne s'y sent pas bien sans vouloir le quitter. Elle pense à Moktar. Peut-être ne pense-t-elle tant à lui que pour éviter de mesurer sa déception au sujet de la lettre du commandant?

Le téléphone sonne. C'est Marie-Laurence.

Elle appelle de Rhodes.

« Pardonne-moi d'aller à l'essentiel. J'ai peur que la communication soit coupée. As-tu eu la visite de Michel Lemoind?

– Non!

– Il n'est pas encore passé à la SERIB?

– Non!

– Il va venir. Tu dois te mettre à sa disposition. Compris?

– Compris.

– A part ça, comment vas-tu?

– Pas mal et toi?

– Il est juste midi, ici. Il fait grand soleil. Je vais déjeuner avec quelques amis et j'ai vu passer des crabes farcis absolument merveilleux. Je suis en pleine forme.

– Ici, il est dix heures du matin et il pleut.

– Je t'embrasse ma chérie. Tu as noté le nom que je t'ai dit?

– Oui! Michel Lemoi.

– Lemoind : m.o.i.n.d. One very important person. Good luck darling.

– Si... un caprice d'Eole te poussait jusqu'à Lesbos, envoie-moi toujours une carte postale.

– Certainement pas. Tu serais capable de me la revendre comme souvenir de croisière, à mon retour. »

Elles raccrochent en riant.

***

Grâce à son ami de la préfecture, Jean-Marie Bernard a retrouvé sa fille. Au palais des Sports. Après les formalités pour la faire sortir, il l'a ramenée chez lui, rue Mazarine.

Appelé d'urgence, le médecin de famille ne s'est pas déclaré trop inquiet quant aux conséquences de l'épreuve sur le terme de la grossesse. Il a prescrit quelques onguents pour soigner les ecchymoses et administré un léger sédatif. « Dans quelques jours, il ne subsistera qu'un mauvais souvenir » a-t-il promis en s'en allant.

Les Rougier et les Bernard ne se sont pas revus depuis le mariage. « J'aurais préféré que ce soit en d'autres circonstances », souligne Jean-Marie Bernard. « Vous avez retrouvé notre fille, tout est bien qui finit bien », soupire non moins conventionnellement Odette Rougier.

Charles – lui – s'est enfermé dans la chambre avec sa femme et la regarde dormir. Même si le médecin de famille des Bernard n'est pas inquiet pour la grossesse de Maryline, rien n'est moins sûr que la commotion nerveuse n'entraîne pas quelques réactions.

En Algérie, lorsqu'il avait appris que Maryline était enceinte, sa première réaction avait été de se dire qu'il s'agissait d'une catastrophe. La lettre lui était parvenue alors qu'il se préparait à partir en patrouille dans le secteur particulièrement dangereux de Taddert-Oufellah.

Après sa blessure et son rapatriement, la certitude de ne pas retourner au casse-pipes lui avait fait considérer cette grossesse d'un tout autre œil. Ne courant plus le risque de ne pouvoir l'assumer, il s'était senti le droit d'être heureux de cette paternité.

Depuis, c'est dans la fièvre de l'impatience qu'il attend cette naissance. Il vit une sorte d'émerveillement. La femme qu'il aime porte un enfant. Un enfant de lui. C'est un peu comme s'il vivait en elle. Jour après jour, elle s'arrondit. Jour après jour, il se voit l'aimer différemment. Ce qui, hier, en elle, bouleversait son désir, exalte aujourd'hui une sorte d'immense tendresse. Il se sent un peu inutile, un peu bête parfois, surtout quand il écoute ce qui se passe dans son ventre avec l'impression frustrante de ne pas pouvoir ouvrir la porte pour aller y regarder. Ça la fait rire. Il aime quand elle rit. Elle a le plus joli rire du monde. Elle est comme une petite fille : elle s'extasie sur tout. Une mouche qui vole de travers déchaîne son hilarité. Pourvu qu'elle fasse une fille. Une fille comme elle : qui rira de tout et viendra se faire consoler – dans ses bras à lui – quand une mouche qui l'aura tant fait rire à force de voler de travers la fera pleurer pour s'être malencontreusement posée sur le bout de son nez.

La porte s'ouvre doucement. Derrière lui.

Charles tourne la tête.

C'est la mère de Maryline.

Un long moment, elle reste là, debout, à regarder sa fille endormie, silencieuse. Charles l'aime beaucoup. Une affection teintée d'admiration. Elle a transmis à Maryline cette allure, ce maintien, ces attitudes qui leur donnent, à toutes deux, l'air de poupées récemment sorties de leurs boîtes. Au fond, il est heureux de n'être pas, pour elle, un complet étranger. Par certains côtés, elle ressemble à Odette.

« Elle semble tout à fait calme, n'est-ce pas?

– Oui! La piqûre l'a... comme évanouie.

– Demain, elle ira mieux. Peut-être, alors, nous racontera-t-elle ce qui est arrivé? En attendant, allez donc manger quelque chose. Et dormir une heure ou deux, si vous pouvez. »

Supposant qu'elle aimerait pouvoir veiller un peu elle-même sur sa fille, par discrétion il consent à suivre le conseil.

Le voyant venir, Odette, la première s'informe de l'état de Maryline, mais son père et son beau-père paraissent moins anxieux. Il rassure tout le monde en affirmant qu'elle dort paisiblement, puis – peu porté à donner de longues explications inutiles – monte le son du téléviseur. Il est juste vingt heures. Le présentateur du journal annonce que la Fédération de France du FLN a lancé un nouveau mot d'ordre pour une manifestation de masse identique à celle de la veille.

« ... Aujourd'hui mercredi 18 octobre 1961, ils sont déjà quelques centaines réunis autour de leurs meneurs. Pas dans Paris où le déploiement des forces de l'ordre est considérable mais en proche banlieue. Pour l'instant, les manifestants semblent converger vers Colombes. Selon certains mots d'ordre des organisateurs, le cortège devrait ensuite marcher sur Nanterre... »

Colombes. L'évocation inattendue de cette petite ville de banlieue a brusquement rallumé des souvenirs dans l'esprit d'Odette. Elle se rappelle. Une avenue calme, bordée de pavillons à l'abri d'un double cordon d'arbres. Le square Ambroise-Paré où Charles jouait étant petit. Des bons et moins bons souvenir...

« ... Il est fort peu vraisemblable que la manifestation de ce soir puisse entraîner une participation aussi importante que celle d'hier. Toute la journée, les commentaires sont allés bon train. Quelques confrères n'ont pas hésité à écrire que certaines brutalités parfois inutiles des forces de l'ordre auront été autant d'arguments susceptibles de pousser les moins engagés des Algériens dans les bras du FLN. Le ministre de l'Intérieur, M. Roger Frey a déclaré : " Ce que j'ai fait, je le ferais encore! " S'il faut voir là un avertissement pour la manifestation de ce soir, cela semblerait indiquer pourquoi elle est si peu suivie. »

Jean-Marie Bernard y va d'un commentaire qui ne surprend

personne : « Les bicots, ça ne comprend que la schlague, de toute façon. » Piqué au vif par ce propos affligeant, Charles qui habituellement le laisse dire ne parvient pas à maîtriser son indignation : « J'espère qu'un beau jour, les bicots la ramasseront votre schlague, pour la foutre sur la gueule des sales cons comme vous!

– Mais...? Mais...?

– Mais quoi? Vous n'avez pas encore admis qu'il en sera bientôt fini des minables qui font fructifier leurs économies de bouts de chandelles en constituant la plus grosse partie du capital des grands trusts exploiteurs des défavorisés? Vous n'avez pas entendu dire que la révolution est en marche? Qu'elle est née en 1818, à Trèves, dans le berceau d'un certain Karl Marx.

– Je... Vous...? Mais... Vous...

– Fini vos congés payés avec les larmes et la sueur de ceux qui produisent les dividendes de vos actions sur les pétroles du Sahara. Vous vous faites foutre à la porte d'un pays dont les hommes n'en peuvent plus, de votre schlague et de votre bonne conscience de généreux bienfaiteur qui ne dépasse pas le niveau du petit profiteur.

– Mais enfin?

– Mais enfin merde, monsieur Bernard. Je regrette seulement d'avoir attendu un peu plus de quatre mois pour vous dire tout ça. »

Sylvaine, attirée par les éclats de voix, comprend immédiatement ce qui vient de se passer.

« Communiste! vocifère Jean-Marie Bernard.

– Plus je vous vois et plus j'ai envie de prendre ma carte du Parti, en effet. »

Embarrassé, Marc intervient : « Allons, allons, Charles. Tu ne crois pas que cette mauvaise querelle est déplacée, ce soir, alors que notre pauvre petite Maryline...?

– Il ne s'agissait pas plus d'une querelle que d'une discussion. C'était une mise au point, rien de plus.

– Vous admettrez qu'après cet éclat...

– ... Qu'après cet éclat je ne reviendrai pas de sitôt risquer de briser vos belles assiettes en porcelaine de Limoges et vos verres en cristal de Bohême.

– Charles! interrompt alors sa belle-mère. Votre femme vient de s'éveiller. Elle vous réclame.

– Viens, mon grand! » Odette l'entraîne en lui prenant le bras pour le conduire vers la porte du salon. « Nous sommes tous à bout. Épuisés. »

Et sa belle-mère ajoute : « Vite, avant qu'elle se rendorme. »

Marc, très mal à l'aise devant Jean-Marie Bernard, voudrait excuser son fils mais ne sait trop quoi dire : « Vous savez, je crois qu'il est sur les nerfs. Il ne faut peut-être pas...

– Tout de même! tout de même! répète le père de Maryline. Se faire traiter de la sorte, sous mon propre toit. Ce petit imbécile a de la chance que ma fille soit malade. Mais ça ne se passera pas comme ça. Nous en reparlerons.

– Mieux vaudrait, peut-être, ne plus en parler, justement. Les jeunes qui, comme lui, ont subi l'épreuve d'aller se battre sur la terre d'Algérie, ont une conscience différente de la nôtre des problèmes qui s'y posent. Mon fils a le mérite d'avoir dit ce qu'il pensait mais il a commis l'erreur de le faire avec une véhémence qui ne trouve d'excuse que dans sa grande jeunesse. A vingt ans, on ne mesure pas toujours...

– Quand on est assez grand pour mettre une fille enceinte on l'est également pour porter la responsabilité de ses actes et de ses propos. Quand ma fille sera en état de rentrer chez elle, qu'elle emmène cet indvidu qui lui sert de mari et alors nous n'en parlerons plus car nous n'aurons, effectivement, plus rien à nous dire. »

Sylvaine n'avait pas d'autre subterfuge pour faire cesser séance tenante cet esclandre. Maryline, bien entendu ne s'était pas du tout réveillée.

« Enfin, Charles. Pourquoi cette dispute avec mon mari? Je pense que vous avez commis une erreur.

– Certainement. J'en tiendrai compte en m'excusant, mais je n'ai pu supporter de laisser croire que je pourrais jamais penser comme lui. »

Le lendemain, Maryline est en mesure de raconter ce qui lui est arrivé.

Peu après que Charles l'eut laissée, une quinzaine d'Algériens poursuivis par les gardes mobiles se sont engouffrés sous un porche. Poussée, bousculée, elle s'est trouvée contrainte de s'y réfugier également. Tout le monde a été sorti à coups de matraques: Algériens et Parisiens, les seconds accusés de vouloir aider les premiers.

« Ils étaient fous. Comme s'ils étaient ivres. Ils tapaient sur tout le monde. Hommes. Femmes. Enfants. Même sur les vieux. On s'est trouvés emmenés, les mains en l'air, comme des bandits, jusqu'en haut de la rue où attendait un car. On nous y a fait monter à coups de crosses de fusils dans les reins. Même les blessés. Un jeune Algérien d'une dizaine d'années, avec lequel j'étais cachée dans le couloir, avait été frappé plusieurs fois à la tête en voulant me protéger. Pendant le transport, je... l'ai senti mourir, dans mes bras. On était tellement serrés dans ce camion que personne ne pouvait bouger. Durant plus d'une heure, j'ai tenu son cadavre contre moi. Au palais des Sports, on nous a sortis des cars à coups de matraques et entassés avec les autres. Lui, ils l'ont laissé dans un coin. Sous la pluie.

– Mais enfin, tu n'as rien d'une Arabe! s'indigne sa mère.
– Je n'étais pas la seule, tu sais. Les femmes qui essayaient de faire valoir leur nationalité française étaient encore plus mal traitées que les autres. Insultées.
– Insultées? relève Jean-Marie Bernard.
– Oui! Ils étaient ignobles. Ignobles. »
A ce point de son récit, Maryline éclate en sanglots.
Charles, qui la tient dans ses bras, l'aide à retrouver son calme.
Un peu plus tard, dans ses larmes, elle confiera : « Après les brutalités de ceux qui nous avaient amenés, nous avons subi celles de ceux qui nous gardaient. Au début, je me suis trouvée dans un petit vestiaire. Seule Française au milieu d'une centaine d'Algériens.
– Ma pauvre chérie! compatit sa mère.
– Oh! Ils étaient bien gentils. Ils ne savaient pas quoi faire pour moi. Ils me suppliaient de m'asseoir, me demandaient si j'avais mal. Ils étaient pleins de sollicitude et se comportaient comme s'ils avaient quelque chose à se faire pardonner. Cinq agents sont arrivés. Pas des CRS comme ceux qui nous avaient amenés. Des gardiens de la paix. Les mêmes qu'on voit dans les rues... »
De nouveau Maryline s'effondre en larmes, sur l'épaule de son mari.
« ... avec moi... ils ont été... Je peux pas... je peux... pas! hoquette-t-elle dans les sanglots qu'elle ne parvient à refouler. Quand ils m'ont vue, ils m'ont... Non! Je peux pas! Je peux pas! »
Cette fois, c'est dans les bras de sa mère que Maryline se jette en pleurant à chaudes larmes : « Ils m'ont... Ils m'ont sortie de mon coin à coups de... A coups de bâtons. Ils riaient en disant que... j'étais pleine de petits fellagahs. Ils me tapaient sur le ventre. »
Ses paroles se perdent dans ses larmes et dans ses sanglots.
« ... me faire déshabiller. Entièrement. Ils voulaient que... Non! hurle-t-elle. Non! je veux pas! Je peux pas! »
Sylvaine, tant qu'elle le peut, essaie de calmer sa fille en proie à une véritable crise de nerfs. Jean-Marie est tout pâle. A plusieurs reprises, tandis que Maryline racontait, il a senti le regard de son gendre se porter vers lui comme s'il le tenait pour responsable de toutes les horreurs qu'elle rapportait.
Maryline, finalement, confie à l'oreille de sa mère : « Ils voulaient... que tous les Algériens du vestiaire. Les uns après les autres... »
Puis, à son mari : « Ils me traitaient de tous les noms : putain, salope, paillasse à crouilles. Tout, tout y est passé. Tout.
– Tais-toi! la supplie Charles. Tais-toi, ma chérie. »
Les grands yeux violets noyés de larmes semblent habités de toutes les visions de cette nuit d'horreur.
« Ils... Ils ont fait... se déshabiller un jeune Arabe. C'était atroce. Ils lui donnaient des coups. Il a essayé de se débattre. Ils le traitaient

de pédé. Et même, ils ont essayé de... le sodomiser. Avec un bâton de circulation. Moi, pendant ce temps, ils me laissaient tranquille. C'est affreux : J'ai pensé que j'étais sauvée parce qu'ils s'en prenaient à... un autre. Un gradé est venu. Il a demandé ce que je faisais-là? En voyant que j'étais enceinte il m'a conduit dans un autre endroit, avec des enfants. J'y ai passé le reste de la nuit. »

Maryline, épuisée, retombe sur ses oreillers, incapable de dominer ses nerfs.

La soixantaine élégante. Une stature de magistrat. Michel Lemoind est assurément un homme très distingué.

« Malou, je crois, vous a prévenue de ma visite?

– Malou?

– Jadis, Philippe de Simenoff appelait Marie-Laurence ainsi, et j'ai gardé l'habitude d'user de ce diminutif sous lequel il me l'avait présentée. Ça ne date pas d'hier, son père et moi nous sommes connus dans la combinatie.

– C'est tout tout à fait charmant! » reconnaît Anna en s'effaçant pour le laisser entrer dans son bureau. La porte refermée, elle interroge : « La combinatie, c'était bien ce trafic de cigarettes blondes dans les années 1946? »

L'air étonné par cette question, Michel Lemoind n'en répond pas moins d'un hochement de tête affirmatif.

« Je me suis un peu retirée du monde, à partir de 1945 », explique-t-elle évasivement.

Son visiteur s'éclaire d'un sourire laissant comprendre qu'il avait un instant perdu de vue ce détail biographique.

« Malou m'a parlé de votre longue retraite involontaire, en effet. »

Il accepte l'invitation de s'asseoir et croise négligemment les jambes sur un pli de pantalon rigoureusement impeccable.

« Que puis-je pour vous, monsieur Lemoind? » demande Anna en allant s'installer derrière son petit bureau d'acajou.

L'interlocuteur paraît se concentrer.

« En 1948, j'ai quitté la France pour aller vivre au Venezuela. J'ai créé là-bas, une chaîne hôtelière de grand luxe, sur le modèle américain. Elle s'est étendue, depuis, à travers les pays d'Amérique centrale et du Sud. Il était inévitable qu'une entreprise comme la mienne, qui accueille des personnalités venues de tous les coins du monde, soit un jour contactée par les agents de la CIA désireux d'en savoir plus sur les raisons des déplacements de notre clientèle. Vous en comprenez la raison, je suppose? »

Les deux mains croisées en appui sur le sous-main de cuir de son bureau, Anna – qui porte précisément ce jour-là une stricte robe noire très simple agrémentée d'un col blanc à bouts ronds – a tout l'air d'une petite écolière bien sage écoutant l'exposé du maître. Sans répondre, elle se contente d'opiner.

« Tout aussi inévitablement, avec le temps, des liens se sont créés, à haut niveau, avec certains des responsables de la CIA. Vous me comprenez toujours clairement?

– Je suppose! »

Sourire amusé de son visiteur avant qu'il ajoute : « Ces années ont été particulièrement riches d'enseignements. »

Profitant de cette interruption vraisemblablement destinée à laisser libre cours à la réflexion tout autant qu'à l'imagination de son interlocutrice, il tire de sa poche un petit étui en écaille blonde qu'il présente ouvert sur une rangée de cigarettes minuscules à bouts dorés frappés de ses initiales : « Ma production personnelle, précise-t-il. On les fabrique spécialement pour moi. Elles sont très légères.

– Je fume peu.

– Dans ces conditions, je n'insiste pas. Mais, je me permettrai de vous en faire venir quelques cartouches, pour vos... exceptions.

– Merci infiniment! accepte-t-elle avec un sourire charmant.

– Vous permettez? »

Elle acquiesce. Il allume sa minuscule cigarette. Exhale avec satisfaction la première bouffée de fumée. Le bureau s'emplit de senteurs de miel sauvage.

« Après l'exposé que je viens de vous faire, je crois pouvoir vous préciser le sens de ma mission. Vous vous doutez bien qu'un organisme aussi puissant que la CIA n'est pas embarrassé pour obtenir des renseignements de première main sur la politique française. Ma tâche consistera donc à mettre en place un système nouveau plutôt qu'à recouper ou renforcer celui déjà existant.

« Une des préoccupations actuelles de la CIA est de faire en sorte que de Gaulle ne soit pas en position de force au sein de l'OCDE pour s'opposer au principe de la prise en main par les États-Unis d'Amérique de l'organisation de la puissance nucléaire européenne. »

Sourire d'Anna, équivalent aux quatre mots historiques lancés en 1958 sur le Forum d'Alger par le général en cause.

« Intelligence », souligne Michel Lemoind en prononçant ce mot avec la nuance d'accent anglo-saxon lui donnant le sens qu'il sous-entend.

« Deux hommes gênent les USA en Europe. Macmillan en Grande-Bretagne et de Gaulle en France. Deux hommes parfaitement inattaquables. En ce qui concerne Macmillan, le moment venu, une machination touchant son proche entourage politique mettra un terme à sa crédibilité. De Gaulle pose un tout autre problème. Depuis trois ans, son étoile n'a cessé de monter au firmament de l'opinion européenne. Pas question de l'éclipser mais – simplement – de l'obscurcir, provisoirement, par un appui discret à l'action de l'OAS en sorte que sa position en politique intérieure ne se stabilise trop vite. Nous jouons le prélude, l'ouverture, le lever de rideau de la troisième guerre mondiale. Une guerre économique et politique. Une guerre des diplomaties pour déterminer qui tiendra les rênes du pouvoir universel. Le champ de bataille sera l'Europe. Dans toute guerre, il convient de choisir son camp, et... après tout, si le camp paie convenablement les services rendus... »

Anna ne peut s'empêcher d'éprouver une certaine méfiance.

« Savez-vous, cher monsieur Lemoind, comment vivent et meurent les langoustes?

– Elles vivent dans la mer et meurent dans l'assiette des gastronomes, je suppose?

– Un tout petit bébé langouste naît, avec une toute petite carapace. Sa croissance s'effectuant par mues successives, il lui faudra beaucoup d'énergie, chaque fois, pour se débarrasser de sa carapace précédente et s'en fabriquer une plus grande. Plus elle vieillit, plus son énergie s'épuise et plus sa mue devient pénible. Si notre langouste échappe aux prédateurs que sont vos gastronomes, viendra un temps où n'ayant plus assez de force pour muer une fois de plus, elle mourra étouffée par elle-même.

– Le symbolisme de votre petit cours d'histoire naturelle sur la vie et la mort d'une langouste ne m'échappe pas. Je nous souhaite donc d'être aussi malins que votre langouste exemplaire ne finissant pas dans l'assiette d'un gastronome.

– Je nous souhaite également de finir dans notre propre carapace! ajoute Anna qu'une pensée presque nostalgique emporte un instant vers un espace clos de quatre murs qui lui fournissaient naguère l'avantage d'être à l'abri des prédateurs.

– Malou vous reparlera de tout ça à son retour. Si je suis venu vous voir, c'est que j'ai besoin de votre concours pour une tout autre affaire. Il s'agit de simples fournitures matérielles. Il me faut un film, français, de long métrage, à caractère pornographique, dans lequel il conviendra d'insérer certains plans qui restent à tourner avec des personnages que je vais vous désigner. Bien entendu, un gros chèque doit favoriser l'amnésie du cinéaste qui prendra en charge la réalisation de cette... opération.

– Mais, je ne connais personne qui...

– Marie Laurence s'est souvenue d'un de vos amis personnels qui gère une petite maison de productions cinématographiques. »

« Paul? » songe Anna en se disant que dans l'avenir elle surveillera ses propos devant un petit démon blond à l'attention duquel rien n'échappe jamais tout à fait.

« En effet! convient-elle. Je connais quelqu'un. Je ne peux toutefois m'engager à sa place et...

– C'est très urgent. Il me faut ce matériel dans les cinq jours. Quand pourriez-vous me donner une réponse?

– Demain. Demain matin, à dix heures. »

Tirant un carnet de sa poche, Michel Lemoind inscrit un chiffre et tend la feuille à son interlocutrice.

Anna y jette un coup d'œil.

« Ma commission est incluse?

– A votre avis?

– A mon avis, non!

– Il s'agit de dollars.

– C'est bien ce que j'avais lu. »

Michel Lemoind pousse un léger soupir, puis ajoute avec un sourire : « Soit! Pour ce qui vous concerne personnellement, vous traiterez directement avec Malou. Je vous ferai contacter demain matin pour la réponse de votre ami.

– Vous ne m'avez rien dit des garanties que vous offrez au cinéaste, pour qu'il n'ait pas d'ennuis par la suite... »

***

Ce jeudi 2 novembre, la presse parisienne encense Mehdi Belhaddad, préfet de Constantine, qui a su par son sang-froid laisser se dérouler sans heurts une manifestation pro-FLN dans la médina. Malgré les provocations de l'OAS qui souhaitait une issue dramatique, il a su maîtriser les événements et éviter tout incident. Les éditorialistes expriment leur peine ou leur joie car, à la lumière de cet événement, il apparaît clairement que le destin algérien se séparera à plus ou moins long terme de celui de la France.

Ce n'est pas pour échanger leurs points de vue sur le devenir de l'Algérie que Sylvaine et Odette se sont donné rendez-vous, cet après-midi-là, sur la terrasse du Colisée, aux Champs-Élysées.

Le grand problème sur lequel les deux futures grand-mères se sont promis de faire porter leur commune réflexion, c'est celui d'une réconciliation entre gendre et beau-père afin que la naissance attendue puisse s'accomplir dans un cercle familial au grand complet.

L'accouchement de Maryline, prévu autour du 13 novembre, devait avoir lieu à Cannes. Odette a depuis longtemps retenu une chambre dans la clinique la plus confortable. Depuis l'altercation du 18 octobre dernier, Charles et Jean-Marie Bernard ont multiplié les déclarations définitives sur l'avenir de leurs relations.

« Que faire? se désole Sylvaine.

– Ils sont entêtés comme des mulets! convient Odette.

– Marc ne peut-il intervenir auprès de son fils?

– Il ne l'approuve pas et le lui a dit. Désormais, connaissant mon mari, il ne reviendra plus sur la question. Que Charles et son beau-père ne s'entendent pas, il considère que c'est leur affaire. Dans l'état actuel de la situation, la seule qui puisse vraiment quelque chose, c'est Maryline.

– Elle est dans un état psychologique déplorable. Aux dernières nouvelles, elle aurait décidé d'aller accoucher dans un hôpital. »

Odette pousse un profond soupir.

« Je vais lui parler, décide-t-elle. Peut-être que, venant de moi, les bonnes raisons trouveront valeur d'arguments? »

Il est déjà quinze heures. Elles sont attendues dans un institut de beauté du quartier où Sylvaine Bernard a quelques habitudes.

« Il faut y aller! dit-elle sans enthousiasme. La rue de Marignan est à deux pas mais nous ne sommes pas en avance.

– Eh bien, allons-y! répond Odette. A nos âges, même dans les situations dramatiques, nous n'avons plus le droit de négliger nos efforts pour faire encore un peu illusion. »

Avant de se lever, elles échangent un regard amusé qui les remet de meilleure humeur.

« Mais, je la connais cette fille! s'exclame Anna. On ne peut pas revenir en arrière, arrêter l'image?

– Inutile, assure Paul. Tu vas la revoir tout au long du film. C'est elle qui tient le premier rôle. »

Il a racheté, pour une bouchée de pain, une version non commercialisée d'*Histoire d'O.* La projection ne fait que commencer mais Anna est prévenue : l'inspiration artistique est aussi limitée que devait l'être le budget de la production.

Derrière Paul et Anna est assis le jeune cinéaste qui s'est chargé d'insérer les séquences qu'il a tournées avec les trois personnes qui lui ont été désignées à cet effet.

« Tiens, la revoilà! s'exclame Paul. Tu la reconnais?

– Ce n'était peut-être qu'une impression, répond Anna.

– Enfin, m'dame, si vous vous rappeliez son numéro de téléphone, je me porterais volontiers sur la liste d'attente! » lance la voix gouailleuse du cinéaste installé derrière.

« Elle n'est pas mal du tout, cette petite », admet Paul pour lui donner raison.

Parfaitement d'accord avec eux sur ce point, Anna s'abstient de leur en faire part et consacre son attention au défilement des images. Une succession de vues fragmentaires. Un luxueux salon que l'héroïne est censée découvrir.

Paul lance : « Avec un commentaire approprié, on pourrait réutiliser cette séquence dans un documentaire sur la décoration modern style.

– Pour le minutage, j'ai été obligé de conserver, tu comprends? » semble s'excuser le cinéaste.

De nouveau, l'actrice principale. Plein cadre. Jolie. Cette blondeur de cheveux, ce sourire, cette jeunesse, ces yeux : Anna est certaine de son impression précédente. Elle a déjà rencontré ce visage. Peut-être une cliente de l'institut?

Le film se poursuit. Au passage, le cinéaste fait remarquer les plans qu'il a ajoutés.

« Parfait! apprécie Paul. C'est net. C'est bien intégré. C'est du bon boulot.

– J'ai eu du mal à retrouver les densités lumineuses et le même style photographique mais ça passe, non?

– Très bien! Ça passe très bien. »

Sur l'écran, de vilains messieurs gantés de noir commencent à déshabiller la jeune fille blonde.

« Le con qui a tourné ça aurait dû leur mettre des gants rouges. La scène aurait plus de gueule », ricane le cinéaste, critique.

Anna déteste les gens qui parlent au cinéma, même en projection privée.

Cette fois, c'est Paul qui reprend : « Que te reste-t-il à faire, sur ce petit bijou?

– Un léger mixage de la bande son, vers la fin. Juste un chouïa de montage. Tu vas voir toi-même, quand on y sera.

– Tu seras prêt dans les temps?

– Oui, oui! Sans problème. »

Brusquement, ils se taisent. O, les poignets entravés par des chaînes, est amenée, nue, devant un homme aux pieds duquel elle se prosterne. En toile de fond, une autre esclave de Roissy fait l'amour avec un des invités du salon.

Si l'habitude des professionnels est de discuter le bout de gras durant les projections, ils ont aussi celle de se taire pendant les scènes sans dialogues dirait-on. Mais, pas trop longtemps :

« C'est pas du chiqué. De la prise directe sur la bête. On dirait que la caméra ne bouge pas mais il y a quand même onze plans.

– Onze plans! répète Paul, rêveur.

– Un petit morceau d'anthologie. Je n'avais jamais vu ça. Sinon dans les films scandinaves.

– Pour un joli morceau, c'est un joli morceau.

– De cinoche, de braquezir, ou de comédienne?

– Les trois. Mais surtout la comédienne.

– Quoiqu'elle ne joue pas du tout la comédie. En rentrant, le soir, quand elle dit à son Jules qu'elle en a plein les fesses, c'est pas du chiqué.

– Vous ne pourriez pas vous taire un peu? demande Anna irritée. Elle n'est pas très professionnelle, votre conversation.

– Excuse! Excuse! soupire Paul. On ne disait pas ça parce que c'est ta copine.

– Mais on le disait quand même pour ça. Des fois que vous retrouveriez son numéro de téléphone. »

Anna ne peut s'empêcher d'en rire un peu, tout de même.

« Je l'ai peut-être simplement vue au cinéma, sans plus.

– A mon avis, elle doit plutôt fréquenter les bordels que les salles obscures, suggère Paul.

– Pas dans la salle. Sur l'écran! » rit franchement Anna.

Le cinéaste d'en remettre : « Vous allez voir de drôles de films, dites donc, madame. »

Après un silence, il reprend : « Cette fille, elle fera sûrement carrière quand le gouvernement lèvera la censure mais avec le père Debré ce n'est peut-être pas pour demain matin.

– S'il tient tant que ça à voir la France se repeupler, il faudra bien qu'il se décide à laisser filtrer quelques informations », ironise Paul.

Le film se poursuit. Les scènes pornographiques s'ajoutent à devenir lassantes. Au passage, le cinéaste commente ses insertions de plans : « C'étaient pas des pros, mais ils s'en tirent, non?

– C'étaient pas des comédiens?

– Non, non! Elle a même fait une sacrée fiole, la bonne femme, quand je lui ai demandé de se faire tringler par le chinetoque. Elle voulait pas. » Après un silence, il ajoute : « Son mari l'a engueulée. Il lui a rappelé que c'était dans leur contrat. » Nouveau silence : « Au fond, je la comprenais : se faire sauter devant un mec qui jouait tous les rôles, du machino à la maquilleuse, et se plantait devant elle l'œil collé derrière l'œilleton de sa caméra, elle devait... »

Anna se lève.

« Bon! Puisque c'est comme ça, je renonce. Je comprends rien au film.

– Si vous voulez, m'dame, je peux... vous expliquer le plus gros?

– Tu t'en vas? s'étonne Paul.

– Oui! J'ai eu une journée crevante. »

Elle tend la main au cinéaste.

« Si vous retrouviez le numéro de téléphone vous ne m'oubliez pas surtout.

– Promis.

– Pour des explications sur l'action du film, je...

– Merci de votre obligeance. Finalement, j'ai tout compris. »

Il est dix heures du soir. Les trottoirs de la rue de Ponthieu sont pratiquement déserts. Au coin de la rue La Boétie, une fille attend le client. Anna se dirige vers les Champs-Élysées. Tout en marchant, elle s'entend encore répondre à Paul : « J'ai eu une journée crevante. »

Décevante eut été un mot plus juste.

A l'heure du déjeuner, elle a de nouveau entrevu le commandant. Les réponses sont négatives dans les trois armes. Il lui a proposé d'effectuer une démarche auprès de la nouvelle armée d'Allemagne fédérale. Peut-être encore un espoir?

Mieux vaudrait pourtant ne pas espérer, même si elle a souvent pensé qu'Helmut avait pu emmener Karl en Allemagne. Tellement de gens sont morts sous les bombardements, à cette époque...

Côté Moktar, plus rien à espérer non plus.

La DST l'a réexpédié dans son Algérie natale avec interdiction de séjour sur le territoire métropolitain. Elle tient cela d'un capitaine de la direction de la sécurité militaire venu tout exprès s'informer des raisons pour lesquelles le SAC s'intéressait tant au sort de cet agent collecteur de l'OPA.

Longue et difficile conversation avec ce flic militaire. Flic et militaire, certains ne craignent pas d'en rajouter.

Vingt-cinq fois, il est revenu sur l'ordre de mission. Le numéro faisant partie de la série secrète de son colonel, il aurait aimé savoir – sans être obligé de le demander – pourquoi une personne civile en était détentrice. Ses questions sur Moktar Dahlab n'en étaient que plus alambiquées. Elle s'est donc trouvée en situation d'improviser : les activités de l'arrière-boutique s'exerçant pour une grande part au profit de la caisse noire du SAC, elle a prétendu que Moktar et ses acolytes de l'OPA voulait la racketter. Vif intérêt du flic militaire puisque Moktar prélevait quelques taxes sur les prostituées des beaux quartiers pour alimenter le trésor de guerre de l'ALN.

« On se promène? »

Anna se retourne, prête à dissiper le malentendu avec cet importun. Inutile de menacer de faire appel aux flics. Ils sont là : deux en civil et deux en uniformes.

« Pouvez-vous nous présenter vos papiers? »

En cette fin octobre 1961, tout ce qui a la peau mate, la prunelle sombre, le cheveu trop brun et bouclé, est susceptible d'être contrôlé, emmené, interrogé, sans explication. Les métropolitains ne sont généralement pas trop inquiétés. A l'exception des femmes qui se promènent seules la nuit. Le rackett opéré par les agents de l'OPA sur les prostituées parisiennes de toutes conditions n'a pas échappé à l'attention de la direction de la Sûreté nationale et les rafles de promeneuses désœuvrées se multiplient.

« Alors, ça vient ces papiers? » s'impatiente l'un des deux inspecteurs.

Anna a beau tourner et retourner les bricoles contenues dans son sac à main, pas de porte-cartes.

Elle se rappelle soudain pourquoi. Elle a eu besoin de son ordre de mission lors de la visite du capitaine de la Sécurité militaire. Il était dans son porte-cartes. Plus la peine de chercher : il est resté sur son bureau.

« Je les ai oubliés.

– Tu nous raconteras ça au poste! »

Cette fois, c'est complet. La voilà arrêtée.

Elle proteste : « Je vais vous expliquer...

– Mais oui, chérie. On s'expliquera, à la grande cabane, tout à l'heure. »

Dans la rue Lord-Byron, de l'autre côté de l'avenue, stationne un car de police. On l'invite à y monter. Elles sont déjà une dizaine, qui papotent, tournicotent, traficotent ou tricotent, dans les vapeurs de leurs parfums aux senteurs mélangées.

Une nouvelle? Ces dames n'aiment pas beaucoup ça. Le supposant, Anna s'explique sur l'oubli de ses papiers d'identité lui valant l'honneur de partager leur sort. Elles veulent bien y croire. Ou faire semblant? Jusqu'à plus ample information.

Deux heures plus tard, un peu après minuit, le car est plein à craquer.

On les conduit au commissariat central du Grand-Palais.

Anna espère pouvoir enfin s'y expliquer. Une voisine lui précise que ce n'est qu'une étape : « En attendant.

– Mais, en attendant quoi? »

En attendant le bout de ses peines qui est encore à quelques heures de là. Après deux heures derrière les barreaux, c'est le transfert au centre d'accueil de l'hôpital Saint-Lazare pour une fin de nuit dans un dortoir surpeuplé. Le lendemain matin, classée « nouvelle tête », elle se retrouve devant l'objectif de l'anthropométrie judiciaire. Enfin, elle est reçue par une assistante sociale qui lui permet de téléphoner pour se faire apporter ses papiers. Sarah est chez elle et se charge de l'opération. Nouvelle attente.

Arrivée de Sarah. C'est la fin de l'épreuve.

Non, pas encore tout à fait. L'ordre de mission est resté sur son bureau. Sa carte d'identité ne prouvant rien, nouvelle attente qui se soldera par un entretien avec un officier de police. Son propos est clair : « Vous figurez désormais sur une liste de femmes soupçonnées de se livrer à la prostitution. Si dans les six mois qui viennent vous étiez ramassée une seconde fois dans des conditions identiques, votre inscription au fichier sanitaire et social de la prostitution deviendrait effective. »

« Une femme avertie en vaut deux! » a-t-elle encore le courage de plaisanter en retrouvant Sarah qui l'a attendue dans un petit bistrot voisin.

Il est juste quatorze heures. Anna se sent sale, elle est fatiguée, elle a faim.

« Je nous invite à aller prendre un bain dans ta somptueuse baignoire et à faire une orgie d'œufs sur le plat dans ta cuisine! décide Sarah.

– C'est toi qui offres la tournée de câlins consolateurs?

– Je verrai! Après déjeuner, qui sait : je me ferai peut-être... une pute? »

# TROISIÈME PARTIE

## *La saison des nuits bleues*

*Novembre 1961*

Dès le 13 novembre 1961 – zéro heure – le premier commando Bitterlin était passé à l'offensive, les barbouzes gaullistes avaient procédé à une assez belle série d'exécutions préliminaires.

Le temps, pour Jean-Jacques Susini et Roger Degueldre, de réaliser qu'ils étaient pris de vitesse et l'usage du plastic n'était déjà plus le signe distinctif de l'OAS dont les fiefs algérois tombaient les uns après les autres. Sur le théâtre des opérations, chaque soir voyait rejouer la même pièce qui s'achevait tard dans la nuit avec pour dernier acte le grand final des explosions.

Cette tactique de harcèlement portait d'autant mieux ses fruits que le commando Bitterlin ne manquait pas de renseignements officiels. Seuls lui faisaient défaut quelques effectifs supplémentaires pour intensifier ses actions.

Vers la fin de ce mois de novembre, Anna avait donc repris ses consultations et recommencé à transmettre les candidatures de baroudeurs d'élite qui lui étaient adressées par le SAC.

Courant décembre, le commandant était revenu à la charge avec son projet d'infiltrer un poisson dans les rouages du MPC. Elle lui avait redit les dangers auxquels s'exposerait un mouchard facile à découvrir dans une équipe réduite. Il avait répondu : « Mon kamikaze s'appelle Yan Legoëf. Vous ferez très prochainement sa connaissance. » Comme, à cette date, il n'ignorait pas que deux hommes des Delta de Roger Degueldre étaient tombés entre les mains des sbires de Bitterlin et qu'après un interrogatoire musclé ils avaient beaucoup perdu de leur foi en la subversion activiste, cela voulait assez dire que la mission dont il la chargeait ne saurait être plus longtemps discutée. Elle en avait donc pris son parti.

*Naples, 31 décembre 1961*

Ancré dans la baie de Naples, féériquement illuminé, se reflétant sur les flots sombres et calmes tel un majestueux palais déposé dans l'écrin d'une nuit constellée d'étoiles, un yacht somptueux les attend pour une Saint-Sylvestre de rêve.

Pendant la traversée de la vedette qui les conduit à bord, Marie-Laurence explique : « Ce superbe bâtiment appartient à Alessandròs. Il n'y a pas vingt ans il fabriquait des sabots dans sa Bulgarie natale. Il a fait sa fortune sur le dos des conflits idéologiques qui ont déchiré la Grèce au sortir de l'occupation nazie et aujourd'hui, c'est un des plus gros importateurs d'armes du Moyen-Orient.

– En quelque sorte, il a démontré que – pour lui – l'importance des canons n'est pas tant de tuer que de permettre d'en bien vivre? »

La vedette achève sa manœuvre d'abordage, Marie-Laurence, à l'aise dans un smoking de soie blanche, saute sur la passerelle en riant puis, tendant sa main vers Anna qui relève le bas de sa robe longue pour la suivre, ajoute : « De toute façon, il n'en profitera plus, Alessandròs est mort la semaine dernière.

– C'est à un réveillon ou à une veillée funèbre que tu m'emmènes? »

La prenant par la taille pour gravir les quelques marches conduisant vers le pont du bateau, Marie-Laurence lui glisse à l'oreille : « Je réserve ma réponse jusqu'à demain matin. »

On les attend, pour les accueillir. Philippe et Elke de Simenoff sont déjà arrivés.

Michel Lemoind est là! La soirée est foutue. Ce n'est pas du tout un pressentiment. C'est une évidence. L'évidence devient même certitude d'un rôle à jouer lorsque, souscrivant à l'invitation qu'il lui adresse de loin, elle s'approche pour le rejoindre.

Il lui baise le bout des doigts : « Chère Anna. » Marie-Laurence reste impassible. Il prie de l'excuser. Il est désolé. Il est attendu et les laisse.

Marie-Laurence entre aussitôt dans le vif du sujet : « Ma chérie, je suis en mesure de répondre à la question que tu me posais tout à l'heure en montant la passerelle : cette soirée cesse d'être un réveillon. »

Ce grand salon est agréable mais un peu bruyant, à cause de la musique. Elles s'en éloignent pour gagner un endroit plus feutré.

« Je suis chargée de te remercier pour le film que tu lui as fourni. Grâce à ce petit chef-d'œuvre de cinéma pornographique, il a pu compromettre le leader d'une opposition qui menaçait le pouvoir du président d'un État d'Amérique du Sud protégé des USA. Cette nuit, l'affaire est d'une tout autre importance. Michel Lemoind est l'exécuteur testamentaire de son défunt ami Alessandròs, dont le fils

– Milòs – est l'unique héritier. Seulement, le petit prince n'a que quinze ans. Il est bien trop jeune pour régner sur l'empire paternel Tout à l'heure, à l'issue d'une réunion du conseil d'administration, un certain Livik Lorialopoulos a fait basculer une situation qui n'avait de stabilité que du vivant d'Alessandròs. Cela risquerait d'entraîner un transfert massif de capitaux d'Ouest en Est. Seule solution : éliminer ce Lorialopoulos.

– Un assassinat?

– Un assainissement plutôt. Il s'agit de faire sortir le KGB des affaires de la CIA. Tu dois bien te pénétrer de ceci : à un certain niveau, on ne peut plus raisonner en vies humaines. Les hommes qui servent ces appareils représentent une politique. Rien d'autre. Ils ont fait le choix de la servir et en assument les conséquences éventuelles. Je te précise que par ailleurs ce Lorialopoulos est aussi un des principaux fournisseurs d'armes au FLN via la prétendue neutralité tunisienne.

– Tu ne vas pas me dire que c'est surtout pour servir la France?

– N'exagérons pas. Son élimination ne provoquera rien de plus qu'un provisoire coup de frein sur l'approvisionnement en armes de l'ALN. Cela ne paralysera nullement la révolution algérienne mais réduira son activité, le temps pour ses chefs de trouver un autre pourvoyeur. Par voie de conséquence, c'est une aide indirecte apportée à l'OAS. Elle pourra, durant cette période, multiplier ses coups d'éclats sur un FLN affaibli et valoriser son action dans l'esprit des Français. Je crois que Michel t'a expliqué la position américaine dans...

– Il a! coupe Anna. En clair, quel rôle m'a-t-on choisi?

– Rien que de très agréable. Tout à l'heure, au douzième coup de minuit, je te présenterai au petit prince. Pour lui, tu seras ma sœur cadette. A toi de te conduire en fille héritière de Philippe de Simenoff. Ta présence auprès du jeune Milòs garantira sa protection. En aucun cas il ne faudra le laisser s'écarter du cercle de ses invités. Même s'il veut t'entraîner à l'écart.

– Un gamin de quinze ans, tout de même!

– Il est du genre précoce. De toute façon, ses quinze ans n'ont pas à être pris en compte. En la situation, il n'y a pas d'enfant mais un milliardaire, en dollars. A toi de le tenir en laisse jusqu'à une heure du matin. A une heure, très précisément, tu iras chercher Livik Lorialopoulos pour le conduire vers la cabine où je l'attends.

– Ah! Parce que, toi aussi tu... »

Leur conversation est interrompue par l'arrivée d'un beau jeune homme en smoking bleu nuit. Il se présente : « Stéphan Burt. Il est vingt-trois heures trente cinq, cela me donne juste le temps de vous fournir quelques explications. Si vous voulez bien me suivre? »

Les quinze ans du petit prince milliardaire n'ont pas attendu de prendre de la graine pour se montrer riches en exigence. Ce n'est plus de la précocité, c'est de l'érotomanie avancée. A plusieurs reprises déjà, Anna s'est trouvée obligée de lui rappeler qu'il s'agissait d'un flirt entre conditions sociales comparables. Il ne la traite pas moins comme la dernière des putes. Tenir en laisse un tel énergumène revient à effectuer un numéro de domptage de fauve sur piste de danse. Si elle avait su, elle serait venue en blue-jean. Sa robe du soir ne résiste pas aux affrontements. Pour la troisième fois, elle vient de se retrouver décolletée jusqu'à la taille.

Elle n'ose espérer qu'il a compris mais pour l'instant il se tient tranquille depuis, au moins, deux minutes et demie. L'orchestre attaque un slow. Ça lui vaut un florilège de propos tendres et de douces galanteries : « A ton âge, tu ne me feras pas croire que t'es encore pucelle? (Agréable, non?) – Heureusement, parce que ton berlingot faudrait l'attaquer au marteau-piqueur. (Qu'est-ce qu'il faut entendre pour gagner sa vie!) – T'es qu'une demi-héritière, au fond? Tu devrais venir me tailler une pipe pour me prouver que t'es pas aussi qu'une demi-femme » (Qu'en termes délicats...) etc.

Encore vingt minutes à tenir le baby-sitting. Et dire qu'elle va devoir s'éclipser sans avoir eu le plaisir de le gifler.

Une heure moins deux. L'heure de l'action.

« D'accord. Va m'attendre dans ta cabine. J'arrive dans cinq minutes. »

Avant de s'éloigner Milòs lui désigne l'homme de confiance qui la conduira.

Elle rejoint Philippe de Simenoff. Sa femme n'est pas avec lui, elle danse, probablement? Depuis que Marie-Laurence a disparu, Livik Lorialopoulos, un peu désœuvré d'avoir perdu son flirt, s'est inséré dans un groupe d'hommes avec lesquels il parle. Seul Philippe de Simenoff peut se permettre d'aller le déranger. Il accepte de lui rendre ce service sans poser de question. Il doit être dans le coup. Anna approche sa cible et lui délivre son message.

« Je vous suis, mademoiselle! » répond le beau ténébreux.

Elle connaît le chemin. Elle l'a repéré tout à l'heure en compagnie de Stéphan Burt. Elle le suit scrupuleusement. Elle sait précisément ce qu'elle doit faire. A quel moment les choses vont se produire. Dommage que Livik Lorialopoulos soit du mauvais côté : à tout prendre, si elle en avait encore le choix, elle préférerait le conduire vers un petit salon discret que vers... Elle doit bien se pénétrer de l'idée que ce n'est pas un homme : ce n'est pas un homme, ce n'est pas un... Dans son dos, il s'affaisse. Elle n'a rien vu. Elle a senti se produire l'instant. Elle ne se retourne pas. Il n'y a plus d'homme, plus de fournisseur d'armes du FLN, plus d'agent à la solde du bolchevisme. Elle ouvre la porte de la cabine.

Marie-Laurence est là. Sur la table somptueusement dressée, un réveillon pour trois : caviar, foie gras, champagne et menues douceurs. Lumières tamisées.

« Tout s'est bien passé?

– Je crois! »

Dans l'instant suivant, arrive Stéphan Burt.

« Je vous souhaite une bonne année! » leur dit-il avec un très beau sourire.

Marie-Laurence consulte sa montre.

« Nous avons déjà soixante-huit minutes de travail à notre actif. Je propose que nous fêtions ça! » dit-elle en ôtant la veste de son smoking sous laquelle elle est nue jusqu'à la taille.

Pour être flics ils n'en étaient pas moins Italiens. Un homme aussi agréablement occupé que l'était Stéphan Burt à l'heure du crime n'aurait pas eu besoin de plus d'alibi. Compte tenu de la personnalité de la victime, il fallait un coupable. Michel Lemoind n'avait pas laissé la chose au hasard. Il avait alors sorti de sa manche un certain Ruggiero Combatini, distingué maffiosi spécialiste en trafic d'influences, bénéficiaire de plusieurs mandats d'arrêt internationaux. Sans alibi. A l'en croire, à l'heure du crime, il flirtait sur l'entrepont avec la femme de Philippe de Simenoff. Pour attester qu'elle n'avait pas quitté son mari, Elke de Simenoff n'avait pas moins de cinq témoignages dont celui d'un procureur.

Ruggiero Combatini, ainsi livré dans un paquet cadeau avec les compliments de la CIA, les flics italiens n'avaient pas fait les difficiles.

Elke avait en ces termes rédigé l'attendu principal de la future condamnation de ce coupable de choix : « Jeumais, je tombé sour une mec qu'al ombrassait eussi meul ». L'affaire s'arrangeait mieux que son accent.

La presse du 1er janvier 1962, s'en fait l'écho : à Alger, l'OAS a souhaité la bonne année aux barbouzes mais sans toutefois que cette Saint-Sylvestre ait été à la hauteur d'une Saint-Barthélemy.

« Si je comprends bien, dit Anna en repliant *France-Soir* sur ses genoux, mon emploi du temps est déjà dans le journal, je vais devoir sortir les candidatures de remplacement. »

Marie-Laurence a rebattu la tablette devant elle et rédige un chèque qu'elle lui tend : « A titre de dédommagement pour les petites perturbations du réveillon.

– Ça valait au moins ça.

– Je te laisse le cadeau-prime! » proteste Marie-Laurence.

Elles se tournent en riant. Dans leurs bagages, elles rapportent un souvenir. Il est assis sur l'un des sièges arrière, coin hublot. Bien élevé, en plus, il répond à leur sourire. Michel Lemoind leur a confié

Stéphan Burt en prévision d'un rôle qu'il pourrait avoir à jouer très prochainement dans l'histoire de France.

La hargne, la rogne, et la grogne. La France gronde son mécontentement. Syndicats et formations politiques ne manquent pas une occasion de manifester leurs désillusions. Le malaise est réel. Les nostalgiques de l'intégration algérienne commencent à redouter l'abandon. La dissolution de l'OAS prononcée par le Conseil des ministres du 6 décembre 1961 a finalement contribué à renforcer ses rangs, et les premiers attentats qui se multiplient en métropole font redouter une flambée de fascisme. L'ensemble du monde politique d'opposition ne rêve que de destituer le général de Gaulle. Mais s'il partait, qui pourrait prétendre lui succéder? L'impuissance de l'État, ses abdications, sa faillite monétaire, son instabilité politique et institutionnelle sous la IVe République : autant de situations auxquelles la majorité des Français ne souhaitent pas retourner. Les désastreuses tentatives des grandes formations incapables de trouver une unité pour dénouer la crise n'est pas sans rappeler que des hommes tels que Guy Mollet, Antoine Pinay, Maurice Faure ou Michel Debatisse, sont issus du régime précédent.

Ce que le chef de l'État, dans son message de vœux à la nation, vient de baptiser : « Tracassin, tumulte, et incohérence entretenus par la puissance que l'on connaît... » est en vérité mécontentement, fureur et révolte contre l'insécurité.

La droite, de Georges Bidault à Lefèvre d'Ormesson, ne cesse de proclamer la légitimité de l'OAS. Celle-ci n'épargne plus la métropole.

Le pouvoir n'épargne pas non plus l'OAS. Les arrestations spectaculaires de responsables activistes sont pratiquement quotidiennes. En réponse, les plastiquages se multiplient.

La guerre civile : la France n'en a jamais été si proche qu'en ce début d'année 1962.

***

Début janvier, grâce à son ami Pelot, Charles a trouvé un poste intérimaire, à la télévision. Il doit visionner des kilomètres de films sportifs et établir les fiches d'archives pour chacun des sujets.

Même si ce job n'est pas très prestigieux, il lui permet de subvenir ainsi aux besoins de sa petite famille. Celle-ci s'est agrandie, le 13 novembre 1961, dans une clinique cannoise où, malgré une réconciliation qui n'était qu'apparente entre gendre et beau-père, les Rougier et les Bernard ont applaudi ensemble la naissance de François, Charles, Marc, Jean-Marie.

En ce début de la soirée du 17 janvier, Charles pense à sa femme. Elle dormira quand il rentrera. Le travail de nuit ne favorise vraiment pas l'intimité des couples. Il essaiera de filer plus tôt. En attendant, il mange un sandwich jambon beurre accompagné d'un demi, au bar tabac le plus proche des locaux de la télévision.

Deux tables plus loin, Jacqueline Caurat, Catherine Langeais et Pierre Sabbagh en font autant, en compagnie de Robert Chapatte. Charles aimerait bien pouvoir pénétrer dans ce monde mystérieux et fascinant. Même par la petite porte. C'est bien pourquoi il a accepté ce job. Le chef du service des sports, particulièrement content de son travail des quinze premiers jours, lui a promis que si une opportunité se présentait il penserait à lui.

Au comptoir, Jean Quittard (la vedette du service des sports, le spécialiste du vélo) et Léon Zitrone (le turfiste distingué) poursuivent une conversation animée. Ici, le spectacle est dans la salle. A certaines heures de la journée, il y a plus de gens de télévision dans ce bureau de tabac que sur les plateaux de la rue Cognacq-Jay.

Voici Denis Pelot. Avisant Charles, avec qui il a vaguement prévu cette rencontre à l'heure de la pause casse-croûte, il vient négligemment s'asseoir à sa table.

« Salut, p'tit con! Ça clape à mort, dans ton cinoche télésportif? »

Charles ne se formalise plus des écarts de langage de Pelot.

« Je suis dans le pelo-ton! articule-t-il en réponse. Difficilement, car la bouche pleine.

– Et moi, sur un coup absolument fumant! » annonce Pelot. Baissant la voix il ajoute : « Si ça marche, c'est le scoop.

– Un scoop en sport? Faut le faire. Quand on pense que...

– Pas en sport, p'tit con. En information générale. J'ai levé une nana super, l'autre jour, et elle connaît personnellement Curutchet. Tu vois le truc?

– Non! Je n'y vois rien du tout. C'est qui, Curutchet?

– Quoi? Curutchet? Tu ne connais pas Curutchet?

– Je ne connais pas Curutchet! convient Charles. Mais si j'avais deux vies à vivre, je crois que je pourrais en passer au moins une sans jamais le rencontrer.

– Quel con ce mec! s'exclame Pelot un peu fort. Mais quel con! »

Pierre Sabbagh, deux tables plus loin, lève les yeux avec un air réprobateur. Il reconnaît Pelot, lui adresse un sourire de complicité. Pelot explique, discrètement : « C'est un peu grâce à lui que j'suis entré à la téloche. C'est l'ancien patron du JT, il a gardé quelques relations.

– Qui ça? Curutchet?

– Écoute, p'tit con! souffle Pelot en confidence : Curutchet – le capitaine Curutchet – c'est le chef du service renseignements-opérations de la branche métropole de l'OAS. Ce que la gonzesse m'a promis-juré de lui demander pour moi, c'est l'interview exclusive. Rien de moins.

– Tu crois qu'ils te la passeront?

– Dis, hé! L'insaisissable, qu'on l'appelle : Curutchet. Ils ont beau être cons, les respons' du JT : i' peuvent pas laisser quimper sur une sardine pareille.

Jacqueline Huet, la nouvelle téléspeakerine vedette, vient d'entrer. Pelot la suit des yeux de manière éhontée. Charles le lui fait remarquer.

« A l'écran elle ne montre que sa figure, mais moi, c'est son cul qui me fait rêver.

– Tu ne voudrais tout de même pas qu'elle montre ses fesses à la télé?

– Et alors? Ça vaudrait bien la gueule de Zitrone. »

Ils en rient. Complices. Pas méchamment. Comme ça.

« A propos de cul! soupire Pelot. J'ai un petit cadeau pour toi. J'ai un pote qui tripatouille la pelloche. Il a déjà été assistant de Claude Chabrol...

– Chabrol? Pouah!

– Allez, ne pisse pas le vinaigre sur les stars. Figure-toi que mon pote on lui a commandé un boulot bizarre. Il devait insérer des plans, qu'il a tournés avec des gens qu'on lui a présentés, dans un film porno, réalisation made in France. Une adaptation d'*Histoire d'O.* Il a tiré une copie. Elle est dans ma bagnole. Tu vois, je pense à toi. Je t'apporte une heure et demie de projo très spéciale. Seulement, y a un hic. Il faut que je récupère les bobines d'ici deux heures du mat', because l'emprunt s'est fait sans l'accord écrit du propriétaire.

– Tout ça pour moi?

– T'es encore plus con que je te l'dis. C'était pour... MOI! Seulement, j'avais pas prévu qu'on me filerait le catch de vingt-deux heures à commenter. Je rallie l'Élysée-Montmartre et j'ai pas le temps de voir le chef-d'œuvre. Pas de raison que tu en sois privé. Tu me raconteras?

– Promis!

– C'est ta femme qui va être contente.

– Ma femme? Pourquoi?

– Quand tu vas rentrer t'auras sûrement un p'tit cadeau pour elle?

– Si je n'avais de p'tit cadeau pour elle que les jours où tu me rapportes des films porno, la pauvre ne serait sûrement pas encore mère de famille.

– Il pousse le p'tit-p'tit con? »

Charles désigne une taille approximative, horizontalement, entre ses deux mains.

« C'est quoi ça? La taille de ton fils ou celle de l'ablette que t'as pêchée dimanche dernier au pont de Suresnes? »

Vers vingt-deux heures, plutôt que d'écouter le père Pelot commenter les grotesques acrobaties de l'Ange blanc et du Bourreau de Béthune, Charles s'isole dans une salle de repiquage cinéma et charge le projecteur avec la première bobine d'*Histoire d'O.* Puisque son projet de rentrer tôt est tombé dans le lac, il a tout son temps. Et puis, il est surtout curieux de voir à quoi ça peut bien ressembler, un film pornographique français...

Une demi-heure plus tard, c'est un autre homme. Le visage décomposé, les yeux rougis et les joues trempées de larmes, il sort de la salle de projection, titubant comme s'il avait trop bu, entre dans la régie voisine, décroche le téléphone, compose un numéro.

« Allô? Maryline?

– Oui.

– C'est Charles. Il faut que tu viennes me rejoindre à la télévision. »

Elle est très étonnée. Il la réveille. Elle ne peut pas laisser François tout seul.

« Laisse François dans son lit. S'il se réveille il se rendormira. Viens tout de suite, à Cognacq-Jay.

– Tu as eu un accident? demande-t-elle affolée.

– Non! Viens. J'ai besoin de toi, c'est tout. »

Certainement quelque chose de grave. Son rôle est d'être près de son mari pour l'aider si elle peut. Son devoir est d'y aller.

« D'accord! J'arrive tout de suite. »

Charles descend l'attendre devant la porte de l'immeuble. En raison des menaces d'attentats, le service de sécurité ne laisse pénétrer que les visiteurs attendus ou les membres du personnel munis de laissez-passer. Vingt minutes s'écoulent. Maryline arrive enfin.

« Que se passe-t-il, mon chéri? Qu'est-ce qu'il y a?

– Viens! Tu vas comprendre. »

Sans lui en dire plus, il l'emmène dans la salle de projection, la fait asseoir et depuis la régie lui annonce : « Je t'invite au cinéma. Regarde! Regarde ça! Regarde bien! »

La lumière s'éteint. Le film commence.

Un feu dans une cheminée.

Traveling arrière de la caméra : la cheminée s'éloigne. Plan élargi : on découvre le corps nu d'une femme étendue devant cette cheminée. Le titre du film s'inscrit : *Histoire d'O.*

De sa place, en régie, Charles peut surveiller les réactions de Maryline. Brusquement, elle a bondi de son siège, s'est tournée vers la porte, a voulu sortir. Il a fermé cette porte de l'extérieur.

Le film se poursuit par des images d'un jardin public, dans la journée.

Commentaire (lu par une voix masculine) : « Son amant

emmène un jour O se promener dans un quartier où ils ne vont jamais, le parc Montsouris. » Les images illustrent parfaitement le propos. « Après s'être longuement promenés et assis un instant côte à côte sur la pelouse... » On ne voit encore que les silhouettes, de dos, des comédiens. « ... Ils se dirigent vers l'angle d'une rue où il y a une station de taxi. »

Comprenant que la porte ne s'ouvrirait pas, Maryline s'y est adossée. Elle regarde défiler les images. Cette femme, qui s'assied sur la banquette d'un taxi. Cette femme, dont on ne voit encore que les genoux. Cette femme, elle la connaît.

Les mains de l'homme caressent ses jambes, détachent ses bas.

Comment Charles est-il entré en possession de cette copie?

Les mains de l'homme ouvrent ses cuisses, caressent son sexe. Blond.

Assez! Elle les connaît, ces images!

D'une seconde à l'autre va apparaître le premier plan de son propre reflet : « Assez! Arrête! » hurle-t-elle. Mais Charles ne lui répond pas. Il ne lui répond pas, parce qu'il n'entend pas. Il n'entend pas, parce qu'il ne veut pas l'entendre et qu'il a coupé la communication sonore entre la salle et la régie. Il voit. Derrière la vitre, il voit Maryline se tordre les mains en signe de supplication d'arrêter la projection. Sur l'écran aussi, il en voit des mains : gantées de noir, elles la déshabillent. Ces images ne sont que des préliminaires. Tout à l'heure, il n'a pas regardé jusqu'au bout mais il en a vu assez pour savoir que si c'est un film, ce n'est pas... du cinéma.

C'est elle. C'est bien elle, qui semble recueillir entre ses petites mains frêles ce sexe d'homme en érection, aux proportions monstrueuses. Et qu'elle porte à ses lèvres. Et qu'elle prend dans sa bouche...

Maryline a compris que son mari ne lui ouvrirait pas.

Elle s'est assise. Elle pleure sur ce désastre.

C'était en février-mars 1961. Charles était venu d'Algérie. Puis reparti. Elle avait peur. Elle s'était mise dans l'idée qu'il serait tué. Elle ne savait comment échapper à cette pensée. Travailler? Quand on lui avait proposé ce rôle, elle avait d'abord lu le livre. Elle ne voulait pas faire ça et avait refusé. Le metteur en scène l'avait convaincue : elle aurait le premier rôle. Commencer dans le métier en prenant la vedette de son premier film c'était une chance inespérée. Après tout, on ne lui demanderait que des simulacres. De simulacre en simulacre, elle était passée aux réalités. Des plans anonymes : « C'est du cinéma. Au montage, on ne verra pas ton visage, les gens penseront que c'est ta doublure. » Naïve? Non! Elle ne plaidera pas sa naïveté. Elle ne pourra pas plaider sa naïveté car, très vite, elle a été consciente d'éprouver un plaisir louche dans les plans qui exigeaient d'elle une participation chaque fois plus réaliste. Les images, sur cet écran, montrent assez combien elle est allée jusqu'au bout de ce qu'elle pouvait consentir.

Charles ne peut dominer sa fascination. Chaque nouvelle seconde – plus crue, plus insoutenable – bouleverse, renverse, remplace les précédentes. Cette femme blonde, à genoux, que des hommes baisent – comme une chienne – c'est sa femme. C'est la mère de son fils. Certains plans sur lesquels son visage apparaît signent l'absence de tout subterfuge. C'est elle. C'est bien elle. C'est elle et personne d'autre.

Faute d'argent, il avait fallu interrompre le tournage. Elle était enceinte. De Charles. Aucun doute possible : François est bien le fils de Charles et non celui d'un des acteurs du film, aucune ambiguïté.

En mai, Charles était au Val-de-Grâce. L'opération avait réussi. Le mariage se profilait à l'horizon. La production avait refait surface et l'invitait à reprendre ce tournage. Elle ne le voulait plus. Tout ce qu'elle possédait, tout ce qu'elle tenait de sa grand-mère – deux tableaux, un violon ancien, quelques bijoux – elle avait tout vendu pour réunir les fonds et racheter le négatif du film. Un peu plus de trois cent mille nouveaux francs. Elle avait assisté à la destruction de ce négatif et vu brûler le contenu de boîtes qui portaient le titre *Histoire d'O*. Vu brûler des boîtes, avec quel contenu?

Elle avait sottement cru que tout cela disparaîtrait à jamais.

Bien que proche, son passé était déjà là, refusant de se laisser oublier.

La porte du studio vient de s'ouvrir. Depuis le seuil, son mari la regarde. Fixement. Elle le voit déformé derrière le voile de ses larmes. Que lui dire? Se jeter à ses pieds pour implorer son pardon? Elle redoute de l'entendre. Elle craint la blessure de l'insulte dictée par la peine autant que par la rancune. Elle s'attend à tout. Sur ses gardes, elle souhaite éviter le piège d'une réaction inadaptée au premier face à face de leur couple devant un drame commun.

Que peut dire Charles, puisqu'elle-même ne trouve rien à lui dire?

Elle se sent devenir transparente.

Il s'approche et quelque chose paraît cassé sur son visage. Elle le voit. Elle le sent. Elle le sait. Elle ne peut en douter. Quelque chose s'est rompu, entre eux, au cours de ces soixante-dix minutes. Ce quelque chose-là, peut-être ne pourront-ils jamais le réparer. Dans ses yeux, à elle, il faudrait qu'il puisse lire : « essayons d'oublier. »

Mais que lit-il, dans ses yeux, à elle? Que lit-il?

Il ouvre la bouche. Il lui parle. Elle voit ses lèvres remuer. Elle ne comprend pas ce qu'il dit : sa voix est trop cassée, trop étranglée. Seulement, comprend-elle que ce n'est ni méchant, ni insultant, puisque vers la fin de son propos, elle réalise qu'il lui demande simplement de rentrer à la maison, à cause de François qui pourrait se réveiller.

En passant devant lui, elle n'ose lever les yeux.

Ce n'est qu'une fois dans le couloir qu'elle prend conscience de la peur qu'elle avait d'être seule, en tête à tête, dans cette pièce, avec cette terrifiante colère froide.

Dans son dos, elle sent son regard qui la suit.

Sortie de la coupable. Ça doit faire une impression identique, de quitter la salle d'un tribunal après avoir entendu prononcer sa condamnation.

Dans le hall, il n'y a personne. Il est tard. Le gardien somnole derrière sa vitre. A son passage il s'éveille et l'appelle :

« Mademoiselle, votre laissez-passer?

– Je... J'ai... J'ai pas... J'étais en visite.

– Eh bien alors, il faut récupérer votre carte d'identité. Vous seriez obligée de revenir la chercher demain. »

Elle se rappelle qu'en arrivant elle a effectivement déposé sa carte d'identité.

« C'est quoi, votre nom, mademoiselle? »

Son nom? Elle n'a pas de nom. Elle n'est rien d'autre qu'une misérable petite bêtasse qui a cru n'importe quoi, qui a fait n'importe quoi, qui s'est fait baiser devant une caméra. Elle n'est ni un nom ni une actrice. Elle est un cul. Elle se hait.

« Votre nom, mademoiselle?

– Je m'appelle... Maryline. Maryline Rou... Maryline Rougier », finit-elle par dire sans avoir le courage d'essuyer les larmes qu'elle sent couler sur son visage.

Charles a rangé les bobines dans leurs boîtes et sanglé le tout pour que Pelot puisse le remporter.

Pelot ne connaît pas Maryline. Il l'a peut-être entrevue, trois ans plus tôt, dans les couloirs du conservatoire, à Aix, mais il ne peut savoir qu'elle est la pitoyable vedette de ce film. A moins, qu'il ne s'agisse d'un coup monté? Non, si c'était le cas Pelot ne se serait pas privé de la joie de quelques allusions bien senties. N'a-t-il pas dit : « Ta femme va être contente »? Et même : « ... T'auras un p'tit cadeau pour elle. » Ce n'était pas dans le ton. Une menace hypocrite alors?

« B'soir, p'tit con. Suis complètement crevé. Tu as regardé l'émission?

– Non, j'ai regardé ton film! le défie Charles.

– Et ça ne t'a pas mis plus en forme que ça?

– Ben! C'est que... passé la surprise d'y rencontrer une ancienne du conservatoire d'Aix dans le rôle de l'héroïne, c'est un peu toujours la même chose. Ça baise au début. Ça baise au milieu. Ça baise à la fin. A la longue, c'est écœurant. Tu veux te faire une idée? Voir la première bobine?

– Je suis vraiment claqué! renonce Pelot.

– Regarde pendant une dizaine de minutes! insiste Charles. Après ça, t'auras tout vu. Tu me diras si tu reconnais la nana du conservatoire d'Aix.

– Bon d'accord! Dix minutes, Envoie ta bob'. Je vais en salle. »

Charles pense que Pelot ne lui a pas monté un coup avec cette sombre histoire de film. Sa sincérité naïve n'a pas été prise en défaut. Il ne sait vraisemblablement pas ce que le hasard lui a fait faire, ou alors il jouerait la comédie de façon trop ignoble.

A la première image montrant Maryline en gros plan, Charles demande depuis la régie : « Tu te souviens d'elle?

– Pas du tout!

– Elle était en classe de cinéma.

– Moi, y avait que les filles du cours d'art dram' qui m'intéressaient. Note que j'ai été le roi des connards. C'était une occase fantastique, cette grande fendue. Tu l'as sautée?

– Non! Non!

– Dommage pour toi, p'tit con. Un cul pareil, ça tient du palace cinq étoiles. »

Maryline. Sa femme. La mère de François.

Un cul cinq étoiles?

Sans réfléchir à son geste, Charles interrompt la projection.

« Hé p'tit con, qu'est-ce que tu fabriques? Ça commençait à bien me plaire, ce truc-là », proteste Pelot.

Par le micro du système de communication sonore, Charles lui répond :

– C'est l'heure d'aller dormir, Peu-not. C'est très mauvais de s'exciter les sens avant d'aller se coucher tout seul. »

Une soudaine et bruyante agitation dans le couloir empêche Pelot de placer une repartie bien sentie. Il se lève pour aller voir. Plusieurs équipes du journal télévisé sont sur le départ : journalistes, caméramen, ingénieurs du son, chauffeurs des voitures de reportage : tous ont l'air plus ou moins vaseux. Certains semblent même avoir été tirés du lit.

Au passage Pelot reconnaît un caméraman qui travaille parfois aux sports : « Hé Rémy : que se passe-t-il? C'est la révolution?

– T'es pas au courant?

– Au courant de quoi?

– C'est le huitième plastiquage depuis minuit! La mission France III vient d'envoyer un communiqué : c'est une nuit bleue. La première bleue parisienne! crie-t-il encore avant de tourner l'angle du couloir.

– Merde alors! jure Pelot. Comme à Alger, les nuits bleues du plastic. »

Sur le boulevard Bosquet, Charles retrouve sa « quat' chevaux ». Il n'a guère envie de rentrer. Il se sent trop malheureux et ne sait quelle attitude adopter à l'égard de Maryline. Au-delà de sa désillusion, il a l'impression que sa vie tout entière vient de s'effondrer.

Pourquoi n'est-il pas mort huit mois plus tôt?

Des cars de police ou des voitures de pompiers surgissent à presque tous les carrefours. Un peu partout, on entend leurs sirènes en action. L'avenue Kléber est complètement embouteillée.

Maryline voulait faire du cinéma. Soit! Mais, ce qu'elle a fait n'est pas du cinéma. Pourquoi a-t-elle fait ça? Pourquoi?

Un barrage de police l'oblige à s'arrêter. Papiers. Fouille du coffre. « C'est bien. Circulez. »

Circuler. Pour aller où?

Rond-point des Champs-Élysées. Devant *Le Figaro*, grand attroupement.

Avenue Matignon, Charles trouve une place pour sa voiture.

Il ne fait pas chaud. Remontant sur son cou le col de sa vareuse, il hâte le pas. A la terrasse du Berkeley, plus personne. Pour se réchauffer, c'est en courant qu'il va jusqu'à l'immeuble du *Figaro*. Les badauds commentent les dernières nouvelles : « Onze explosions au plastic... – Depuis minuit. – Toutes revendiquées par l'OAS. – Qu'attend de Gaulle pour arrêter tout ça? – Salan est une crapule. – Salan est un héros. – Algérie française. »

Dans le couloir qui donne sur le hall du journal, un homme annonce un attentat de plus. C'est le douzième de la nuit. Une rixe menace : les « pour » et les « contre » veulent s'affronter.

Charles s'éloigne.

Il entre dans une brasserie, s'approche du comptoir, commande un demi.

Il est malheureux. Malheureux et tout seul. Tout seul et incapable de prendre une décision.

Le flipper vient de se libérer. Charles s'en approche, introduit sa pièce de vingt centimes dans le monnayeur et tire la première boule.

François ne peut, telle cette bille d'acier, rebondir sur les incidents de parcours de la vie. Protéger François, cela veut dire faire en sorte qu'il n'en subisse pas...

Merde! Il vient de rater le bonus. Charles tire la deuxième bille.

Si Odette n'était pas si loin. Elle a toujours trouvé les mots qui l'ont consolé de tout. Elle n'a certainement jamais trompé son mari, Odette; c'est le puits de toutes les vertus, le dévouement et l'attention de tous les instants. Son père a eu bien de la chance de rencontrer une femme aussi exemplaire. Qui était Jacqueline Mornet, sa mère? Une résistante? Il sait si peu de choses d'elle.

Et cette bille, qui ne marque pas de points. Assez! Il n'a plus envie de jouer à ce jeu idiot. Plus envie de jouer. Pour autant, il ne se résigne pas à laisser la bille se perdre. Les flippers la propulsent sur les bumpers, elle reprend sa course saccadée d'impulsions électriques, revient d'elle-même se placer en position d'être renvoyée sur les cibles. Elle est comme quelque chose qui ne veut pas mourir.

Pour cette nuit, il va aller dormir dans un hôtel.

Demain, il avisera.

***

Odette n'avait pas eu besoin d'attendre le bilan pour mesurer le fiasco commercial de l'année 1961 et réagir en conséquence.

« Il faut repenser la décoration du magasin! » avait-elle annoncé, un matin, à l'heure du petit déjeuner.

Le 8 janvier 1962, tous les contrats étaient signés.

Au printemps, la boutique ouvrira complètement transformée.

Une devanture bariolée, style pop. De la musique en fond sonore. Des cabines d'essayage plus spacieuses, avec miroirs légèrement amincissants. Et de la lumière – de toutes les couleurs – sur des mannequins d'un style nouveau qui présenteront les modèles les plus extravagants, les plus sophistiqués.

Comme les autres années, Odette avait loué un appartement dans une station de sports d'hiver pour quelques jours de vacances. Cette courte période de repos à la montagne lui avait permis de prendre conscience d'une grande fatigue. Certes, au long des derniers mois, les événements s'étaient précipités. Elle avait eu son comptant de soucis. Cela n'expliquait pas pourquoi ses ongles s'effritaient, pourquoi ses cheveux étaient ternes et cassants, pourquoi elle avait ces impressions de fièvre intermittente et des papillons noirs devant les yeux?

Dès son retour à Juan, le 20 janvier, elle était allée, comme chaque trimestre, consulter son gynécologue et lui avait parlé de ses problèmes. « On va toujours faire un frottis », avait décidé l'homme de l'art. (Agréable!) Au vu des résultats il avait finalement déclaré : « Tout va bien. Le terrain est parfaitement sain. Vous êtes en pleine forme. Une vraie jeune fille. » Elle s'était risquée à lui parler de ménopause. Il avait répondu : « C'est un processus qui s'effectue lentement. Bien des femmes de votre âge vous achèteraient votre jeunesse et votre santé. »

Elle s'en était donc tenue à l'achat d'une boîte de fortifiant.

Une voisine rencontrée sur le marché d'Antibes lui avait donné ce conseil : « Vous devriez voir un bon généraliste », assorti d'une adresse : « Docteur Morin, rue Paradis, à Nice. »

Renonçant à éveiller des craintes probablement injustifiées dans l'esprit de son mari, Odette avait remis à plus tard.

***

Née le 28 janvier 1908, Odette va avoir cinquante-quatre ans.

Ça fait vingt ans qu'ils se connaissent. Marc prépare cet anniversaire avec beaucoup de soin.

Il lui destine deux cadeaux.

Le premier est de sa fabrication. Compte tenu de sa situation délicate, il ne peut pas exercer une activité professionnelle comme tout le monde. En temps voulu, il a pris toutes précautions pour pouvoir vivre en conséquence. De ce côté-là, pas de problème! En revanche, sa vie sociale est plus compliquée. Lorsqu'ils étaient à Montpellier, elle prétendait qu'il était très malade des suites de l'occupation. Ici, à Juan-les-Pins, elle lui a inventé une sorte d'aura d'intellectuel solitaire.

Un jour, au hasard d'une promenade dans Nice, il avait découvert un stock de vieux livres allemands. Au nombre de ceux-ci, une très amusante histoire d'escroquerie montée par un certain Frantz Tausend qui, dans l'Allemagne de 1923, avait prétendu pouvoir fabriquer de l'or. Les plus hautes personnalités politiques et industrielles s'y étaient laissé prendre au point de le subventionner. Il s'en était fallu de sept années pour qu'un gamin, moins crédule que ses aînés, fasse observer que les particules d'or qu'il prétendait sortir de son creuset tombaient du stylo dont il se servait pour prendre des notes en cours d'expérience. Marc s'était si fort diverti à la lecture de ce texte, qu'il n'avait pas résisté au plaisir de le réécrire à sa manière, aiguisant les aspects symboliques du rapport de l'homme au vieux rêve sur l'alchimie et tirant une morale sur la très grande crédulité du peuple allemand qui ne pouvait qu'être victime des tromperies et falsifications du nazisme naissant. Son manuscrit terminé, il l'avait fait lire au libraire devenu un ami et celui-ci avait proposé de le faire imprimer en partageant les frais.

Donc, premier cadeau pour Odette : son livre, qui vient juste de paraître et dont il vient de recevoir un premier exemplaire. Bien entendu, il lui est dédié.

Deuxième cadeau : une superbe robe du soir de Christian Dior. Elle pourra la porter lors du dîner qu'il lui réserve dans l'un des endroits les plus fermés et les plus sélects de la Côte.

En ce matin du 28 janvier, la fête commence dès l'heure du petit déjeuner. Par la présentation des vœux. En présence d'un invité de marque : le soleil. Pas suffisant pour sortir la table sur la terrasse mais – enfin – il est bel et bien là pour faire le présent de sa lumière.

Après les vœux, l'invitation. Pour le soir même.

Après l'invitation, les cadeaux.

La robe, d'abord.

Odette est ravie.

Le livre, ensuite.

Cette fois, elle est bouleversée. Bouleversée à pleurer. D'ailleurs, elle pleure. Elle pleure et elle rit, aussi, en balbutiant dans les bras de son mari qu'elle n'a jamais été aussi heureuse.

C'est un instant très doux. C'est du bonheur à l'état brut, c'est du bonheur à l'état pur.

« Merci mon chéri. Merci pour tout le bonheur que tu me donnes. Depuis déjà vingt ans. »

Puis, elle est fière. Elle est fière de se découvrir l'épouse d'un écrivain. Pour lui, elle rêve... Pour lui, elle rêve déjà de gloire internationale. L'auteur doit lui rappeler que ce 28 janvier est un anniversaire et non le jour de croire au Père Noël. Socrate – le chat – n'en est pas moins invité à ne plus monter sur le bureau du... maître.

« Miaou! » consent sobrement ce philosophe, beau miauleur, en tournant le gros dos avec mépris à la chose imprimée.

Le soir, à l'heure dite, resplendissante dans sa nouvelle robe, Odette est prête à vivre tous les plaisirs qui s'offriront à composer la mosaïque des réjouissances de cette nuit de fête.

De ses cinquante-quatre ans, elle n'affiche que l'essentiel. Une plénitude distinguée. Une sérénité admirable. Elle n'était pas ainsi, vingt ans plus tôt. C'est sa foi en l'amour qui l'embellit jour après jour. Elle ne triche en rien. Ce qu'elle ne peut retenir de jeunesse, elle le compense soigneusement d'élégance, de bon goût, de tous les charmes d'une harmonieuse maturité. La grâce de ses gestes, la tendresse de son sourire, la douceur de son regard, le timbre de sa voix, la rendent éclatante de séduction. C'est peut-être ça, l'esprit du corps?

Le téléphone sonne. Elle décroche et, tout de suite, rayonne : Charles n'a pas oublié son anniversaire.

Assis dans un fauteuil, Socrate sur les genoux, Marc l'observe tandis qu'elle parle. Elle semble avoir maigri. Les traits de son visage creusés au-dessous des yeux cela peut être un effet voulu par les ombres d'un maquillage du soir mais la disparition des légères rondeurs des épaules et des hanches le surprend tout autant que la fonte des seins et quelques petits os qui saillent, à la base du cou, aux coudes ou aux poignets. Peut-être suit-elle un régime?

Elle raccroche vaguement inquiète au sujet de Charles dont elle a trouvé qu'il était peu loquace : « Pourvu qu'il ne soit pas malade.

– Écoute, il a une femme délicieuse qui veille sur lui, alors nous, ses rhinopharyngites, ce n'est plus notre problème. »

Il est tard déjà. Ils doivent partir.

« Le spectacle vient juste de commencer », leur assure le maître d'hôtel qui les conduit jusqu'à leur table. Sur la piste, un prestidigitateur effectue des tours que la salle ponctue d'exclamations émerveillées et d'applaudissements.

Une salle, au demeurant très pleine. Femmes en robes du soir, messieurs en smokings. Visiblement une clientèle d'habitués triée sur le volet. Une carte soignée. Une cuisine de haut niveau. Une cave irréprochable. Les attractions alternent avec des pauses musicales qui permettent aux uns de dîner, aux autres de danser.

Peu après minuit arrive un animateur très attendu de ceux qui le connaissent déjà. Dans une succession étourdissante de mots d'esprit, de mimes, de sketches et d'histoires drôles, il transforme instantanément la soirée et l'organise. Il lance l'idée d'un concours pour l'élection des plus jolies jambes. Pas de volontaires? Il prend sur lui de décider les hésitantes : « Vous, madame? »

Odette refuse sa participation.

Il insiste, parvient à la convaincre ainsi que cinq autres candidates.

Tandis que son assistant les amène vers les coulisses pour qu'elles puissent s'y préparer en égalisant leurs chances avec d'uniformes collants noirs, dans un délire verbal qui se poursuit sans faiblir, l'artiste poursuit son numéro.

A peine Odette s'est-elle absentée qu'un maître d'hôtel s'approche de Marc : « Pourriez-vous venir, monsieur? Votre femme vient d'avoir un malaise. »

Le médecin de l'établissement est auprès d'elle.

Il vient de lui prendre sa tension.

« Elle va mieux, affirme-t-il. Vous êtes le mari?

– Oui.

– Pas très bonne, sa tension. Dix/six. L'écart n'est pas mauvais mais c'est vraiment très peu. Je vais lui donner un tonicardiaque léger. Quand elle sera reposée, mieux vaudrait rentrer chez vous. »

Tandis qu'il prépare sa piqûre, il ajoute : « Vous devriez peut-être la convaincre d'aller consulter. Quel âge a-t-elle?

– Cinquante-quatre ans.

– Ce n'est peut-être rien mais il vaudrait mieux vous en assurer. Quelques examens de laboratoire vous donneront des garanties. A votre connaissance, elle n'a rien au cœur?

– Pas que je sache.

– Il vaudrait mieux vérifier. Ce serait infiniment raisonnable.

– Je vais lui en parler, docteur. »

Après la piqûre, Odette adresse un pauvre sourire fatigué à son mari.

Pour ce soir, c'en est fini de la fête.

***

Anna a pris en main l'organisation du séjour parisien de Stéphan Burt.

Elle a loué pour lui un appartement rue de Rivoli et a poussé la prévenance jusqu'à garnir son lit d'une superbe créature rousse qui n'est autre qu'Olga (la capitaine du bataillon de charme de l'arrière-boutique). En échange de confortables indemnités dues à ses compétences, Olga glane quelques renseignements sur l'énigmatique tueur qui attendrait des ordres pour l'organisation d'un attentat contre une haute personnalité française.

En cette fin d'après-midi du 25 janvier, pour la première fois, on vient chercher Anna sur la demande d'un client.

« Qui c'est, ce bonhomme-là? Qu'est-ce qu'il veut?

– Aucune idée! répond Olga. Il s'est présenté à l'hôtesse avec un mot de Marie-Laurence.

– Un mot d'excuse pour arriver en retard chez les putes? »

Olga tire de sa poche un petit bristol rose :

Marie-Laurence de Simenoff
Présidente-directrice générale de
la Société d'études et de réalisations
en instituts de beauté

Manuscrit : *prie de réserver le meilleur accueil au porteur.*

« Cabine 6 », informe Olga sans lever les yeux de ses longs ongles rouges qu'elle est entrain de limer.

« Toc-toc » songe Anna en frappant discrètement à la porte de la cabine 6. Elle sourit en imaginant qu'à cette époque où, chaque jour, parlent les explosions et les armes on pourrait lui répondre : « Tire la bombinette et la chenillette cherra. » Dissimulant sa nudité derrière une moelleuse sortie de bain filigranée au chiffre de l'institut, la très rousse Nadège lui ouvre.

« Vous m'avez fait demander?

– C'est monsieur...

– Entrez, Anna. Entrez mon enfant. Entrez. »

« Mon enfant? » : qui d'autre que le commandant?

Ce n'est pas le commandant. Tout nu, sur la table de soins, le bas du dos recouvert d'une serviette, il s'agit de Michel Lemoind. Souriant, appuyé sur ses avant-bras, il a l'air parfaitement détendu. Cette situation particulière ne lui fait en rien perdre son allure digne de magistrat : « Je me suis dit qu'après tout, dans la mesure où je devais vous rendre visite, je pouvais aussi bien joindre l'utile à l'agréable. » A l'intention de Nadège, il ajoute : « Pourriez-vous nous laisser, mon enfant? »

Alors que Nadège relève l'épaisse cascade de sa tignasse rousse pour la faire passer par-dessus le col de sa blouse, Anna interrompt son geste et, d'une main légère, effleure en la dessinant la ligne délicieusement ronde d'un petit sein à peine pointé de bistre.

« Instant charmant et vision d'art! » commente galamment le client.

Soumise et immobile, Nadège baisse les yeux sur la main fine et bronzée de sa directrice qui glisse doucement de sa poitrine jusqu'à son ventre, franchit la ligne de dentelle noire de son porte-jarretelles et va jouer, du bout des doigts, à la lisière de la fourrure de feu qui s'enfuit entre ses jambes.

« C'est une enfant très douée.

– Je... Oui. Elle est très douée, en effet », convient Michel Lemoind, visiblement troublé par le spectacle de la main qui caresse si doucement les cuisses laiteuses soulignées par les revers sombres des bas.

« Ma chère enfant, poursuit Anna, notre ami est un protecteur des arts et des artistes. Une sorte de mécène. Je ne pense pas trahir son souhait en vous informant que j'inscrirai une somme de... mille cinq cents... Disons deux mille francs nouveaux, à votre crédit. Elle vaut ça, n'est-ce pas, mon cher Michel?

– Assurément! » convient-il de nouveau sans excessive conviction mais sans non plus protester contre cette extorsion de fonds.

Nuancé de toutes les fadeurs de l'incompréhension, le sourire de l'esthéticienne de charme demeure un instant figé puis, se reprenant, elle achève de rajuster sa courte blouse.

Alors qu'elle ouvre la porte pour les quitter, Anna lui lance : « Et merci infiniment, monsieur, pour votre généreuse subvention destinée à m'aider à perfectionner mon art dans les aléas de... l'interruption.

– Merci, monsieur! » bredouille Nadège avec un air particulièrement stupide.

Une fois qu'elle est sortie, Anna tend à son visiteur la petite carte de Marie-Laurence qui recommandait le meilleur accueil : « J'espère que vous aurez à cœur de bien vouloir confirmer à notre présidente que vous avez reçu le meilleur accueil?

– Je... Certainement.

– Meilleur accueil ne sous-entendait pas, bien sûr, gratuité des soins. »

Comme il a l'air plutôt perplexe, elle ajoute : « Avouez que, si mes filles devaient éponger tous les copains de Malou de la CIA à l'OAS, en passant par le SAC et sans préjuger de voir un jour débarquer les agents de l'IS, du KGB, du SDECE et quelques autres, ce vulgaire bordel de merde ne serait plus qu'un nid d'espions.

– Reconnaissez que les tarifs de vos artistes sont assez sélectifs pour vous interdire à jamais de rêver à la clientèle moins compromettante des agents de la SNCF, de l'EDF-GDF ou de la RATP.

– J'espère quand même que vous n'aurez pas trop de problèmes de fin de mois à cause de nous? »

Il ne peut qu'en rire. Elle ajoute : « Sachez toutefois que les visites à des fins professionnelles sont totalement gratuites quand elles ont lieu dans mon bureau. Cela étant dit, que puis-je pour vous?

– Ma chère Anna, lors de ma première visite je vous avais laissé entendre que nous pourrions être amenés à collaborer. C'est de cette perspective que je suis venu vous entretenir. »

Faisant le tour de la table de soins, elle va s'asseoir sur le seul siège de la cabine, un tabouret articulé tout proche de son interlocuteur.

« Eh bien, je vous écoute! » dit-elle alors, croisant les jambes.

Sans doute a-t-il pensé l'intimider en demandant à la voir dans ce lieu? Elle a même supposé que cette petite mise en scène avait pour signification de lui démontrer à quel point il la tient pour un simple instrument avec lequel il n'y a pas à se gêner.

« Je me suis laissé dire que vous recrutiez ferme, dans les rangs du SAC, ces temps-ci? »

La question est suivie d'un regard interrogatif. Comme elle ne répond pas, il poursuit : « Pour le moins aussi activement que, de leurs côtés, Dominique Ponchardier et Alexandre Sanguinetti. » A défaut du moindre acquiescement, il ajoute : « Vous avez quarante ans, je crois? J'en ai soixante-deux. Je pourrais être votre père. Laissez-moi vous donner un conseil, ma petite Anna, ne vous compromettez pas à introduire un poisson chez les hommes de Bitterlin. »

Entendant cela, elle laisse s'éteindre son sourire.

« C'est une mission suicide, pour l'adjudant-chef Legoëf comme pour vous-même. J'aimerais mieux n'avoir pas à vous porter des chrysanthèmes à la prochaine Toussaint. Suis-je clair?

– On ne peut plus.

– Alors, à vous d'en tenir compte. Venons-en à l'objet de ma visite. Lors des récentes négociations de Bruxelles portant sur l'accord des Six pour une politique agricole commune, il n'a été question que de l'intention officieuse de la France de s'opposer à l'accord tarifaire Europe-États-Unis qui doit se débattre d'ici le mois prochain pour l'entrevue de Genève. Voilà qui compromettrait l'offensive commerciale américaine en Europe dont je vous ai parlé l'autre jour. En apparence, les problèmes internes du généralissime ne mettent pas le frein escompté à la mégalomanie de sa grandeur nationale. A ce jour, de Gaulle a derrière lui un mouvement d'opinion favorable et Salan fait du petit terrorisme qui ne met pas du tout la stabilité gouvernementale en péril. »

Après une courte réflexion, il reprend : « Si l'OAS n'est pas suffisamment puissante pour mobiliser la totalité des efforts de De Gaulle, elle offre l'avantage d'être une pépinière où s'exprime un certain fanatisme. Supposons... – je dis bien, supposons – une réédition de l'attentat manqué du 8 septembre 1961. Mais supposons...

– En clair, vous voulez supprimer de Gaulle?

– Simple hypothèse d'école. Il en est une autre. J'y crois moins. Elle consisterait à lui porter gravement atteinte dans l'esprit de la majorité des Français. L'ennui, c'est qu'il soit si honnête. C'est sous cette image qu'il est perçu. Même si, lorsqu'il a démissionné en 1946 de la présidence de la République française provisoire, l'opposition communiste l'a accusé d'avoir emporté la caisse.

– C'était pour le punir de son décret de dissolution des milices patriotiques.

– Certes, j'entends bien! Je voulais seulement souligner que malgré cela, l'image de son intégrité n'a pas été compromise. Aujourd'hui, de Gaulle, Debré et Couve de Murville, ne constituent pas un franc triumvirat de bons vivants susceptibles de céder aux fascinations de la corruption. Heureusement, comme ils ne peuvent être au four et au moulin, il leur faut – de temps à autre – déléguer leurs pouvoirs et signer des ordres de missions qui sont autant de chèques en blanc qui leur échappent.

– Cela me paraît confus.

– Vous êtes moins perspicace que votre bonne amie Marie-Laurence! souligne malicieusement Michel Lemoind. Il est vrai qu'elle a très tôt compris que la première des faiblesses humaines passe par les exigences du bas-ventre. C'est bien pourquoi je lui ai demandé de mettre en place un commando de charme qui aura pour fonction d'approcher quelques-uns de ces hommes qui peuvent présenter un intérêt. Malou vous chargera prochainement du recrutement de celles qui deviendront nos informatrices. Pas plus compliqué, en vérité, que le fait d'avoir placé votre amie Olga près de Stéphan Burt.

– Je réfléchirai! » promet Anna en se levant de son siège comme si cela devait marquer la fin de l'entretien.

Michel Lemoind la retient d'une parole.

« Je ne pense pas que ça sera suffisant.

– Mais je ne peux rien faire de plus avant que Malou rentre à Paris. Un tel recrutement ne peut s'opérer qu'à partir d'un certain carnet d'adresses : filles de diplomates ou épouses désœuvrées de hauts fonctionnaires, je ne peux...

– J'entends bien, ma chère Anna! J'entends bien! La question n'est pas là. Je vous ai dit que je ne croyais pas vraiment en cette solution. Je reste persuadé que pour éliminer un homme exceptionnel, il convient d'utiliser des moyens exceptionnels.

– Faire supprimer de Gaulle par l'OAS? »

Michel Lemoind se met à rire doucement.

« Certes pas! Ils en sont tout à fait incapables. Stéphan Burt me paraît susceptible de beaucoup plus d'efficacité. Il suffira que l'OAS en tire le bénéfice. Si ce cas de figure devait se réaliser, dans la mesure où aucun homme politique français ne paraît pouvoir jouer dans l'immédiat le rôle de rassembleur de suffrages électoraux, il semble que Salan... »

Se rasseyant sur le bord de son tabouret Anna éclate de rire.

« Mais nous sommes en France, mon bon monsieur. Ni en Espagne, ni au Portugal, ni en Grèce, ni dans aucune autre nation plus ou moins fantoche de votre chère Amérique latine. Jamais les Français ne laisseront une junte militaire prendre le pouvoir, ils se défient beaucoup trop de...

– Allons Anna! Vous faites peu de cas de Pétain, sitôt suivi de De Gaulle. Pour une nation qui n'aime pas l'uniforme?

– Ce sont des circonstances exceptionnelles qui ont porté ces deux hommes au pouvoir. Aucun des deux n'a assumé la fonction de soldat avant celle de chef de l'État. Les Français ne supporteraient pas un gouvernement militaire. Je me demande où vous êtes allé pêcher une idée pareille? »

Affichant une expression nuancée d'indulgence amusée, Michel Lemoind remarque en souriant : « Un peu d'indignation vous va bien, ma chère. Elle vous met aux joues une flamme d'excitation tout à fait séduisante. »

Contrôlant sa réaction, Anna prend le parti de n'avoir pas entendu. Elle déteste ce genre de galanterie nuancée de paternalisme dont usent certains hommes pour rappeler aux femmes qu'ils n'attendent pas de savoir ce qu'elles pensent : « Croyez-vous Raoul Salan assez idiot pour prétendre au pouvoir sans consultation électorale?

– De Gaulle disparu, la déstabilisation politique de la France serait telle qu'il ne resterait pas grand-chose d'autre à faire que d'envisager un gouvernement de salut public. Permettez-moi de vous rappeler une directive de Salan lui-même, datée du 16 juin dernier, il y a donc environ sept mois. Si ma mémoire est bonne, il déclarait en substance qu'après la disparition de De Gaulle, la France se trouvant devant un choix pour déterminer et orienter son avenir, alors – et alors seulement – les doctrines politiques pourraient à nouveau s'affronter.

– Je ne vois pas ce qui vous trouble?

– Un texte de cette nature permet plusieurs lectures. Raoul Salan pouvait aussi bien prendre date. Primo pour évincer de Gaulle. Secundo, pour écraser l'ALN et maintenir l'Algérie dans l'Empire français. Tertio, pour apparaître comme le seul conciliateur au moment où – les affrontements politiques ayant repris dans un style IVe République – la France tournerait inévitablement les yeux vers le héros ayant su préserver l'un de ses plus beaux fleurons coloniaux. Tout comme vous, je ne crois pas Salan assez idiot pour s'emparer du pouvoir en force. En revanche, je le crois assez intelligent pour marcher sur le pouvoir quand personne ne pourra lui barrer la route.

– Mais la gauche française ne laissera...

– Oubliez plutôt la gauche française. Elle s'est assez couverte de ridicule sous la IVe République pour n'être plus en mesure d'empêcher quoi que ce soit. Il n'y a pas, en France, que ceux qui reprochent à de Gaulle de ne pas tenir ses engagements du 13 mai 1958. Il y a, aussi, tous ceux qui en veulent à Mendès France d'avoir été tout près de brader l'Algérie alors qu'il la déclarait irrévocablement française en 1954.

– Mendès France n'est pas toute la gauche.

– Mais voyons, Anna? Qui irait renouveler sa confiance à Guy Mollet complètement discrédité après l'affaire de l'expédition franco-britannique sur Suez, en 1956? Edgar Faure, quant à lui, n'a pas su éviter l'effet pervers du libéralisme qui consiste à paraître trop souvent en situation de retourner sa veste. Reste Mitterrand : il aurait ses chances si cette lamentable affaire de l'attentat de l'Observatoire avait été élucidée et si personne ne se rappelait que cet homme est né à... Jarnac. »

Où veut-il en venir? Que va-t-il lui demander? Quel est le but de cette conversation théorique?

« Vous savez que Stéphan Burt attend de recevoir des instructions d'action. Si elles devaient lui parvenir, il vous le ferait savoir, par le moyen que vous avez mis à sa disposition. »

Sa voix a souligné cette fin de phrase et le court silence y faisant suite n'est pas sans marquer son ironie.

« Il vous suffirait alors de le conduire... jusqu'au commandant.

– C'est tout?

– Non! J'aimerais aussi vous demander d'avoir l'extrême obligeance de bien vouloir faire revenir dans cette cabine la jeune femme rousse de tout à l'heure.

– Nadège?

– C'est cela. J'aimerais tester personnellement le sens de la tâche accomplie chez cette jeune personne dont je vous dois de subventionner l'éducation. »

Anna se lève de son tabouret.

« Je fais le nécessaire! » promet-elle.

Alors qu'elle pose la main sur le verrou de la porte, il la retient encore : « Surtout, n'oubliez pas la mise en garde que je vous ai faite. »

Elle s'était dit qu'elle n'oserait pas, puis elle avait poussé la porte en songeant que, de toute façon, une épilation des jambes ne serait pas un luxe superflu.

Arrivée remarquée. Celles l'ayant reconnue pour l'avoir vue le soir de la manifestation des Algériens étaient venues en toute hâte s'informer sur le contenu de la pochette-surprise de son ventre : « Un garçon. »

« Un garçon, un petit garçon » : l'impression de l'avoir connu avant qu'il existât l'avait rendu à certaines aussi précieux que s'il était à elles, tandis que pour d'autres il avait été le prétexte à évoquer un peu leur propre progéniture.

On en était venu ensuite aux choses sérieuses : « Une épilation des jambes, et pas de rendez-vous?

– Pas de rendez-vous!

« Sans rendez-vous! c'est pas possible sans rendez-vous.

« Pas de rendez-vous. Pas de rendez-vous », se chuchotaient les esthéticiennes consternées. Et les hôtesses, qui sentaient bon tant qu'elles pouvaient, en rajoutaient dans de secrets conciliabules : « Elle n'a pas de rendez-vous, vous comprenez? » Chacune ressentait bien l'offense. Elle aurait dû avoir un rendez-vous.

« Mesdames et chères esthéticiennes... Mesdames et chères... » devant l'horreur de sa situation, elle n'avait plus trouvé ses mots.

Heureusement, l'arrivée de la vieille (de la chef, pardon!) était venue tout arranger. Reconnaissance – bisou. – « C'est un garçon. – Un garçon... Un petit garçon... »

« Mais, elle n'a pas de rendez-vous. – Aucune importance, je vais m'en occuper moi-même. »

Ouf! avait soupiré le salon soulagé. Et, le soleil revenu, les esthéticiennes s'étaient remise à espérer : « L'honneur de la maison est sauvé », les petites hôtesses avaient retrouvé leur sourire : « C'est Mme Leroy qui va la prendre. – Si Mme Leroy s'en occupe, alors... »

Alors, on ne la laissera pas repartir avec du poil aux pattes.

Alors, elle n'irait pas – déçue – se jeter entre les mains du premier arracheur de duvet venu.

Et tout ce petit monde froufroutant avait retrouvé son sourire.

Annick Leroy est assurément quelqu'un de gentil au sens le plus noble du mot. Elle a une fille de vingt ans et pourrait en parler des heures. C'est après le récit des fiançailles rompues de cette dernière que Maryline l'a mise dans les confidences.

« ... Il a mal vécu la période de ma grossesse. J'avais cessé d'être la petite poupée... Il s'est tourné vers une autre... Même son fils n'a pu le retenir...

– Ma pauvre petite. Il avait l'air si gentil. On a bien raison de dire que les hommes... »

Quelques larmes, silencieuses et dignes, dans les grands yeux violets de l'innocence la plus pure. Annick.Leroy est remuée jusqu'au tréfonds de sa compassion.

« ... comédienne. Métier difficile au début... Ah, si j'avais un petit job, pour tenir le coup et élever mon fils sans n'avoir rien à demander à personne. Le minimum nécessaire suffirait... Le monde est sans pitié pour les êtres trop tendres... »

Assez! Annick Leroy n'en peut plus. Tant de malheurs.

« Il faut en parler à Mme Anna. C'est notre directrice. Elle connaît beaucoup de monde. Elle trouvera peut-être une solution? »

Consternation : Mme Anna est à la banque. On la préviendra sitôt qu'elle rentrera.

« En attendant que le produit fasse effet, restez bien sage. Détendez-vous. »

Baignée par la douceur de cette cabine de soins, Maryline ferme les yeux. Au lendemain de la nuit du 17 janvier, Charles est revenu boulevard des Batignolles. Il avait pris sa décision : « Nous allons nous séparer. » Qu'aurait-elle pu dire? Quelle sorte de pardon aurait-elle dû implorer? Il avait ajouté : « En attendant que nous prenions d'autres dispositions, je viendrai voir François aussi souvent que possible et je te donnerai de quoi subvenir à vos besoins. »

Elle ne l'a pas revu depuis. Quatorze jours de silence.

Il a renvoyé un premier chèque. Sans un mot d'accompagnement.

Se jeter à ses pieds et lui dire qu'elle a peur de vivre seule avec un enfant? Implorer son pardon? Charles est trop entier, trop absolu, trop rigide. Au temps où ils vivaient ensemble, à Aix, elle a appris à le connaître.

Elle a aussi appris à l'aimer. A l'aimer tel qu'il est et même, peut-être, à l'aimer parce qu'il est ainsi.

Aujourd'hui, il souffre. Elle sait qu'il souffre. Elle sait aussi qu'il ne reviendra par sur sa décision.

La seule solution...

... serait de se montrer patiente. De prendre le temps de lui démontrer son exemplarité dans la dignité de son chagrin. Parvenir à forcer son admiration.

Ce qu'elle doit faire : expier.

Elle aime cette idée : expier.

Retrouver sa pureté perdue aux yeux de Charles.

Il faut qu'elle entreprenne une reconquête. La reconquête de l'admiration du père pour la mère, en espérant ressusciter le mari.

Tout doit s'organiser en fonction d'un plan. Depuis ces quinze derniers jours, elle était sous le coup d'un choc. Elle n'a fait que se morfondre dans sa culpabilité. Résultat, elle s'est sentie un peu plus sale chaque fois qu'elle a repensé à tout ça. Aujourd'hui, elle doit chercher la sortie de cette impasse.

Petit à petit, le plan s'élabore et s'éclaircit dans son esprit. Pour cette année, pas question d'université mais elle doit se remettre dans le bain et préparer l'année prochaine. Terminer sa licence de lettres. Plus question de jouer l'apprentie comédienne. Plus question de cinéma. Vivre sérieusement. Elle va vivre sérieusement.

***

L'avertissement de Michel Lemoind n'est sûrement pas paroles en l'air. S'il a tant insisté c'est qu'il a de sérieuses raisons de croire qu'elle prend un risque réel. Elle aurait tort de ne pas en tenir le plus grand compte.

Dans un premier temps, prévenir le commandant de sortir Yan Legoëf du jeu. Dans un second temps, informer Mme Lemarchand de soupçons concernant Yan Legoëf. C'est ce qu'elle peut faire de mieux.

Elle va décrocher son téléphone lorsqu'on frappe à sa porte. Côté arrière-boutique. Que se passe-t-il encore? Elle appuie sur le bouton qui déclenche l'ouverture et... violemment projetée en avant Olga fait une entrée fracassante dans le bureau en allant s'effondrer au milieu du tapis.

Deux hommes sont derrière elle.

« Anna Abroweski? demande l'un.

– Oui.

– Police. Veuillez nous suivre! » dit-il en exhibant sa carte de la direction de la Sûreté nationale.

Assise par terre sur le tapis, Olga se masse les poignets en roulant de grands yeux blancs. Elle est splendide : dépeignée, sa blouse blanche ouverte jusqu'à la taille sur son porte-jarretelles et ses bas noirs.

« C'est bon, messieurs. Je vous suis. Vous me permettez de prendre un imperméable?

– Où est-il cet imper? »

Anna marque un temps de surprise, puis répond : « Dans ce placard, pourquoi? »

Le flic traverse la pièce, ouvre le placarrd, y jette un regard sur les quelques vêtements qui s'y trouvent suspendus, avise un imperméable, le sort sur son cintre et le présente en demandant : « Celui-là?

– Oui. »

Avant de le lui donner, il prend soin de vérifier qu'il n'y a rien dans les poches.

« Tenez! dit-il en le jetant sur son bureau. Et grouillez-vous. »

Olga est touchante, dans son épouvante.

Avant de sortir, Anna se penche pour l'aider à se relever. « Tu téléphoneras à Mme Leroy que j'ai dû m'absenter.

– Bon! Ça suffit comme ça! s'impatiente un policier. Dépêchons. »

***

Tout en se laissant masser les jambes et les cuisses par les mains expertes d'Annick Leroy, Maryline poursuit l'élaboration de son plan : forcer l'admiration de Charles par une dignité et une conduite exemplaire. Il reviendra. Elle ne doute pas qu'il reviendra. Il finira par lui pardonner. Un jour il se dira, de lui-même, qu'il se prive de voir grandir son fils : alors, il reviendra.

« Voilà. J'ai fini! » annonce l'esthéticienne. Jetant un coup d'œil sur sa montre, elle paraît navrée que sa directrice ne se soit pas encore manifestée.

A ce moment, on frappe à la porte de la cabine. « Entrez. »

Ce n'est pas la directice mais une petite jeune femme brune que Maryline reconnaît pour l'avoir vue le soir de la manifestation. C'était celle qui pleurait et qui avait le plus peur.

« Alors, c'est un garçon?

– Un garçon... Un petit garçon...

– Il a deux mois. Il s'appelle François. Il mange... Il pèse... »

Annick Leroy reprend : « ... Pauvre petite. Mariée avec un monstre qui l'a abandonnée après la naissance du petit.

– Oh? Ben ça, alors! Ma pauvre! Ces bonshommes quand même, c'est tous salauds et compagnie. Il avait l'air si gentil? Faut pas se fier!

– Sans ressources. Rien. Pas de famille. Comédienne : un métier difficile. Faudrait voir, on pourrait peut-être l'aider...?

– J'ai un cousin. Il fait des photos. C'est bien, des photos, pour une comédienne.

– Des photos! s'extasie Annick Leroy.

– Des photos de mode. C'est très bien payé à c' qu'on dit.

– C'est très bien payé! » répète Annick Leroy ravie.

L'interphone interrompt cette conversation. Annick Leroy décroche, écoute, paraît déconfite, raccroche et informe : « La secrétaire de Mme Anna vient de me faire savoir qu'elle a de nouveau dû s'absenter. Mais, ça ne fait rien : Martine va toujours vous donner les coordonnées de son cousin. Avec une reccommandation, n'est-ce pas Martine?

– Bien sûr. »

Maryline ne sait comment remercier de toute cette gentillesse. Elle est confuse. D'autant plus confuse qu'elle accepte une carte pour se recommander auprès d'un photographe que, d'ores et déjà, elle prend la décision de ne pas contacter. Elle ne fera pas de photos de mode. Elle ne reviendra jamais voir la directrice de ce salon. La reconquête de son mari ne passe pas par cet itinéraire de vie artificielle de mannequin, ou d'esthéticienne, ou n'importe quoi qui ne soit un vrai métier respectable et sérieux. Honorable. Elle va devenir respectable, honorable, tellement sérieuse qu'elle finira par reconquérir une estime et – peut-être – un amour.

« Oui. Oui. Je lui téléphonerai dès demain. Je vous tiendrai au courant. Je téléphonerai pour prendre un... rendez-vous. Je reviendrai vous voir, la semaine prochaine. »

*
* *

Très inquiet du malaise de sa femme, Marc a beaucoup insisté pour la persuader de consulter.

« C'est inutile, j'ai déjà parlé de cette fatigue à mon gynécologue.

– Et qu'est-ce qu'il en a dit?

– Il m'a prescrit quelques examens mais n'a rien trouvé. C'est la ménopause. Je n'ai plus vingt ans.

– Les spécialistes ne voient jamais plus loin que le bout de leur spécialité, c'est bien connu. Il serait plus sage de voir un généraliste sérieux.

– Une amie m'a donnée une adresse! Docteur Morin, rue Paradis, à Nice. Il paraît qu'il est très compétent.

– Alors, il faut y aller. Deux avis valent mieux qu'un. »

Sur ces mots, Marc a immédiatement consulté l'annuaire, cherché le numéro de téléphone du médecin, et pris un rendez-vous.

Ce 1er février, ils sortent précisément de cette consultation.

Après un long entretien, suivi d'une minutieuse auscultation, le praticien a promis de tirer tout cela au clair à partir des résultats d'un certain nombre d'examens de laboratoire.

« Je ne sais pas si c'est d'avoir vu un médecin mais je me sens en pleine forme. Si tu me proposais de dîner en ville, ce soir, je ne dirais pas non. Et puis, aussi, j'irais bien au cinéma. »

Une terrasse de brasserie, presque déserte, sur la promenade des Anglais, leur paraît accueillante. La mieux située pour profiter pleinement du magnifique coucher de soleil qui se prépare au-dessus de la Méditerranée.

Avant de s'asseoir, Odette s'est absentée quelques instants.

Lorsqu'elle vient le rejoindre, à son sourire, à ses yeux surtout, Marc devine ce qu'elle est allée faire. Inutile de poser une question. Discrètement, il glisse sa main vers un genou de sa femme. Elle l'empêche d'aller plus loin. L'arrivée du garçon vient provisoirement les interrompre.

Après qu'il est reparti, Odette se penche à l'oreille de son mari et murmure d'une voix légèrement voilée : « J'aimerais être un peu folle, ce soir. Je me sens bien, maintenant. C'était de la fatigue. Je ne suis pas malade, tu sais. Je resterai belle. Pour ton plaisir. Je veux tout, pour ton plaisir, mon chéri. Je t'aime. Je suis amoureuse de toi. J'ai envie de toi.

– Si on allait au cinéma avant le dîner? »

*Les Nuits érotiques du monde :* une coproduction franco-italienne. Peu de spectateurs dans la salle. Odette a voulu s'installer tout au fond, au dernier rang. Calée dans les bras de son mari, elle a d'abord voulu essayer de suivre les péripéties de l'histoire, puis quand les lèvres de Marc sont venues chercher les siennes, elle s'est sentie sauvée de la banalité du film.

Quelqu'un vient s'asseoir près d'elle. A sa gauche. Odette jette un coup d'œil discret. C'est un type. Seul, évidemment. Il a l'air jeune. Assez bien. Marc entreprend, doucement, de lui défaire, un par un, les boutons de son chemisier qu'il entrouvre sur sa poitrine nue. Elle était allée ôter slip et soutien-gorge, au café.

Odette sent son voisin qui s'émoustille. Elle perçoit de bien troubles sensations. Il se trémousse sur son fauteuil. Se tourne, se redresse, croise les jambes, les décroise aussitôt. En fait, il se conduit exactement comme s'il n'osait pas regarder ce qu'on lui propose ouvertement. « Il faudra l'aider un peu », souffle Marc.

Elle ne lui répond pas. Ne bouge pas. Ne tourne pas les yeux vers sa gauche. Ce n'est ni un jeu, ni un refus. Elle est là. Consentante mais étrangement absente. Vide. Ce n'est pas douloureux. C'est stupéfiant.

« Occupe-t-en un peu, chérie », réitère Marc en ôtant son bras de sur ses épaules pour la laisser plus libre de ses mouvements.

Elle se redresse, se penche de l'autre côté, vers l'inconnu. Même s'il en est un instant surpris, il comprend très vite que c'est à lui de passer à l'offensive en prenant des initiatives. Marc se demande si Odette a seulement regardé ce garçon?

Renversée en arrière, elle se laisse embrasser à pleine bouche. Dépoitraillée, elle lui offre ses seins. La jupe relevée jusqu'à la taille, elle lui ouvre ses cuisses. Un frottement léger, soyeux, à peine perceptible dans le rythme qui la caresse la fait s'abandonner : elle ronronne. Marc est chaviré d'un tremblement d'ivresse complice. Ils changent de position. Le garçon lui parle à l'oreille. Elle reprend sa place et vient dire : « Il veut me baiser. Qu'est-qu'on fait?

– Tu as remarqué comme il est jeune?
– Non! répond-elle sans même se détourner pour vérifier.
– Emmène-le dans les toilettes, si tu as envie.
– A condition que tu sois là.
– Invite-le plutôt à dîner. On avisera ensuite.
– D'accord! » approuve-t-elle avant de transmettre.

Il est très jeune. Vraiment. Dans la demi-obscurité de la salle de cinéma, sa taille et sa silhouette pouvaient faire illusion. Ici, dans la pleine lumière du restaurant, il ne peut pas tricher.

« Quel âge avez-vous? demande Marc.
– Dix-huit... sept, et demi.
– Et demi?
– Dix-sept! convient le garçon.
– Et on vous a laissé entrer voir ce film?
– Je connais une ouvreuse. C'est une amie de ma sœur.

– Dix-sept ans! répète Marc. Tu te rends compte, chérie : dix-sept ans.

– Comment vous appelez-vous? demande Odette qui, tout naturellement, a repris son air de dame respectable dans la meilleure des sociétés.

– Yvan.

– Eh bien, mon cher Yvan, je trouve que vous avez une queue superbe mais... J'ai cinquante-quatre ans : est-ce que vous vous rendez compte que je pourrais être... votre grand-mère? »

Il se trouble un peu, ne sait visiblement que répondre ni comment prendre les choses.

« Bon appétit! » souhaite Marc.

Odette insiste : « Ça ne vous gêne pas, si je suis... un peu plus âgée que vous?

– Non! Non, madame! Non! » assure-t-il en rougissant.

Cette façon de la regarder? Il vient de la bouleverser, de lui faire penser à Charles quand il avait cet âge. Ce n'est plus un enfant et pourtant pas encore tout à fait un homme. C'est... un coup d'aile du temps pour abolir les ans. Un enchanteur. Ne pas le blesser : un magicien ça se respecte.

Marc observe, inquiet de ce silence. L'ambiance change. Odette s'intéresse à Elvis Presley et Vince Taylor. Ils n'ont aucun secret pour elle. Elle sait... tout!

« Vous aimez le rock, madame?

– Ça, c'est peut-être beaucoup dire. Mais, il y a là une cascade de sonorités nouvelles qui m'étonnent. »

Elle interroge, donne son avis, apprécie, évalue, se montre même parfois indiscrète et va jusqu'à lui demander s'il a des petites amies. Yvan voudrait bien, seulement les jeunes filles de 1962 ne se laissent pas si facilement convaincre de ne plus l'être. Il rêve des Américaines qui ont jeté leurs soutiens-gorge aux orties et partent à l'assaut de la révolution sexuelle avec une plaquette de pilules contraceptives entre les dents. L'Amérique d'aujourd'hui : des héros que n'aurait pas renié Dickens y côtoient les frères de lait du James Dean de *La Fureur de vivre* ou du Marlon Brando de *L'Équipée sauvage*...

Le repas s'est achevé. Brusquement Odette change de ton : « Si vous me parliez un peu de choses sérieuses, messieurs? demande-t-elle d'une voix que déshabille un sourire canaille. N'aviez-vous pas prévu que vous deviez me faire subir tous les outrages de vos plus bas instincts? Où m'emmenez-vous? » Elle est un peu grise et ne cherche pas à le cacher. « Un hôtel? suggère Marc. – Un hôtel? Tu entends ça, Yvan? Réponds! »

Une fois de plus, Yvan reste muet. Si touchant, qu'elle ne résiste pas à l'envie de lui ébouriffer les cheveux d'un geste plein de tendresse spontanée, maternelle : « Et il faut qu'il soit beau ce maudit rocker. »

Yvan se lève pour sortir.

Tenté de lui proposer de rentrer, Marc demande à sa femme: « Tu le veux maintenant? » Visage contre visage, elle répond : « C'est comme un grand honneur qu'il te fait, de m'offrir sa jeunesse. » Marc se laisse surprendre par un curieux pincement au cœur. Il est tenté de suggérer de rentrer. Trop tard, Yvan n'a pas désarmé : « Je croyais que vous me suiviez? »

La voiture est restée dans un parking, près de la place Garibaldi.

En sortant de l'ascenseur, Marc est mal à l'aise. Yvan a enlacé Odette par les épaules. Ils vont devant. Elle a un rire détestable, ce soir. Nerveux. Crispé. Sauvage.

Un homme marche à leur rencontre dans cette Vallée centrale bordée de deux rangées d'automobiles. Lorsqu'il arrive à leur hauteur, Odette l'interpelle :

« Monsieur? Pourriez-vous donner votre avis à mon petit-fils, s'il vous plaît? »

L'homme, surpris, s'arrête, apprécie un peu d'ivresse, sourit.

« Mais certainement. Que puis-je pour votre service?

– Mon petit-fils me disait que côté silhouette il me donne encore quinze sur vingt. A cinquante-quatre ans, je puis en être flattée n'est-ce pas?

– Vous mériteriez plus, madame!

– Merci infiniment, cher monsieur.

– Question poitrine, il me donne douze sur vingt. Je ne conteste pas, j'ai des seins tout ce qu'il y a de plus normaux. Un à droite et un à gauche. On ne va pas en faire... deux œufs sur un plat. Mon mari leur donne dix mais il est très sévère. »

Avisant Marc le passant lui adresse un sourire de complicité amusée.

« C'est surtout pour mes jambes que mon petit-fils et moi avons un différend. Il me donne treize, et moi je prétends qu'elles valent treize un quart. Peut-être même : treize et demi. »

L'inconnu ne peut qu'en rire.

Odette lui prend le bras et l'entraîne un peu plus loin, sous un éclairage de néon : « Dites-moi ce que vous en pensez. Franchement. » Otant sa popeline, elle relève le bas de sa jupe. Au-dessus de ses genoux. A mi-cuisses. Fait quelques pas, tourne sur elle-même. « Votre note monsieur? Sans galanterie inutile. Comme ça.

– Je vous donne quinze, madame.

– Comment ça, quinze? C'est tout?

– Mais... je..

– Regardez mieux, monsieur. Regardez mieux. »

Le bas de sa jupe monte jusqu'à la taille.

Cette fois, l'inconnu est franchement décontenancé devant cette femme en porte-jarretelles qui exhibe ses jambes gainées de noir, aux cuisses couronnées d'une toque de fourrure blonde. Elle tourne, creuse les reins, tend sa croupe : « Que pensez-vous de mes fesses, monsieur? Que pensez-vous, de mon cul? »

La jupe retombe.

« Ça ne vaut pas plus de quinze? »

Enserrant Yvan par la taille, elle pleurniche : « Et tu ne dis rien, toi le rocker? Ta pauvre grand-mère n'est vraiment bonne qu'à te vider les couilles, alors? Casse-lui la gueule à ce salaud. Tire ton couteau. Marque-le de la croix des vaches. Tue-le! »

L'inconnu préfère partir. A grandes enjambées.

Riant aux éclats, sautillant comme une enfant, Odette entraîne son rocker en courant.

Au passage, Marc ramasse la popeline abandonnée.

Il les retrouve à la voiture. Renversée sur le capot. Elle tient Yvan entre ses bras, s'agrippe à lui. Ils sont collés. Souffles mêlés, lèvres soudées. Loin du monde. Elle caresse tendrement la nuque du garçon, ses cheveux.

Leur étreinte est effrayante de force, de silence, d'immobilité. Marc en éprouve une douleur aussi violente que leur désir. Une douleur interminable, comme leur plaisir.

Odette le repousse. Yvan renâcle un peu et se redresse, comme hébété. « Tenez! » dit Marc en lui tendant son mouchoir.

Se détournant, alors... il n'a que le temps de se précipiter.

Un peu moins d'une heure plus tard, Odette est couchée. Dans leur lit. Dans leur chambre. Son évanouissement n'a été que de courte durée mais elle a demandé à rentrer. Ils ont planté Yvan. Dans la voiture, elle a essayé de se rassurer en affirmant que ce n'était rien : que c'était à cause d'une trop forte excitation.

Présentement, elle ne dort pas. Elle est très pâle dans ses draps blancs et sa chemise de nuit de satin blanc. Elle ne portait que peu de maquillage mais n'a pas eu le courage de l'enlever. Marc, lui essuie doucement les paupières, les pommettes, les lèvres avec un coton. Elle le laisse faire. Elle a un peu de fièvre. Une rosée de sueur perle à ses tempes.

« Je sais que je suis malade! » dit-elle alors, sans pouvoir s'empêcher de frissonner. Sans pouvoir s'empêcher de trembler.

« Tu as pris un peu froid peut-être? Puis, tu as un peu bu, ce soir.

– Non! C'est autre chose. Quelque chose qui me ronge, intérieurement.

– Tu as mal?

– Je ne sens rien. Je m'épuise, tout simplement. J'ai très peur tu sais. J'ai très peur de mourir.

– Tu es folle. Tu te fais des idées. C'est un coup de fatigue. Avec les résultats des examens, le médecin va te donner...

– Je ne crois pas. Je crois au contraire que ça va empirer.

Depuis plus d'un mois, je le sens. Tous les jours. Mais jamais je n'avais été aussi mal que... ce soir.

– Le côté particulier de la situation. Ce jeune garçon qui t'...

– Non chéri. Non! Au début de la soirée, quand je t'ai proposé d'aller nous amuser, je n'étais pas bien. Au cinéma non plus. Au restaurant, j'ai eu envie de renoncer. Puis, je me suis dit que – peut-être – c'était... »

Des larmes silencieuses coulent sur son visage.

« ... une occasion de jouer sur tous tes désirs. J'ai surmonté... ma honte. Tu ne peux pas savoir, combien j'ai eu honte. »

Marc la serre entre ses bras.

« Ce jeune garçon. Ses dix-sept ans. Sa candeur timide. J'avais l'impression... Comment te dire? Il me faisait penser à... notre petit Charles. Je n'ai surmonté ça qu'à force de penser à toi, à la jouissance que je voulais pour toi, comme... un cadeau. »

Après un long silence, elle ajoute : « Ce n'est pas la mort que je redoute. C'est l'idée de te quitter qui me fait mal. »

Maintenant, il sait qu'elle est malade. Elle vient de lui communiquer sa peur. Il ne se souvient plus des épreuves du passé. Il se souvient seulement qu'en un temps difficile ils sont partis ensemble. Bientôt vingt ans. Autant de tendresse, autant de douceur qu'elle a pu en donner.

Quand ils jouaient au plaisir, ils réinventaient le temps des épreuves franchies ensemble. Mais ce soir le jeu n'avait pas de raison d'être : ils ne peuvent plus fermer les yeux sur ce qui les attend sur la nouvelle épreuve qu'il leur faudra franchir.

« J'ai eu très mal. J'ai été jaloux.

– J'ai voulu que tu souffres. Une fois. Pour que tu t'en souviennes.

– J'en ai... pleuré. »

C'est une cave, dans un immeuble du faubourg Saint-Honoré. Sitôt qu'elle a vu Yan Legoëf – dans quel état! – elle a compris.

L'avertissement de Lemoind est arrivé trop tard.

Après l'avoir poussée là, les deux Pégases de la Sûreté nationale se sont éclipsés. Elle est face au comité d'accueil. Ils sont trois. Deux hommes et une espèce de blonde qui se donne des airs à la Brigitte Bardot.

Avec le plus âgé des deux hommes, elle a le sentiment que les bavardages vont très vite s'envenimer.

« Nous vous attendions, madame Abroweski. Vous ne nous en voudrez pas d'avoir un peu commencé sans vous?

– Il est toujours préférable de ne pas perdre son temps », persifle-t-elle sans être certaine d'y mettre toute la conviction nécessaire.

L'autre homme, le plus jeune, joue avec un trousseau de clés qu'il fait sauter d'une main dans l'autre. La blonde, assise sur les marches d'un escalier, mâchonne un Paris beurre, l'air lointain – l'air idiot surtout. De temps à autre, elle essuie négligemment ses doigts sur sa jupe à fond ample, en tissu vichy bleu et gris, éclose autour d'elle en corolle.

Yan Legoëf, pieds et poings liés sur une chaise, le visage tuméfié, garde les yeux fermés. Sans doute à cause de la grosse ampoule sous réflecteur qui pendouille au-dessus de sa tête.

« Inutile de faire les présentations n'est-ce pas? » demande l'homme âgé qui semble tenir un rôle de grand inquisiteur.

Anna laisse aller un regard volontairement appuyé sur le malheureux Legoëf.

« Dans cet état, j'aurais pourtant pu ne pas le reconnaître. »

Le grand inquisiteur ne daigne ni répondre ni même sourire.

« Débarrassez-vous et prenez place! » dit-il en lui désignant une chaise.

Elle souscrit à l'invitation qui lui est faite, ôte son imperméable et le tend à l'homme le plus jeune qui va l'accrocher sur un clou planté derrière la porte. En s'asseyant, elle songe au tailleur Chanel qu'elle porte aujourd'hui pour la première fois et qu'elle n'a pas mis dans l'intention de lui faire essuyer les meubles d'une cave. L'humidité lui tombe sur les épaules. La blonde grignoteuse de sandwich ne semble pas non plus très réchauffée. Assise sur sa marche en ciment, elle est pelotonnée dans sa veste de fourrure.

Croisant les jambes, Anna prend l'initiative : « Qui êtes-vous? Que voulez-vous? »

Le jeune type aux clés lui répond crûment : « Ferme ta gueule. »

Elle prend le parti d'en sourire pour demander : « Il est toujours comme ça, ou il lit trop de Série noire? »

« Éric! » le rappelle à l'ordre celui qui apparaît dès lors comme le patron du groupe.

Éric ne répond pas. Il tourne le dos et allume une cigarette.

« Madame Abroweski, je me suis permis de vous demander de nous rendre visite pour un petit complément d'informations concernant... » Le grand inquisiteur tire une chemise de carton jaune, posée sur le bureau, l'ouvre, en sort quelques feuillets manuscrits sur lesquels elle reconnaît son écriture. « ... concernant la note que vous avez remise sur la biographie militaire de l'adjudant-chef Yan Legoëf, ici présent. »

Il feuillette les pages du rapport.

« Je sais bien, madame Abroweski, que votre tâche n'est pas facile. Vous servez de tampon entre les candidats que nous propose votre association et notre comité de sélection. D'une certaine manière, vous ne pouvez faire autrement que prendre pour argent comptant ce qu'ils vous disent et je sais que vous n'avez pas les moyens de vérifier. Nous nous en chargeons. Cela est conforme à nos missions respectives. Mon reproche... »

« Nous y voilà! » songe-t-elle avec une désagréable sensation de sueur glacée entre les omoplates.

« Mon reproche porterait plutôt sur vos omissions volontaires tendant à dissimuler une information que vous possédiez concernant Yan Legoëf. Vous déclarez, en effet, ne pas connaître cet homme qui a pris contact avec vous de la part de Francis Olwig, repris de justice notoire, membre du Service d'action civique et ancien membre du service d'ordre du RPF. C'était un parrainage intéressant. Quel dommage que Francis Olwig ait été victime d'un règlement de compte – probablement entre truands, n'est-ce pas? – deux jours après que vous nous ayez transmis cette note.

– Je ne suis pas chargée de veiller sur la santé des parrains de vos candidats au recrutement.

– Certes! Je dis seulement qu'il s'agit d'une coïncidence fâcheuse. Vous déclarez donc ne pas connaître cet homme et – curieusement – je découvre le contraire. »

Il rouvre sa chemise de carton jaune et en tire quelques photographies. Il examine la première en hochant la tête: « Je suppose que c'est un slow? Ou un tango? Une danse plutôt tendre n'est-ce pas? »

Anna prend la photographie qu'il lui tend. Elle se trouve dans les bras de Legoëf. Smoking blanc et robe du soir. Photographie qui a été prise la nuit du réveillon de la Saint-Sylvestre, sur le bateau ancré en baie de Naples.

« C'était un slow.

– Ça rapproche considérablement.

– Au niveau corporel, c'est indéniable.

– Parfois aussi, au niveau des idées.

– Il est assez vrai que la pratique du slow peut conduire un couple de danseurs à se faire... certaines idées sur une suite à donner. Ça n'a pas été le cas avec M. Legoëf.

– Ce n'est pas ce genre d'idées dont je voulais parler! » coupe le grand inquisiteur avec irritation.

Il tend une seconde photographie. Yan Legoëf s'y trouve près de Philippe de Simenoff.

« Vous ne pouviez pas ignorer que Yan Legoëf était l'un des gardes du corps de Philippe de Simenoff, l'intouchable milliardaire ami du général Salan et soutien financier de l'OAS?

– Mon amitié avec Marie-Laurence de Simenoff n'a rien de secret mais, pour autant, je ne fais pas partie du petit cercle des amis de son père. Je ne vois pas où vous voulez en venir.

– C'est pas vous, là? » demande-t-il en lui tendant une troisième photographie.

Philippe de Simenoff la tient par la taille, très familièrement.

« Pour n'être pas du cercle de ses amis, vous entretenez tout de même une certaine intimité.

– Comme avec le père de ma meilleure amie. Quoi de plus naturel?

– Soit! »

Anna sent que le plus difficile ne va pas tarder à se présenter.

« Je voulais seulement que nous évoquions tout cela avant de souligner qu'il est étrange que vous n'ayez pas mentionné le séjour de Yan Legoëf à Madrid, auprès de Pierre Lagaillarde et du colonel Argoud, en septembre dernier.

– M. Legoëf ne m'en a pas parlé. Je ne pouvais pas deviner.

– Je ne vous en demandais pas tant. Il aurait suffi que vous vous rappeliez le dossier du sergent Troyon, que vous nous avez fait suivre, à cette époque. Il faisait état de leur rencontre. Tout cela donne le sentiment que vous ne vous y seriez pas prise autrement si vous aviez voulu infiltrer un agent de renseignements de l'OAS parmi nous. Il y a là un bel ensemble d'omissions, d'occultations. D'erreurs, même. Ainsi, l'indication concernant l'affectation de l'adjudant Legoëf pendant la campagne d'Indochine est-elle fausse. »

Après un bref silence, il poursuit : « La disparition si inattendue de son parrain, Francis Olwig, m'a troublé. Quant aux aveux de l'intéressé lui-même, sur ses sympathies politiques, je dois bien reconnaître qu'ils m'ont inquiété sur votre sincérité.

– Quelle foi pouvez-vous accorder à des propos qui, apparemment, ont été tenus sous la torture? »

Répondant cela, elle songe qu'elle ne doit pas en dire trop. Une seule chose compte maintenant, il faut qu'elle sorte d'ici. Avec du recul, elle verra comment négocier dans cette affaire.

« Votre accusation ne tient pas debout, cher monsieur. Si j'ai dansé un slow avec M. Legoëf, c'était sans savoir qui il était. Quand nous nous sommes vus, vers la mi-janvier, c'était encore récent et nous nous sommes bien sûr reconnus mais cela ne dépassait pas la coïncidence. Vous ne vouliez tout de même pas que je commence mon rapport par ces mots : je connais cet homme pour avoir dansé avec lui lors de la dernière Saint-Sylvestre? »

Brusquement, elle se lève : « Legoëf! Êtes-vous en état de parler? »

Un hochement de tête affirmatif lui répond.

« Avez-vous dit à ce monsieur que je tentais de vous infiltrer dans le commando du MPC pour le compte de l'OAS et sachant que vous étiez de ses agents?

– Non. »

Elle se tourne triomphante vers le grand inquisiteur : « Pourriez-vous m'expliquer?

– Devant vous il se rétracte, c'est très simple.

– Comment ça, c'est très simple? Votre accusation me paraît louche et vous me paraissez louche vous-même, pour tout dire. »

Le jeune type s'approche, par-derrière. Elle le sent venir et se rappelle, dans un éclair, ce qu'elle a appris durant ses trois semaines de stage au domaine Saint-Lambert. Sans trop savoir comment, elle esquive la claque qu'il voulait lui porter sur la tête.

Son geste ne rencontrant que le vide le déséquilibre légèrement : juste le temps pour elle de passer derrière lui.

Dans le même instant, lui vient une idée. Elle attrape la blonde par la main et celle-ci ayant le réflexe logique de cramponner sa veste de fourrure qui lui tombe des épaules ne lui oppose aucune résistance.

La blonde est à genoux sur le sol, la tête enserrée dans une clé d'étranglement qui fait craquer un peu ses cervicales.

Les deux hommes n'en reviennent pas.

La jupe de son tailleur Chanel vient de craquer : et merde!

S'ils sont armés, c'est foutu.

« Lâchez-la! ordonne le grand inquisiteur.

– Faites détacher Legoëf.

– Pas question.

Elle donne un à-coup. La blonde hurle de douleur.

– Faites-le détacher. »

Comme rien ne vient assez vite, elle serre un peu la fille dont le râle éloquent requiert et obtient une attention empressée.

« Détache-le, Éric.

– A la bonne heure. Mais vous, ne bougez pas! »

Elle est à peu près sûre qu'ils ne sont pas armés. Ou bien alors, ils se réservent. Ils attendent qu'elle faiblisse pour agir sans risquer de blesser leur copine? Pourvu que Legoëf puisse tenir debout...

« Ça va Legoëf? »

La blonde suffoque.

Legoëf ne répond pas. Pas brillant le garde du corps du père Simenoff. Et merde, merde, merde : encore un craquement de sa jupe. C'est malin!

« Éric. Quand c'est fini... Debout... Dos tourné... Mains sur la tête. Compris? »

Lui aussi s'abstient de répondre. Elle desserre et resserre la blonde qui éructe un glapissement suppliant.

« Oui! oui! » lance Éric.

Tant qu'à faire de la tenir dans ses bras, cette petite-là, Anna se dit – intimement – qu'elle préférerait que ce soit plus tendre. Elle a une sale gueule soit mais, tout de même, de belles cuisses.

« Ça va, Legoëf?

– Oui!

– Vous tenez debout? »

Elle le voit se lever, chanceler, se raccrocher à Éric. Il ne va pas tomber? Le vieux veut en profiter pour s'élancer vers elle. Anna le stoppe d'un cri : « Bouge pas! »

Un autre cri fait suite, celui de la blonde. Pauvre chérie, elle ne sera pas en forme pour aller danser le rock, ce soir.

Yan Legoëf se ressaisit.
« Attachez Éric! lui crie-t-elle. Fouillez-le! »
Et crac : elle va être foutue, sa jupe. Foutue!
Qu'est-ce qu'elle va faire du vieux?
« C'est bientôt terminé? »
Pas de réponse. Sans vraiment quitter le vieux des yeux, Anna jette un coup d'œil rapide. Legoëf semble avoir récupéré : il ligote ce petit zouave d'Éric sans se mettre en situation dangereuse. Il opère en se tenant par-derrière. L'habitude, sans doute?
C'est fini. Éric est attaché. Un de moins.
« Legoëf. Fouillez le vieux! »
Legoëf fait s'approcher le grand inquisiteur. Palpe ses poches.
« Rien à déclarer! » annonce-t-il.
C'est une affaire qui commence à prendre meilleure tournure.
Ils vont peut-être en sortir? Anna desserre légèrement sa clé pour laisser respirer la blonde.
« Attachez-lui les mains dans le dos. »
La blonde retrouve juste assez de force pour tirer sa jupe sur ses cuisses.
Yan Legoëf se fait remettre cravate et ceinture. Le grand inquisiteur n'en mène pas large.
« Je ne suis pas ennemie de fournir des explications mais dans des conditions convenables! lui lance Anna. Si on doit se revoir, j'espère que ce sera dans des conditions plus civilisées. »
Le vieux est attaché.
Anna lâche la blonde. Dans quel état. Elle s'en remettra. Sûrement plus vite que Yan Legoëf, qui a bien récupéré tout de même. Il est vers la porte.
A ce même instant, ils entendent du bruit. Ladite porte s'ouvre sur un homme. Legoëf l'assomme d'un coup de ses deux mains jointes en massue.
Le nouveau venu va embrasser le tapis.
« Bien joué! » lance Anna.
Legoëf balance un coup de pied très ajusté sur la nuque de sa victime.
« Je l'attache aussi?
– Non! On s'en va avant qu'ils soient une douzaine à rappliquer. »
Au passage, elle n'oublie pas de récupérer son imper accroché sur la porte mais, avant d'enjamber l'assommé, elle s'adresse au grand inquisiteur : « Qui c'est, celui-là? Vous n'avez pas l'air de le connaître? »
En fait, le vieux a surtout l'air estomaqué.
« C'est le... commissaire Lambert. Un capitaine du SDECE.
– Vous l'attendiez?
– Non! »

Elle lui adresse un signe d'incompréhension puis, comme il lui faut bien enjamber ce corps et qu'elle en a un peu marre d'entendre craquer les coutures de sa jupe, elle la relève sur ses jambes, Éric, lance un petit sifflement admiratif.

« Merci! » lui répond-elle avec un grand sourire avant de disparaître sur les traces de Legoëf.

Il fait nuit. Yan Legoëf en bras de chemise, le visage tuméfié ne va pas passer inaperçu à sept heures du soir, sous la pluie en plein hiver. Avant de quitter leur coin de porche, Anna lui tend son imper : « Tenez! Débrouillez-vous avec ça. Essayez surtout de cacher votre visage. »

Ils traversent le faubourg Saint-Honoré en courant entre les voitures. Direction rue d'Anjou.

C'est une rue plus sombre et nettement moins passante.

Sous le premier porche, ils s'arrêtent pour se concerter.

Pas d'argent sur eux, évidemment. Pas question de taxi, de toute manière introuvable par temps de pluie.

« Où va-t-on? demande Legoëf en grelottant.

– Pas chez moi, ni à l'institut.

– Pas chez moi non plus. Il reste l'Armée du salut.

– Avec votre gueule, mon pauvre vieux, vous allez mettre leur armée en déroute. Vous ne souffrez pas trop?

– Ça va!

– J'ai une amie qui habite boulevard de Courcelles. Devant le parc Monceau. On va y aller à pied en passant par les petites rues. En cas de rencontre avec les flics, on a eu un accident de voiture, au coin de la rue Royale. On est mariés. On rentre chez nous car le gosse est tout seul. OK?

– OK! »

La tête d'Angèle en la découvrant sur son paillasson, toute dégoulinante de pluie, les cheveux trempés et collés, escortée de cet inconnu dans quel état : « Ma pauvre chérie, mais qu'est-ce qui t'arrive?

– On a besoin de ton hospitalité. »

Ils sont transis de froid. Ils claquent des dents.

Angèle les conduit vers la salle de bain, sort des serviettes, annonce qu'elle va leur préparer un grog.

Il n'est pas tout à fait huit heures du soir.

« Je peux téléphoner? demande Anna après s'être essuyé les cheveux.

– Bien sûr! Dans le bureau, tu seras tranquille. »

Elle s'y réfugie, compose son numéro.

Quelqu'un décroche.

« Il y a du monde aux fenêtres?

– Oui! Au 14 juillet.
– C'est l'hirondelle du faubourg.
– Quittez pas! »
Quelques secondes plus tard, une voix légèrement chevrotante, qu'elle reconnaît facilement.
« L'hirondelle a pris du plomb dans l'aile.
– Peut-elle encore voler?
– Oui! Elle irait bien aux Marquises. Dès cet été.
– Dès cet été?
– Oui! Dès cet été. C'est urgent.
– Affirmatif! Avez-vous reçu mon colis?
– Non!
– Ah? Bon! Vous m'expliquerez ça, mon enfant.
– A vingt-deux heures. Au point quatre.
– A plus tard! »
Ils raccrochent. Anna se sent épuisée, brisée. Elle a juste deux heures devant elle avant de rencontrer le commandant.
Ah Mözek! Mözek! C'est la merde, Mözek! Si tu savais comme c'est la merde! Qu'est-ce que j'ai fait, moi, pour me retrouver dans des histoires pareilles? Tant d'années de prison et ne pas pouvoir trouver la tranquillité en sortant. Toutes leurs histoires dont je n'ai rien à foutre : mais comment... comment pourrais-je m'en sortir? Comment font-elles les bonnes femmes qui arrivent à vivre tranquilles avec un mari, quelques gosses, et des amants de temps en temps? Comment font-elles pour éviter de rencontrer des Marie-Laurence, des Michel Lemoind, des commandants... Angèle, par exemple? Elle est tranquille Angèle. Enfin, elle a l'air. Elle a couché avec les boches, elle a régné à Pigalle en 1944, mais elle a su se mettre à l'abri, Angèle. Irréprochable et peinarde. Une vie comme ça, c'est des vacances. Et pourquoi pas partir? Au bout du monde. Un bout du monde, ça doit se trouver. Un bout du monde où on ne lui demanderait rien, où on lui foutrait la paix...

Angèle, dans la salle de bain, essaye de nettoyer et de soigner les diverses plaies du visage et des mains – horrifiée, Anna découvre les mains – de Yan Legoëf.
« Ils vous ont salement arrangé, dites donc? »
Montrant deux de ses doigts aux ongles arrachés, il précise : « C'est le boulot de la manucure. Quand vous la teniez, qu'est-ce que j'ai espéré que vous la serreriez un petit coup de trop.
– C'est la blonde qui vous a fait ça?
– Sans frémir, la vache.
– Et sur le visage?
– L'autre petite lope : Éric.
– Les fumiers! » frissonne-t-elle en se détournant fatiguée du spectacle de ces chairs brûlées, déchirées, meurtries et mortifiées.
Elle ôte la veste de son tailleur et demande à Angèle : « Regarde

un peu dans quel état je suis. Tu me prêteras bien une de tes robes et une paire de bas! Non mais regarde-moi ça. Elle est foutue cette jupe. Elle est foutue. Un Chanel tout neuf, que je portais pour la première fois. »

Angèle se tourne, souriante : « Tu es bonne pour l'envoyer chez la couturière! apprécie-t-elle en considérant le désastre. Pour la robe, tu choisis ce que tu veux dans mon armoire. »

Anna enlève sa jupe, écœurée. « Et mes bas? Non mais c'est pas possible. Je suis en loques... »

Angèle continue de soigner Yan Legoëf. Anna passe sous la douche.

Vers vingt et une heures trente, elle est prête.

Yan Legoëf a été installé dans une chambre d'ami. Quelques comprimés pour faire tomber la fièvre et un bon somnifère l'aideront à oublier ses douleurs jusqu'au lendemain matin.

« Tu rentreras dormir? s'informe Angèle.

– Oui! Je n'ai nulle part où aller. Je t'expliquerai.

– Tu n'es pas obligée. Je ne t'ai rien demandé.

– Je l'ai apprécié, ma chérie. C'est aussi dans leur discrétion qu'on reconnaît les véritables amies.

– Ma robe te va très bien. »

Anna trouve sur elle-même devant le miroir de l'imposante armoire de la chambre. « C'est vrai! reconnaît-elle en riant. Si j'allais à un rendez-vous galant, je serais très en beauté. »

C'est une robe droite, simple, à la jupe fluide. Bleu marine à gros pois blancs.

« Je ne la mets jamais! dit Angèle. Je trouve qu'elle ressemble à une cravate de Gilbert Bécaud.

– Bon! Eh bien dans ces conditions, je l'adopte! décide Anna en riant. Merci beaucoup de ta générosité. »

Angèle sourit : « J'ai aussi un manteau de léopard que je ne porte presque pas parce que je trouve qu'il ressemble à mon pauvre vieux défunt pussy-cat. Seulement, je ne te propose pas de te le prêter.

– Ça fa. Cha compris! assure Anna en imitant l'accent yiddish. Ta veux qua ch' ta fasse faire un'affaire, zale goï. Ch' ta donne, ma fieille tailleur Janel tout neuf, et ch' t'achèterai un fieille gravate à pois, pouis ta ma prêtes ta manteau... »

Le commandant est à l'heure.

« Mes compliments, vous êtes ravissante mon enfant. »

L'enfant s'assied, en prenant soin du manteau d'Angèle.

« Fringuée comme ça, je suis aussi très compromettante. A dix heures du soir, dans ce quartier, ceux qui vous voient en passant doivent se dire : il va raquer un maximum, le vieux con, si la petite pute sait s'y prendre. »

Le commandant veut bien en rire. Pas trop longtemps. Il passe immédiatement aux choses sérieuses : « J'ai appris que Yan Legoëf avait assommé le commissaire Lambert?

– On n'a pas trop pris le temps de poser des questions sur le comment du pourquoi de sa visite. On était assez pressés.

– Je comprends ça. En tout état de cause, il venait vous libérer.

– Nous libérer?

– Non! Vous libérer, vous, Anna. Enfin, que vous ayez pu faire fuir Legoëf, c'est pour le mieux.

– Vous m'expliquez un peu où vous me laissez patauger dans mon océan de questions?

– Je vous explique! Quand on est venu vous arrêter, en fin d'après-midi. Quelqu'un qui se trouvait chez vous a vu la scène et m'a tout de suite prévenu. C'est tout.

– C'est tout?

– Le commissaire Lambert est un ami. Il aura expliqué que vous l'aviez prévenu de vos doutes sur de possibles appartenances OAS de Legoëf et qu'il était chargé, par vous, de prévenir Mme Lemarchand ou Dominique Ponchardier. De ce côté, vous voilà donc blanchie. J'espère que vous n'en avez pas trop dit pendant votre interrogatoire?

– J'ai rien dit du tout. Sinon que je ne voulais rien dire.

– C'est très bien. Maintenant, voilà ce que vous allez faire. Vous reprendrez contact normalement mais pas avant d'avoir vu Lambert. Appelez-le demain matin, à la piscine *. Vous arrêterez ensemble l'attitude que vous devez tenir dans les prochains jours. Vous êtes en planque, pour ce soir, je suppose?

– Oui!

– Parfait! Demain, après avoir vu Lambert, vous pourrez rentrer chez vous. Yan Legoëf a été salement questionné je crois?

– Oui! Comment le savez-vous?

– Lambert. Dans quel état est-il?

– Assez mal.

– Il peut voyager?

– En cachant son visage et ses mains sous des pansements.

– Vous lui direz de se rendre à Orléans. Il sait où.

– Ce sera fait. Dites-moi, qui se trouvait dans l'arrière-boutique quand ils sont venus me chercher?

Le commandant affiche un sourire évasif.

– Enfin, Anna. Lemoind, bien sûr.

– Vous le connaissez?

– Nous sommes tantôt amis et tantôt moins. En ce moment : neutres.

---

* Surnom du siège du SDECE.

– Vous savez ce qu'il m'a demandé?
– Non!
– Vous savez à quelles fins?
– Non!
– Et vous ne voulez pas savoir?
– Non!
– C'est la CIA qui paie cette indifférence et cette discrétion?
– Elle ne peut pas se payer tous les jours la vie d'un négociant d'armes. »

Bon! Il sait tout mais ne dira que ce qu'il veut bien. Sans intérêt.

« J'ai l'intention de prendre des vacances.

– Comptez sur vos petits amis du SAC pour ne pas vous le permettre. Ou bien alors, à Alger : et ce n'est pas de tout repos pour le moment.

– Dites donc, le SAC : c'est vous qui m'y avez fourrée, dans le sac.

– Et alors?

– Et alors, vous pourriez peut-être leur dire que j'ai envie de mer, de sable, de palmiers, de soleil...

– Soyez raisonnable, Anna. Ni eux, ni moi, ne vous laisserons partir. Venant d'eux ce sera peut-être un appel à la nécessité de garder mobilisés tous leurs effectifs...

– Et venant de vous?
– C'est l'ordre de rester.
– Je ne suis pas votre soldate.
– Vous êtes mon agent, que vous le vouliez ou non, mon enfant.

– Oui, c'est ça : envers et contre ce que je veux.
– Que voudriez-vous, au juste?
– Deux choses immédiates : qu'on me laisse en dehors de toutes ces magouilles de merde et qu'on m'offre un nouveau tailleur Chanel pour remplacer celui qui a été bouzillé dans la petite sauterie de ce soir.

– Pour le tailleur, voyez l'intendance avec votre amie Marie-Laurence. Pour ce qui est de vous laisser sortir du jeu il n'en est pas question. Je vais encore avoir besoin de vous et vous n'êtes pas en position de me donner votre démission. »

Puisque le garçon n'a toujours pas cru nécessaire de venir demander ce qu'elle désirait boire, Anna s'avise que le commandant n'a pas encore touché à son citron pressé. Elle y verse un peu d'eau, un peu de sucre en poudre, et le boit d'un trait.

« J'avais très soif. Merci pour le tailleur et pour la citronnade.

– Et pour l'intervention du commissaire Lambert, ma chère enfant?

– Là, mon vieux, vous n'avez fait que votre boulot en protégeant votre agent. Vous ne voudriez tout de même pas que je vous astique les bottes par-dessus le marché?

– Vous avez eu de la chance de n'avoir pas eu droit à la petite séance de manucure de Mlle Véra. Vous ne parleriez pas comme ça. »

Pensant à la main de Yan Legoëf mutilée par les soins de l'ignoble blondasse, Anna ne peut réprimer un frisson.

« Vous la connaissez cette fille?

– Oui! Une malade. Vous l'auriez achevée, vous auriez rendu service.

– A qui?

– Peu importe! Même à un fell, je ne souhaiterais pas de tomber dans ses pattes.

– L'opération Yan Legoëf étant annulée, j'espère que vous n'avez pas l'intention de la renouveler?

– Si!

– Allons bon! Le coup d'aujourd'hui ne vous suffit pas?

– Cette fois, je mettrai dans le bain quelqu'un de plus adroit, de mieux prévenu, de moins soupçonnable que Legoëf.

– Qui?

– Mais, vous?

– Moi? Comment ça, moi?

– Votre blason tout redoré par Lambert, il faudra bien qu'il serve à quelque chose.

– Et si je ne voulais plus jouer à vos jeux de cons, vous sauriez m'y contraindre, n'est-ce pas?

– Je ne le souhaite pas, ma chère enfant. »

Elle peut se lever et partir. Elle se ravise.

« Vous ne deviez pas faire une démarche, au sujet de mon fils, auprès de l'autorité de la Bundeswehr?

– Très juste. J'allais oublier de vous dire. Malheureusement, de ce côté-là aussi, c'est négatif.

– Tant pis! » se résigne-t-elle avec un sourire douloureux. Avant de se lever, elle ajoute : « Merci pour le tailleur, merci pour la citronnade, et merci pour ça aussi. »

Il ne pleut plus. Les trottoirs sont mouillés.

Anna descend les quelques mètres de l'avenue de Wagram en direction de la place des Ternes. Le dernier espoir de retrouver son fils vient de s'évanouir. Elle n'osait y croire mais, enfin, elle se disait quand même que, peut-être...

Plus d'espoir, Mözek. Plus rien.

Et Noémie qui n'écrit plus.

Pourquoi n'écrit-elle plus, Noémie?

Pas de vacances. Ils ne veulent pas. Il faudrait qu'elle fuie au bout du monde, pour leur échapper. Et encore? Pas sûr! Les Eichmann, les Muller, les Mengele, tous ces anciens nazis, ils ont bien réussi à s'enfuir, eux. Pourquoi pas elle?

Le commandant n'irait pas la rechercher dans la forêt amazonienne, tout de même?

Si ça se trouve, Helmut et Karl sont cachés là-bas?

En Amérique du Sud. Ils descendent peut-être même parfois dans les hôtels du père Lemoind? Michel Lemoind connaît peut-être Helmut Zeitschel : un ancien SS, qui vit avec un petit garçon prénommé Karl? Une chance sur des milliards : le monde est si grand. Si grand? Enfin, pas tant que ça. Enfin, moins qu'on le dit. La preuve, elle ne trouve même pas un coin de bout de ce monde où aller se cacher.

Place des Ternes. Une horloge publique indique vingt-deux heures quarante-cinq. Il n'est pas si tard.

« Bonsoir! »

Elle se tourne surprise. Presque agressive. Un homme est là, qui marche auprès d'elle et la regarde en souriant. Qu'est-ce qu'il veut? Il doit se tromper.

« Bonsoir! répond-elle sans s'arrêter.

– Combien?

– Combien? » répète-t-elle un peu sottement.

Il ne s'étonne pas, attend la réponse, souriant, marchant du même pas, à son côté.

D'un coup, elle comprend. « Ah oui! Combien? dit-elle en s'arrêtant. Vous voulez dire que vous m'avez prise pour une pute? »

Il craint de réaliser son erreur. Elle le sent prêt à s'excuser.

« Je... Vous.... »

Il a dans les trente-cinq ans. Il semble gentil. Il n'est pas mal du tout. Il paraît surtout très gêné.

« Ce n'est pas grave, monsieur. Tout le monde peut se tromper.

– Je suis désolé, madame. Je vous demande de m'excuser. »

Il a dit bonsoir. Il s'en va.

Si elle le rappelait? « Monsieur? » Il s'arrêterait, se tournerait. Elle lui dirait : « Et vous, combien? »

Elle s'engage sur le boulevard de Courcelles, puis – brusquement – fait demi-tour, revient sur ses pas. Traverse en direction de la station de taxis.

« Aux Deux Magots! lance-t-elle en ouvrant une portière.

– Et c'est parti ma p'tite dame! » s'entend-elle répondre d'une voix rigolarde par le chauffeur. C'est un pépère. Un bavard. Et blablabla. Et blablabla. Tout y passera avant qu'elle arrive à destination.

Il est amusant : il parle en faisant les questions et les réponses. Elle l'interrompt : « Dites, monsieur? Vous semblez bien connaître Paris, vous?

– Trente ans d' tac, ma p'tite dame. Même si j' voudrais pas, ch' s'rais forcé. Qu'est-ce qu'y a pour vot' service? Vous cherchez quoi?

– Une boîte de nuit, pour aller boire un verre. Une boîte de nuit plutôt féminine, vous voyez ce que je veux dire?

– Je vois. J'approuve pas, mais je vois. Le Carrousel de Paris, vous connaissez?

– On m'en a parlé. C'est des travestis, non?

– Y' a un p'tit club, pour les goui... J' veux dire : les dames seules.

– Alors, vous m'y emmenez, s'il vous plaît. »

Une demi-heure plus tard, une entraîneuse splendide – blonde, platinée, des dents éclatantes – est assise auprès d'elle sur une banquette de velours rouge. Une magnifique créature, vraiment. Le seul ennui, c'est qu'elle se croit obligée de faire la conversation.

« Viens! Viens danser! » l'invite Anna après avoir vidé d'un trait sa coupe de champagne.

Elle connaît un moyen efficace pour faire taire une petite pute bavarde dont le rouge à lèvres parfumé a toutes les saveurs des framboises mûres de l'été.

***

Au début le dégoût et la répulsion que lui inspirait Maryline ont stimulé une colère froide et vaguement douloureuse dans laquelle Charles a puisé toute l'énergie nécessaire pour s'en tenir strictement à la décision de rupture qu'il avait exprimée.

Visionnant, classant, répertoriant à longueur de journées les exploits sportifs filmés par la télévision, il s'est assommé de travail, et comme ce n'était pas suffisant pour lui occuper complètement l'esprit, il s'est inscrit à la CFTC pour prendre une position contre l'OAS. Tout cela ne faisait, bien entendu, que masquer sans l'entraver en rien le développement d'un processus dépressif.

Le mal progressait lentement. Ses impressions étaient réduites à de simples mots. Une grosse bulle d'espace vide bloquait toute coordination entre sa pensée et sa faculté de l'illustrer. Ainsi, pouvait-il se dire : ce que j'ai vu n'était suspect d'aucun trucage, sans pour autant être en mesure d'y associer la moindre image. Même le temps du bonheur, à Aix-en-Provence, n'avait plus aucune densité. De ses évocations n'infusaient que des mots qui n'entraînaient aucune représentation.

Le 6 février à vingt heures, le mal va prendre une autre forme. Le chef du service documentation du service des sports le rejoint en studio : « Félicitations Rougier. Vous avez conduit ce travail dans les temps et avec beaucoup de conscience. Je regrette de ne pas pouvoir vous garder avec nous... »

Réaction immédiate : Charles se voit, ouvrant la porte d'entrée du petit appartement du boulevard des Batignolles et retrouvant Maryline comme si rien ne s'était passé.

Une heure plus tard. Il est sur le trottoir. Rue Cognacq-Jay. Il pleut mollement sur Paris. Il n'a pas envie de rentrer à son hôtel. Il suit la Seine, traverse un pont. Il marche. Il marche et il pense à... la culasse de son PM. En position de combat. Une balle engagée dans le canon. Le doigt près de la détente. Une attaque peut se produire à n'importe quel moment. Une embuscade, ce peut être la mort. Patrouille. Accrochage. Claquements secs des coups de feu dans la nuit. Le fell est là. Juste devant lui. Ils sont face à face. Seuls. Cet homme a le droit de vivre. De vivre libre dans son pays libre. Il ne voit pas son visage. Seulement le blanc de ses yeux éclairé par la lune. Il ne tuera pas. Il refuse de tuer. Il n'a déjà que trop tiré sans savoir. Il ne veut pas que cette guerre fasse un mort de plus.

« Vous avez vos papiers?

– Mes papiers?

– Contrôle d'identité. » Ils sont une douzaine. Leurs imperméables noirs sont luisants de pluie. Guichets du Louvre. Charles tend son porte-cartes, ouvert.

« Où allez-vous, à cette heure-ci?

– Je rentre chez moi.

– Boulevard des Batignolles? Levez les mains, pour la fouille.

– Oui! Oui!

– A pied? demande celui qui palpe ses poches.

– Oui! A pied. Oui.

– Par un temps pareil, vous feriez mieux de prendre le métro.

– Oui! Sans doute! Sans aucun doute! »

« Monsieur! Vos papiers? Vous nous les laissez? Il n'a pas l'air dans son état normal. Vous avez bu, monsieur? »

On lui parle. On lui demande s'il a bu? Bu?

« Je... Oui? Non! »

Le fell a tiré. C'est comme un choc. Le clair de lune se trouble doucement devant ses yeux.

« Monsieur? Eh bien, monsieur? Qu'est-ce qui vous arrive?

– Rien. Rien du tout. »

Elle est dure et froide cette saloperie de terre algérienne. Le fell a tiré. Il l'a eu. Le fell a tiré.

« Retenez-le, il va tomber. »

Plus aucune force. Il se laisse porter.

« Mettons-le dans le car. Allongez-le, là! Sur la banquette. »

Ils peuvent faire ce qu'ils veulent.

« Qu'est-ce qu'i s' passe? – Un gazier qui vient de se trouver mal. – Ça arrive. »

Ça arrive! Tout peut arriver. Un fell qui vous menace de son arme mais qu'on ne veut pas tuer. Et, même, de découvrir sa femme sur un écran, se faisant sodomiser par un grand nègre.

« Chef, y' a une couverture. – Mettez-lui. Il est trempé. Faites passer un message radio à l'Hôtel-Dieu. Qu'ils envoient une ambulance. » Les images. Les images suivantes montrent... « Maryline. Non! Ne touchez... »

« Il parle! – Qu'est-ce qu'il dit? – Incompréhensible. Il doit délirer? – Il a peut-être les fièvres? »

C'est elle. C'est bien elle. Il n'y a aucun doute. Ces images l'étripent. Ces images l'assassinent. Ces images le déchirent. Ne touchez pas à... mon amour. Je l'aime! Pitié! Grâce! Je l'aime! Je ne veux pas!

« Qu'est-ce qu'il dit? – Aime. Aime. C'est incompréhensible. – Un chagrin d'amour, peut-être? – Ben mon vieux, si j' me mettais dans un état pareil chaque fois qu'une bergère me fait tirer un coup de travers, j'aurais plus qu'à courir demander le conseil de réforme. » Rires.

Brancard. Ambulance. Chariot roulant. Il sent tout. Entend tout. S'il ouvre les yeux il peut voir. Il ne peut plus bouger.

« Monsieur? Vous avez pris quelque chose, monsieur? » Il ouvre les yeux. Le visage d'une jeune femme est penché au-dessus du sien. Elle porte un voile d'infirmière. Elle sourit. Une autre arrive, qu'il ne voit pas, qui s'informe : « Qu'est-ce qu'il a ce grand jeune homme?

– On vient de l'amener. Il s'est trouvé mal dans la rue. – L'interne est prévenu? – Il arrive. »

Assez. Il voudrait bouger maintenant. Il voudrait se lever. Partir.

On le déshabille. Il n'a pas la force.

Partir. Rentrer boulevard des Batignolles. Maryline ouvrira la porte et dira au grand nègre de s'en aller.

« Ben ça alors? – Qu'est-ce qui y' a encore? – Vise un peu! – Oh! là là! »

Elles enlèvent son slip. Il bande. Il a mal. Il a honte. Il a mal et honte de les entendre rire et plaisanter. Il ne peut pas bouger. Il ne peut que bander, à hurler de douleur tant il a mal. Mais, il ne peut rien dire. Pas un son ne sort de sa gorge. Pas un cri.

« Tu ne me feras jamais croire qu'il n'est pas pétant de santé ton bonhomme. – Qu'est-ce qu'il y a? – Un mec qui bande. T'as jamais vu un mec bander? – Passe-lui sa chemise. »

On le redresse. On lui passe quelque chose autour du cou. On enfile ses bras dans des manches. Il fait la poupée de chiffon. Il est mou comme une poupée de chiffon, qui bande.

« Monsieur? Vous entendez, monsieur? »

On lui parle.

Quand il était petit. Quand il était très petit et qu'Odette lui donnait son bain, il jouait à faire la poupée de chiffon. Elle disait : « Regardez le pantin. C'est un petit garçon de papier de soie. » Elle l'embrassait dans le cou, en le frottant dans la grande serviette.

« Viens voir, papa! Viens voir ton fils, Helmut, viens voir, c'est un garçon. »

Helmut? Pourquoi Odette a-t-elle appelé papa Helmut?

Elles se sont mises à rire. Elles rient parce qu'il bande. Elles ne peuvent pas savoir qu'il bande parce qu'il a mal de voir sa femme se faire baiser par d'autres. Tous les autres. Tous ces autres qui la prennent, la pénètrent, la souillent... Assez! Assez de ces images! Assez!

On le secoue. « Vous avez pris quelque chose? Vous entendez? » On lui prend sa tension. On écoute son cœur.

« Il a eu une fameuse blessure », commente une voix de femme.

La cicatrice de sa poitrine, côté cœur. Mais côté cœur c'est une plaie. Son cœur, il est en lambeaux.

« On lui a fait une sacrée reprise, en effet », ajoute une voix d'homme. Puis, s'adressant à lui, en le secouant : « Monsieur? Vous entendez? Vous entendez, monsieur? Parlez! Vous avez pris quelque chose? »

Il ne peut pas parler. Il ne peut pas bouger. Il ne veut pas.

Encore la voix de l'homme : « Le cœur fonctionne normalement. Le pouls n'est pas en accéléré. Ça ne ressemble pas à un empoisonnement. – Qu'est-ce qu'on fait, docteur? – On le passe en salle pour un petit lavage d'estomac quand même. On ne sait jamais. Autant être prudents. »

On va lui faire mal. On va lui changer sa douleur.

On lui a fait son lavage d'estomac. Il a vomi. Il est resté conscient et pourtant incapable de bouger. Il est certainement paralysé. On l'a couché. On lui a mis une perfusion. On l'a laissé. Dans les autres lits, des hommes ronflent. S'il reste toujours paralysé?... C'est horrible. Il entend tout. Il comprend tout mais son corps est engourdi. Il ne le sent plus. On le gardera là. Maryline va venir le voir. Forcément. Ils ont pris ses papiers. Ils vont prévenir. Maryline viendra. Elle sera très digne. Pas maquillée. Blonde, fragile, avec ses grands yeux violets de petite fille un peu perdue, elle dira : « Mon pauvre mari, qu'est-il arrivé à mon pauvre mari? » Et on lui répondra : « On l'a trouvé comme ça. » Et lui, comme il est paralysé, il ne pourra même pas dire : « C'est à cause d'elle! Ne vous laissez pas prendre aux airs de mijaurée de cette roulure, de cette... » Tiède, cette larme qui le chatouille, qui le pique, qui lui déchire la peau comme un acide. Pourquoi ce fell a-t-il raté son coup? Mort, il ne souffrirait plus. Mourir : pour ne plus souffrir. S'il pouvait mourir. Il voudrait mourir. Des ombres blanches s'agitent autour de lui.

« Vous voulez du café?

– Laissez-le, il ne peut pas! Laissez-le! »

On le laisse. Les autres parlent. Il doit faire jour? Ou pas encore? Maryline, à genoux, les lèvres humides... Assez! Elles sont encore là. Elles sont revenues. Toutes! Il n'en manque aucune. Des images affreuses. Ce n'est pas du cinéma : les souillures de sperme blanc sur son visage, en gros plan. Arrête! Arrête! La haine... Il sent naître la haine. Elle éclot.

« ... Signe de Babinski. Normal. Réactions oculaires. Normales. Vous m'entendez monsieur? Clignez des yeux! Vous comprenez ce que je dis? »

Il cligne des yeux.

« Vous n'êtes pas paralysé. C'est un choc nerveux. N'ayez pas peur, tout rentrera dans l'ordre. Reposez-vous. On va vous donner ce qu'il faut pour dormir. Madame, veuillez noter. On va mettre dans sa perfusion cinquante gouttes de... »

Il n'entend plus. Ils sont partis. Ils l'ont réveillé. Il ne peut toujours pas bouger. Quand pourra-t-il bouger?

« Votre femme va venir vous voir. Elle vient d'être prévenue. Vous m'entendez monsieur Rougier? »

Il ouvre les yeux. Une infirmière est près de lui. Avec des galons sur le front, sur son voile.

« Vous comprenez, monsieur Rougier? »

Il cligne des yeux. Elle répète : « Votre femme va venir vous voir. » Elle sourit, s'éloigne.

Il ne veut pas la voir. Il ne veut plus la revoir, jamais. Jamais. Il voudrait le dire. Il ne peut pas. Odette. Il voudrait voir Odette. Quand il aura dormi, s'il peut parler, il demandera qu'on la prévienne. Elle viendra, lui conseillera de prier, de demander la grâce de trouver la force d'oublier et pardonner. Il faut que ce soit elle qui prie. Elle a toujours servi d'intermédiaire, pour ces choses-là. Comment racontera-t-il les images à Odette? Jamais elle ne pourra s'imaginer tant de vices. Il n'osera pas tout dire. Elle pensera qu'il est fou. On l'enverra chez les fous puisqu'il n'est pas paralysé. Personne ne voudra croire les images, les images qui tournent dans sa tête. Pourvu qu'il dorme. Pourvu qu'il dorme quand Maryline viendra. Ne pas la voir. Ne pas la voir. S'il croyait encore en Dieu, il la ferait tout seul, cette prière. Pourquoi n'a-t-il jamais osé dire à Odette qu'il ne croyait plus en Dieu? Pour qu'elle n'ait pas de peine. Devant elle, il n'a jamais évoqué sa vraie mère. Qui était-elle, cette Jacqueline Mornet? Son père lui en a parlé. Disparue pendant la guerre. Probablement fusillée par les Allemands? Comment était-elle? Quelle était la couleur de ses yeux? Celle de ses cheveux? Était-elle jolie? Lui ressemble-t-il? Son père lui a dit un jour qu'il n'avait rien pu sauver d'elle. Pas une photographie. Rien. Pas même un foulard, un vêtement qu'elle ait porté, un objet qu'elle ait touché. Sa vraie mère il n'a jamais voulu qu'on en parle devant Odette pour ne pas lui faire de peine, pour ne pas voir de larmes dans ses yeux, pour ne pas ternir un seul de ses sourires.

« Monsieur Rougier? Vous m'entendez, monsieur Rougier? Votre femme est là, monsieur Rougier. »

Il ne bougera pas. Qu'on chasse Maryline. Qu'on la jette à la rue. Qu'on lui interdise de le regarder, de l'approcher, de le toucher. Il ne veut pas être sali par ce regard.

Il n'ouvrira pas les yeux.

« Parlez-lui, madame! Il vous entend. Il comprend tout ce que vous dites. Vous pouvez lui parler. Parlez-lui! »

Non! Il ne veut pas. Il ne veut pas qu'on lui salisse son univers en l'obligeant à entendre la voix de cette créature abjecte.

« Mon chéri. Mon amour. C'est... Manoucki! »

Manoucki. Aix-en-Provence. Le conservatoire. Leur chambre. Non! Il ne veut pas entendre. Non!

« Mon chéri. Je te demande pardon. »

Il ne reconnaît pas sa voix. Ce n'est pas Manoucki. Ce n'est pas Maryline.

Il ne veut pas entendre cette voix. « Mon amour. Pardonne-moi. » Elle pleure.

Il reconnaît son parfum. Il est troublé par ce parfum. Il refuse... Il refuse... Il refuse...

« Je t'aime toujours. »

Elle pleure à son oreille. Elle embrasse son cou. Il ne peut pas bouger. Il ne peut pas la repousser. Il ne peut même pas l'insulter. Elle lui mouille le cou de ses larmes ignobles. Elle n'a même pas honte de pleurer. Comment quelque chose d'aussi sale peut-il encore avoir le droit à la pureté des larmes? S'il en avait la force : il la frapperait. C'est la colère. La colère et la haine. Il hait cette femme.

« Charles, mon chéri. Mon chéri. J'ai honte. »

Elle a honte. Elle a honte et elle pleure à chaudes larmes. On vient la chercher. On l'entraîne. On l'emmène. C'est fini.

Quand il verra Odette, il ne lui dira pas que Maryline a pleuré : elle y verrait une raison de plus d'accorder un pardon. Même pour faire plaisir à Odette. Il ne pardonnera jamais. Jamais.

« Monsieur Rougier? Réveillez-vous monsieur Rougier. Vous m'entendez, monsieur Rougier? »

Qu'est-ce qu'il y a? Pourquoi le réveille-t-on encore?

Il fait ce qu'on lui dit. Il ouvre les yeux.

Il fait jour. Derrière l'infirmière : Maryline. Blonde. Pâle. Pas maquillée. Elle lui fait pitié mais elle le dégoûte.

« Vous nous quittez, monsieur Rougier. Vous changez d'hôpital. On vous emmène à la Salpêtrière. Vous comprenez ce que je dis? Vous voulez parler à votre femme? A votre femme, monsieur Rougier? »

Charles referme les yeux.

Il se sent soulevé. Mis sur un chariot. On le couvre.

« Charles! Si tu m'entends. Si tu comprends ce que je dis, ouvre les yeux s'il te plaît. »

Il n'ouvre pas les yeux. Il ne veut pas ouvrir les yeux.

« Charles? Tu m'entends? Je n'ai pas prévenu. Veux-tu que je prévienne tes parents? Réponds-moi! Fais-moi un signe... Je t'en supplie. »

La voix de Manoucki. Si douce. Elle a la voix très douce. Il aime sa voix. Il aime ses yeux violets. Il aime ses lèvres roses. Il aime ses cheveux blonds. Sa façon de rire, quand elle met une robe blanche pour jouer au jour où ils se marieront. Car ils se marieront. Quand elle vient le chercher, à la fac, tous les autres l'envient qu'elle soit si jolie dans ses bras. Manoucki...

« Charles! Charles! Tu entends? »

Elle le touche. Elle secoue son bras. L'horreur le frôle.

« Veux-tu que je prévienne tes parents?

– Non! » hurle-t-il.

***

Marc est terrassé. Il vient d'entendre « grave » et redoute le pire.

« Les résultats des examens effectués sur le prélèvement de moelle sternale de Mme Rougier, par le laboratoire d'hématologie de l'institut Gustave-Roussy, posent d'eux-mêmes le diagnostic. Il s'agit d'une leucémie myéloïde en phase aiguë.

– Un cancer?

– Oui! La moelle produit des cellules malades, des leucoses, qui se déversent dans le sang. Ces cellules malades qui sont autant de tumeurs malignes colonisent les organes hématopoiétiques et les viscères. Par opposition aux cancers tumoraux, d'abord limités et secondairement métastasiques, il s'agit d'une forme de cancer généralisé d'emblée. »

Le docteur Morin referme le dossier Odette Rougier, ôte ses lunettes et les pose par-dessus.

« Nous sommes le 19 février, monsieur Rougier. Vous avez pu constater au cours des vingt jours écoulés, depuis que votre femme est venue me consulter pour la première fois, avec quelle rapidité le mal a progressé.

– Ne peut-on... espérer... au moins, une courte rémission?

– Dès le premier examen de sang, je lui ai prescrit des antimitotiques. Le busulfan DCI est un nouveau traitement qui a été expérimenté avec succès mais, maintenant, nous savons que chez votre femme le processus leucosique commence à s'amorcer sur les cellules-souches et je doute que ce médicament puisse enrayer un phénomène malheureusement irréversible. Dans l'état actuel des connaissances, la médecine est impuissante. »

***

Ce même lundi 19 février. Il fait gris et relativement froid. Le col de fourrure de son imperméable relevé sur sa nuque, une jeune femme délicieusement blonde, aux grands yeux violets noyés de larmes, marche d'un pas d'automate en direction de l'Opéra.

Maryline étouffait dans le métro. Elle étouffait de rage. Elle étouffait de honte. Elle étouffait de chagrin. A la station Louvre, elle est descendue pour continuer à pied.

Comme chaque après-midi – depuis dix jours que Charles est en neuro-psychiatrie – elle s'est rendue à la Salpêtrière, au chevet de son mari. C'est un service fermé. Lorsqu'elle a sonné à la porte, l'infirmière chargée de l'accueil des visiteurs lui a fait savoir que le médecin désirait la rencontrer sitôt son arrivée.

On l'attendait. Le chef de clinique. Un grand garçon brun, aux cheveux bouclés sur le front, le sourire avenant et sympathique, la silhouette dégingandée. Un type un peu trop sûr de son charme et de plaire au femmes. Elle l'avait déjà croisé, la semaine précédente. Il sortait de la chambre de Charles. Elle n'avait pas aimé son regard.

« Asseyez-vous, madame Rougier! » a-t-il dit en levant à peine les yeux des feuillets qu'il était en train de parcourir.

Il a continué sa lecture, un assez long moment, puis refermant le dossier, l'a négligemment rejeté devant lui avant d'allumer tranquillement une cigarette.

« Je suis désolé de vous demander de renoncer à vos visites. Votre mari a exprimé le vœu de ne plus vous voir et m'a expressément demandé de vous faire interdire sa porte. Vous savez pourquoi? »

Elle n'a pas eu le temps de demander à quel moment Charles avait recouvré l'usage de la parole. Le médecin poursuivait : « Depuis qu'il a recommencé à parler, votre mari me fait naviguer sur un véritable fleuve de confidences intimes dans lesquelles je voudrais pouvoir démêler le vrai de ce qui l'est... peut-être moins. Il vous reproche d'avoir joué un rôle dans un film à caractère... pornographique. Est-ce vrai? »

Elle a bien dû avouer que oui. Elle s'est toutefois retranchée derrière les faux-semblants artistiques qui peuvent faire croire à des réalités qui...

« ... Certaines scènes ont considérablement choqué votre mari et il n'a aucun doute sur votre participation. »

Elle a craqué. Elle a demandé grâce. Elle ne pouvait que pleurer. D'ailleurs, depuis ce maudit soir de janvier où toute cette boue est remontée à la surface, elle ne peut rien faire d'autre que pleurer. Toute sa vie, maintenant, elle devra payer le prix d'une bêtise, d'une crise de folie dans laquelle elle s'est laissé entraîner.

Elle aurait dû pouvoir expliquer à ce médecin combien elle est malheureuse. Combien elle se sent sale. Meurtrie. Coupable. Qu'elle aussi a besoin d'être aidée. Que si personne ne veut croire qu'elle peut, jour après jour, regagner un peu de sa dignité, ce n'est plus la peine qu'elle vive.

Comment expliquer que pour lutter contre une angoisse très forte elle avait pu se servir de son sexe comme on se sert de sa main lorsqu'on boit un verre d'eau pour porter un remède à sa soif?

« Le recouvrement de la parole et de ses moyens moteurs, chez votre mari, sont des signes encourageants. Reste qu'il surmonte mal ses problèmes psychologiques. Il souffre de désillusion. Ça, la médecine ne le prendra pas en charge à sa place. La seule chose que nous puissions faire pour lui, c'est l'aider à retrouver un meilleur état physique en sorte qu'il puisse mieux gérer ses malaises moraux et les dominer. Sitôt qu'il nous semblera en mesure de le supporter, nous tenterons une cure de sommeil pour permettre à l'organisme de recharger ses batteries d'énergie. Quand il sortira, s'il n'a pas demandé de lui-même à vous revoir, le mieux serait que vous vous absteniez de le relancer. Il sera fragile. La meilleure chose que vous puissiez faire pour lui serait de vous en aller à la campagne, de vous laisser oublier, de lui laisser cuver en paix la pénible épreuve que vous lui aurez fait traverser. » Elle n'a pu s'empêcher de demander : « Et François? » Étonnement du médecin : « Qui est François? – Notre fils. Son... fils. » L'air perplexe, il a repris son dossier, tourné quelques feuillets en recherchant. Soupiré, enfin : « Il ne m'en a pas parlé. Vous êtes sûre qu'il est le père? »

« Espèce de petite conne! Tu peux pas faire gaffe où tu poses tes escarpins? »

Au milieu du passage clouté traversant la rue des Pyramides, Maryline reste un instant interloquée.

Elle se disait qu'elle avait eu raison de se lever sans répondre au médecin et d'être sortie pour fuir ses injures.

Pourquoi Charles n'a-t-il pas parlé de François au médecin? Charles rejetterait-il aussi François, comme il la rejette elle? Charles ne peut pas se montrer aussi injuste avec son fils. Peut-être, comme le dit ce médecin, doute-t-il que c'est son fils?

Elle ne veut plus pleurer. Où va-t-elle les chercher, toutes ces larmes, depuis un mois? Depuis un mois qu'elle se reproche le jour où pour tromper sa solitude, sa vacuité, sa peur de vivre, sa peur de la vie, sa peur de perdre l'homme qu'elle laissait repartir à la guerre, elle a eu cette fichue idée de vouloir faire du cinéma plutôt que d'ouvrir cahiers et dictionnaires pour entreprendre une traduction bien inutile des *Infortunes de la vertu* en... grec ancien.

S'il n'y avait pas François. Seulement, il y a François. Un fils dont le père ne veut plus entendre parler. Un enfant appelé à grandir dans un foyer déchiré. Il n'est pas juste que Charles fasse supporter à François le poids de ses erreurs à elle.

Maryline, qui a emprunté la rue Daunou, parvient au carrefour de la rue de la Paix. Voitures de pompiers, ambulances, police-secours. Une grande agitation. Concerts de klaxons lointains. Sur les trottoirs, les badauds échangent des informations : « Un accident? – Non! Un attentat! »

Un attentat? En plein centre de Paris? A quatre heures et demie de l'après-midi? Cela indigne tout le monde sans vraiment surprendre personne. Ces jours et ces nuits, de l'hiver 1962, les Parisiens les vivent ponctués par les sourdes déflagrations des bombes et des pains de plastic qui éclatent ici ou là. Paris est encore sous le choc des sanglants affrontements du 8 février dernier qui ont fait huit martyrs de la répression policière à Charonne.

Se frayant un chemin dans la foule des curieux, Maryline réalise que l'événement a eu lieu juste devant l'institut de beauté où elle s'était réfugiée avec Charles, le jour de la manifestation des Algériens de Paris. Au premier rang d'un groupe d'esthéticiennes en blouses roses et blanches, elle aperçoit Annick Leroy. Elle est fort émue. Maryline s'approche. On la reconnaît et on l'informe sur la tragédie qui vient juste d'avoir lieu. Entouré d'un cordon d'agents et de pompiers, le corps d'une jeune femme gît sur le trottoir, visage contre terre, déjà grossièrement dessiné à la craie par les hommes de l'identité judiciaire.

« C'est affreux! annonce Annick Leroy. On vient d'assassiner notre patronne. »

***

Le courage n'est pas toujours une vertu. Il est parfois un pis-aller. Avoir du courage : ni Marc qui sait la fin prochaine de sa femme, ni Odette qui sent son anémie progresser de jour en jour, ne peuvent faire autrement. Marc, lorsqu'il se lève le matin, trouve une épouse habillée, coiffée et maquillée depuis longtemps. Comme cela a toujours été. Ils enchaînent alors les projets de cette journée : passer au magasin s'assurer que les travaux seront terminés pour l'ouverture, promenade, éventuellement restaurant. Les soirées sont froides en février. C'est pratiquement le seul mois de l'année pendant lequel fonctionne la superbe cheminée qu'Odette a elle-même dessinée, fait réaliser et installer dans le salon de leur appartement. Marc joue du piano et le chat Socrate se réfugie sur les genoux de sa maîtresse, s'efforçant de ronronner tantôt en *ré* mineur, tantôt en *ut* majeur.

Dans les tout derniers jours de février, l'amaigrissement vertigineux s'est arrêté. La fatigue accablante s'est dissipée. En l'espace de quarante-huit heures, Odette a senti revenir une énergie toute neuve.

Ce dernier samedi du mois, en faisant sa toilette, elle se dit que ses seins n'ont jamais été si beaux, sa taille si fine, ses cuisses si minces. Certes, sa peau est blanche, un peu flétrie, mais peut-être cela va-t-il s'arranger, si le traitement du docteur Morin parvient à inverser le processus d'anémie générale qui la mine? Elle se sent tellement pleine d'envie de vivre, ce matin-là, qu'elle décide de faire quelque chose.

Faire quelque chose, dans l'esprit d'Odette, c'est se faire la plus belle possible pour plaire à l'homme qu'elle aime. Il n'a que trop assisté à son dépérissement. Elle doit réagir : lui montrer qu'elle va mieux, pour qu'il se rassure.

Ce samedi, Marc doit précisément se rendre à Marseille pour réceptionner quelques marchandises sans factures chez un fournisseur. Tout une après-midi devant elle pour lui ménager une surprise. Elle va pleinement s'y employer.

Vers seize heures, sortant de chez une de ses amies esthéticienne à Antibes, ce n'est plus la même femme. Un savant maquillage complet de tout le corps a remédié à la désolante pâleur de sa peau. A dix-huit heures, chez le traiteur de Golfe-Juan où elle a commandé le repas du soir, elle s'entend même formuler un compliment : « Vé, si elle a bonne mine peuchère, pour avoir été si mâlâde, mâ pôvre. » A vingt heures, la table est mise. Tout est prêt dans la cuisine. La cheminée est allumée. A vingt heures trente, le chat Socrate sera le premier étonné de découvrir sa maîtresse dans la robe du soir que lui préfère Marc. C'est un fourreau noir, fendu de la hanche jusqu'au sol, décolleté dans le dos jusqu'au creux des reins, ouvert sur la poitrine jusque sous le nombril. A vingt heures quarante-cinq, alors qu'il vient d'ouvrir la porte, c'est au tour de celui en l'honneur de qui ont été ménagées tant d'attentions, de n'en pas croire ses yeux...

« Chérie? Comme... tu es... belle? »

... ni ses oreilles, lorsque s'approchant pour embrasser Odette, il entend une voix rieuse lui murmurer :

« Aujourd'hui, mon amour, je sais que je vais mieux. J'ai terriblement envie que tu me baises. »

« Comment vous sentez-vous, monsieur Rougier? »

Charles a l'impression de ne pas pouvoir ouvrir les yeux. Qui est cet homme en blouse blanche?

De loin en loin, on le réveille. On le secoue. Des infirmières le font se lever, l'obligent à marcher tout autour de sa chambre, le font un peu manger. Elles s'occupent de lui comme d'un bébé.

Cet homme, en blouse blanche, il le reconnaît : c'est le médecin.

« Comment vous sentez-vous, monsieur Rougier? »

La langue lourde. Une langue de plomb.

« Dormir.

– Il faut vous réveiller, monsieur Rougier. Répétez après moi : Je dois me réveiller. »

Docile, Charles commence : « Je... dois, me... »

On le secoue. On le sort de son lit. Les infirmières le soutiennent. Un pas. Deux pas.

« Votre père est là, monsieur Rougier! Ouvrez les yeux! Vous reconnaissez votre père, monsieur Rougier?

– Oui. Réveillé. Dormir. »

Marc est très pâle. Cette loque qui dort debout, c'est son fils. Son fils qui, sous l'effet des drogues, a dormi depuis vingt et un jours d'affilée. Son fils, qu'il voit pour la première fois depuis cette hospitalisation dont il ignorait tout.

Le médecin est attentif : « Ne dormez pas, monsieur Rougier. Nous sommes le 19 mars, monsieur Rougier.

– Dix-neuf mars! » répète Charles.

On l'a conduit devant la fenêtre. Il fait beau.

« Vous comprenez ce que je dis, monsieur Rougier?

– Oui docteur. Dix-neuf mars.

– Hier on a signé les accords d'Évian. La guerre d'Algérie est finie. La guerre d'Algérie, monsieur Rougier.

– Blessé!

– C'est fini, monsieur Rougier.

– Fini. »

S'adressant à Marc, le médecin commente : « Selon les sujets, le retour aux réalités s'effectue plus ou moins rapidement. En ce qui concerne votre fils, la reprise de contact est correct. Je crois que vous pouvez lui parler. Après on le laissera dormir. Il se souviendra au réveil. » De nouveau, il s'adresse à Charles : « Vous avez vu votre père, monsieur Rougier? »

Les infirmières le ramènent sur ses pas, en direction de Marc.

« Bonjour Charles.

– L'Algérie. Finie.

– Oui, monsieur Rougier! intervient le médecin. L'Algérie, c'est fini. »

Et, à l'intention de Marc, il ajoute : « Très bonne réaction chez un somnolant, de répéter les informations qu'on lui communique. Vous pouvez lui parler. Il est conscient.

« Charles, mon petit! » commence Marc. Les larmes bloquent sa voix. Il est incapable d'en dire plus.

Le médecin s'empresse : « Ne dormez pas, monsieur Rougier. Votre père a quelque chose à vous dire. C'est une mauvaise nouvelle, monsieur Rougier. Vous allez avoir du chagrin. Vous m'entendez?

– J'entends! » répond Charles.

Marc ne peut parler tant l'émotion et la douleur lui serrent la gorge. Des larmes silencieuses coulent sur son visage.

« Odette... Odette est... morte. »

Cette pénible information a été formulée à voix si basse que le médecin doute qu'elle ait été perçue par son patient : « Vous avez entendu ce qu'a dit votre père, monsieur Rougier? »

Pas de réponse.

« Monsieur Rougier? Vous avez entendu? Vous avez compris ce qu'on vient de vous dire? »

D'un coup, les yeux de Charles s'emplissent de larmes apportant la réponse à la question.

Lorsqu'il avait téléphoné pour annoncer la maladie d'Odette, Maryline lui avait dit que Charles était en voyage et impossible à joindre. Lorsque les événements se sont précipités et qu'il a fallu hospitaliser Odette, Charles n'était toujours pas rentré. Marc n'avait finalement appris l'hospitalisation de son fils que la veille de l'enterrement de sa femme.

Il avait accepté l'hospitalité des Bernard.

Dans l'avion qui les ramenait de Nice après l'inhumation, il s'était trouvé assis près de Sylvaine. Au cours des heures difficiles qu'il venait de traverser, Marc n'avait pas eu l'occasion de lui faire part de son étonnement sur les frappantes modifications d'apparences chez sa fille : « Pourquoi a-t-elle fait couper et teindre ses magnifiques cheveux blonds?

– Elle avait répondu que c'était son affaire.

On dirait qu'elle l'a fait exprès, pour s'enlaidir...

– C'est exactement mon sentiment. Et encore, je me demande bien ce qui lui a pris d'acheter ce tailleur mal coupé et ce manteau noir qui lui va comme un sac?

– C'est sans doute la maladie de son mari qui la tracasse? Je me demande si elle ne ferait pas une sorte de petite dépression. Ce n'est pas très sain pour François tout ça.

– Je lui ai proposé de venir vivre à la maison. Elle a refusé. Je donnerais cher pour en savoir plus. A vous, quelle version a-t-elle donné de l'hospitalisation de Charles?

– Elle m'a rappelé une conversation que nous avions eue, un soir où elle avait téléphoné pour prendre des nouvelles d'Odette. Elle nous avait, en effet, parlé d'une rencontre avec un M. Palot, ou Paillot, qui lui avait assuré que son mari serait bientôt engagé à titre contractuel par la RTF. En vérité, Charles était déjà hospitalisé, à cette date.

– Elle avait dit ça pour rassurer Odette. Elle a bien fait de la préserver d'une inquiétude supplémentaire.

– Sans aucun doute mais je ne m'explique pas cette dépression pour un emploi manqué à la télévision. J'ai donné à mon fils suffisamment d'argent, au moment de son mariage, pour qu'il puisse vivre convenablement en attendant de trouver une situation.

– Entre nous, Marc, n'avez-vous pas songé qu'une fois mariés les enfants aient pu se rendre compte qu'ils s'entendaient moins bien qu'ils avaient pu l'espérer?

– Ce n'était pas chose nouvelle que la vie commune, puisqu'ils...

– Hors mariage. Les conditions étaient différentes. »

Interrompue par l'hôtesse venue leur proposer des boissons fraîches, cette conversation s'en était tenue là.

***

Maryline n'avait pas envisagé la présence de son beau-père à Paris au moment où Charles sortirait de la cure de sommeil.

Embarrassante question que celle posée au matin de ce 19 mars.

« Comment ça, vous ne m'accompagnez pas à la Salpêtrière? Vous ne serez donc pas auprès de votre mari au moment de son réveil? »

Il fallait une réponse sérieuse. Elle ne pouvait se réfugier derrière la difficulté de faire garder François.

« Charles et moi avons traversé une période de conflit, avant son hospitalisation. Je préfère attendre qu'il manifeste l'intention de me voir.

– Conflit qui n'est peut-être pas étranger à... sa dépression, je suppose?

– Les ennuis qu'on accumule finissent toujours par faire un tout difficile à supporter. »

Elle avait espéré s'en tirer avec cette réponse évasive mais son beau-père avait cru bon d'insister. Il s'était entendu répondre : « Si Charles réclame expressément ma visite, je suppose que vous n'oublierez pas de me faire la commission? »

***

Avant de partir pour l'hôpital, Marc n'avait pas manqué de confier à Sylvaine son étonnement du refus de Maryline de se rendre au chevet de Charles.

L'élément nouveau que constituait l'aveu d'un conflit, les avait ramenés à la conversation qu'ils avaient amorcée dans l'avion. L'inquiétude de Sylvaine s'était précisée en ces termes : « Je me suis demandé si Charles n'aurait pas découvert que Maryline pouvait avoir une liaison ou quelque chose comme ça?

– Elle vous a fait des confidences à ce sujet? »

Sylvaine avait hoché la tête négativement.

« Dans mon Dauphiné natal, on dit volontiers que les louves ne font pas des chiens. Or, Maryline est ma fille. Elle est très secrète. Je l'ai souvent regretté. Les circonstances n'ont, en outre, jamais permis que j'établisse avec elle la même qualité de relation privilégiée que j'ai eu la chance, moi, d'avoir avec ma mère. »

Abandonnant la bienséance conventionnelle du vouvoiement, elle avait sensiblement baissé la voix pour ajouter: « Songe que je n'ai pas été la confidente du premier amant de ma fille, alors que le mien m'a été donné par ma propre mère. »

Les yeux mi-clos, elle avait poursuivi : « C'était l'année de mes quinze ans. Mes parents, mes sœurs et moi, nous étions en vacances. Un après-midi, j'ai trouvé maman dans la grange, avec deux jeunes et vaillants paysans, les fils de notre voisin. Plutôt que me cacher et ne rien dire, je me suis montrée. Elle a eu l'intelligence d'apprécier immédiatement la qualité de l'instant. Après le départ des garçons, elle m'a rassurée. Elle m'a expliqué que ce n'était pas mal, le plaisir : que c'était une joie pour le corps et que l'esprit n'avait pas le droit de la lui refuser. Elle avait trente-trois ans, à cette époque. Elle était infiniment jolie. Maryline tient d'elle ses yeux violets et le cendré de ses cheveux. Nous étions aussi folles l'une que l'autre. Nous passions des heures à nous faire belles pour séduire. Nous n'avions qu'une envie : être heureuses, en nous-mêmes. Maryline aussi, aime beaucoup son corps. Beaucoup trop pour ne pas chercher à en tirer tous les plaisirs possibles. Je me demande, donc... »

Sylvaine avait laissé à cette question le temps de se poser, puis avait continué : « J'avais dix-neuf ans, quand maman est morte. Un accident idiot. Elle est tombée d'un arbre. Ma vie s'est effondrée, d'un bloc. Mon père m'a mariée. Maryline est née. J'ai espéré que j'aurais avec elle la même complicité que j'avais eue naguère avec maman. Et puis, un jour, j'ai appris que ma fille était enceinte, qu'elle aimait et allait épouser un garçon. Je mettrais ma tête à couper que ton fils a été son premier amant. Qui sait, peut-être aussi la révélation de tous ses désirs?

– Qu'il pourrait ne pas combler entièrement?

– Je n'ai pas dit que Charles n'est pas à la hauteur de la situation. Après tout, si ça se trouve, c'est peut-être lui, l'exigeant? L'amoureux du plaisir, comme son père? »

Sylvaine avait marqué un assez long silence. Puis, elle avait ajouté : « J'ai beaucoup de tendresse pour toi Marc. Je vous suis reconnaissante, à toi et à Odette. C'est dans vos bras, à vous deux, que j'ai retrouvé le goût de l'amour, après trente-trois années durant lesquelles j'avais été comme absente de mon propre corps. Je ne sais pas si tu peux comprendre, mais moi aussi – aujourd'hui – je me sens veuve. » Sylvaine avait souri et ajouté : « Odette m'a enseigné la plus belle des leçons d'amour dans sa passion de créer ton bonheur. J'ai pu comprendre, grâce à elle, ce que je n'ai pas vécu. Si tu avais été un mystique, aussi bien serait-elle devenue une sainte. »

L'un et l'autre avaient songé au vœu qu'aurait pu faire Odette à propos des enfants : qu'ils connaissent assez d'amour pour communier dans un même parti pris, quel qu'il soit.

Pas une seule fois durant les dix jours de sa postcure, Charles n'a demandé des nouvelles de sa femme. Suivant le conseil de Sylvaine, Marc s'est abstenu d'aborder ce sujet.

A sa belle-mère, venue également lui rendre visite, Charles n'a pas non plus parlé de Maryline. Sylvaine espérait bien, pourtant, qu'avec elle il sortirait de cette obstination silencieuse. En dépit de ses efforts, elle n'avait pas obtenu l'ombre d'une confidence.

En ce onzième et dernier jour de la postcure, Marc rend visite à son fils, comme chaque après-midi.

« Ta femme te fait savoir qu'elle a l'intention de retourner habiter chez ses parents, avec François, en sorte que tu puisses t'installer tranquillement boulevard des Batignolles pour le temps de ta convalescence.

– Tu remercieras ma belle-mère de la solution qu'elle a trouvé mais c'est inutile. J'avais une chambre dans un hôtel, mes affaires y sont restées et j'y retourne. D'ailleurs, j'ai téléphoné. J'ai expliqué que j'avais eu un accident. Mes valises avaient été mises de côté et dès demain je retrouverai ma chambre.

– Que vas-tu faire?

– Chercher du travail.

– Tu sais très bien que ce n'est pas le sens de ma question.

– Tu aurais dû comprendre que c'était le sens de ma réponse. »

Jusqu'alors, dans les circonstances délicates, dans les situations difficiles, il y avait Odette. Odette n'est plus. Marc a tout à apprendre. Odette aurait su confesser Charles. Odette aurait su lui parler. Lui se trouve face à un mur. Son fils n'a nulle intention de se confier et il n'a aucun moyen de l'en convaincre. Même si ce conflit de couple ne regarde absolument que les intéressés, il ne peut qu'éprouver de la déception pour le peu de confiance que lui manifeste son fils.

Sylvaine, de son côté, n'est pas plus avancée avec sa fille.

« ... Quelle a été sa réaction à la réponse de Charles?

– Je ne lui ai pas encore téléphoné.

– Alors, si... nous allions la voir? Si nous lui portions cette réponse ensemble? Peut-être qu'avec de la douceur, de la compréhension, nous pourrions l'amener à ouvrir un peu son cœur?

– Nous pouvons toujours essayer. »

Ce soir ou... jamais. Jean-Marie Bernard est en déplacement, rien ne s'oppose à une offensive immédiate. Dans l'heure suivante, Sylvaine et Marc sonnent à la porte du petit appartement du boulevard des Batignolles. L'un apporte la réponse formulée par

Charles l'après-midi même. L'autre profite de l'occasion pour venir embrasser son petit-fils.

Le cheval de Troie des parents est avancé.

Maryline a immédiatement compris que cette soirée improvisée entre sa mère et son beau-père va être une belle séance au cours de laquelle on essaiera de lui tirer les vers du nez.

Quand on est le plus faible, il faut attaquer.

Elle prend donc l'offensive.

« Alors, comme ça, vous vous êtes dit : puisque Charles ne veut rien nous raconter sur les raisons de leur conflit, allons le demander à notre petite Maryline?

– Mais? Mais non! Pas du tout! se récrient Marc et Sylvaine d'une même voix.

– Vous êtes assez grands pour savoir ce que vous faites! ajoute l'une.

– Ce sont vos affaires. Nous ne voulons rien en savoir! renchérit l'autre.

– Alors, dans ces conditions, de quoi allons-nous parler? Du message du général de Gaulle au Parlement sur les accords d'Évian ou du référendum sur l'autodétermination algérienne? »

Le cheval de Troie le mieux intentionné ne peut que boire un coup lorsqu'il se trouve le bec dans l'eau.

Se confiera? Se confiera pas?

« J'ai fait une bêtise! convient-elle, mais je ne peux supporter l'idée que Charles fasse supporter à François les conséquences de ses reproches à mon égard. »

Pour autant qu'il se sent devant la bonne porte, le cheval de Troie se garde bien de piaffer d'impatience.

« Cette année, avec François, je ne peux pas faire grand-chose mais l'an prochain je m'inscrirai pour terminer ma licence... »

La soirée fut en tous points délicieuse.

A l'heure de regagner la rive gauche, Sylvaine et Marc n'eurent même pas à se demander s'ils allaient rentrer à pied ou en voiture.

L'assassinat de Marie-Laurence de Simenoff, abattue le 19 février 1962, d'une rafale de mitraillette, sur le trottoir de la rue de la Paix, devant l'institut de beauté dont elle était propriétaire, pouvait passer a priori pour un règlement de comptes politique.

Anna n'en avait pas moins reçu le conseil de faire cesser au plus vite les activités de l'arrière-boutique. Cette suggestion du commandant, avait été appliquée séance tenante et à la lettre : démobilisation immédiate du bataillon de charme renvoyé dans ses foyers.

Le lendemain, Olga avait troqué son uniforme de pute en chef contre un sobre tailleur de lainage du plus élégant effet pour recevoir les inspecteurs de la PJ.

Le 31 mars suivant, à quatorze heures, dans le bureau de maître Sagendre, notaire à Neuilly-sur-Seine, trente-sept colégataires de la même testatrice attendent de connaître les dispositions les concernant.

Anna est du nombre des auditeurs.

« Chapitre trente-trois du présent acte testamentaire. Il concerne Mme Abroweski. Je donne lecture : « ... à mon amie, Anna Abroweski, je lègue l'acte de propriété des murs et de tout le matériel et installations de l'institut de beauté sis à Paris, rue de la Paix. Je lègue également l'acte de propriété des murs de l'appartement sis rue Danielle-Casanova avec matériel et installations qui en dépendent, à charge pour elle de réunir le conseil d'administration de la Société d'études et de réalisations en instituts de beauté pour décider, à la majorité, conformément aux statuts, s'il y a lieu de proroger les activités commerciales de cette société. Au présent chapitre 33 de mes dispositions testamentaires s'ajoute la note codicillaire numéro 5/33/A. A Mme Anna Abroweski, sera remise, le jour même de l'ouverture du présent testament, une enveloppe à son nom contenant la clé et le numéro d'un coffre dont elle devient la locataire, à la banque de MM. Pommier & Pavie, sise 59, rue du Faubourg-Poissonnière à Paris.

Anna s'attendait certes à recevoir un legs à titre de souvenir mais assurément pas une donation aussi importante. Après avoir pris rendez-vous pour le 16 mars suivant afin de procéder aux formalités d'héritage, elle a reçu de la main du premier clerc une enveloppe à son nom et une clé de coffre bancaire.

*« Ma chérie,*

*« Si tu dois lire cette lettre un jour, c'est qu'il sera arrivé un accident regrettable. Surtout pour moi, encore qu'il ne soit pas du tout certain que là où je serai il me sera donné de pouvoir le regretter.*

*« Je suis à Rio. Père et moi sommes les invités d'Onassis. Son yacht est certainement l'un des plus beaux bateaux qu'il m'ait été donné de voir et de connaître. Ma cabine est un appartement superbe. Quel dommage que nous n'y soyons pas ensemble. Quand je monte sur un bateau, je pense toujours à toi. Nous nous sommes connues sur un yacht, dans le golfe de Saint-Tropez, et c'est là que je t'ai joué le sale tour de t'entraîner dans les affaires compliquées de ma vie d'aventurière. Au fond, j'aurais préféré pouvoir vivre sans*

*problème, avec un mari et beaucoup d'enfants. L'été au soleil et l'hiver à la neige. Il s'est toujours trouvé que je me suis mise, presque malgré moi, dans des histoires pas possibles. Déjà quand j'avais cinq ans, mère m'appelait miss Catastrophes.*

*«Avant de quitter Paris, j'ai ouvert un coffre à ton nom dans une petite banque où j'ai quelques habitudes. Tu y trouveras – entre autres bijoux – une enveloppe grise qui contient toutes les preuves nécessaires de ton innocence dans l'affaire de proxénétisme qui a servi de base au petit chantage par lequel je t'ai fait recruter comme agent d'information pour le compte de l'OAS. J'ai cru, à cette époque, que la France resterait en Algérie. Personnellement, que l'Algérie soit française ou pas ne m'intéressait guère. Mais comme plaque tournante pour infiltrer des femmes en Afrique noire ou au Moyen-Orient, il me semblait que ce territoire valait la peine d'être défendu. Le jour où les Algériens reprendront possession de leur terre, ils instaureront une "morale de fer" conforme à l'esprit de révolution. C'est toujours comme ça que les choses se passent : les révolutions sont censées guérir de certaines oppressions mais les nouveaux tabous et interdits qu'elles engendrent en créent d'autres. Note, cela ouvrira probablement une nouvelle ère bénéfique pour d'autres trafics avec cette nation neuve. Après avoir envoyé de jolies petites putes blondes dans les bordels d'Alger, d'Oran ou de Constantine, il faudra peut-être envisager de se recycler dans la contrebande des transistors ou des bas nylon?*

*«A quelle époque serons-nous si cette lettre te parvient? Je l'ignore. Mais, pour peu que la situation soit inchangée ou proche de celle que nous connaissons aujourd'hui, je te conseille de tout laisser tomber. J'ai déjà pris des dispositions pour que tu puisses matériellement prendre tes distances. Tu es assez intelligente et débrouillarde, je ne me fais pas trop de souci pour toi : tu sauras manœuvrer comme il faut pour te retirer des embrouilles dans lesquelles je t'aurai entraînée.*

*« Ce doit être la chaleur? Ce bateau? L'ambiance ouatée de ma cabine? J'ai un peu envie de te parler d'amour. Je ne suis jamais si bien que dans tes bras. Quel dommage que je doive toujours partir et courir le monde. Je ne profite jamais d'être avec toi. Les jours passent trop vite. Les affaires me reprennent et il me faut déjà repartir. Le temps fait partie de ces choses que l'argent ne permet pas d'acquérir.*

*« Elke vient de me téléphoner de la rejoindre dans sa cabine. Elle organise un bridge. Je déteste ce jeu mais je ferai le mort : ça m'offre – déjà – une formule de circonstance pour achever cette lettre.*

*« Trouve ici autant de baisers pour tous les jours de ta vie, de moi qui t'aurai plus aimée que je n'aurai su te le montrer.*

*« Marie-Laurence*

*« Rio de Janeiro, le 19 janvier 1962 »*

Un mois. Cette lettre avait été écrite un mois avant son assassinat.

***

« Salut, p'tit con! Alors comme ça tu fais des tiennes? Je suis pas allé te voir à l'hosto car ta bourgeoise n'avait pas trop l'air d'y t'nir. Qu'est-ce que tu bois? »

L'ami Pelot est toujours aussi bruyant, aussi démonstratif, et Charles déteste toujours autant se faire appeler « p'tit con ». Enfin, Pelot est à la télévision. De mieux en mieux introduit depuis que la direction des programmes vient d'accepter son projet de production d'une grande émission de sports et variétés.

« J'te raconte! Quand il a appris que Jean d'Arcy avait donné le feu vert pour mon émission et que la sienne serait supprimée sur la prochaine grille, il paraît que Pierre Bellemare a fait un beau scandale. Je ne me fais pas de souci pour lui, on murmure déjà dans les couloirs que Louis Merlin l'engagerait à *Europe Nº 1*.

– Moi, je m'en ferais plutôt pour toi, du souci. Partant du principe que tout ce qui fait face fait fric, le poids lourd de la combine va sûrement mettre des bâtons dans tes roues et, d'ici que ta superprod' se trouve réduite à un interlude, y a pas des milliers de kilomètres.

– Le poids lourd de la combine? Mais non, Zitrone est un copain. »

Ils en rient. Pas méchamment.

« A propos de combine! reprend Pelot. Au théâtre de Dix-Heures y'a un excellent spectacle de chansonniers en ce moment. Tu demandes Philippe Bouvard de ma part. Il fait leur service de presse. Il te filera des places.

– Merci. Ça me changera les idées. Pour en revenir à ton émission, qui doit la présenter?

– Sais pas encore. Il y a un gus dont on parle beaucoup ces temps-ci : c'est Jacques Martin. Un peu Frégoli de la radio. On raconte que l'autre jour, au comité de rédaction, à *Europe,* Maurice Siégel arrive en leur disant : « Messieurs, je ne pourrai pas présider la séance plus de dix minutes, car il faut que j'aille m'occuper de mon déménagement. » Ce con de Martin, il lui balance aussi sec : « En quelque sorte, le singe change d'arbre. »

« C'est pas tout. Je t'ai trouvé un petit job d'assistant sur un tournage. C'est pas avec Fellini mais enfin, tu pourrais peut-être voir, non?

– Il s'agit de quoi?

– Ah, c'est pas la gloire. Un poste de troisième assistant, quelque chose comme ça. Faut aller chercher les sandwiches. Tu sauras faire ça, toi, p'tit con?

– Ça dépend si on me les prépare ou si... faudrait aussi que j'les fasse?

– Très drôle.

– C'est un tournage de qui?

– Polanski. Un sketch pour un film à tiroirs qui doit s'appeler *les Plus Belles Escroqueries du monde* ou quelque chose comme ça. »

Installés à la terrasse du Fouquet's, ils poursuivaient leurs bavardages depuis près de trois quarts d'heure, lorsque Pelot, avisant la silhouette grêle d'un petit jeune homme maigrichon, se lève précipitamment en annonçant : « Ce mec-là, je le connais. Il peut te rendre certains services. »

Resté seul à la table, derrière la baie vitrée, Charles voit son ami rattraper l'inconnu et échanger avec lui de démonstratives manifestations d'amitié comme il est de règle dans une profession où la vertu première de la plupart de ceux qui l'exercent n'est pas de passer inaperçu.

Compte tenu qu'il gèle à pierre fendre, leur conversation au milieu du trottoir ne s'éternise pas outre mesure. L'inconnu se laisse convaincre de venir prendre un verre à leur table.

« Charles Rougier.

– Paul Laurent. »

En fait Paul Laurent n'est ni grêle ni maigrichon : cette impression provient du fait qu'il est en costume trois pièces alors que tous les Parisiens sont emmitouflés jusqu'au nez dans des pardessus ou des transibériens tant il fait froid ce 5 avril. Paul Laurent, n'est pas non plus précisément un jeune homme : une quarantaine d'années environ. Élégant, sympathique au premier abord. Il explique : « Mes bureaux sont à deux pas. 79, avenue des Champs-Élysées. Dans l'immeuble du Mimi Pinson. Je suis sorti sans me rendre compte qu'il faisait si froid. J'ai rendez-vous avec Bleustcin à Publicis... »

– Ça marche plein pot la production ciné?

– Celle que je fais se porte à peu près bien.

– Tu n'étais pas sur un coup avec le ministère de la Culture?

– Si, mais rien n'a encore été décidé. Une de mes amies m'a obtenu une entrevue avec le chef de cabinet de Malraux, mais pour des raisons budgétaires le dossier reste coincé.

– J'ai entendu dire que tu allais travailler dans la maison?

– Pas exactement. La RTF me commande vingt-huit minutes sur l'histoire de la télévision pendant l'Occupation à partir des images d'archives que les Allemands ont abandonnées. Si tu as une starlette à me placer c'est pas le moment : il n'y a pas de rôle. En revanche, je cherche quelqu'un pour visionner des kilomètres de pellicule et me faire un plan de ce qui serait utilisable.

– Eh bien, il fallait le dire tout de suite, mon petit Paul. J'ai ça. Mon copain Rougier – le jeune et élégant bipède ici présent – s'est tapé tout le classement des archives en souffrance aux sports. On envisageait de le garder mais, avant d'obtenir le budget, il aurait eu le temps de se taper aussi toutes les femmes des chefs de service de la télé. »

Paul Laurent esquisse un sourire en direction de Charles. Sort son portefeuille, en tire sa carte et la lui tend en disant : « Si vous voulez bien m'appeler demain matin, on bavardera. »

****

« Allô! Sarah? C'est Anna. Depuis quand n'avons-nous pas eu une conversation sérieuse, toutes les deux?

– Tu veux dire, sur Dieu, la terre, la bombe atomique, les Chinois et tout ça?

– Par exemple.

– Ça fait un certain temps.

– Et tu ne te rappelles pas ce qu'on en avait conclu?

– Si! Que Dieu est mort depuis longtemps et que la terre pourrait bien suivre pulvérisée par la bombe atomique ou étouffée sous les Chinois.

– Donc quand on se voit pour avoir une conversation sérieuse on ne picole pas forcément jusqu'au point d'être complètement saoules?

– En général on tire les conclusions de la conversation sérieuse juste avant d'en arriver là.

– On pourrait se faire une conversation sérieuse, ce soir?

– Chez Maxim's ou au Bœuf-Gros-Sel?

– Qu'importe le bidonville, du moment qu'il accueille nos misères.

– Alors Maxim's! choisit Sarah. Puisque c'est toi qui invites c'est toi qui payes. Je passerai te prendre.

– Chez moi! précise Anna.

– Robe du soir ou tenue de ville?

– Eh! Si on se faisait belles?

– On aura du mal mais on peut toujours essayer. »

En ce début d'après-midi du jeudi 5 avril, Anna se sent en état de grâce. Inexplicablement bien. Heureuse de vivre. Conformément à la promesse de Marie-Laurence, elle a trouvé dans le coffre de la banque toutes les preuves suffisantes pour rendre caduç un dossier en souffrance à la police judiciaire de Marseille.

L'arrière-boutique ayant fermé ses volets au lendemain de l'assassinat de Malou, Anna entend bien ne pas les rouvrir lorsqu'elle aura pris le contrôle effectif de la SERIB. Les troupes de choc du gaullisme y perdront sans aucun doute quelques précieux subsides mais, pour sa part, elle y gagnera de se débarrasser de la partie encombrante de l'héritage.

Reste le commandant. S'il révélait au SAC qu'elle lui a fourni des renseignements, elle ne manquerait pas d'avoir quelques ennuis; elle a déjà frôlé la catastrophe avec l'affaire d'infiltration de Yan

Legoëf chez les barbouzes en partance pour Alger. Curieusement, depuis l'assassinat de Malou, le commandant ne l'a plus recontactée. Y aurait-il une relation de cause à effet? Peut-être seulement le temps d'un soupir? Et Michel Lemoind? Pas de nouvelle de lui non plus. Décidément, la tragique disparition de Mlle de Simenoff semble avoir désorganisé les rouages des fonctionnements souterrains de ces messieurs. Il lui reste quand même sur les bras le beau et ténébreux Stéphan Burt qui se fait materner par la capiteuse Olga en attendant qu'on lui donne des instructions précises pour aller trucider « Qui vous savez * ».

Les mains dans les poches, emmitouflée jusqu'aux yeux dans son ample manteau de vison, elle se dit que le froid rend la vie difficile. Quand elle était petite, et qu'il faisait froid, elle réfugiait sa main dans celle de Mözek. Elle n'a jamais oublié cette sensation d'une grande main chaude dans laquelle se perdaient ses petits doigts glacés. Mözek, 24 ans déjà. Elle songe à un manège, à la Foire du Trône, au sourire d'un jeune Allemand. Si Helmut a marqué sa vie, c'est non seulement parce qu'il lui a fait un enfant qu'il lui a ensuite repris mais aussi parce qu'elle l'a aimé. Durant ses longues années de prison, elle a bien souvent songé que s'il lui avait demandé de le suivre en Allemagne, elle y serait allée. Elle serait devenue nazie au lieu de faire de la résistance. Épouse d'un officier SS. Elle, une juive! C'est pourtant bien parce qu'elle est juive qu'elle aurait pu partir pour n'importe où sans l'impression de s'expatrier.

Arrêtée au bord du trottoir en attendant de traverser, Anna jubile tout à coup. Elle vient de découvrir ce qu'elle va dire à Sarah. Pour une conversation sérieuse elle ne va pas rater sa soirée, la mère Friedmann.

A peine arrive-t-elle à l'institut de beauté, qu'Annick Leroy se précipite : « Madame Anna. Il y a quelqu'un qui vous attend dans votre bureau.

– Qui ça?

– Une dame. Une jeune femme blonde.

– Une cliente?

– Non! Elle a demandé à vous parler personnellement.

– Vous la connaissez?

– Pas du tout. »

Anna pousse la porte de son bureau. Une jeune femme blonde l'attend, en effet, assise sur le canapé. Elle lève les yeux du magazine qu'elle était en train de feuilleter. « Elke? Ça alors, si je m'attendais! »

Petit jeu de civilités pour cette visite surprise de la dernière de la longue série de belles-mères de Marie-Laurence : « Vous êtes encore plus ravissante en blonde qu'en brune.

---

* Un des nombreux surnoms donnés au général de Gaulle.

– Meurci, une finiment. Ce agréable d'ontondre chaôse jontil. »

Son accent ne s'arrange pas.

Réinstallée dans le canapé, Elke a croisé les jambes. Très haut. Cette mode au-dessus du genou est une aubaine. Pourvu qu'elle dure.

« Que puis-je pour vous?

– Je... C'est... »

Un petit rire de gorge de sa visiteuse lui laisse entendre que l'objet de cette visite n'est pas des plus faciles à formuler.

Après une demi-heure d'entretien, Anna peut faire la synthèse. Malou avait l'esprit de famille. C'était tout à son honneur. Pour autant, elle n'en était pas moins « la reine des salopes ». Dans le cadre familial, c'était évidemment plus discutable. Sous prétexte de faire gagner à sa jolie marâtre quelques dollars qu'elle pourrait consacrer à ses bonnes œuvres du fonds de soutien des play-boys en détresse, elle lui avait facilité quelques affaires bien juteuses. Elke n'avait pas du tout senti que les griffes acérées du petit démon blond se refermaient sur elle.

De prises de responsabilité excessives en signatures étourdies, la confiance d'Elke en la fille de son époux avait été à la hauteur de sa naïveté.

Créature magnifique qui compte assurément au palmarès de la perfection féminine, Elke de Simenoff a moins pris le temps de remplir de plomb sa cervelle que de rondeurs son soutien-gorge. Elle le reconnaît, et même l'avoue – en toute candeur – avec cette délicieuse pointe d'accent cosmopolite dont les apparentés à la jet society aiment affubler les douces consonances de la langue française : « Je compris qu'elle a prise moi pour une con.

– J'aimerais tellement vous rendre service, l'assure Anna, toute rêveuse. Hélas, Marie-Laurence ne m'a légué que des dettes. Je n'ai plus un sou. Vous n'en êtes tout de même pas au point d'accepter de liquider vos parts de capital de la SERIB aux deux tiers du montant de leur valeur pour éviter que votre mari ne l'apprenne?

– Aôh si! Je xepte! » s'écrie Elke les yeux remplis de larmes de reconnaissance.

Les larmes d'une jolie femme? Rien à faire. Anna ne supporte pas. Il faut qu'elle console. Un câlin commercial pour cette riche petite chatte éplorée qui vient d'être spoliée à la suite d'un effet pervers de l'enseignement tenu de sa salope de belle-fille. Cet enseignement, le moins qu'on puisse dire est qu'il porte des fruits posthumes. Il faut bien penser au fonds de soutien des play-girls en manque de tendresse. Chacun ses pauvres.

⁂

Son récent veuvage le place dans une situation dont Marc n'a pas encore mesuré toutes les conséquences.

Il n'a que quarante-trois ans. Donc – sauf accident – encore bien des années à vivre. Des années qu'il lui faudra passer sans la rassurante présence d'Odette.

Le regard perdu dans les nuages blancs qui défilent derrière le hublot de la Caravelle d'Air Inter qui le ramène vers Nice, il voudrait pouvoir se rappeler la silhouette élégante et distinguée de celle qu'il a tant aimée mais, malgré ses efforts, c'est le visage mortuaire du 20 mars dernier qui harcèle sa mémoire. Quarante jours. Entre le soir de son cinquante-quatrième anniversaire et l'après-midi de sa mort, il s'est écoulé quarante jours et chaque heure emportait un peu de ce qu'elle avait été. Pas une plainte. Pas un mot sur sa souffrance. Une dignité exemplaire. Elle se préoccupait surtout de Charles et l'avait résumé dans ce mot admirable : « Tu comprends, il est mon fils, même si je ne suis pas sa mère. »

Comment vivra-t-il, sans elle?

Il va mettre le magasin en gérance pour la saison, mais pourra-t-il supporter de rester dans cet appartement?

La seule idée de retrouver la Côte d'Azur lui étreint la gorge. Non. Il ne pourra jamais vivre ici sans elle. Il va tout vendre. Appartement et magasin. Il ira... à Paris. Au moins, y verra-t-il souvent son petit François.

Comment ne reconnaîtrait-il pas la mystérieuse voix qui lui murmure : « ... Par la grâce de Dieu, notre petit François a un grand-père encore jeune. C'est à toi de veiller sur lui. Sur lui et sur Maryline. C'est le but de ta vie, désormais. Ton devoir. » Son devoir n'est certes pas de se substituer à son fils pour assumer ses responsabilités à sa place. Jamais Odette ne lui aurait conseillé cela. Son message, elle l'a inscrit au fil des jours de leur vie par son exemple : être disponible non pour assister mais pour servir ceux que l'on aime.

Après avoir quitté Denis Pelot, Charles est allé s'enfermer dans un cinéma des Champs-Élysées. Il avait moins envie de voir un film que de trouver un abri. Depuis une semaine qu'il est sorti de l'hôpital, il ne pense qu'à François. Cependant, aller boulevard des Batignolles impliquerait – par la force des choses – de rencontrer aussi Maryline. Il ne le veut à aucun prix. Il ne souhaite ni la revoir ni seulement penser à elle. Il voudrait que sa vie devienne comme si elle n'avait jamais existé. Pour parvenir à ce détachement, il ne faut pas non plus que Maryline Bernard soit son plus mauvais souvenir.

Odette. Morte, sans qu'il ait pu l'embrasser une dernière fois. Tout l'amour du monde s'est éteint avec elle.

Il n'en peut plus. Il étouffe dans ce cinéma. Marcher. Mieux vaudrait sortir et marcher. L'idée du froid le fait hésiter. L'idée de rester à regarder un film qu'il ne comprend pas faute de s'y intéresser lui en donne le courage.

Dans une semaine, François aura cinq mois. Cinq mois. Et il n'a pas vu son fils depuis bientôt deux mois et demi. Soit, la moitié de sa vie.

Allons bon! Il s'est mis à pleuvoir. Il ne faut pas penser à François. Il ne doit penser ni à Odette ni à François. A quoi penser, alors? A rien. Conformément aux prescriptions de son médecin. Il ne doit penser qu'à lui. A sa sauvegarde mentale et à son bien-être si possible. Sur ordonnance. Non remboursée par la Sécurité sociale. La pluie l'oblige à se réfugier sous les arcades du Lido. De l'autre côté des lourdes portes vitrées derrière lesquelles se situe la galerie marchande, il fait presque chaud.

Dans une vitrine, il avise une casquette. Est-ce que ça lui irait de porter une casquette? Est-ce qu'il a une tête à casquette?

« Monsieur Rougier? »

Surpris d'être interpellé par une voix féminine, Charles se retourne. C'est une charmante jeune femme. Un visage qui lui dit quelque chose en effet. Il tend la main.

Elle précise : « Ève Trinquier. Je travaille comme secrétaire de production à la télévision. C'est moi qui ai recueilli votre adhésion à la CFTC. »

Cette fois, il se souvient : « Si on allait prendre un verre? »

Ils ont commandé des chocolats. Elle lui a donné des nouvelles de gens qu'il connaissait à la RTF et qui tous doivent faire face, chaque jour, à l'ambiance déplorable d'une crise financière permanente.

« ... Enfin, le service public nous garantit la stabilité de l'emploi. C'est toujours ça. »

De fil en aiguille, leur conversation devient plus personnelle. La télévision. Le cinéma. Préoccupations majeures pour professionnels en herbe des industries de l'image.

« Comment ça, vous n'avez pas vu...?

– J'ai été hospitalisé durant près de deux mois. Je ne pouvais pas regarder très souvent la télévision. »

Puis, conversation plus intime : « ... dépression nerveuse. Cure de sommeil.

– Moi aussi, il y a deux ans. Quand mon mari m'a quittée.

– Je venais moi-même de quitter ma femme. »

« ... De toute façon, je vis seule. J'ai tout mon temps.

– Connaissez-vous La Carmagnole? Un restaurant, situé au

fond d'une cour, dans le quartier du Marais. On s'y assied sur des tambours et on mange sur des tonneaux en écoutant des airs révolutionnaires de 1789 chantés par Edith Piaf. Les cantinières sont sans culottes. Les clients demandent à vérifier : ça crée l'ambiance. On y sirote du vin d'Arbois en grignotant des brochettes de « joyeuses d'aristocrates » ou de « couillons de ci-devant » selon qu'il s'agit de merguez ou de chipolata. »

Le vin d'Arbois a cette délicate propriété de se laisser boire aussi facilement que de l'eau claire. Seuls les effets sont différents. A la sortie du restaurant, Charles et Ève en font l'expérience. Ils nagent dans une douce euphorie qui leur évite de sentir la morsure du froid alors qu'ils déambulent, bras dessus dessous, sous les arcades centenaires de la place des Vosges. Une bien douce euphorie, puisqu'elle conduit à non plus se donner le bras mais à se tenir la taille pour partir à la recherche d'un taxi, serrés sous le même parapluie. Une très tendre et très douce euphorie qui leur fait oublier, dès ce premier soir, qu'ils n'habitent pas... la même adresse.

Ouvrant les yeux, Sarah Friedmann a un réveil difficile. Le champagne de chez Maxim's était certes d'excellente qualité mais Anna l'a fait boire plus que de raison. Elle a voulu l'étourdir avant de formuler sa bien tardive confidence. A quatre heures du matin, dans le froid et sous la pluie, elles sont rentrées à pied, transies dans leurs manteaux de fourrure, avec le bas de leurs robes qui traînait de flaque en flaque. C'était l'heure qu'Anna avait choisie pour avoir cette conversation sérieuse. Troublant discours : « Tu te souviens, le soir de la déclaration de la guerre? Ce soir-là, tu m'as fait l'amour. Pour la première fois. J'étais impressionnée. Je connaissais bien sûr tes aventures avec des hommes et je m'en voulais de n'être pas un peu comme eux, pour pouvoir entrer en toi. Comme je t'ai aimée cette nuit-là, d'être si douce, plus tendre et plus harmonieuse qu'Helmut. Mais, ce n'était rien encore. Tout mon amour pour toi s'est épanoui le jour où j'ai appris que tu avais été la maîtresse de Mözek. J'ai été fière de mon père. Folle de joie, qu'il ait pu caresser, de ses mains, la si belle madame Friedmann. En résumé : je t'ai d'abord aimée parce que tu étais belle et que c'est dans tes bras que j'ai découvert que je préférais les femmes. Mais, je t'ai surtout aimée d'avoir rendu Mözek heureux. Voilà! – Puis, aujourd'hui, tu ne m'aimes plus, parce que je suis... devenue vieille. – C'est pas possible, tu t'es regardée dans une glace? avait demandé Anna avant d'éclater de rire et d'ajouter : Enfin, il te reste d'avoir toujours le plus beau sourire du monde, et... – Et? – Et, le plus beau cul de la planète, ma chérie. De la planète! »

Allongée sur le ventre, le visage perdu au creux de ses bras sous ses longs cheveux bruns, c'est la même qui riait tout à l'heure et dort à présent. Changée, l'adolescente d'il y a vingt ans. Sa quarantaine lui va bien. Elle l'habille d'un éclat qui l'affirme. En 1944, à Marseille, elle faisait hurler toute l'US Navy avec ses gros seins et, aujourd'hui, c'est un corps de jeune fille. Sortilège? Peut-être pas? Qu'attend-elle? Un grand amour? Elle le dirait mais ce n'est pas vraiment ça. Ce qu'Anna attend est plus mystérieux, et pourtant lisible en elle comme dans un livre ouvert. Si elle est plus belle et plus jeune que jamais c'est qu'elle attend l'impossible. Un impossible pour lequel elle refuse de laisser se creuser le fossé du temps et qui porte un nom : son fils disparu.

Anna ne dort plus. Elle fait semblant. Elle pense peut-être à lui? Sarah se penche et murmure : « Moi aussi, je t'aime. Comme l'enfant que je n'ai jamais eu.

– Alors, tu es une mère indigne.

– De faire l'amour à mon enfant?

– Pas seulement! sussure Anna. C'est surtout parce que tu ne lui as pas préparé son petit déjeuner avant! »

L'intervention radio-télévisée du général de Gaulle, ce 6 avril, avant-veille du scrutin du référendum, reprenait l'essentiel de ses déclarations au lendemain du 18 mars, date historique de la signature des accords d'Evian : « Françaises, Français, l'affaire est d'une telle portée qu'elle requiert directement l'accord souverain de la Nation. La décision de chacun de vous signifie d'abord la paix. Il n'y a pas un homme de cœur et de bon sens qui ne doive s'en féliciter. Il s'agit, pour la France de toujours et pour l'Algérie de demain, d'entreprendre, ensemble, une œuvre de commune civilisation. Le *oui,* franc et massif, permettra d'établir, dans la paix, et l'association, c'est-à-dire, conformément au bon sens et à l'amitié, les rapports entre la France et l'Algérie. »

L'allocution présidentielle se termine juste, lorsqu'on sonne.

Anna baisse le son du téléviseur, et va ouvrir.

« Olga? Mais? Que... »

Elle n'a pas le temps d'en dire plus. Olga, en larmes, lui tombe dans les bras. Anna la fait entrer, l'entraîne vers le salon, s'inquiète : « Enfin, que se passe-t-il? Que t'arrive-t-il? Qu'as-tu? »

Olga sanglote nerveusement et ne semble pas en état de répondre. Elle porte un ciré noir, tout dégoulinant de pluie.

Il ne lui faut rien moins que l'absorption de deux grands verres d'eau fraîche pour recouvrer un usage partiel de la parole : « Je... suis...venue... » hoquète-t-elle dans un spasme.

Il est déjà vingt heures quinze passées. Anna était prête à sortir. Elle a un rendez-vous à vingt heures quarante-cinq et se demande si elle saura l'essentiel de cet émoi avant d'être obligée de partir.

« Tu as bien fait de venir, mais de grâce que se passe-t-il ma chérie? C'est angoissant de te voir dans cet état.

– C'est...,. Stéphan. Il... il est... parti. »

Aïe! Le beau tueur de la CIA a regagné sa base. Anna est au courant. La veille, en fin d'après-midi, Michel Lemoind lui a rendu une brève visite. Depuis le succès des négociations d'Evian, le général de Gaulle n'est plus l'homme à abattre mais l'homme à séduire. L'OAS, c'est fini. L'arrestation du général Jouhaud démontre clairement que l'appareil policier a la situation bien en main. La création d'un Conseil national de la résistance n'est qu'une manœuvre de désespoir-spectacle pour Jacques Soustelle et Georges Bidault en mal d'une seconde carrière.

« Il est parti. Mais quand? s'informe Anna.

– Tantôt! Il m'a appelée d'Orly. Avant... de monter dans... son avion. » Que dire, devant les larmes d'un amour malheureux?

« A toute chose malheur est bon! Tes activités d'assistante de direction de la SERIB ne sont pas si astreignantes, tu vas donc avoir plein de temps pour aller chaque jour à Brie-Comte-Robert t'occuper de ta fille. »

Visiblement, Olga n'est pas prête à entendre ce genre de propos.

« Mais? Tu ne comprends donc rien? Je l'aimais moi, Stéphan! Qu'est-ce que je vais devenir, maintenant? »

Assise sur son coin de canapé, Olga est ravissante. Ce ciré noir la moule sans un faux pli. Ses longues jambes serrées l'une contre l'autre, légèrement inclinées, sa tête baissée, ses cheveux emmêlés et dégouttant de pluie : elle est touchante dans sa détresse.

Une détresse au demeurant très simple : « J'avais qu'un homme... dans ma vie. Il s'en va. Et, j'ai même plus mes clients, pour me consoler. »

Hors toute apparence, ce n'est pas de l'humour. Ni rose. Ni noir. Ce n'est pas de l'ironie désenchantée. Encore moins de la provocation. Ça veut simplement dire : je n'ai plus rien, ni amour ni boulot.

« Toi, tu as vraiment besoin d'être câlinée! » soupire Anna en jetant un coup d'œil inquiet sur sa montre.

Vingt heures trente. Il faut qu'elle se dépêche. Elle ne peut plus s'éterniser, le commandant est toujours à l'heure. Pas question de renvoyer Olga dans ses quartiers, elle serait fichue de faire n'importe quelle bêtise. Seule solution : Sarah, qui doit bien avoir fini de récupérer.

Anna monte dans sa chambre. Sarah est réveillée. « Chérie? Est-ce que tu sais consoler?

– Ça dépend qui?

– Tout bien considéré, je crois que tu sauras! »

Quelques instants plus tard, Anna ramène Olga. « Olga, je te présente Sarah. Sarah, je te présente Olga. Olga, mon amie Sarah va te consoler à ma place, car je suis obligée de sortir.

– Mais? »

Sans vouloir rien entendre, Anna tire sur la ceinture du ciré et en défait le premier bouton en assurant avec autorité qu'il faut faire sécher ça.

« Mais? » proteste encore Olga toute reniflante.

Sous le ciré, elle ne porte qu'une guêpière noire et ses bas. Dans son désarroi, elle n'a même pas ôté sa tenue de combat.

« Voilà! Et surtout, ne soyez pas sages toutes les deux. »

A l'instant de les laisser seules, elle s'avise qu'elles ont l'air vraiment nunuches et stupéfaites.

« Ne vous en faites pas, allez. Je ne rentrerai pas tard.

– Mais? réitère l'amour blessé.

– " Oui, mais! " rectifie Anna – pour employer une expression à la mode référendum –, surtout, vous n'ouvrez la porte à personne, défense de jouer avec les allumettes, et vous ne mangez pas non plus toute la crème au chocolat qui est dans le réfrigérateur. »

Avant de refermer, elle entend Sarah chuchoter : « Elle n'a pas... rien dit sur les préservatifs du tiroir de sa table de nuit : on va se faire... de jolis ballons. » Olga en fait « Couik » dans ses larmes.

Il est vingt heures quarante-cinq précises, lorsque Anna s'installe à la terrasse couverte du café Wepler, place Clichy. Le commandant n'est pas encore arrivé.

Dire que cette reprise de contact l'enchante, certes pas. Elle est convaincue que l'OAS est finie. Les attentats qui se poursuivent encore dans Paris reflètent plus la rage des vaincus que de véritables actes de guerre civile comme le voudrait Salan. Depuis l'insurrection de Bab-el-Oued et la fusillade de la rue d'Isly, même à Alger l'OAS a de plus en plus de mal à mobiliser ses forces. Curieuse impression. Celle d'un danger. Elle se reproche de manquer de calme. On lui a pourtant appris à se contrôler pendant sa formation au domaine Saint-Lambert. On lui a aussi appris à tuer un homme à mains nues : c'est pas pour ça qu'elle tuerait une mouche.

Enfin, voici le commandant. Inhabituel retard. Il traverse.

Soudain, alors qu'il est au milieu de la rue, dans le passage clouté, une voiture noire surgit. Une Ford, modèle Cortina, reconnaissable à la forme très caractéristique de ses feux arrières. A la portière arrière, Anna voit distinctement un homme. Le buste d'un homme qui se penche par la vitre ouverte. Brusquement, jaillissent deux longues traînées de feu qui font sauter en l'air le commandant avant qu'il retombe sur le bitume détrempé de pluie. Un hurlement. Celui d'une femme. Est-elle blessée? Personne n'ose bouger. La voiture noire est déjà loin : elle tourne en direction du boulevard des Batignolles.

Anna est pétrifiée. Plus un bruit autour d'elle. Des passants entourent le corps du commandant. Personne n'ose le toucher. Ils font cercle.

Assise à sa table, à la terrasse vitrée du Wepler, elle regarde tout ça en repensant aux propos de Michel Lemoind : « L'OAS, c'est fini. Dans moins d'un mois, le service d'ordre du Général aura liquidé tout ça. Ne resteront que quelques irréductibles plus fous que vraiment fanatiques. De Gaulle triomphe sur toute la ligne. Il en sort grandi et indemne. Il laisse Macmillan régler seul les frais de l'offensive américaine sur l'Europe. » Elle s'est permis de demander ce que Macmillan venait faire dans tout cela. L'air mystérieux, Michel Lemoind a répondu : « Vous le saurez bientôt. » Puis, lui faisant jurer de se taire, il a prononcé un nom : « Profumo. Vous verrez. Rappelez-vous ce nom : Profumo. » Sur le coup, ça lui a fait penser à Géronimo : peut-être un chef indien recruté en Amérique pour aller faire un rodéo dans Downing Street?

Toutes sirènes hurlantes, deux voitures de police viennent d'arriver pour ramasser ce qui reste du commandant. Anna jette un coup d'œil sur son ticket. Un franc vingt pour un café. Ils la font payer, leur terrasse.

# QUATRIÈME PARTIE

## *La tour de Notre-Dame*

*Paris, 24 janvier 1965*

Il pleut. Une petite pluie fine et insistante qui noie les trottoirs déserts de ce dimanche matin encore tout embrumé de nuit.

Il n'est pas tout à fait huit heures, lorsque Charles Rougier range sa voiture sur un passage clouté de la rue Saint-Louis-en-l'Île. C'est une Simca 1500. Blanche. Superbe. Il l'a achetée trois mois plus tôt. Elle ne manque pas de brio. Ce nouveau modèle est incontestablement une réussite. Un seul ennui : la sienne est paresseuse au démarrage à froid.

Le col de son trench-coat relevé sur le cou, Charles se hâte vers la petite rue Le Regrattier, s'engouffre sous le porche d'un immeuble, ouvre une lourde porte marquée *Techni-Ciné* et descend quelques marches. Il est un peu en retard.

Les éclats de voix qu'il entend le rassurent : l'équipe est au travail.

Simone, la secrétaire de production, l'accueille en lui tendant la joue et dit d'un air un peu trop désolé : « Mon pauvre coco, je suis sûre que c'est encore ta putain de bagnole qui n'a pas voulu démarrer? ».

Sa réflexion est reprise au vol par Philippe, l'ingénieur du son, qui passe le nez par la porte de sa cabine : « Elle est moins chiante que toi, sa bagnole. Plutôt que de faire la gueule jusqu'à midi elle bosse pas le matin, un point c'est tout. »

Charles distribue les poignées de mains et s'informe sur la situation.

« La copie est prête à être projetée, confirme le chef monteur.

– Sans la synchro son-musique, précise Philippe.

– On attend M. Laurent, annonce Charles.

– Il est là! dit une voix dans son dos. Qui sait tout sur vos ennuis avec votre voiture, mon cher. »

Charles Rougier se retourne et échange une cordiale poignée avec Paul Laurent, le producteur, qui poursuit : « Vous ne devriez pas vous obstiner si cette voiture est vicieuse. Mieux vaut en changer tout de suite.

– Mais je viens juste de l'acheter! On me l'a livrée en novembre.

– Raison de plus. Débarrassez-vous d'elle avant de laisser sa cote s'effondrer à l'argus. Vous ne voulez pas acheter une américaine, par hasard?

– Une américaine?

– Oui! Une Buick Skylark 1964, blanche, cabriolet. Elle a un peu plus d'un an mais jusqu'à présent elle n'est guère sortie de son garage.

– C'est la vôtre?

– Non, non! C'est une de mes amies qui veut s'en défaire parce qu'elle n'a pas suffisamment l'occasion de s'en servir.

– Faut voir! dit Charles en ôtant et en secouant un peu son trench-coat.

– Mon cher, les deux sont à voir: la voiture et sa propriétaire. Il s'agit d'Anne Carle, la dernière née des reines des nuits de Paris.

– Anne Carle? répète Charles. Ça me dit vaguement quelque chose...

– Faudrait sortir un peu le soir! se moque Philippe depuis sa cabine.

– Peut-être que sa putain de bagnole ne démarre pas non plus après vingt et une heure? lance Simone.

– C'est la patronne du Club 16! précise Paul Laurent souriant.

– Ah oui! J'y suis. La Régine du pauvre pour un sous-Élysée-Matignon à l'usage des célébrités de banlieue?

– Vous avez la dent dure, Rougier.

– Sans passion alors. Ce genre de lieux ne m'intéressent pas.

– Vous avez tort. Dans notre métier, malheureusement, beaucoup de choses se passent comme ça, sur un coup de cœur, un coup de tête, un coup de folie. Généralement, à l'occasion de rencontres tout à fait imprévisibles dans ces lieux que vous semblez mépriser. »

Simone, la secrétaire de production, vient leur dire qu'ils peuvent aller en salle de projection. « Demandez-lui toujours combien elle veut de sa voiture, abrège Charles en entraînant Paul Laurent à sa suite.

– Pourquoi ne pas lui poser la question vous-même? Je vous invite ce soir. Elle donne une petite fête, en privé, pour la première année d'existence du Club 16. Venez me prendre au bureau vers vingt et une heures.

– Smoking, je suppose?

– Évidemment. »

Avant de s'asseoir, Charles adresse un signe au projectionniste qui guette derrière la petite lucarne de sa cabine. La lumière s'éteint. L'écran s'illumine.

« Ce sont les images du générique. Elles ne sont pas encore passées au banc-titre. En fond sonore : le canon du *Chant des enfants morts,* de Gustav Malher », explique le réalisateur.

Il s'agit d'un document sur l'activité des Charbonnages de France. Un film de commande. Depuis ce jour de 1962 où son ami Pelot l'a présenté à Paul Laurent sur la terrasse du Fouquet's, Charles – qui avait d'abord élaboré un film documentaire sur les recherches allemandes en matière de télévision durant l'occupation – n'a plus cessé de travailler à de nouveaux projets.

En qualité d'adaptateur-réalisateur, il a signé un certain nombre de moyens métrages documentaires. En majorité, des commandes d'entreprises, assez largement subventionnées. Même s'il ne s'agit pas de création pure, cela ne demande pas moins de soin dans les cadrages ou de doigté dans le rythme des images. Quand on a pour vedettes un barrage de l'EDF, une conserverie de poissons des côtes du Finistère ou – comme maintenant – une mine des bassins houillers du Nord de la France, il faut savoir l'habiller des plus jolis costumes dessinés par dame nature. Depuis deux ans qu'il travaille dans ce secteur spécialisé de l'industrie cinématographique, Charles a appris à se servir d'une caméra et d'une table de montage. Tripoter des kilomètres de pellicule le rend heureux. Chaque jour, il apprend quelque chose de nouveau sur un métier qui le passionne.

Évidemment, son grand rêve reste de faire un vrai film, avec une histoire qu'il écrirait et des comédiens pour l'interpréter. En attendant, il se contente encore de faire au mieux avec les sujets qu'on lui propose. Ce n'est pas toujours absolument exaltant mais ça lui permet de vivre.

« Excellent! commente au passage Paul Laurent. Vraiment très très bon.

– Je vais tout de même serrer de deux ou trois images dans les attaques de plans : ce sera plus incisif.

– Vous êtes maître à bord, mon vieux. »

Maître à bord. C'est aussi cela qui lui plaît, dans son métier. Il est seul responsable. La projection s'interrompt brutalement. La lumière se rallume.

« Je n'ai pas encore choisi les images pour le générique de fin.

– C'est très bon! réaffirme Paul Laurent. Vous êtes dans les temps?

– Huit minutes chrono. Juste.

– Je crois que nos clients seront contents. Bon, je file. J'ai un travail fou. A ce soir. Vous n'oubliez pas? »

L'assistante de production, visiblement bouleversée, vient leur annoncer : Churchill est mort. » L'équipe est bien trop jeune pour en être vraiment touchée. Seul, Paul Laurent demande : « Quand ça?

– Il y a quelques instants. Juste avant neuf heures. »

Jetant un coup d'œil sur son bracelet-montre, il fait alors ce commentaire inattendu : « C'est fou comme le temps passe. »

***

Ève Trinquier n'a guère profité du changement de statut de la RTF, devenue ORTF dans le courant de l'année 1964, pour améliorer sensiblement sa situation. Elle est toujours secrétaire de production à la télévision et militante syndicale de la CFDT, née d'une scission interne de l'ex-CFTC.

Au lendemain de ce jour du printemps 1962 où – à cause du vin d'Arbois – elle s'était réveillée avec Charles Rougier dans son lit, elle n'avait tout d'abord pas cru que cela modifierait sensiblement le cours de sa vie. Ce garçon avait des difficultés, elle ne demandait pas mieux que de l'aider mais elle trouvait prématuré, au sortir de son propre échec conjugal, d'envisager plus.

Depuis leurs existences se sont organisées. Charles a trouvé un appartement, non loin du sien. Ils vont parfois au cinéma, passent une soirée au restaurant, s'arrangent pour avoir leurs fils durant le même week-end puisque Bernard et François, presque du même âge, forment une belle équipe. Depuis bientôt trois ans, leurs deux vies ne pèsent pas trop l'une sur l'autre et leur complicité est le gage d'une tendresse réciproque. En refusant de partager les contraintes du quotidien, ils sont sans doute parvenus à en éliminer le plus grand nombre des effets négatifs.

Ils ont un grand respect l'un pour l'autre. Elle n'est pas abusive, puisqu'elle n'est pas jalouse. Charles n'est pas jaloux, puisqu'il la sait sérieuse. Elle n'a aucun effort à fournir pour se montrer discrète. Charles lui ressemble tellement, sur ce point, qu'il ne lui a jamais confié par exemple, pourquoi il avait quitté sa femme. En contre-partie, elle n'a pas eu d'explications à donner sur les raisons de son divorce. Fort heureusement, ils ont d'autres sujets de conversation que leur passé.

Assise dans le petit hall de Techni-Ciné, Ève est un peu en avance. Personne ne s'est encore avisé de sa présence. Elle attend, en feuilletant le dernier numéro de *Marie-France.*

Pour plaire à Charles, elle aimerait être très brillante. Elle est du genre lucide : elle se sait moyennement intelligente et compense son manque de brio en cultivant sa mémoire. Même chose pour la beauté. Elle n'est pas Brigitte Bardot. Elle ne la copie donc pas et se contente d'une élégance hélas limitée par son budget.

« Tiens, Ève? Il y a longtemps que vous êtes là?

– Un quart d'heure. Bonjour Simone, ça va.

– On est en plein boulot mais on va s'arrêter. Il est bientôt midi. Je préviens M. Rougier que vous êtes arrivée.

– Ne le dérangez pas, j'ai tout mon temps. »

***

Maryline a craqué, au début du printemps 1963. Charles avait téléphoné pour demander des nouvelles de son fils. C'était la première fois qu'il se manifestait depuis sa sortie de l'hôpital, un an plus tôt. Il voulait aussi pouvoir venir chercher François un dimanche sur deux. Comment aurait-elle refusé? Ils avaient décidé d'une rencontre pour définir les modalités.

En le voyant, Maryline avait su tout de suite que les quatorze mois qui venaient de s'écouler n'avaient rien changé.

Inutile de proposer de prendre un appartement plus grand pour organiser une vie dans laquelle François (dix-huit mois, à l'époque) aurait ses parents près de lui. A l'évidence, Charles Rougier n'était venu que pour réclamer un droit de visite. Rien de plus.

Certes, il n'avait pas été méchant. Il avait été distant. Poli. Il l'avait traitée comme une étrangère. Il n'avait pas pardonné. Rien oublié. Tout ce qu'elle avait fait pour tenter de retrouver son estime s'était brisé là.

Il lui avait laissé le droit de s'enlaidir si ça lui chantait, le droit de faire, croire, dire ou penser ce qu'elle voulait, à condition que cela n'entraîne aucun manquement à ses devoirs envers François. Vouée au rôle de mère, ni plus, ni moins. Il l'en honorerait peut-être un jour? Dans... vingt ans. Dure punition, qui repoussait si loin le terme. Pour un mot, un simple mot d'espoir, elle aurait continué d'expier. Charles n'avait pas eu ce mot. Vingt-deux ans n'est pas un âge auquel on a envie d'expier pour rien. Mieux valait un bien-être immédiat dans ce purgatoire certain que vingt ans d'enfer pour un hypothétique paradis.

Dans la semaine qui avait suivi, elle avait téléphoné au photographe dont une esthéticienne lui avait un jour donné le nom. Elle était bien tombée. Il cherchait une chute de reins pour une présentation de bijoux. La sienne avait fait l'affaire. Par le biais de ce détail anatomique, elle avait fait ses débuts de modèle. Quelques jours plus tard, le photographe avait eu besoin de ses yeux pour un eye-liner. Puis, encore, de ses mains pour une crème hydratante. Et d'un sein pour une huile solaire... Elle s'était dit qu'à force d'être ainsi présentée par petits morceaux il arriverait bien un jour où quelqu'un aurait envie de reconstituer le puzzle.

Le jour en question ne s'est pas fait trop attendre. En moins de deux ans, « Maryline » est devenue une cover-girl que l'on voit de plus en plus souvent en couverture des magazines féminins. Elle a renoncé à ses études. Elle a renoncé à s'enlaidir. Elle travaille et gagne sa vie de mieux en mieux. Elle vit un grand amour avec François Rougier (trois ans). Pour l'heure, assis sur le tapis de sa chambre, il s'est encore une fois traîtreusement emparé d'une paire de ciseaux dans le nécessaire à manucure de la salle de bain et découpe ses dernières photos parues dans *Elle*.

« Qu'est-ce que tu fais, mon chéri?

– François, y coupe man-man pour donner à papy. L'est belle, man-man. »

Son fils et son beau-père. Elle a déjà deux admirateurs, des inconditionnels.

***

Quand Maryline lui avait annoncé son intention de faire des photos de mode et de concilier ce job avec ses études, Marc avait été ravi de la voir enfin désireuse de sortir de cette sorte d'autopunition dans laquelle elle semblait se complaire depuis sa rupture avec Charles. Avec grand bonheur, il avait suivi les progrès de sa guérison. Elle avait retrouvé peu à peu son élégance, son dynamisme, était redevenue aussi jolie qu'avant.

Certes, sa rapide réussite dans le métier de mannequin l'a conduite à renoncer à la faculté de lettres, mais elle y a gagné une joie de vivre en tous points favorable à l'épanouissement de son fils. Ainsi donc, est-il très fier, aujourd'hui, de sa jolie belle-fille.

Avant de monter s'installer à Paris, Marc avait eu à résoudre les problèmes posés par la succession d'Odette. La perspective des démarches officielles l'avait un peu effrayé. Au cours des vingt dernières années, il ne s'était servi de ses papiers d'identité qu'une seule et unique fois : pour se marier, en 1944, dans un petit village de Provence. Ce mariage sans contrat entraînant automatiquement la communauté de biens, le livret de famille avait suffi pour établir l'acte de succession. Il avait préféré ne pas vendre pour s'épargner d'autres formalités susceptibles de lui faire courir quelque risque.

Le décès de sa femme en février 1962 ne se situait, en effet, que deux mois après une actualité qu'il avait suivie avec beaucoup plus d'attention que les événements d'Algérie : le procès d'Adolf Eichmann, à Jérusalem, et sa condamnation à mort. Cet événement avait pesé son poids dans la balance, à l'heure des décisions.

Helmut Zeitschel, certes, n'a pas sur la conscience les mêmes crimes qu'un Adolf Eichmann. Il n'a donc pas les Simon Wiesenthal, Beate Klarsfeld ou Adalbart Rückerl à ses trousses. Toutefois, il peut faire confiance à quelques vétérans nostalgiques des heures de gloire de la Haganah pour le faire coincer si jamais on l'identifiait.

Qu'on l'identifie? Qu'on l'arrête? Qu'on le juge? De quoi lui faudrait-il répondre? Il s'en souvient à peine. Soldat d'une armée en guerre, il a exécuté des ordres militaires. A-t-il envoyé des juifs à Auschwitz? Peut-être. En tout cas, à une époque, il a trouvé des wagons pour que cela puisse se faire. Il ignorait les réalités de ce qui s'y passait. Et quand bien même, l'Allemagne n'a pas inventé les camps de concentration. Les Anglais lui avaient ouvert la voie, durant la guerre des Boers. Elle n'a pas non plus l'exclusivité des éliminations systématiques puisque les mêmes Britanniques achevaient leurs détenus avec des piqûres d'essence. Théorique tout ça : l'horreur des guerres, quelles qu'elles soient. Compte tenu de son appartenance privilégiée au KDS de Paris, on lui en reprocherait plus qu'il n'a eu à en faire et on chercherait vraisemblablement à rendre son cas exemplaire.

Durant toutes ces années, il s'est dissimulé derrière la personne civile de sa femme. Le fait de se retrouver seul l'aurait obligé à sortir à découvert s'il n'avait eu l'idée de mettre à contribution l'amitié de Sylvaine Bernard. Sous prétexte de le faire échapper à une surtaxe fiscale, il lui a demandé de louer à son nom de jeune fille l'appartement qu'il occupe. Ainsi n'apparaît-il pas nommément dans un bail locatif.

Aucun souci majeur pour le présent. Sa subsistance est assurée par le montant des locations de la boutique et de l'appartement de Juan-les-Pins lui parvenant via le notaire qui a réglé la succession d'Odette, Il n'a pas non plus de gros besoins, si ce n'est quelques petites attentions pour Maryline et pour François qui ne sont pas vraiment coûteuses.

En apprenant, au printemps 1963, que Charles s'était enfin manifesté, Marc avait eu l'espoir que la dignité patiente de Maryline serait prise en compte par l'irascible époux. Les jours qui avaient suivi s'étaient chargés de démontrer qu'il n'en avait rien été.

Quelque temps plus tard, à l'occasion d'un dîner chez ses parents, Maryline avait annoncé son intention de vivre de ses photographies pour la publicité. Marc avait donné raison à sa belle-fille pour sa décision de gagner sa vie. Il s'était alors produit quelque chose de très important : ce soir-là, elle avait pris, d'un coup, la place de Charles, dans son cœur comme dans son esprit.

Il n'avait pas eu besoin de le lui dire. D'attentions en préoccupations, de réflexions en prévenances, elle l'avait si bien senti que très rapidement, très spontanément, très naturellement, elle avait établi entre eux un rapport de grande confiance. Un soir, elle avait fini par lui confier la véritable raison de la séparation avec Charles. Toute la nuit durant, il l'avait raisonnée pour l'aider à se déculpabiliser. Au petit matin, elle lui avait déclaré : « Je me sens comme exorcisée. Réconciliée avec moi-même. Aujourd'hui, pour la première fois depuis longtemps, j'ai envie de vivre la journée qui s'annonce. »

C'était un dimanche matin, d'août 1963. vers six heures. Ils avaient pris un copieux petit déjeuner pour se remettre de leur conversation nocturne. Puis Maryline était venue s'asseoir sur ses genoux. Elle lui avait dit : « Depuis plus de dix-huit mois que Charles est parti, personne ne m'a touchée. Aujourd'hui, j'ai envie d'un homme. Je voudrais pouvoir partager avec quelqu'un cette joie que tu as fait renaître en moi. J'ai un peu plus de vingt ans, tu en as un peu plus de quarante, et nous sommes aussi seuls l'un que l'autre. Est-ce que ce serait mal, de faire l'amour? Puisque nous nous aimons? »

Il l'avait sentie frémir. Elle avait passé ses bras autour de son cou. Le trouble avait embué tout le violet de ses yeux, jusqu'aux larmes. Elle lui avait confié : « J'ai follement envie d'être caressée par toi », et elle avait doucement approchée ses lèvres...

Il avait détourné la tête en disant : « Depuis la mort de ma femme, j'ai pris mes distances avec le plaisir. Je ne suis plus demandeur. Pour répondre à ta suggestion, il me faudrait aller contre moi-même et c'est cela qui serait mal.

– Mais moi je peux t'aider? Te réconcilier avec... l'envie du plaisir?

– Alors ce jour-là, ma chérie, je te jure que je te le demanderai. »

Maryline avait bondi de ses genoux. Il s'en était inquiété : « Je ne t'ai pas blessée?

– Non! Pardonne-moi. C'est moi qui n'étais pas... à l'heure. Peux-tu me garder François une semaine? J'ai besoin d'un peu de vacances. »

Elle n'était rentrée que le dimanche suivant.

Elle l'avait réveillé, vers six heures du matin, en venant se glisser, nue, dans son lit, pour lui raconter ses... vacances : « Avec chacun de ces hommes, j'imaginais que c'était toi. C'est de toi dont je suis amoureuse. C'est de toi que j'ai envie.

– Ce n'est pas vraiment moi que tu cherches mais Charles à travers moi. »

Maryline s'était abstenue de commenter. Saint Thomas sans jupon, elle avait voulu trouver la certitude qu'elle était désirable et désirée. Il l'avait laissée se rassurer sur ce point, avant de lui rappeler qu'il n'était toujours pas demandeur de plaisir. Elle en avait un peu pleuré. Sans doute avait-elle plus besoin d'un père ou d'un mari que d'un amant, puisqu'elle s'était finalement endormie avec une sagesse préservée.

Leur confiance mutuelle en est sortie grandie. Depuis, Maryline et François vivent pratiquement chez lui. Il tient lieu de père à son petit-fils et de partenaire à sa belle-fille, lorsque le soir venu, ils prennent tendrement le chemin de leur chambre... de musique, où ils ont fait installer leurs deux pianos.

Ce dimanche est un dimanche de janvier. Maussade.

En début d'après-midi, Marc et Maryline ont emmené François

au théâtre de Guignol dans les jardins du palais du Luxembourg, avant de le conduire rue Mazarine où Sylvaine et Jean-Marie Bernard l'attendaient, comme chaque fois, derrière une montagne de pâtisseries confectionnées à son intention.

Il en va ainsi tous les dimanches, ou presque. En fin d'après-midi, Marc et Maryline vont ensemble au théâtre du Châtelet écouter l'orchestre des concerts Colonne. Ce 24 janvier, Maryline a trois places dans son sac. Un certain Philippe de Gigondas-Véricourt doit venir entendre avec eux la *Symphonie fantastique.*

Ce Philippe de Gigondas-Véricourt, Marc est curieux de le connaître enfin. Depuis qu'elle a rencontré ce garçon, Maryline rayonne. Ça faisait bien longtemps qu'il ne l'avait pas vue si heureuse.

Elle le lui a ainsi décrit : « Il est très beau. – Tant mieux ! – Il a une excellente situation. – C'est toujours appréciable. – Il a quarante-six ans. – Et alors? Si ça doit être discriminatoire, comment me traiteras-tu l'année prochaine? » A cause de son nom à rallonge, ils se sont fait un jeu. Soit ils s'en tiennent à l'appeler : Philippe de..., soit c'est carrément : Philippe de Gigondas-de-Véricourt-de-comment-déjà-pas-trop-mal-et-vous. Et c'est à celui qui en rajoute le plus.

Inquiète de ne pas voir arriver Philippe, Maryline est entrée dans la brasserie voisine pour téléphoner. Mariane, la gouvernante, a décroché. Elle s'est fait reconnaître. Mariane ne pouvait pas parler tant elle pleurait. C'est un commissaire de la police judiciaire qui – après s'être assuré qu'elle était la personne avec qui Philippe de Gigondas-Véricourt avait rendez-vous à dix-sept heures quarante-cinq devant le théâtre du Châtelet – lui a annoncé la sinistre réalité : « A dix-sept heures dix, dans le hall de son immeuble, avenue Kléber. M. de Gigondas-Véricourt a été abattu de trois balles de revolver dans la nuque. » Personne n'a été témoin de cet assassinat.

« Je voudrais vous voir le plus tôt possible! Disons vingt heures, à la brigade cirminelle, quai des Orfèvres. Puisque vous l'attendiez en compagnie de votre beau-père, demandez-lui de vous accompagner. Si vous êtes une habituée des concerts Colonne, vous avez dû croiser quelques visages d'autres abonnés que vous connaissez de vue?

– Oui. Certainement. Bien sûr!

– Essayez de les identifier, à la sortie, pour qu'ils témoignent vous avoir vue au Châtelet à l'heure du meurtre. Je vous envoie un inspecteur. »

Le concert vient de prendre fin. Les portes s'ouvrent. L'inspecteur n'est toujours pas là. Maryline se demande si elle ne devrait pas aborder deux ou trois personnes qu'elle connaît effectivement de vue, mais l'arrivée de Marc, l'explication qu'elle lui donne lui fait oublier cette préoccupation et, très vite, les auditeurs du concert se noient dans une autre foule, celle des Parisiens qui font la queue pour assister à la représentation en soirée du *Chanteur de Mexico*, opérette dans laquelle triomphe Luis Mariano depuis plusieurs années.

Les témoins nécessaires n'ont pas été trouvés. Il est déjà près de vingt heures. Ils doivent se rendre quai des Orfèvres. « Il faut y aller », soupire Marc, au fond de lui-même, pas très à l'aise dans des circonstances dont il se serait volontiers dispensé.

En passant devant la terrasse vitrée de la brasserie voisine, Maryline reconnaît une jeune femme, assise à une table avec un groupe de personnes. Précisément, ce soir, elles ont échangé un sourire. Entraînant son beau-père sans explication, elle entre dans ce café.

Comprenant qu'une raison exceptionnelle justifie de la déranger, la jeune femme abandonne un instant ses amis pour écouter Maryline.

Légèrement à l'écart, Marc est trop inquiet du témoignage qu'il va devoir donner pour prêter attention mais, tout de même, observant l'inconnue, il se dit qu'elle est charmante.

Quelques minutes plus tard, sa belle-fille lui présente : « Caroline Lemarchand. » Tandis qu'elle parle, exprimant combien elle est affligée de ces événements, il ne la trouve plus seulement charmante. Il la trouve tout à fait délicieuse.

C'est avec la carte de visite de leur nouvelle relation dans son sac à main que Maryline, rassurée de pouvoir faire appel à ce témoignage, se présente vers vingt heures quinze au siège de la police criminelle. Pour sa part, Marc est beaucoup moins à l'aise mais n'en peut faire état.

Son inquiétude va s'accentuer dès la première minute où se trouvant assis dans le bureau du commissaire il l'entend déclarer : « Nous avons du nouveau. L'assassinat a été revendiqué. En vérité, madame, votre ami s'appelait Maxime Lemonier. Quand vous avez téléphoné, tout à l'heure, je n'avais pas encore ces informations mais... trois balles dans la nuque : cette exécution était... je dirai, signée! Nous sommes en 1965. Voilà juste vingt ans que la Deuxième Guerre mondiale a pris fin. On peut avoir du mal à y croire mais tous les comptes de cette époque n'ont pas encore été réglés. Ainsi, Maxime Lemonier est-il mort parce qu'il a appartenu, il y a vingt-deux ans de cela, à la division Charlemagne : un corps de SS français, issu de la légion des Volontaires contre le judéo-bolchevisme. On a parfois l'impression qu'on n'en finira jamais, avec ces histoires d'un autre temps. Cela démontre que la haine ignore la notion de prescription. Qu'en pensez-vous, monsieur? Cette guerre, je suppose, vous l'avez faite, comme moi, comme tant d'autres...? »

***

Ève a très bien compris cette fâcheuse obligation professionnelle un dimanche soir où ils avaient justement prévu d'aller au cinéma. Ève comprend toujours très bien ce genre de choses.

Les sentiments de Charles pour Ève ne ressemblent pas à la passion. Ils sont raisonnables et profonds. C'est probablement pour ça qu'ils durent. Comme le dit l'ami Pelot : « Franchement, p'tit con? Qu'est-ce que tu attends pour divorcer et l'épouser? » Pour sa part, l'idée d'épouser Ève ne lui déplairait pas. C'est l'idée de divorcer de Maryline qui le gêne. Sans qu'il sache dire la raison de sa répugnance à envisager cette issue. Pas plus qu'il n'a été impressionné hier par le numéro d'enlaidissement il ne l'est aujourd'hui par celui de star des papiers glacés. Il considère que François a besoin de sa mère avant tout. Il vit avec elle et c'est très bien comme ça. De toute façon, puisque Maryline ne réclame pas le divorce, puisque Ève ne réclame pas le mariage, puisque tout va bien dans le flou artistique qui nimbe la situation, pourquoi se poser des questions?

Vingt et une heures dix. Parfait. Il n'y a pas urgence à aller faire le zouave dans une fête qui sera fort probablement un tantinet snobinarde. La voiture américaine de cette bonne femme, il ne l'achètera certainement pas. S'il a accepté l'invitation de Paul Laurent, c'est essentiellement pour ne pas laisser passer l'occasion de bavarder avec lui de façon plus détendue que dans leur stricte relation professionnelle habituelle.

Paul Laurent l'attend. « Prenons cinq minutes, Rougier. J'ai un projet de coproduction avec l'Italie et la Suisse. Seulement voilà, je manque d'un solide projet de long métrage à leur apporter. J'ai pensé que vous auriez peut-être une idée? Puisque vous rêvez de faire un jour du cinéma artistique, c'est peut-être une chance pour vous qui se présente?

– Inespérée!

– Attendez! Attendez! Il faut que je vous donne quelques précisions avant de vous laisser vous emballer. Les termes de l'accord de coproduction prévoient que la masse salariale du réalisateur sera convertie en parts d'investissement correspondantes. C'est un procédé assez courant. Quant au scénario, il doit s'assimiler à une action policière.

– Sur le premier point, d'accord. Sur le second, il faut que je réfléchisse à la question. Le polar n'est pas forcément un genre mineur : Hitchcock l'a démontré. Entre autres.

– Je vais vous dire, Rougier. Pour ma part, j'ai très envie de produire une œuvre artistique. Jusqu'à présent, seule la perspective des engagements financiers me faisait hésiter à me tourner vers ce secteur. Ce que nous faisons c'est la voie de la facilité. On ne prend pas de gros risques mais on n'en tire pas grande gloire non plus. Sitôt que vous aurez terminé le montage et le mixage de votre film, nous nous organiserons une petite séance de travail pour bien réfléchir à tout ça. Pour l'heure, allons bisouter les bouts des jolis doigts de Mme Carle. Si jamais je la sens dans de bonnes dispositions, je vais peut-être lui lancer un appel aux sous qu'elle entasse dans son tiroir-caisse. C'est une très bonne amie. Elle ne me pardonnerait peut-être pas de lui faire perdre de l'argent mais, pour le temps que durerait notre brouille, j'y trouverais l'avantage de pouvoir aller tranquillement m'éclater au Saint-Hilaire ou Chez Régine sans craindre ses reproches.. »

Porte ouverte aux seuls invités du Club 16. Foule élégante et composée en grande partie de célébrités en tous genres.

« Je me demande vraiment si ce soir convient pour que j'interroge votre amie sur le prix qu'elle espère tirer de sa voiture? doute Charles.

– Moi, je me demande plutôt si cette soirée convient pour que je lui suggère de me confier des sous qu'elle ne reverra peut-être jamais », lui répond Paul Laurent entre deux poignées de mains tout à fait distraites pour ceux qui viennent le saluer, ou exagérément démonstratives avec ceux dont il cherche les bonnes grâces.

Et, soudain : « Ma chérie!

– Paul. Comme c'est gentil d'être venu.

– Je te présente Charles Rougier. »

Anne Carle. Une femme ravissante. La quarantaine. Un sourire à faire fondre la banquise. Charles en est tout intimidé. Il s'incline pour baiser le bout de ses doigts. S'il a su où poser ses lèvres, maintenant il sait moins bien où poser les yeux.

La robe qu'elle porte y est pour quelque chose. C'est une très jolie idée de Pierre Cardin. Il restait à trouver la femme qui oserait s'habiller d'une idée. Anne Carle a osé. C'est un fourreau qui souligne les hanches – irréprochables – dans un crêpe noir, aussi noir que ses cheveux. L'idée, c'est le corsage. Un simple voile, noir lui aussi, transparent, sur une poitrine nue, avec une note de couleur : une rose de soie rouge, posée sur la taille. Et une voix infiniment agréable qui lui dit : « Vous êtes le bienvenu, cher monsieur Rougier. J'espère vous revoir souvent, maintenant que Paul vous a ouvert ces portes.

– Certainement, madame! » bafouille-t-il piteusement.

Il la reconnaît. Il a l'impression de la reconnaître. C'est normal puisqu'elle est célèbre. Probablement, l'a-t-il vue en photographie dans les rubriques mondaines des journaux. Il ne supposait pas qu'elle était si jolie. Elle l'intimide. Vraiment. Elle l'intimide même d'autant plus qu'elle a l'air d'attendre que ce soit lui qui prenne l'initiative de la conversation. Lui dire qu'il la trouve belle? Il n'osera jamais. Heureusement, Paul Laurent est là, qui a plein de choses à dire – lui – avant de lancer son appel à la subvention.

« Mais? Qui vois-je? s'exclame-t-il soudain. Tante Sarah? »

La nouvelle venue le fusille du regard puis éclate de rire avant de l'embrasser. « Sarah, ma jolie Sarah, permets-moi de te présenter Charles Rougier. Sarah Friedmann! précise-t-il.

Charles s'incline sur la main de cette jolie dame. A son goût, moins jolie qu'Anne Carle, mais... très jolie quand même. Plus âgée sans doute? Beaucoup d'allure. Paul parle de lui : « ... Un jeune réalisateur de cinéma plein d'avenir. Je vais bientôt produire son premier long métrage. D'ici deux ans, je suis persuadé que nous t'inviterons pour assister à notre triomphe à Cannes... » Des bêtises...

Anne Carle s'excuse et disparaît.

Paul poursuit sa conversation avec « sa jolie Sarah ». C'est elle qui parle : « Sais-tu qui est là?

– De Gaulle? Brigitte Bardot? Aristide Glandu? Pas Churchill, puisqu'il est mort ce matin.

– Une femme.

– Angèle, je suppose?

– Évidemment. Mais avec Angèle? »

Paul Laurent se trouble. D'un coup. Il murmure : « Tu ne vas pas me dire que c'est... Noémie?

– Si!

– Avec son mari? Ils sont en Europe?

– Elle est seule. Elle rentre, en Europe. Et même en France. A Paris. »

Charles n'est que modérément intéressé par cette conversation. Il en profite pour se retourner discrètement. Anne Carle est juste derrière lui. Sa nuque, dégagée par son chignon relevé, est... émouvante.

« Je ne veux pas la voir! déclare Paul Laurent visiblement en proie à une émotion intense. Je préfère rentrer chez moi.

– Ne fais pas l'enfant. Elle était si heureuse de te rencontrer.

– Il n'en est pas question, je m'en vais. »

Comme il amorce le mouvement de se retirer, la « Tante Sarah » le retient en protestant : « Enfin, Paul. Tu es idiot. Écoute-moi. Je ne devais pas te le dire mais tant pis! Noémie n'est plus avec son Américain. Elle est à nouveau libre. J'ai parlé avec elle. Elle n'a jamais cessé de t'aimer... »

Cette fois, Charles se sent très gêné. Heureusement, Anne Carle a la bonne idée de revenir.

« Eh bien, qu'est-ce que tu as Paul? Tu en fais une tête?

– Il y a que... je ne veux pas revoir Noémie.

– Trop tard! » lance-t-elle malicieuse en désignant la jeune femme qui vient de s'approcher.

Charles n'en revient pas : Anne Carle lui prend alors tranquillement le bras et, se serrant contre lui, demande : « Monsieur Rougier, votre ami Paul semble promis à une longue conversation.

Seriez-vous homme à m'offrir une coupe de champagne? » Son parfum le bouleverse. Elle l'entraîne, fort gentiment.

Quelle nuit! La rencontre entre Paul et Noémie a si mal tourné qu'il l'a giflée publiquement. Heureusement Sarah et Angèle veillaient. Elles ont entraîné les belligérants loin de cette nébuleuse ultramondaine et la fête n'a pas été troublée.

Charles Rougier accroché à elle... N'était-ce pas plutôt elle qui s'était accrochée au bras de ce garçon? Olga le lui a d'ailleurs fait remarquer à l'oreille : « Il est drôlement mignon ton boy-friend. Si tu changes d'avis avant la fin de la nuit, je veux bien que tu me présentes. » Heureusement qu'il faisait sombre, Olga n'a pas remarqué qu'elle en avait rougi.

Vers cinq heures du matin, lorsque le dernier invité eut franchi la porte, il ne restait plus que le personnel, elle-même, et... Charles Rougier. Il la regardait avec un tel regard qu'elle s'est sentie bouleversée et n'a rien trouvé d'autre à dire que s'excuser pour sa fatigue.

« C'est une fatigue qui vous va très bien. Elle vous donne une beauté grave et silencieuse : je l'aime infiniment. »

Son baise-main lui a laissé le temps de répondre à la question muette qu'il posait.

« J'espère vivement vous revoir. » Elle ne pouvait lui en dire plus.

Dix heures du matin, sur le cadran phosphorescent de la pendulette de sa table de nuit. Il y a deux heures qu'elle se tourne et se retourne dans son lit sans parvenir à dormir ni à penser à quelqu'un d'autre qu'à ce garçon. Quand Paul les a présentés, elle a eu la sensation étrange de l'avoir déjà rencontré. Il est vrai qu'elle croise beaucoup de monde. Et puis, ce genre d'impression n'est pas toujours le reflet d'une réalité. C'était sa façon de la regarder qui la troublait. Il exprimait quelque chose de très doux. Quelque chose comme une convoitise pour quelqu'un d'inaccessible. Exactement ça : il la regardait comme quelqu'un d'inaccessible. Finalement, dans la candeur de ce regard se reflétait peut-être l'image qu'elle donne aux hommes en général : bon nombre d'entre eux préféreraient lui confier le numéro de la combinaison de leur coffre-fort plutôt que le numéro de téléphone de leurs maîtresses préférées. Ce jeune garçon a sans doute pensé qu'une réputation si bien établie ne lui laissait pas la moindre chance? Mais, s'il ne savait pas? Si, avec le temps, elle était parvenue à ne plus rien susciter d'autre que cette distance d'étoile polaire?

Charles Rougier a éveillé en elle une sensation étrange : une impression de langueur, à la fois une infinie tendresse et la tentation de se laisser aller dans les bras d'un homme.

Dix heures vingt sur le cadran de la petite pendulette de nuit. Elle a trop chaud dans ce lit. Mieux vaut se lever.

Personne dans la cuisine.

Noémie doit encore dormir.

Noémie est rentrée d'Amérique huit jours plus tôt. Sans avoir prévenu personne. Elle est arrivée directement d'Orly, une petite valise à la main. Elle a sonné. La femme de ménage lui a ouvert et elle s'est annoncée en disant : « Je suis la fille de Mme Abroweski. J'arrive des États-Unis, je vais lui faire une surprise. »

Quelle surprise! Entre rire et larmes, les larmes l'ont emporté, elles ne pouvaient plus s'arrêter de pleurer ensemble et – même – de rire un peu, mais... de leurs larmes.

Noémie a quitté son mari américain pour de douloureuses raisons. Elle vient d'avoir trente-quatre ans et elle sait désormais qu'elle ne pourra jamais mener à terme une grossesse. Un foyer américain sans enfant (au moins un!) est souvent considéré comme une monstruosité. Elle a donc décidé de laisser à son mari la libre disposition de sa vie. Il n'a essayé de la retenir que pour la forme. L'un comme l'autre ont été très éprouvés par ce diagnostic.

Noémie aura tout de suite de quoi s'occuper : Angèle, qui n'a que quarante-huit ans, déborde de projets et lui confierait volontiers certaines affaires qu'aucun de ses deux fils ne semble capable de gérer de façon satisfaisante. Sarah, dont la cinquantaine resplendissante s'annonce à l'horizon de cette année, souhaiterait profiter encore un peu de sa jeunesse plutôt que de consacrer son temps à Paris-Bijoux dont Fred, malade, délaisse chaque jour un peu plus l'administration. Elle-même, enfin, va bientôt se retrouver seule à la tête du Club 16. Après la reconversion en activités nocturnes de l'héritage laissé par Marie-Laurence, Olga l'avait suivie et partageait ses nuits sans sommeil; malheureusement, Olga la quittera en mars prochain pour partir se marier à l'étranger. Le consistoire des mères adoptives n'est donc pas en panne de solutions.

« Puis-je parler à Mme Lemarchand, je vous prie?

– C'est moi, monsieur.

– Bonjour madame. Je suis Marc Rougier. Nous vous avons abordée dans une brasserie du Châtelet, hier soir, avec ma belle-fille, à la sortie du concert, pour une affaire de témoignage...

– Je me souviens très bien. Que dois-je faire?

– Rien. Tout s'est éclairci hier soir à la police judiciaire. Cet ami que nous attendions a été abattu pour des raisons politiques et l'attentat a été revendiqué. Le dossier s'en trouve classé d'office.

– C'est affreux!

– Oui. La violence, en général, pose un problème affreux.

– Après les années que nous venons de vivre, le FLN, l'OAS, les attentats en tous genres, nous pouvions espérer... »

Elle a une voix charmante. Un peu grave.

Marc ressent la même impression éprouvée la veille. Raison pour laquelle il a souhaité téléphoner lui-même.

Il excuse Maryline, très éprouvée par cette tragédie. Caroline Lemarchand comprend fort bien. Elle ouvre même le chapitre des confidences : « ... Nous étions fiancés. Il est mort en opération dans le djebel, en 1959. J'avais vingt ans... »

Elle a donc vingt-six ans.

Malgré ses efforts, Marc n'arrive pas à préciser, dans sa mémoire, les traits de Caroline Lemarchand. Des cheveux mi-longs et clairs. Il se souvient seulement de son sourire.

« ... Retour du général de Gaulle... »

Cette guerre d'Algérie semble l'avoir profondément marquée. La mort de son fiancé, sans doute. Est-elle mariée, aujourd'hui? La conversation ne permet pas de poser ce genre de question...

« A mon avis, sitôt après le putsch d'avril 1961, c'est l'Élysée qui a télécommandé l'OAS en sorte de faire éclore, dans l'opinion des Français-de-France, la peur du fascisme et le refus des violences, ce qui – peu à peu – a rallié le plus grand nombre au principe de rendre l'Algérie aux Algériens... Cette prétendue épopée n'aura été qu'un miroir aux alouettes pour quelques militaires qui se sont laissé prendre... »

Si elle n'est pas mariée, Caroline Lemarchand a peut-être quelqu'un dans sa vie? Il serait assez peu vraisemblable qu'une si charmante jeune femme vive seule avec ses souvenirs d'une guerre qui a coûté la vie au fiancé de ses vingt ans? Vingt-six ans, ce n'est pas un âge pour s'enterrer dans les regrets éternels. A quarante-sept ans, sa vie à lui continue dans le souvenir de celle qu'il a aimé et dans le vide de la solitude, mais...

« ... donne raison, de toute évidence, à la stratégie commerciale de ceux qui pensent qu'il faut favoriser sa concurrence pour s'imposer sur un marché. »

De quoi parlait-elle?

« Vous êtes dans le commerce, je crois? » lance Marc à tout hasard.

Caroline Lemarchand, rit. Un très joli rire. « J'ai une petite boutique de mode. Rue Condorcet, dans le IX^e^ arrondissement. Une clientèle de quartier. Ce n'est pas une rue très passante mais, quand j'ai trouvé ce local, c'était en rapport avec mes possibilités financières pour l'accession au bail. Je ne suis installée que depuis dix-huit mois. Ça commence à tourner à peu près rond. Mais c'est dur.

– J'ai connu ça. Ma femme faisait le même métier que vous mais en province. A sa mort, il y a trois ans, j'ai mis sa boutique en gérance.

– Vous êtes veuf?

– Eh oui! Heureusement, j'ai une belle-fille charmante – que vous connaissez – et un petit-fils que j'adore. Ils mettent un peu de soleil dans...

– Votre belle-fille, monsieur? coupe Caroline Lemarchand.

– Oui? »

Petit rire embarrassé : « Vous allez me trouver indiscrète. Je suis très bavarde, vous savez...

– Alors, à moi de poser des questions.

– Chiche!

– Aimez-vous les romans fleuves, les symphonies interminables, les films dans lesquels la parole a plus d'importance que les images? Êtes-vous bavarde au meilleur sens du terme?

– J'adore tout ça! rit-elle.

– Moi aussi! En revanche, je déteste les communications téléphoniques qui tuent des heures qu'on pourrait aussi bien passer face à face. » Caroline Lemarchand s'abstient de rire cette fois.

Elle attend la suite, celle-ci ne tarde pas : « Si vous n'avez rien de mieux à faire, il est bientôt midi, retrouvons-nous vers treize heures. Deux heures de bavardages sur le dos d'un bon déjeuner : ça sera toujours autant de pris. »

Va-t-elle accepter? Elle rit. Et elle accepte.

Caroline Lemarchand est célibataire. Née dans un milieu modeste – ses parents étaient tous les deux instituteurs – elle ne s'est sentie aucune vocation pour l'enseignement. Son père est mort voici deux ans. Sa mère, qui enseigne toujours, vit dans le Gers, à Condom : « Elle habite avec ma sœur aînée, son gendre, et leurs trois enfants. Je vais la voir très souvent. Surtout parce que j'adore le confit d'oie, l'enchaud, le pousse-rapière et l'armagnac blanc.

– J'adore les femmes un peu gourmandes! lui répond cet homme qu'elle trouve tout à fait charmant.

– Quand je rentre à Paris, je suis bonne pour me mettre aux carottes vichy et à l'eau d'Évian pendant quinze jours. »

Elle se trouve un peu trop ronde. Elle envie les femmes filiformes et plates comme des garçons.

Il a un très beau sourire. Elle aime beaucoup ses yeux.

« Tout à l'heure, au téléphone, à propos de votre belle-fille... C'était... la fille de votre femme?

– Non! La femme de mon fils. On m'a si souvent fait remarquer que le mot bru ne s'emploie plus que je n'ose pas le dire. Elle vit pratiquement chez moi. Son fils François a trois ans et deux mois. Si je vous parle de mon petit-fils, ça va durer des heures... »

Il aurait l'âge d'être son père et ne cherche pas à tricher pour se rajeunir. Elle le trouve touchant dans son rôle de jeune grand-père célibataire. Marc : un prénom bref et brutal, bien accordé à son physique solide et vigoureux. Elle est sous le charme. Celui de ses yeux bleus sans doute? Elle le trouve rassurant et, elle a besoin d'être rassurée. Cela fait six mois environ qu'elle est sortie d'une pénible histoire de cœur qui aura duré tout juste un an. Elle s'était laissé avoir par les airs d'enfant immature d'un intellectuel de gauche de vingt-deux ans qui rêvait de gloire philosophique.

« ... Si j'avais pris un chien pour grogner toute la journée, un perroquet pour dire des gros mots, et un chat de gouttières pour rentrer à des heures indues, je n'aurais certes pas eu besoin d'encombrer ma vie de cet échantillon humain du genre masculin. »

Elle l'entend conclure : « Et puis, les jours de fermeture de la boutique, vous auriez pu faire visiter votre zoo. »

Il la fait rire. Elle lui trouve de l'esprit. Elle le trouve délicat, aussi, puisqu'il sait changer de sujet.

Le temps passe vite. Déjà quatorze heures trente. Le serveur attend en soupirant d'ennui qu'ils finissent leur armagnac.

« On se reverra, n'est-ce pas? – Oui! »

Vers dix-neuf heures trente, après une après-midi harassante passée à courir les boutiques du sentier, en rentrant chez elle, rue du Faubourg Poissonnière à deux pas de la rue Condorcet, Caroline Lemarchand est arrêtée au passage par sa concierge.

« Mademoiselle Caroline? Regardez ce qu'on a apporté, pour vous.

Un somptueux bouquet de fleurs. Avec une carte, évidemment :

*« Puisque vous semblez avoir abandonné l'idée d'un zoo, permettez-moi de contribuer à la mise en œuvre d'un éventuel projet de jardin botanique.*

*« Marc »*

***

« Allô? Rougier?

– Oui.

– Salut, p'tit con! J' te réveille?

– Non pourquoi?

– Je me suis dit comme ça : ce p'tit con est en train de roupiller pour récupérer de sa folle nuit de dimanche et sans savoir que tout Paris l'envie.

– Mais, comment sais-tu que diman...

– Tu n'as pas lu *France-Soir*?

– Non!

– Les Potins de la commère?

– Encore moins!

– C'est ça, p'tit con. Tu fais dans le style intellectuel de gauche : tu lis *le Monde* et, en priorité, les nouvelles religieuses.

– En ce moment, je lirais plutôt *l'Argus* pour essayer de revendre ma putain de bagnole.

– Dis! Hé! C'est pas pour t'entendre gémir sur ta putain de

bagnole que je t'appelle. C'est pour te parler des Potins de la commère. T'as réussi à lui placer ton anguille?

– Mon anguille? Quelle anguille?

– Ton anguille sous roche! précise Pelot en se mettant à rire.

– Écoute, ça t'ennuierait de faire l'effort d'être un peu plus clair que dans tes émissions de télé? Qu'est-ce que c'est cette histoire d'anguille, cette histoire de " Potins de la commère "?

– Et toi, p'tit con : qu'est-ce que c'est que cette histoire d'amour sous roche avec une gouine notoire?

– Je ne comprends toujours rien à ce que tu dis.

– Écoute un peu, je te lis : " Pour fêter sa première année d'existence, le Club 16 a reçu ses amis. Sa ravissante propriétaire-animatrice, Anne Carle, était accompagnée d'un jeune et charmant cinéaste, Charles Rougier, dont le premier film sortira prochainement sur nos écrans. Selon certaines rumeurs il y aurait anguille sous roche pour un cœur qui reste à prendre ". Fin de citation. J'ai entendu murmurer qu'elle était encore présentable mémé Carle, pour ses cent trois ans, mais quand même, p'tit con : t'as pas l'angoisse de la mort, toi!

– Arrête de déconner, Pelot. Qu'est-ce que c'est que cette histoire?

– Je ne déconne pas, Rougier! assure Pelot d'une voix soudainement sérieuse. Je t'ai appelé tout de suite, dès que j'ai lu ça. Ève va faire une sacrée fiole, à mon avis.

– Tu l'as vue?

– Non! Pas aujourd'hui. Je crois qu'elle bosse avec Rossif sur *la Vie des animaux*. Le sujet c'est la mante religieuse. Moi, à ta place, je commencerais à numéroter mes abattis.

– Ève n'est pas comme ça.

– Ouais? Ben, moi, les nanas qui sont pas comme ça, c'est justement celles dont je me méfie le plus.

– Merci pour... l'avertissement.

– Heureusement que tonton Pelot veille sur toi. Ceci dit, n'espère pas trop du côté de mémé Carle. Elle serait plutôt du genre à te faire de la concurrence.

– Pourquoi, elle est...? Vraiment? Tu crois vraiment qu'elle...?

– Alors toi, p'tit con, tu me la coupes. Tu vois rien, t'entends rien... et j' peux même plus te conseiller de sortir le soir. Allez, salut!

– Salut! » répond Charles en raccrochant.

Anne Carle, lesbienne? Ça alors!

Nouvelle sonnerie du téléphone.

Nous y sommes, songe Charles avant de décrocher, l'heure des grandes explications est avancée.

« Allô? Charles Rougier? »

Ce n'est pas Ève. Simplement Paul Laurent.

« Bonjour! Vous m'avez lâchement laissé tomber, hier soir.

– Je suis désolé, Charles. Je me suis trouvé dans une situation que je n'avais pas du tout prévue: une rencontre avec mon ex-femme.

– Je comprends. N'ayez pas trop de remords, votre amie Anne Carle s'est fort gentiment occupée de moi.

– Tout Paris en parle.

– Je n'y suis pour rien...

– Ce n'est pas un reproche, Charles. Au contraire. Anne est une femme merveilleuse. Mon ex-femme n'est autre que sa fille adoptive. Vous voyez, c'est presque ma belle-mère. Si elle s'intéresse à vous, elle peut vous mettre à coup sûr le pied à l'étrier. Avec tous les gens qu'elle connaît...

– On m'a déjà soufflé que ce n'était pas tellement les messieurs qui l'intéressaient. Je me contenterai donc qu'elle veuille bien me revendre sa voiture un peu moins cher qu'elle ne l'a achetée.

– Écoutez, Rougier. Je ne sais qui vous a peut-être dit je ne sais quoi mais... sachez-le, mon petit vieux, c'est une femme épatante. N'écoutez pas trop les racontars.

– Vous ne pensez pas qu'elle va prendre ombrage de ce qui est écrit dans Les Potins de la commère?

– Ne soyez pas naïf. Son club fonctionne parce qu'elle est une personnalité à la mode. Il y a longtemps qu'elle a fait sien l'aphorisme de Sacha Guitry: Qu'on en dise du bien, qu'on en dise du mal, mais qu'on en parle! C'est la règle du jeu. Elle est encore jeune, très belle, très admirée, très entourée, elle n'a pas de mari ni d'amant susceptible d'être jaloux. Je ne peux jurer de rien mais, à mon avis, elle ne s'est pas opposée à laisser paraître cet écho. Vous savez, ça n'a tout de même pas valeur de faire-part de mariage. Cela étant dit, je vous appelais au sujet de notre conversation d'hier soir. Je ne vous ai pas demandé si vous pourriez me rédiger deux ou trois feuillets d'un synopsis qui nous servirait à mettre les choses en route.

– J'y ai pensé, en effet. Je vais m'y mettre et vous aurez ça dans le milieu de la semaine.

– Très bien! Battons le fer tant qu'il est chaud. Il se pourrait que vous ayez le vent en poupe, ces temps-ci. Votre film sur les Charbonnages se termine quand?

– Je visionnerai le montage avec le son synchro et la musique mercredi à dix-huit heures. En principe ce devrait être bon.

– J'y serai. Puis-je amener un représentant de l'agence qui gère le budget publicitaire du client?

– Certainement.

– Alors, à mercredi.

– A mercredi. Bonne journée. »

Le vent en poupe? Grâce à... Anne Carle, peut-être? Comment Ève va-t-elle prendre cette histoire? La connaissant, elle ne dira rien mais elle imaginera le diable sait quoi. Elle risque d'en souffrir. Il ne voudrait pas qu'elle souffre. Il ne voudrait pas non plus se placer en situation de lui dire qu'Anne Carle n'a aucune importance.

Quelle importance a donc Anne Carle, si ce n'est qu'elle est la dame qui va peut-être lui vendre sa voiture? A cent trois ans, comme dit Pelot, elle n'en a plus besoin. Elle paraît avoir trente-cinq ou trente-sept ans. Elle a sûrement beaucoup plus, pour avoir une fille de l'âge de Paul Laurent. Fille adoptive, mais ça ne viendrait à l'idée de personne d'avoir un enfant adoptif du même âge que soi. A moins que Paul n'ait eu une femme beaucoup plus jeune que lui?

Il ferait mieux de travailler à son synopsis. Il s'est peut-être un peu avancé, en le promettant pour le milieu de la semaine?

Trop énervé pour travailler, il est sorti. Le soleil est là, mais ses rayons ne brûlent pas les bouts de nez frileusement enfouis sous les cache-col.

Si Ève lui parle d'Anne Carle, que dira-t-il? « Je ne la connais pas. J'étais juste allé pour lui acheter sa voiture. » La vérité, en fin de compte. Il n'aura pas besoin de dire autre chose que la vérité. Il la dira même dans le détail. A l'exception d'un seul : il ne parlera pas de la très légère caresse, du bout des doigts, dont elle a gratifié sa joue, ce matin à l'aube, lorsqu'il a pris congé.

Vraiment, il ne peut pas – décemment – retourner au Club 16 dès ce soir. Bien sûr, il a le prétexte de cette fameuse voiture. Mais quand même, trop d'empressement et de précipitation risquent de tout gâcher.

Le boulevard Saint-Germain, la Chambre des députés, le pont de la Concorde, le Grand-Palais, l'avenue des Champs-Élysées, le rond-point. Il est à peine six heures du soir et il n'est plus qu'à cent mètres du Club 16. Il ne reste plus que trois heures cinquante-sept minutes et quarante-cinq secondes à tuer avant qu'il soit dix heures du soir. Les charbons ardents de l'attente. Il va mourir là – comme un « p'tit con » – au beau milieu des jardins des Champs-Élysées. Ça y est : il entrevoit lucidement la sinistre vérité. Il est devenu subitement idiot ou fou, fou d'amour : « Arrêtez les violons, j'aime pas la musique! Empêchez la terre de tourner, j' veux descendre! »

Que devrait-elle dire pour l'apaiser, le tranquilliser, le rassurer tout à fait? Ce n'est pas d'elle dont dépend ce qui lui arrive. Elle ne peut donc que s'efforcer de comprendre.

Lui posant doucement la main sur l'épaule, Ève demande :

« Tu veux dormir là?

– Non! dit Charles en se levant de sa chaise. Je rentre. J'ai promis un synop' au père Laurent pour le milieu de cette semaine.

– Quel que soit ton sujet, un peu de vague à l'âme t'affûtera certainement les idées. »

Debout, elle lui trouve un air aussi emprunté qu'assis.

« Tu sais, il est deux heures du matin passées et je pars sur un tournage tout à l'heure, ajoute-t-elle pour lui offrir une sortie honorable.

– Je sais. Excuse-moi! réagit-il en se détournant vers le vestibule.

– Essaye de travailler, de te calmer : ça ira peut-être mieux?

– Mais ça va. Ça va », entend-elle avant que claque la porte d'entrée. »

Allons, bon : c'est lui qui vient lui dire qu'il la plaque et – peut-être parce qu'elle ne s'est pas roulée à ses pieds – monsieur s'en va très en colère. Ils sont incroyables, ces bonshommes.

A nouveau seule! songe-t-elle en ouvrant l'armoire à pharmacie de sa salle de bain pour y prendre deux comprimés d'aspirine. Essayons d'aller dormir! Ève croise son regard dans le miroir situé au-dessus du lavabo : « J'ai dit : dormir! lance-t-elle à voix haute. Pas pleurnicher! » Et, d'un revers de main, elle essuie deux larmes.

Deux heures vingt. Charles est épuisé. Ce matin, il a à peine dormi et depuis cinq heures de l'après-midi il a traîné. Sept heures de marche à pied pour prendre une décision. Il a avoué à Ève : « Je suis tombé amoureux, cette nuit, d'une autre femme. » Bien entendu elle a répliqué : « Je sais, c'était déjà dans le journal. » Il a tout raconté. La vérité. Il a pu expliquer : « Ce soir je voulais aller la voir pour lui parler de sa voiture mais j'ai pas pu. Il fallait que je te parle avant. Que les choses soient nettes et claires entre nous. »

Maintenant que c'est fini, qu'il est en règle avec sa conscience, rien ne s'oppose plus à ce qu'il courre jusqu'à la rue de Ponthieu.

Tout à coup, il s'en veut. Il s'en veut d'être aussi heureux alors qu'Ève est – peut-être – en train de pleurer? Il avait besoin de se sentir libre. Libre de se rendre rue de Ponthieu. Libre, aussi, de remettre à demain : pour la seule beauté du geste, pour... être libre de prendre le temps de décider.

C'est son côté idiot qui a gagné. L'impatience a été plus forte que tout. La jeune femme qui lui parle l'a tout de suite reconnu.

« ... Anne était très fatiguée après la fête d'hier, sa fille est rentrée depuis une semaine. Elles n'ont pas eu une seule fois l'ocasion de dîner ensemble. »

Un serveur vient les interrompre : « Olga? J'ai besoin de dollars, pour rendre la monnaie à la table neuf.

– Vous permettez? » s'excuse-t-elle. Le temps d'aller au coffre et je reviens.

Il est au bar. Ladite Olga lui a offert un whisky. Ce soir, il y a infiniment moins de monde. Éclairage tamisé. Ambiance feutrée. Musique très douce. Deux ou trois couples dansent sur un succès de l'année dernière.

Anne a sans doute pensé qu'il allait venir. C'est peut-être justement pour ça qu'elle s'est abstenue d'être là? Une manière comme une autre de lui faire comprendre qu'il ne faut pas croire tout ce qu'on lit dans les journaux. Qu'a-t-il été s'imaginer? Il faut qu'il se rattrape et mette les choses au point avec Olga. Il n'est venu que pour cette histoire de voiture : trois heures moins le quart, c'est une heure normale pour acheter le carrosse de la reine de la nuit. Un royaume plutôt ringard. Vous tamisez la lumière et vous branchez un slow : il ne reste plus qu'à baptiser ça club privé et à vendre le champagne trente fois plus cher que chez Mimile de Belleville.

« Je suis désolée. J'ai été longue, s'excuse Olga.

– Non, non! Vous pourriez dire à Mme Carle que je suis passé? A cause de sa voiture. Son ami Paul Laurent m'a dit qu'elle vendait sa Buick. Je n'ai pas eu l'occasion de lui en parler, la nuit dernière, j'ai pensé qu'il valait mieux en bavarder tranquillement.

– Vous avez eu raison. Vous allez pouvoir lui expliquer tout ça vous-même, je viens de l'appeler, elle arrive.

– Vous l'avez appelée à... trois heures du matin?

– Quand on a l'habitude de vivre à l'envers des autres on n'inverse pas son rythme sous prétexte qu'on arrête un soir par semaine. Elle venait juste de raccompagner les quelques amis qui avaient dîné chez elle. »

Le cœur battant. Il va la voir. Il va lui parler. Elle vient. Et, par-dessus tout, elle vient pour lui, puisqu'il n'avait pas encore parlé de cette histoire de voiture.

Elle est arrivée. Elle s'est approchée. Elle a souri et lui a posé un baiser sur la joue en se mettant un peu sur la pointe des pieds. « Si j'en crois les rumeurs, nous sommes fiancés? Ça ne choquera donc personne. »

La robe qu'elle porte n'a rien à voir avec celle de la veille. Une simple robe de maille fluide, serrée à la taille par une chaînette dorée. Ses longs cheveux bruns, qu'elle avait dénoués sur ses épaules à la fin de la nuit précédente, sont attachés en chignon.

« Qu'avez-vous à me regarder comme ça? J'ai du noir sur le nez?

– Non. Je me disais que vous êtes encore plus belle que j'osais m'en souvenir.

– Vous êtes un fiancé charmant! Vous m'invitez à danser? »

La musique a changé depuis quelques instants. C'est une sorte de twist mâtiné houla-houp.

« A part les slows – et encore, à condition que ça n'aille pas trop vite – je ne suis pas du genre trémousseur. »

Elle lui prend la main en riant et l'entraîne vers une table en disant : « Eh bien, puisque c'est ainsi, venez donc me faire un peu la cour. Il faut tout de même que je sache si vous êtes un parti acceptable! »

Elle est dans ses bras. Elle a passé les siens autour de son cou et ils dansent. Un slow qui ne va pas trop vite. Cet après-midi, au téléphone, Paul lui a dit que Charles Rougier avait vingt-cinq ans. En gros, l'âge qu'elle lui donnait. En riant, elle a pourtant répondu à Paul : « Enfin, c'est un gamin. »

Pourquoi se sent-elle si bien dans les bras de ce garçon?

Deux lèvres viennent se poser doucement contre sa tempe, descendent le long de sa joue.

« Monsieur Rougier! lui reproche-t-elle à l'oreille. Tenez-vous mieux que ça. S'il y a encore des journalistes dans la salle nous aurons ensuite toutes les peines du monde à leur faire croire que nous sacrifions à des fiançailles de raison.

– Des fiançailles de raison?

– Et j'ajouterai même, nuancées de préoccupations mercantiles maintenant que vous m'avez dit être venu pour acheter ma voiture à vil prix.

« Si on en parlait, de cette voiture?

– Si on en parlait! »

Hier, une caresse sur la joue. Et aujourd'hui, juste avant de le laisser partir, un très léger, très furtif baiser juste sur le bout des lèvres. Ce mardi 26 janvier, à quatre heures trente du matin, Charles Rougier est le plus heureux des hommes.

Ce même mardi 26 janvier, à quatre heures trente du matin, Anna Abrowski – alias Anne Carle – pense quant à elle que son fils Karl aurait l'âge de Charles Rougier. Elle ne l'a connu que si petit : elle n'imagine pas.

***

Compte tenu des circonstances, les amis de Maryline lui ont unanimement déconseillé d'assister à la levée du corps de Maxime Lemonier (alias Philippe de Gigondas-Véricourt) prévue le mardi 16 janvier à dix heures en la chapelle ardente de l'institut médico-légal de Paris. Son beau-père et ses parents étaient du même avis.

Sylvaine Bernard s'est chargée de commander et faire livrer un coussin de fleurs blanches avec cette inscription : *« A Philippe. »*

Il n'y avait personne à cette levée du corps à l'exception de deux photographes qui n'étaient peut-être pas là par hasard. Lorsque la porte de la chapelle ardente s'est ouverte sur un cercueil drapé de noir et gardé par quatre porte-cierges électriques, ils ont fait crépiter leurs flashes. Non pas sur la première couronne, celle de l'employeur – délibérément modeste – marquée : *« A notre dévoué collaborateur »* mais sur la seconde – agressivement somptueuse – et marquée :

*Au Standarten-Oberjunker SS*
*Maxime Lemonier*
*de la division Charlemagne*

De quoi faire oublier le petit coussin de fleurs blanches.

« Messieurs! Je vous en prie! » a rappelé l'ordonnateur des pompes funèbres de la ville de Paris, croyant qu'on se livrait dans son dos à une mauvaise plaisanterie.

Personne ne plaisantait pourtant. Personne ne fredonnait. Croque-morts et photographes se sont affrontés du regard : les premiers soupçonnant les seconds de provocation. Il leur a fallu, quelques secondes pour comprendre que la provocation était ailleurs.

A dix heures précises, un mécanisme d'horlogerie venait de mettre en marche un petit magnétophone dissimulé dans la couronne de la division Charlemagne. Un chœur de voix d'hommes fredonnait, de plus en plus fort, de plus en plus fort jusqu'à l'entonner à pleine voix, le *Horst Wessel Lied.*

Un scandale que Maryline apprendra, comme tout le monde, en fin de matinée, par les flashes spéciaux de la radio, et les photographies publiées à la une des premières éditions des journaux du soir.

Rentrant chez elle, boulevard des Batignolles, dans l'après-midi du même jour, elle découvre sur la porte de son appartement une croix gammée à la peinture noire. Pleurant de rage elle entre pour décrocher le téléphone et entendre le *Horst Wessel Lied.* Aussitôt, on sonne à sa porte. Supposant que c'est la concierge, au sujet de ce graffiti, elle va ouvrir prête à jurer qu'elle va faire venir un peintre. Flash. Flash. Elle n'a que le temps de refermer sur les photographes. Ils insistent, accrochés à sa sonnette. Et le téléphone à nouveau : cette fois elle se fait traiter de « pute nazie ». Et toujours la sonnette. Et encore le téléphone.

« Assez! » s'effondre-t-elle en pleurant à chaudes larmes, les mains sur les oreilles pour ne plus entendre tout ce vacarme.

Il est l'heure d'aller chercher François à la sortie de l'école maternelle mais les photographes sont toujours devant la porte. S'ils ne sonnent plus, elle sait qu'ils sont là. Elle les devine. Elle les sent, qui attendent. Elle a décroché son téléphone. Que peut-elle faire?

Tant pis. Elle n'a pas le choix. Il faut qu'elle sorte.

Ils font leur travail. Ils la photographient fermant sa porte marquée d'une croix gammée. Ils sont cinq : « Mademoiselle? – Maryline? – Mademoiselle? » leurs flashes crépitent. Et un radio reporter.

« Non je ne savais rien. Non je n'ai rien à dire. Laissez-moi passer. »

Ils la poursuivent dans la rue. Jusqu'à l'école. Elle y entre. Ils bousculent l'institutrice qui veut les empêcher de passer. La directrice l'enferme dans son bureau avec François et appelle un taxi. « Vous sortirez par l'école des garçons, dans l'autre rue, dit-elle. Vous savez où aller?

– Chez mes parents. »

Sylvaine est bouleversée : rue Mazarine, le téléphone n'arrête plus de sonner. Insultes, menaces même.

« Et ton père qui n'est pas là. J'ai appelé Marc, mais il n'est pas chez lui. »

Si ceux qui lancent insultes et menaces ont trouvé l'adresse des parents de Maryline Rougier, les journalistes ne tarderont pas – eux aussi – à rappliquer d'une minute à l'autre, furieux d'avoir été joués à la sortie de l'école. Que faire?

« J'ai les clés. Allons chez Marc! supplie Maryline. Ici, j'ai peur. »

François n'a accepté de se coucher que si c'était son papy qui le mettait au lit. Pendant l'absence de Marc le téléphone a sonné. Il est extrêmement rare que le téléphone sonne chez lui. Quand elle s'y trouve, Maryline décroche et c'est généralement une erreur. « Allô? – Puis-je parler à M. Rougier, je vous prie? – Bien sûr, madame. Il est occupé pour l'instant mais je vais le chercher. Si vous voulez bien patienter. »

Une communication d'assez courte durée.

Après avoir raccroché, Marc rejoint Maryline dans la chambre de François et l'entraîne un instant dans le couloir en direction de la salle de musique : « C'est au sujet de ce coup de téléphone que je viens de recevoir. Je préfère ne rien dire devant ta mère. Encore que, malheureusement, cela ne changera rien à ce qui va se passer.

– Une nouvelle catastrophe?

– On peut le dire! C'était Caroline Lemarchand. Elle m'appelait pour me prévenir de ce qu'elle vient de voir en rentrant chez elle. Un journal à scandales – elle ne sait plus lequel – fait placarder partout une affichette annonçant des révélations dans son numéro d'après-demain, sur les amours secrètes de l'ancien SS de la division Charlemagne avec l'ancienne actrice de films pornographiques devenue cover-girl. Ils illustrent ça d'une photographie de ton fameux film, avec cache sur les yeux mais qui n'est pas très efficace puisque ne t'ayant vue qu'une seule fois elle t'a reconnue quand même. Je suppose que tu n'as jamais mis tes parents au courant de cette histoire de film?

– Non! » s'effondre Maryline, éclatant en larmes sur l'épaule de son beau-père.

Presque dans le même instant, Sylvaine pousse la porte. « Eh bien? Qu'est-ce que vous faites, tous les deux, là, dans le noir?

– Rien! répond Marc. Elle pleure. »

C'est Marc qui a tout raconté à Sylvaine.

Ces affichettes publicitaires sont placardées dans toute la France. Il faut donc appeler Jean-Marie, à son hôtel, à Nancy, pour atténuer le choc.

« Si nous nous rendions d'abord compte par nous-mêmes? » propose Marc. Maryline refuse de les accompagner. Elle reste pour garder François.

Un quart d'heure plus tard, sa mère et son beau-père sont de retour. Ils n'ont pas eu à aller loin. Le premier kiosque au coin de la rue Claude-Bernard l'exposait déjà. « Il faut vraiment téléphoner à ton père », se lamente sa mère en déroulant l'immonde document qu'elle a tout simplement volé.

Une photo atroce. Maryline se souvient de ce partenaire africain qu'elle intimidait beaucoup. Tous les deux ont un bandeau sur les yeux mais on la reconnaît, elle se demande si ce n'est pas – avant tout – cet homme noir qui scandalisera le plus son père.

Elle a dit : « Je vous appellerai. Nous prendrons rendez-vous et vous verrez la voiture. » Toute la journée du mardi, Charles a tremblé chaque fois que le téléphone sonnait. Le soir, il n'a même pas osé sortir pour aller dîner : il s'est contenté d'un œuf sur le plat. L'attente a redoublé.

Pour passer le temps, il ferme les yeux et imagine. Les images viennent toutes seules. Ce très léger baiser sur les lèvres, à l'instant où ils se sont séparés : il en frissonne encore. Dans le creux mouvant de son attente se déroulent les soies douces de son désir.

Il se réveille. Elle n'a pas appelé hier. Ni cette nuit. Elle appellera sans doute aujourd'hui? Il se douche, se rase, se parfume, s'habille. Il est sept heures et demie du matin. Il est prêt. Si elle téléphone, il sera convenable, elle ne le trouvera pas au lit.

Cinq heures et demie. Elle a peut-être égaré son numéro?

La mort dans l'âme, il faut bien qu'il sorte puisqu'il doit se rendre au studio pour visionner son film sur les Charbonnages? D'un pas d'automate, il va chercher sa putain de bagnole. Comme d'habitude, elle ne veut pas démarrer. Il épuise sa batterie et – dégoûté – referme la porte de son garage pour aller prendre le métro.

Anne l'appellera certainement ce soir, de son club.

A la Maison de la Presse du coin de sa rue, il entre acheter *le Monde.* Il aime beaucoup sa marchande de journaux. Elle est de Montpellier. En bavardant, un jour, ils ont échangé des souvenirs. Elle a hurlé : « Ça alorss, le fil-sse de Odette? Le petit pitchounet? Odette, c'était ma fournisseuse. » Ils parlent d'elle parfois.

A coup sûr, Anne va chercher à le joindre pendant qu'il sera absent. Il aurait dû mettre sa ligne aux abonnés absents. Au dernier moment, il est parti en catastrophe. Il a tout oublié. Y compris le synop' qu'il voulait remettre à Paul Laurent.

Il appréhende un peu de voir Paul Laurent. Si Paul était chargé d'un message? Si Paul allait lui dire qu'Anne ne veut plus vendre sa voiture et lui fait demander de ne pas insister? Le fiancé d'un jour. Il n'a peut-être été que le fiancé d'un jour? On lui aura dit : « Tu es folle. Ce garçon est tellement jeune. » Les autres – tous les autres – auront eu raison. Elle peut se choisir un prince, une vedette de cinéma, un champion de n'importe quoi, pourquoi irait-elle s'enticher d'un apprenti cinéaste qui n'a encore rien fait d'autre que des courts métrages sans gloire?

C'est certainement ça. Paul, le vieil ami, aura été choisi comme confident et interprète. Une amitié de vingt ans? 1945, en fait. Lui, il avait cinq ans. Et eux, peut-être déjà vingt-cinq, et même plus. Anne pourrait être... sa mère. Incroyable. Elle fait si jeune. Cent trois ans, comme dit Pelot. Il a raison, Pelot, de l'appeler « p'tit con ». Depuis dimanche, il se conduit vraiment comme un petit con. Un caprice. Pour cette femme-là, il n'est rien et ne sera jamais rien d'autre qu'un caprice. Elle ne l'aime pas. Comment l'aimerait-elle? Elle ne le connaît même pas. Lui non plus il ne la connaît pas. Et pourtant, il l'aime, lui.

Si elle ne veut plus le revoir, il la verra quand même.

Il se cachera dans les coins pour la regarder passer. Il fera même mieux que ça : chaque jour, il lui fera porter une rose avec, chaque fois, le même billet : « Je vous aime. » Elle finira bien par lui dire : « Venez! Il faut que je vous parle. »

« Vos invités sont dans la salle, monsieur Rougier! » l'informe l'hôtesse-standardiste. Charles se rend à la régie. Le projectionniste l'attend : « Salut Robert. Si tu es prêt, tu peux lancer.

– Six heures pile. On n'a jamais été aussi à l'heure. »

Par le judas, Charles jette un regard et reconnaît Paul Laurent de dos, assis entre un homme et une dame brune. La salle s'éteint. Le film commence.

Charles regarde depuis la cabine. La scripte est venue le

rejoindre. Il lui donne quelques indications : « Il faudrait shunter plus vite sur la fin du générique. A part ça, c'est bien. »

La lumière se rallume. Charles va rejoindre son producteur et ses invités.

Anne? Il n'en croit pas ses yeux. C'était donc...

C'est ELLE!

Elle lui sourit, se lève. Il s'approche.

Traveling latéral, l'image se resserre. Ralenti. L'image tourne. Fondu enchaîné : ils se serrent la main, en gros plan sur fond de regards tendres. Et l'*Adagio* d'Albinoni, derrière, qui flonflonne...

« Compliments, monsieur Rougier! lance l'inconnu. Vous avez fait un excellent travail. Clair. Précis. Intéressant. Et ce n'était pas facile. »

Anne ne dit rien. Elle sourit. Simplement. Elle lui sourit!

L'autre continue : « Sans aucun doute la direction des Charbonnages va-t-elle être satisfaite et je pense même... ».

Mais qu'est-ce qu'il en a à foutre des Charbonnages à une époque où le fuel est si bon marché? Ne peut-on pas le laisser admirer tranquillement la femme dont il est amoureux? Amoureux : c'est peu dire, fou de joie, et plus encore.

« Anne? Entre nous : comment avez-vous trouvé le morceau de charbon dans le rôle du verre de lait? »

Elle éclate de rire. Il aime son rire. Fou d'amour.

La voiture : une Buick Skylark, moteur V8, blanche, décapotable. Cinq mètres seize de long, seize litres aux cent. Ça part au quart de tour le matin.

Il conduit. Anne est assise près de lui. Elle fume une Blue Ribbon, la cigarette à la mode. Elle a les jambes croisées. Le bas de sa jupe découvre un tout petit-petit-petit-petit (il se rappelle qu'il conduit et s'abstient d'en rajouter pour ne pas faire rappliquer les poulets du quartier) peu son genou. Le droit. Il n'avait encore jamais vu son genou droit. Ni le gauche non plus d'ailleurs. La première fois, elle était en robe longue. Et le lendemain, il n'a pas fait attention. La première fois, il la mangeait du regard. Et la seconde, il la buvait des yeux. Elle a un très joli genou. Peut-être même que l'autre n'est pas mal non plus?

« Comment la trouvez-vous?

– Douce. Tendre. Belle. Elle a un très joli genou droit. »

Anne en reste muette. Probablement surprise Elle doit se dire que les artistes du charbon sont comme les autres, un peu dans les nuages? Elle le rappelle sur terre : « C'est de ma voiture dont je vous parle.

– Et moi, de sa propriétaire. »

Elle rit. Encore. Elle rit souvent. C'est bien.

En riant, elle pose sa main sur la sienne qui tient le volant.

« Vous êtes très...

– Votre voiture aussi. Vous me la vendez combien?

– Je l'ai payée trente-quatre mille francs en février 1964. Elle a un an. Elle a très peu roulé. Dix-huit mille kilomètres, je crois? Je pourrais donc en tirer : ... quarante mille francs?

*Lui :* – Cinquante mille : ce serait mieux!

*Elle :* – Ou soixante!

*Lui :* – Soixante-dix! Mais, c'est mon dernier prix.

*Elle :* – Cent mille. Pour un compte rond.

*En chœur :* Cent dix mille, parce que c'est... nous!

– Cent vingt mille, parce que je suis amoureux de vous.

– Cent trente mille, parce que moi aussi. »

En plein boulevard de Sébastopol, à dix-neuf heures trente-cinq, au milieu d'un embouteillage monstre qui n'avait pas besoin de cela, un cabriolet blanc Buick Skylark s'immobilise.

« Deux cent mille et un baiser? propose-t-il.

– Trois cent mille et deux baisers! négocie-t-elle.

– Cinq cent mille, un baiser, et une nuit d'amour?

– Un million, dix baisers, et cent nuits d'amour!

– Cent mille millions de millions et un baiser tout de suite.

– Tope-là! » éclate-t-elle de rire en lui tendant sa main.

Un concert de klaxons semble jouer la *Marche nuptiale*; elle s'approche de lui, il la prend dans son bras, elle lui demande avant que leurs lèvres se touchent : « Tout de suite après le baiser, tu me donneras un premier million? – Non! C'est à toi de me donner d'abord une première nuit d'amour. – Vous êtes coriace, en affaires, monsieur Rougier. – Vous êtes bavarde, en baiser, madame Carle. »

Un conducteur excédé vient frapper à leur vitre : « Alors, quoi? Faut être vicieux. Vous ne pouvez pas l'emmener à l'hôtel?

– Ah, monsieur! Si seulement vous pouviez m'aider à la décider! lui répond Charles dans un grand sourire avant de redémarrer.

– Où allez-vous si vite? demande-t-elle en riant.

– Pas à ma banque, elle est fermée. »

Main dans la main, ils sont entrés dans un restaurant.

Yeux dans les yeux, ils se sont vaguement rendu compte que passaient des plats auxquels ils ne touchaient pas beaucoup. Ni un peu. Ni du tout. Alors ils sont ressortis.

Elle a dit : « Viens! On va chez moi. »

« J'habite ici! » annonce Anne au coin de la rue de Castellane.

Charles, alors, a une illumination : « N'as-tu pas travaillé dans un salon de beauté, rue de la Paix, il y a quelques années?

– Si! Pourquoi?

– Tu ne te souviens pas, un soir : tu es rentrée, pendant une manifestation, avec un couple qui s'était réfugié dans ton institut de beauté. La jeune femme était enceinte.

– Mais oui! Je me souviens. Qu'est-ce que j'avais peur.

– Eh bien, c'était moi. Voilà pourquoi j'avais l'impression de t'avoir déjà rencontrée.

– J'ai eu la même! avoue-t-elle. Mais la jeune femme?

– Nous sommes séparés. Depuis trois ans. »

Il fait nuit et un peu froid, juste assez pour leur fournir le prétexte de se prendre par la taille en se serrant l'un contre l'autre jusqu'au porche de l'immeuble.

Anne n'a pas allumé la minuterie. Charles la devine qui s'est appuyée le dos contre la porte. Il l'entend murmurer : « Embrasse-moi, mon chéri. Embrasse-moi. » Elle noue ses bras autour de son cou.

Un homme l'embrasse. C'est un Allemand. Elle est dans les bras d'un homme qui s'appelle Helmut. « Tu me garderas toujours? Il répond : Oui. – Tu vas me faire l'amour? Embrasse-moi! Caresse-moi! Moi aussi, je t'aime. Tu es mon amant. Mon amour. Mon amour-mon amour-mon amour. – Mon amour », répond l'homme qui l'embrasse. Et elle lui serre la tête très très fort entre ses mains. Ce n'est pas Helmut; ce n'est pas cet ignoble type qui lui a pris son enfant. Elle ne lui en veut pas, ce soir. Ce soir, elle pardonne. Elle pardonne parce qu'elle est dans les bras d'un autre. D'un autre dont elle est amoureuse. Merci la vie.

« Viens! » souffle-t-elle.

Elle allume la minuterie. Au passage, devant le grand miroir, elle remet un peu d'ordre dans sa tenue ébouriffée. « Tu comptes ressortir? demande Charles en lui déposant un baiser dans le cou.

– Non! Mais si on rencontrait un voisin dans l'ascenseur. »

Il n'y a personne dans l'ascenseur. Ça n'empêche pas de se tenir bien. Charles se tient bien mais il lui murmure des choses... Des choses drôles. Des choses folles. Surtout folles, très folles. Il la rend un peu folle.

La cabine s'arrête à l'étage. La porte de l'appartement est entrouverte. Depuis le vestibule, on entend des voix dans son salon.

« Un vrai petit standard, ici? s'étonne-t-elle en découvrant Noémie et Angèle, pendues chacune à un téléphone.

– Enfin! On l'a retrouvée! s'exclame Angèle. On a essayé de te joindre partout. Olga a téléphoné pour te prévenir : Elke de Simenoff va débarquer au club avec toute sa bande de copains.

– Il ne manquait plus que ça! Eh bien, je vais y aller. Si vous voulez, je vous invite.

– Non! Répond Angèle. Pas moi!

– Je sais, ma chérie. Tu n'aimes pas l'atmosphère. Confidence pour confidence, moi non plus. Mais il faut bien vivre. »

Elle lui a dit qu'ils devaient impérativement ressortir.

Pendant qu'elle se change, il l'attend dans la salle de bain, admiratif devant le décor de cette pièce qui ferait un lieu de tournage extraordinaire.

Anne doit avoir l'habitude de se changer souvent, moins d'un quart d'heure plus tard, elle est prête. Robe du soir blanche avec plein de paillettes partout, décolletée jusqu'au milieu du ventre.

« Si je comprends bien, notre nuit d'amour c'est pas pour tout de suite?

– Tant mieux, mon chéri. Comme ça, tu pourras passer à la banque avant. »

Il a l'air si contrit, qu'il la fait fondre. Elle l'embrasse. Elle lui sacrifie son rouge : si ce n'est pas le début d'un grand amour, alors qu'est-ce que c'est?

Dans le taxi qui les conduit rue de Ponthieu, Anne explique qui est Elke de Simenoff. La femme d'un milliardaire. Une amie de longue date. Mais, cette fois, elle ne veut pas sacrifier son rouge : un grand amour peut être raisonnable, c'est même en cela qu'on reconnaît qu'il est grand. Ça ne l'empêche pas d'être taquine : « Elke va être folle de jalousie de voir que j'ai un aussi bel amant.

– Amant! Amant! bougonne le putatif.

– Et si tu la trouvais... Plus belle que moi?

– Tu es jalouse?

– D'habitude non, mais avec toi j'ai envie de l'être.

– D'habitude?...

– Je n'ai pas beaucoup d'habitudes.

– Tu en changes avant que ça devienne une habitude?

– Tu es jaloux toi aussi?

– Je n'en fais pas forcément une habitude! » répond-il évasivement avant de régler le taxi.

Il sont à deux pas du club. Charles veut laisser Anne sous prétexte d'aller acheter des cigarettes. Elle proteste : « Il y en a à l'intérieur. – Des Gauloises? – Non! – Alors, à tout de suite. » Elle lui pose son index sur les lèvres et lui fait promettre de se dépêcher.

A grandes enjambées, il revient sur ses pas.

Juste devant le restaurant Le Berkeley. En descendant du taxi, son œil a été attiré par une affichette du kiosque à journaux. Il a sans doute mal vu mais il veut vérifier.

Non. Il n'avait pas la berlue. La blonde aux yeux à peine masqués avec un négro, c'est bien sa femme.

« *Tout sur les amours secrètes de l'ancien SS de la division Charlemagne avec l'ancienne actrice de films pornographiques devenue cover-girl.* »

Atterré, Charles décide qu'il ne peut plus laisser François avec sa mère. Il est en danger moral. Il doit demander le divorce. Réclamer la garde de mon fils.

Son indignation devient fureur. Rue du Colisée, un tabac est encore ouvert. Il entre, commande un demi et un jeton de téléphone. Il faut qu'il parle à son père : « Allô, papa? François est avec toi? – Oui. Pourquoi? – Il y a longtemps que tu as vu sa mère? – Elle est là aussi. Tu veux lui parler? – Es-tu au courant d'une certaine affiche dans les kiosques à journaux? – Hélas, oui! – C'est tout ce que tu trouves à dire? – Que veux-tu que je te dise? – Dis-moi seulement si tu pourrais garder François quelques jours? – C'est-à-dire? – Le temps que je m'organise, que je trouve une nourrice, que je fasse les démarches pour demander le divorce et le droit de garde. – Tu ne vas pas enlever son fils à... – Je suis son père. Je n'enlève pas mon fils. Je le soustrais provisoirement à l'influence néfaste de sa mère en attendant de voir plus clair dans ce scandale. D'ailleurs, j'arrive. Puisqu'elle est chez toi nous allons en parler. »

« Alors maintenant, il te faut en plus des anciens tortionnaires nazis? » L'explication a commencé par des insultes auxquelles elle ne pouvait répondre. Une fois vidé son fiel, Charles est devenu plus lucide. Ils ont eu l'explication à laquelle il avait renoncé trois ans plus tôt. Bien pauvre explication, de sa part, elle n'a pas su trouver les mots. Elle était trop émue de le voir là, de l'entendre revendiquer une paternité dont depuis trois ans il avait semblé se désintéresser, de l'entendre – surtout – lui réclamer des comptes. Elle n'a même pas osé lui parler du renoncement dans lequel elle avait vécu avec l'espoir qu'il... reviendrait? Pardonnerait? Oublierait? C'est le choix de l'un de ces trois mots, qu'elle n'a su faire. Elle aurait aimé en trouver un pour résumer les trois. Son père ne veut plus la voir. Son mari veut la faire déchoir de ses droits maternels. Que peut-il arriver de plus?

Avec les explications concernant Philippe de... elle s'en est mieux tirée qu'au sujet du tournage d'*Histoire d'O.* Normal, Charles n'est plus pareillement concerné.

Il a bien voulu admettre que Philippe de Gigondas-Véricourt ne s'était probablement pas vanté d'être un ancien engagé SS de la légion des Volontaires français. Il n'en a pas moins pris son père à témoin : « Enfin, papa, ça te semble normal, cet ancien SS qui se cache encore vingt ans après? Qu'il ne s'en vante pas, d'accord, mais qu'il ne le confie pas à la femme qu'il prétend aimer, c'est aberrant. Après tout, la plupart de ces hommes-là n'ont été que des victimes de la guerre comme tous les autres. »

Marc s'est abstenu d'engager le débat sur un point aussi délicat. Il s'en est tenu à répondre qu'il imaginait que les sentiments de Philippe de... étaient encore bien récents pour entraîner et justifier des confidences d'une telle gravité. Heureusement que Marc était là. Un allié souple et convaincant. Il s'est fait son avocat. C'est finalement lui qui a vraiment calmé Charles à partir de sa proposition d'assurer provisoirement la garde complète de François : « Ça sera mieux, pour lui, d'être avec moi. Dans les jours qui viennent, il faut s'attendre à voir rebondir cette affaire. Laissons s'apaiser les esprits, avant d'essayer d'y voir plus clair dans notre propre famille. »

Finalement, Charles a promis de ne pas déclencher de procédure immédiate. Après son départ, Maryline a compris qu'elle n'avait pas du tout aimé Philippe de... En tout cas que ce n'était pas lui qu'elle voulait.

Celui qu'elle aime, celui qu'elle veut, c'est l'homme qu'elle a connu à Aix, avec lequel sa vie aurait pu être heureuse si elle avait su déjouer les croche-pieds du destin

***

En sortant de chez son père, Charles avait éprouvé le besoin de marcher. Il s'était surtout demandé s'il devait reprendre le chemin du Club 16. Une pluie fine s'était mise à tomber, il n'avait pas trouvé de taxi. Il était si trempé qu'il n'était plus présentable. Il avait rebroussé chemin en songeant qu'il appellerait Anne en rentrant. Puis, comme il ne pleuvait plus, il avait encore traîné, jusqu'à cinq heures du matin.

Sa rue est étroite. Juste devant sa porte, moitié sur le trottoir, moitié sur la chaussée : un cabriolet blanc, Buick Skylark.

Il ne rêve pas.

Assise sur la dernière marche, emmitouflée dans son manteau de fourrure, la tête appuyée contre le mur, Anne fait semblant de dormir.

Après avoir ouvert la porte, il la prend dans ses bras. C'est une plume qu'il soulève et emporte sur son lit. Comme elle n'a pas ouvert les yeux, il pose doucement ses lèvres sur celles de la belle à l'escalier dormant qui s'éveille en murmurant : « Mon prince, je ne voulais pas que tu sois fâché. » Jamais le lit du prince n'a vu de fée si jolie en robe blanche à paillettes, lovée dans une fourrure si douce. Le prince est intimidé et vaguement confus de la modestie de son palais.

« Je n'étais pas fâché. Il s'est passé quelque chose. »

Anne se redresse d'un bloc : « Tu as eu un accident?

– En quelque sorte, oui », répond-il en ôtant son imperméable.

– Mais tu n'es pas blessé?

– Pas... physiquement.

– C'est l'essentiel! soupire-t-elle. S'il t'arrivait... »

Sa phrase demeure en suspens. Elle pourrait être complétée par : « Je n'y survivrais pas. » C'est bien ce qu'elle lui laisse imaginer, avant de poursuivre en forçant délibérément l'effet sérieux de la réflexion : « ... Je n'aurais jamais tous les millions que tu m'as promis.

– Je... Je t'aime! s'étrangle-t-il.

– Moi aussi! » répond-elle en lui tendant les bras.

La tête sur sa poitrine, elle a glissé sa main dans une ouverture de sa chemise et elle le caresse doucement. Lui joue avec ses cheveux qu'il entortille entre ses doigts. Elle parle : « J'ai eu très peur, toute cette nuit. Peur que tu ne reviennes jamais. Peur que... tu te sois dit qu'au fond tu m'aimais beaucoup moins que tu ne le pensais ou que tu t'amusais à me le faire croire, hier soir... Je ne comprends pas ce qui m'arrive. J'ai découvert que je n'avais jamais aimé personne, avant toi. Que depuis toujours c'était toi que je cherchais.

– Parle. Parle-moi de toi.

– A vingt ans, j'ai rencontré un garçon. Il avait mon âge. Il était allemand. La guerre nous a séparés. J'ai eu un fils. Et puis, un jour, en 1942, cet homme est revenu. Il a réussi à m'enlever notre enfant. Je ne les ai jamais revus. Ni l'un ni l'autre. Probablement sont-ils repartis pour l'Allemagne? Je ne peux m'empêcher de croire qu'ils sont morts, sous les bombardements. Tu as connu ça, toi, les bombardements? Peut-être ne t'en souviens-tu pas?

– Vaguement. Seulement très vaguement! Des détails. Par exemple, une nuit où je me suis réveillé dans les bras de ma mère, à la cave.

– Elle s'appelait comment, ta mère?

– Jacqueline.

– Elle était jolie?

– J'étais très petit, quand elle est morte. »

Charles s'est levé pour aller allumer une cigarette. Les yeux mi-clos, elle l'observe.

Il ôte les boutons de manchettes des poignets mousquetaires de sa chemise et retrousse ses manches sur ses avant-bras.

Elle se sent à la fois étonnée et bouleversée. C'est comme si elle se souvenait de lui. Pourtant, les hommes, dans sa vie, elle peut les compter sur les doigts d'une seule main.

Ses gestes lui sont familiers. Certaines façons de la regarder aussi. Peut-être l'a-t-elle inventé avant de savoir qu'il existait vraiment?

Un détail. Tout à fait mineur. Parfois, il paraît s'absorber à mordiller sa lèvre inférieure.

Mözek. C'était Mözek. C'était son père qui avait parfois cette expression. C'est drôle, c'est une coïncidence.

« Et toi? Parle-moi de toi. »

Il s'assied sur le siège placé devant sa table de travail.

Braquée sur le mur blanc du fond de la pièce, une lampe de bureau diffuse une lumière très douce. Il la regarde. Elle se sent tout enveloppée par son sourire.

« Il n'y a pas si longtemps, j'ai eu vingt ans, moi aussi. Plus exactement dix-huit car mes vingt ans, c'était une autre guerre, sur le continent d'en face. J'ai aimé une fille. A mon retour d'Algérie, je l'ai épousée. Tu la connais, c'était le soir des matraquages policiers.

– Je me souviens : une jeune femme blonde. Très jolie. »

Charles demeure un instant silencieux.

Il s'est assis là, pour pouvoir regarder Anne d'un peu plus loin. Plus il la regarde, plus il l'admire. Plus il l'admire, plus il l'aime. Plus il l'aime et plus il se sent bien. C'est un bonheur très apaisant. Il se sent une prodigieuse envie d'être bien, avec elle. Pas seulement dans ses bras. Dans son aura, plutôt.

« La vie a mal tourné. Très mal tourné. Banal. Nous nous sommes séparés. Elle a gardé mon fils.

– Comment s'appelle-t-il?

– François.

– Quel âge a-t-il?

– Trois ans.

– Tu le vois souvent?

– Un week-end sur deux, à peu près. »

Anne a rejeté son manteau de fourrure qu'elle conservait posé sur ses épaules nues. Sa robe de paillettes blanches dessine au plus près les lignes arrondies ou fuyantes de son corps et une fente, sur le côté, découvre sa jambe jusqu'au genou. Charles est troublé par cette fragilité gracieuse.

« Pourquoi as-tu l'air si malheureux, tout à coup? »

Il se sent presque honteux de lui répondre : « Parce que... j'ai envie... de toi. »

Elle l'entend pourtant comme un baiser qui se poserait sur elle, de loin.

Ils vivent quelque chose de magique. Ils se sont rencontrés. Ils se sont trouvés. Ils sont ensemble. Ils n'ont aucune raison d'être impatients : rien ne pourra plus empêcher leurs deux vies de se fondre l'une en l'autre.

Il s'approche.

Elle ferme les yeux.

Il pose ses mains sur sa taille.

Elle frissonne.

Leurs lèvres se joignent dans un très long baiser.

« Non! » sursaute-t-elle tout à coup. Elle se redresse. Le haut de sa robe est défait et elle appuie très fort sa main aux doigts écartés sur sa poitrine nue, comme pour clouer là une inexplicable angoisse.

« Qu'as-tu? » s'inquiète Charles en la tenant par les épaules.

La réponse se fait attendre. Anna écoute son silence, semble désemparée.

Son soupir, enfin. Haché. Convulsif. Elle se laisse retomber sur le dos : « Je me suis vue glisser. Ma main t'échappait et je tombais au fond d'un trou.

– Ça! C'est la fatigue. Une grande fatigue. J'ai connu ça. Les marches forcées pendant les opérations militaires en Algérie. Il m'est arrivé de dormir en marchant. Je me réveillais en ayant l'impression de rater le trottoir. C'est très désagréable! »

Rassuré, il se penche sur elle et pose sa joue contre son sein.

« Moi aussi, je suis fatigué. Il est sept heures du matin. Il vaudrait mieux dormir. Je vais dormir, dans tes bras, sur ta poitrine, dans tes cheveux de soie. » Soudain, il repense au cabriolet blanc arrêté devant la porte : « Ta voiture! s'exclame-t-il. Il faut que j'aille la ranger sinon elle sera mise à la fourrière. Où sont tes clés? »

Il a bondi sur ses pieds. Anna s'est redressée elle aussi : les bras repliés et croisés devant elle, comme pour se protéger.

« Je préférerais rentrer! dit-elle alors. Rentrer chez moi. Je me sens... un peu fanée. Tu comprends? Je crois que tu as raison : je suis fatiguée, j'ai besoin de dormir. »

Elle se lève et rajuste sa robe en disant : « Es-tu libre, ce soir?

– Oui! Bien sûr, murmure-t-il, vaguement décontenancé.

– Viens me chercher alors. Je prendrai des dispositions, tantôt, pour n'avoir pas à aller au club. Nous aurons toute une soirée, rien que pour nous. Tu veux bien?

– Mais? »

Du regard elle cherche un de ses escarpins qui s'est perdu sur le tapis. Elle le retrouve. Satisfaite.

« Ne sois pas déçu! lui dit-elle en posant sa main sur son cou. De nous deux, c'est sans doute moi la plus pressée d'être dans tes bras et je voudrais te plaire, pour y rester longtemps. Le plus longtemps possible. Jusqu'à présent, nous nous étions vus, nous nous étions plu. Cette nuit, nous avons fait connaissance. Nous n'avons rien à nous promettre, n'est-ce pas? Désormais, c'est écrit. Je vais prendre un amant, Charles Rougier, et ce sera : toi! »

Il n'a plus envie de protester. Il sait qu'elle est déjà à lui comme il se sent à elle. Certes, son amour est désir mais pas seulement. C'est aussi une grande détermination du cœur. C'est une envie d'être au plus près d'elle qui le conduit à... vouloir être... en elle.

« Je t'aime », entend-il. Et plus encore : « Je t'aime, d'amour.

– Je suis heureux, de toi. »

L'un devant l'autre ils s'engourdissent. Anna, la première, réagit : « Avant de venir me chercher ce soir, n'oublie pas de...

– De... quoi?

– De passer à la banque! Et puis... tu me dois aussi cent mille millions de baisers et j'en veux bien un tout de suite, en acompte. »

Lorsqu'il remonte le téléphone sonne. Charles décroche.

« Allô, Rougier? C'est Pelot. Une catastrophe, mon pauvre vieux.

– Une catastrophe?

– Il faut que tu viennes tout de suite sur le tournage des *Misérables,* à Notre-Dame. Ève vient de craquer. Elle est sur une corniche et menace de se jeter dans le vide.

– Ève?

– Oui! Un motard est déjà parti te prendre. Grouille-toi de descendre et attends-le devant ta porte.

– Un motard?

– Un copain de la télé, merde! Mais grouille-toi, nom de Dieu!

– J'arrive! »

Ève? Craqué? Pelot n'avait pas du tout l'air de plaisanter. Il était même franchement affolé...

Devant la porte de son immeuble, le motard de la télévision est déjà arrivé. « Vite, m'sieur. Ça urge. »

Charles saute derrière lui. La moto démarre en zigzag.

« Pelot est tout retourné! crie le motard. C'est votre copine, il paraît?

– Oui! crie Charles. Enfin, oui!

– Cramponnez-vous, on va faire un peu de slalom. »

Devant Notre-Dame, une centaine de paires d'yeux sont levés vers le ciel : en haut d'une corniche Ève semble posée comme un oiseau. Les pompiers sont déjà là. Le tremplin de réception est déplié, tenu par une vingtaine d'entre eux.

Ève refuse de sauter. Refuse de suivre les conseils diffusés par le mégaphone.

« Ça fait longtemps, qu'elle est là-haut?

– Une vingtaine de minutes.

– On ne peut pas aller la chercher?

– Si on monte elle risque de prendre peur et de glisser. Pour qu'elle ne rebondisse pas contre les murs, il faudrait qu'elle saute en avant en prenant un appui et de l'élan. Faudrait qu'elle veuille quoi! Vous la connaisez bien?

– Oui!

– Elle vous écouterait?

– Je pense.

– Allez-y. Bonne chance. Et, ne faites pas d'imprudence. »

Les pompiers et les agents de police-secours l'ont guidé jusqu'à la terrasse de la tour qui permet d'accéder à l'étroite plate-forme au bout de laquelle, Ève, cramponnée à une gargouille de pierre, regarde ceux qui s'agitent en bas.

« Ne lui faites pas peur, surtout. Ne prenez pas trop de risques. »

Charles enjambe le parapet. Il est au-dessus du vide. Une dizaine de mètres à franchir, à califourchon, sur une sorte de longue poutre de pierre. Ève ne le regarde pas.

Pour ne pas être obligé de crier, il faut qu'il s'approche au plus près. Ne pas faire peur à Ève. Ne pas la tirer brutalement de sa fascination devant le vide. Comment a-t-elle pu aller jusque-là?

« Ève? C'est Charles. Tu m'entends? Regarde-moi, je t'en supplie. Ève? »

Elle ne bouge pas, ne tourne pas la tête. Il faut qu'il approche encore pour atteindre ce rebord de la plate-forme au-dessus de lui.

« Ève! Écoute-moi Ève. C'est Charles. Réponds-moi. Tu veux bien me parler, dis? »

Voilà. Il est à moins de deux mètres. Il ne peut s'approcher plus.

Le vent d'hiver lui coupe le visage, lui glace les mains. Le froid le transperce jusqu'aux os.

« Ève, mon amie. Je t'en supplie. Il faut sauter. Prends appui contre le mur et jette-toi le plus loin possible en avant. Tu m'entends, Ève? »

Toujours cramponnée à sa statue de pierre, elle semble regarder ailleurs, en direction des toits de l'Hôtel-Dieu tout proche.

En bas, les curieux se sont assemblés. Avec la télévision, les caméras, les éclairages, certains doivent penser que c'est le tournage d'un film.

« Qu'est-ce que tu fais là? »

Elle a parlé. Charles se sent presque soulagé d'avoir entendu sa voix. Le dialogue est amorcé.

« Je cherche une boulangerie pour acheter un croissant! répond-il en s'efforçant de rire.

– J'ai peur!

– Il faut sauter ma chérie. Il faut prendre ton élan et sauter. Il faut surtout prendre de l'élan. Te jeter en avant. Bien droite. »

Ève s'abstient de répondre. Elle pleure. Perché au-dessus de leurs têtes un pigeon les observe d'un œil rond, étonné.

« Ève. Saute! Je t'en prie! Saute!

– Non! J'ai honte!

– Il fait froid, Ève. On va attraper la crève. Tu auras un rhume, le nez rouge et tu seras laide à faire peur ce soir, pour aller danser. »

Elle hausse les épaules.

« Pense à Bernard. Pense à ton fils. Pense à François, aussi. Il t'aime bien François. Et Pelot? Notre copain Pelot. Il est en bas. Il est fou d'angoisse. Il faut que tu sautes. Je ne peux redescendre que par le même chemin et je ne peux pas sauter le premier. Tu m'entends? Dis, Ève, tu m'entends?

– Je voulais mourir!

– C'est fini, maintenant. Il faut sauter.

– J'ai trop honte!

– Honte de quoi?

– D'être là!

– Si tu sautes, je te ferai une surprise.

– Laquelle?

– Si je te le dis, est-ce que ce sera encore une surprise? »

Elle secoue la tête négativement, toujours cramponnée à sa gargouille.

« Quelle conne je fais! dit-elle soudain. Non, mais quelle conne! »

Elle a réagi, enfin. Elle change de position et le regarde : « Je te demande pardon.

– Sitôt qu'on sera en bas, on partira. Personne ne te posera de questions. Je te le promets. Dépêche-toi, il commence à pleuvoir. »

Elle pleure.

« Dépêche-toi de sauter. J'ai froid. On va aller boire un café chaud. »

Ève fait signe aux pompiers.

Il y a un léger mouvement de foule. Du fond du parvis, des gens arrivent en courant. Ève saute.

Ouf! Elle rebondit sur le tremplin de toile. Les pompiers la prennent en charge. A lui, maintenant. Mais bon sang, comment a-t-elle pu faire pour venir jusqu'ici? Elle devait dormir en rêvant qu'elle était funambule, ou quelque chose comme ça?

Prudemment, Charles gagne la place où se trouvait Ève précédemment.

De son perchoir, il voit Pelot qui serre Ève dans ses bras. Ce grand con est amoureux d'elle. Elle le sait très bien. Elle aime beaucoup Pelot mais pas assez pour avoir avec lui des relations autres que d'amitié. Pourtant le brave Pelot, pour un sourire d'Ève, il prendrait sa carte à la CFDT. Lui, pour un sourire d'Anne... pour une nuit d'amour avec Anne – malgré les cent trois ans que lui octroie généreusement Pelot –, pour Anne...

Charles ne se rend compte de rien. D'un coup, il vient de glisser.

Il part en arrière. Un cri monte de la foule. Son pied accroche quelque chose. Sa jambe craque. Il hurle de douleur et perd connaissance.

***

Rentrée chez elle, Anna s'est plongée dans un bain bouillant et a bu une camomille avant d'aller dormir.

Dormir? Rêver plutôt.

Amoureuse. Elle aime Charles Rougier comme jamais elle n'a aimé personne. Sauf...

Il y avait un manège. Un garçon blond qui lui souriait. C'est si loin.

Mözek, je suis amoureuse d'un garçon de vingt-cinq ans. Tu te rends compte? Et je l'aime! Je l'aime! Je l'aime! Je suis heureuse d'être amoureuse. J'ai envie d'être heureuse. Je vais avoir un homme. Un homme, à moi. Il me prendra dans ses bras. Il m'embrassera doucement, le soir, avant de dormir. Ça va devenir merveilleux, ma vie, Mözek. Ça ne sera plus la merde! Ça ne sera plus jamais la merde!

Noémie la réveille vers trois heures de l'après-midi, comme demandé dans le petit mot laissé à son intention sur la table de la cuisine. Noémie est triste.

« J'ai déjeuné avec Paul. Il ne veut pas que nous revivions ensemble.

– Après ce que tu lui as fait! Divorcer pour aller te remarier en Amérique avec un autre...

– C'est pas à cause de ça! Il dit qu'il m'aime trop.

– J'ai surtout l'impression qu'il ne veut pas recommencer à souffrir. Il était dans un tel état après ton départ. Il errait comme une âme en peine, il ne s'en remettait pas. S'il n'avait pas changé de métier à ce moment-là, s'il n'avait pas commencé à s'intéresser au cinéma, je me demande ce qu'il aurait fait. Angèle te l'a peut-être dit : on a craint qu'il se suicide. Et tu t'étonnes, aujourd'hui, qu'il ne veuille pas...

– On ne pouvait pas avoir d'enfant. Le médecin nous avait dit que nos rhésus étaient incompatibles. Je voulais un enfant à moi, un enfant de moi. A ce moment-là je ne savais pas que je ne pourrais pas.

– Adopte un petit...

– C'est ça. Tu as déjà une fille trouvée dans la rue, t'auras pour petit-fils un petit Chinois qui t'appelleras " Mi-mi ". »

Noémie est furieuse. A cause de Paul, sans doute. Ça lui semble normal de rentrer d'Amérique en disant : « Ben voilà, c'est moi! Je n'ai pas pu avoir d'enfant avec l'autre, alors je reviens avec toi.

– Viens! Viens dans mes bras. Viens me faire un câlin, ma chérie. »

Noémie ne se fait pas prier. Elle s'allonge sur le lit, dans les bras d'Anna, réfugie sa tête dans son cou.

« J'ai peur, maman. Je n'aurai pas d'enfant...

– Tu sais, je n'en ai pas eu non plus. Enfin...

– Mais toi, c'est pas pareil. Tu es ma mère! »

Un long moment de silence plein de tendresse.

« Je ne veux pas vivre seule. Je ne sais pas vivre seule. J'ai besoin de quelqu'un avec moi..., souffle Noémie.

– Prends un amant.

– Ah non, alors! Enfin, tu ne comprends pas que j'aime Paul? que je l'aime depuis longtemps, que je l'ai toujours aimé! »

Anna sort du lit, défroissant entre ses doigts les rubans du décolleté de sa longue chemise de nuit. « Tu devrais dire à Paul que tu as besoin de lui pour adopter l'enfant que vous élèveriez ensemble, que...

– Et tu crois qu'on pourrait...

– Tu peux toujours lui en parler. Ça ne vous engage à rien.

– Et, si c'était toi, qui lui en parlait? S'il te plaît, maman?

– Bien. Je le ferai ma fille chérie. Je le ferai.

– Pour t'encourager, je vais aller te préparer un grand verre de jus d'orange. Tu auras besoin de vitamines pour affronter le mur de l'incompréhension.

– Paul n'est pas plus le mur de l'incompréhension que tu n'es toi celui des Lamentations. Ce que je crois, c'est que vous avez dressé entre vous le mur des confusions. »

Sarah et Noémie sont parties vers dix-neuf heures trente pour l'Opéra-Comique. Elles doivent assister à une représentation des *Contes d'Hoffmann.* Anna est prête. Elle attend Charles en suivant distraitement les informations du journal télévisé.

« Regardez bien les images qui vont suivre, annonce Claude Darget. Elles sont effrayantes. Mais heureusement tout se termine... presque bien.

« Il est sept heures et demie, ce matin. Une équipe de notre chaîne de télévision est au travail sur le parvis de Notre-Dame pour filmer quelques plans raccords des *Misérables,* l'œuvre romanesque de Victor Hugo que Claude Santelli a adaptée pour le petit écran. Soudain, une de nos camarades apparaît, accrochée à une gargouille, en équilibre, vingt-cinq mètres au-dessus du sol. C'est Ève Trinquier, la secrétaire de production. Elle semble vouloir se jeter dans le vide. Elle hésite, ne le fait pas. L'homme qu'elle aime l'a quittée. Cette femme veut mourir. Au dernier moment, elle a peur. Regardez bien, maintenant, l'arrivée de cet homme. Un motard de la télévision est allé le chercher. Il arrive. Il monte. Le voilà, accroché en équilibre sur cette poutre de pierre. Il va parler à la désespérée... »

Anna, fascinée, regarde les silhouettes accrochées à la façade de Notre-Dame.

« Voilà! Il a réussi à la convaincre. Elle saute! La désespérée est sauvée. A lui, maintenant. Et soudain! C'est l'accident : regardez-bien! »

L'espace d'une fraction de seconde, on voit la silhouette de l'homme qui vacille et tombe en avant. Par miracle, il reste accroché par un pied, suspendu dans le vide.

« Le jeune homme a perdu connaissance. Les pompiers déploient la grande échelle. A partir de maintenant tout se déroule en temps réel. Vous pouvez consulter vos montres. En moins d'une minute et demie, la manœuvre sera exécutée, sans une hésitation, sans un geste inutile, par les pompiers de Paris dont on dit qu'ils sont les meilleurs pompiers du monde... Voilà! L'homme est redescendu. »

« Charles? » s'écrie Anna en se sentant devenir toute pâle.

« Il s'appelle Charles Rougier. Il va être acheminé sur l'hôpital de l'Hôtel-Dieu, juste en face. Il a une jambe brisée. Trois fractures ouvertes. Il a perdu connaissance. Il sera transporté directement du lieu de l'accident à la table d'opération. S'il y a un Bon Dieu pour les amoureux, il était ce matin au rendez-vous de Notre-Dame de Paris. Souhaitons à notre camarade Ève Trinquier et au courageux Charles Rougier d'être très heureux ensemble.

***

Charles ouvre les yeux et reconnaît son père. Il se souvient vaguement d'un autre réveil. On lui disait : « Vous êtes sauvé. » De quoi? Il a mal. Odette aurait pu venir! Il se rendort.

Charles ouvre les yeux et reconnaît Ève. Elle pleure.

Il se souvient. Notre-Dame. Sa chute dans le vide, tête en avant.

« Tu es resté accroché par un pied entre deux pierres. C'est un miracle! dit Ève en pleurant. C'est ma faute. Je te demande pardon. »

Toutes ces courroies, ces poulies, ces poids, et la douleur de sa jambe : « J'ai mal », murmure-t-il.

Il a encore dormi. Cette fois, il est réveillé par le médecin.

« Vous voilà avec nous pour quelque temps, monsieur Rougier. Rassurez-vous, l'opération s'est très bien passée, vous n'en conserverez que le mauvais souvenir.

– J'en ai pour longtemps, ici?

– Au moins six semaines. Ce n'est pas une fracture banale... »

Pelot est venu lui raconter son odyssée. Ève a suivi le conseil de ses proches, elle s'est fait hospitaliser.

« Elle va faire une cure de sommeil?

– Non! Il paraît que non. Cette méthode est abandonnée au profit d'une nouvelle thérapeutique. Avec tout ça, qu'est-ce que tu nous as filé les grelots, valeureux p'tit con. »

Son père lui a aussi expliqué ce qu'il a vu à la télévision.

« Maryline demande si tu veux bien qu'elle vienne te voir.

– Non! Je ne préfère pas.

– Tu aurais pu me dire qu'il y avait une femme dans ta vie?

– Si je me suis tu, c'est peut-être parce qu'elle n'avait pas une si grande importance...

– Les journaux et la télévision parlent d'une querelle d'amoureux qui l'aurait conduite à ce geste de désespoir.

– Cela démontre qu'on peut avoir les honneurs de l'actualité sans se rouler dans le porno ni dans les lits des anciens SS.

– Les honneurs... Toi, tu les as sur tous les fronts, mon pauvre vieux! Autant que tu le saches, certains ont fait le rapprochement entre Charles et Maryline Rougier. Tiens, je t'ai apporté le journal. »

Il est donc le mari d'une pute. C'est désormais de notoriété publique. En outre, cet article fait allusion à l'écho des Potins de la commère et brode avec Ève Trinquier pour bien faire pleurer dans les chaumières.

C'est sûrement pour ça qu'Anne n'est pas venue. Depuis deux jours, à chaque ombre qui passe derrière la vitre dépolie de sa porte, il se dit : c'est elle. Plus la peine d'attendre, désormais. Il ne peut même pas téléphoner, il ne peut pas bouger et le seul téléphone se trouve dans le bureau du médecin. Lui faire téléphoner? Mais par qui?

En fin de soirée, son père est revenu avec un autre journal. Cette fois, c'est le bouquet. Partant de l'écho des Potins de la commère, il y est suggéré que Anne Carle est plus ou moins responsable du suicide d'Ève Trinquier.

« Qui est Anne Carle?

– Simplement une amie de mon producteur. »

Puisqu'il ne peut pas lui téléphoner, il va lui écrire. Rétablir la vérité. Il se fait apporter du papier. Elle comprendra. Tout sera dans cette lettre.

***

Après avoir pris des nouvelles auprès de l'hôpital, elle s'était laissé convaincre par les journaux : Charles Rougier était sous le choc psychologique de sa rupture avec Ève Trinquier. Son attitude s'expliquait mieux. Il cherchait une remplaçante.

Que devait-elle faire?

Malheureuse? Incontestablement. Déçue? Assurément. Mais plus encore : furieuse. Vexée aussi.

Elle avait beaucoup hésité. La solution lui était apparue d'un coup. Elke de Simenoff ne lui avait-elle pas lancé une invitation à la rejoindre pour quelques jours, à Rio de Janeiro, pour le Carnaval?

Pas de souci pour le club, Olga pouvait s'en occuper jusqu'en mars.

Le soir même, Anna avait pris l'avion.

⁂

Charles a écrit sa lettre. Ce n'est pas une lettre brillante mais elle est sincère. Anne ressentira cette sincérité. Elle comprendra qu'il avait nettoyé sa vie pour pouvoir l'y accueillir. Il a confiance. Il est sûr qu'elle comprendra. Elle va venir. Il l'attend.

Visite de Paul Laurent : « Anne? Elle est partie pour Rio de Janeiro. » Il ne l'a pas vue avant son départ. Il ne sait rien de plus.

La lettre, postée le matin même, la suivra-t-elle? La rattrapera-t-elle au bout du monde?

En plus d'avoir mal, Charles est très malheureux.

Les jours passent. C'est long les jours quand on attend quelque chose qui ne vient pas.

Par Denis Pelot, il a des nouvelles d'Ève qui se soigne dans un autre hôpital. Par son père, il a des nouvelles de François. Des nouvelles d'Anne, seul Paul Laurent pourrait lui en donner mais il ne sait malheureusement pas grand-chose.

Déjà plus de dix jours qu'elle est partie.

Si la lettre a suivi, elle peut mettre plus d'un mois pour être acheminée jusqu'au Brésil par courrier normal. Peut-être Anne sera-t-elle de retour avant de l'avoir reçue?

Quand rentrera-t-elle? Il le saura, par Paul Laurent.

Marc a l'impression que Charles aimait bien jouer l'homme meurtri par son échec conjugal. Il y gagnait de pouvoir culpabiliser Maryline en se posant comme celui qui restait à plaindre. L'éclat de ses amours secrètes avec Mlle Trinquier a compromis son image d'époux inconsolable. Faisant cette analyse, Marc pense aussi que, pour sa part, s'il n'a encore pas parlé à son fils de l'existence de Caroline Lemarchand, c'est peut-être pour ne pas paraître si vite consolé de la disparition d'Odette.

Ils se sont engagés sur la voie d'une complicité chaque jour plus tendre et ne peuvent plus guère se passer l'un de l'autre.

Caroline se trouve bien auprès de Marc. Avec lui, elle pourrait facilement concevoir de construire une union très douce et elle le sent dans des dispositions d'esprit très voisines. Toutefois, elle avait des projets, avant de le rencontrer. Des projets, qui viennent de rebondir. Par l'intermédiaire d'une petite annonce, elle était entrée en contact avec une dame désireuse de négocier un magasin de prêt-à-porter féminin dans une petite ville de province. Des pourparlers avaient été engagés. Aujourd'hui, l'affaire réclame une décision. Cela implique des engagements financiers. Elle y a réfléchi. Cela entraîne – surtout – une modification radicale dans son mode d'existence : vivre loin de Paris, donc loin de Marc.

Il est une chose qui la chiffonne un peu chez le docteur Marc Rougier : c'est qu'il puisse vivre sans exercer son métier de médecin et sans aucune activité professionnelle. Elle a d'abord cru qu'il était paresseux. Il l'a convaincue depuis que, la vie lui ayant donné une petite fortune personnelle, rien ne lui imposait de se faire l'esclave des contraintes et servitudes du travail.

Vivre de ses rentes – dans cette France de 1965 – de quoi faire rêver. Mais elle ne vit pas de ses rentes. Elle vit de son travail. Un travail qui ne lui a pas encore rapporté le capital nécessaire pour franchir l'étape qu'elle envisage. Il lui faudra donc prendre des risques, ce qu'elle ne peut demander à Marc de partager.

Ce soir, pour la première fois, il a laissé François et accepté de dîner chez elle. Aucun petit plat ne manque!

Caroline n'avait pas du tout envisagé de lui parler de ses problèmes mais – après tout – sa décision est urgente.

Il l'écoute. Avec la plus grande attention.

Assurément, ce qu'elle expose l'intéresse. Ses questions suffisent à le prouver.

« C'est bien simple! finit-il par dire. Nous nous demandons, l'un et l'autre, si nous ne devrions pas faire cause commune? »

Qu'entend-il, au juste, par cause commune, dans une relation fondée sur l'amicale complicité de ces dix-sept ou dix-huit jours?

Il ne lui laisse pas le temps de formuler la question et précise :

« En admettant qu'on se marie, vous n'auriez plus ce problème financier de mutation commerciale. Vous pourriez prendre votre engagement, puisque je prendrais celui de vous aider à le tenir? »

Elle n'avait pas supposé une demande de mariage formulée sur ce ton. Elle a l'impression de débattre un contrat d'accès au bail matrimonial. Il y a autre chose, tout de même?

« Mais, Marc, êtes-vous donc déjà si sûr que vous...

– Je ne suis sûr que d'une seule chose! Je n'ai aucune envie de vous laisser partir en province car je n'ai pas du tout envie de me priver de vous voir tous les jours de ma vie.

– Mais...?

– Mais, si vous voulez partir quand même, sans moi, eh bien, j'en serai infiniment malheureux.

– Malheureux?

– Cela me serait insupportable de perdre la femme que j'aime.

– Que vous aimez?
– Au point de vous demander votre main, Caroline.
– Mais, je... Enfin, moi aussi! Je veux dire, oui! »
Avec cette table, entre eux : elle voudrait bien l'embrasser, son futur mari. Il faudrait qu'elle se lève, qu'elle fasse le tour. Elle ne peut pas, elle a les jambes coupées. Lui aussi peut-être, puisqu'il ne se lève pas non plus.

***

Rien. Il ne peut absolument rien faire. Il est cloué là. Pour des semaines. On l'opérera bientôt une troisième fois. Le chirurgien n'a pas encore fixé de date. Il ne peut qu'attendre.
Au début de son hospitalisation, Paul Laurent est venu le voir deux ou trois fois. Puis il lui a fait porter une lettre : simplement pour l'informer que le projet de coproduction cinématographique s'était réalisé autour du synopsis présenté par un de ses nouveaux associés.

Charles a écrit une seconde lettre à Anne. Puis, une troisième.
Aucune réponse.

Ève Trinquier est sortie de son hôpital le dernier jour de février.
Par l'entremise de Denis Pelot, elle lui a fait demander s'il souhaitait sa visite. Il a refusé.
Il en veut à Ève mais ne souhaite pas lui dire pourquoi.

Désagréable surprise, le 5 mars. Maryline a forcé sa porte.
« Je t'avais pourtant fait dire...
– Je ne t'aurais pas imposé cette rencontre si je n'avais à te parler. »
Elle est bien décidée cette fois à ne pas se laisser agresser ni culpabiliser par les airs de mari mortifié de ce faux janséniste.
« Ton père ne sait pas comment t'annoncer la nouvelle, mais il a l'intention de se remarier. Avec une jeune femme charmante. Caroline Lemarchand. Elle a vingt-sept ans. Elle est commerçante. Sans le vouloir, je suis à l'origine de leur rencontre...
– Il aurait pu me dire tout cela lui-même.
– Il le fera lors de sa prochaine visite. Je l'ai vu à midi, nous avons déjeuné ensemble. C'est sur sa suggestion que je suis la première à t'en parler.
– Je ne comprends pas.
– C'est François.
– Quoi, François?
– Ton père va partir vivre en province. Je ne pourrai pas voir

François si facilement. Il est encore petit. Il a besoin de moi. Moi aussi, j'ai besoin de lui, alors... »

Ses griffes sont prêtes. S'il dit non, elle...

« Je comprends. C'est normal.

– Vraiment? Tu?... Tu acceptes...? Tu, voudrais bien?

– Que tu reprennes François? C'est normal. C'est ton enfant. »

Hésitante, Maryline le regarde. Ne sait que faire. Que dire. Elle est trop émue. Elle voudrait pouvoir rire et pleurer en même temps. Finalement, elle lui saisit la main qu'elle embrasse en s'écriant : « Oh Merci, Charles! Oh, merci! Merci! Parce que... c'est... Je veux dire qu'il est... Enfin, c'est aussi... ton fils, à toi! »

***

*Rio de Janeiro*

Elle est arrivée sans autre bagage que sa brosse à dents, sa lime à ongles et son peigne. Elke de Simenoff s'est empressée de mettre à sa disposition l'appartement que son mari réserve habituellement aux invités les plus prestigieux et a donné des ordres à ses deux femmes de chambre pour que sa garde-robe lui soit grande ouverte.

Après avoir dormi trente-six heures d'affilée, Anna s'est réveillée – un matin à sept heures –, est sortie respirer sur la terrasse de sa chambre et a plongé dans la piscine.

Une demi-heure plus tard, devant un copieux petit déjeuner, elle donnait ses ordres.

Au cours de la matinée, se sont succédé masseur, esthéticienne, manucure, coiffeur, et couturier.

Pour célébrer avec faste l'arrivée de son invitée, Elke a lancé des invitations à certaines de ses amies : filles ou femmes de milliardaires venues oublier là les rigueurs de l'hiver européen tandis que leurs pères ou époux s'épuisent dans leurs laborieuses obligations et sillonnent les continents de croisières en safaris.

Un dîner de dames, donc, près de la piscine, avec orchestre de Cariocas sur fond de chants de grillons dans la nuit brésilienne. Petit ballet de boys : deux Noirs et huit Blancs, entièrement nus, recrutés avec soin parmi les plus beaux spécimens mâles de la ville par une agence spécialisée dans ce genre de services.

La touffeur tropicale, le champagne rosé, la danse et la musique, ont progressivement produit leurs effets sur Anna réfugiée dans les bras de Ruggiero, un étalon métis dont Elke – utilisatrice avertie – lui avait chaleureusement recommandé les prestations tendres et vigoureuses.

Ruggiero ne parle pas français. Elle ne parle pas portugais.

Ruggiero ne parle pas d'amour. Il le fait.

Quinze nuits plus tard, il faut bien songer à rentrer à Paris. Cela s'impose d'autant plus que Elke doit partir pour Melbourne rejoindre son mari.

Fini les folles nuits de ce mois de Carnaval.

« But, ma cheu-rie! Pourquoi n'irais-tiou pas peusser la temps que tou veux dans la villa de Miami? Tiou fera la coonnaître avec Angela Fisher qu'il est tiune écrivain qu'elle heubite le maison voisine. Youne very fantastic person! »

Anna aurait deux bonnes raisons de rentrer. Ne pas laisser Noémie trop longtemps seule dans un moment particulièrement difficile de sa vie. Et – aussi – s'occuper du club puisque Olga quitte la France le 10 mars.

Une seule question se pose. Elle n'est pas certaine d'avoir acquis tout ce qu'il lui faudra de sagesse pour s'en tenir à sa détermination de ne jamais revoir Charles Rougier.

« OK pour la Floride.

– Tiou peux emmène Ruggiero dans ta sac de main, si tou veux. Mais je te pas le conseille. Après avoir viou Angela, tou regretterais de younutilement avouar chargé ta luggage. »

Elle a donc fait sa valise: brosse à dents, lime à ongles, et peigne.

« Pourquoi ne dis-tiou pas à ton fille de ta rejointe, to Miami?

– Excellente idée. Je téléphone.

– A Peuriss?

– Non! A San Fernando de Apure, au Venezuela. »

Après tout. Elle a aussi un fils.

Elle ne s'était pas trompée en supposant que Michel Lemoind pouvait être dans sa résidence sud-américaine : « Dites-moi, Michel, Zeitschel, Helmut Zeitschel. Ou Karl Zeitschel. Est-ce un nom qui vous dit quelque chose? – Désolé. Rien du tout, ma chère Anna. – Tant pis! – A bientôt, ma chère. »

Le 8 mars suivant, Noémie et Sarah venaient la rejoindre à Miami.

Elles lui apportaient une excellente nouvelle. Angèle avait pris en main l'interim de la direction du Club pour le temps de son absence.

Télégramme immédiat.

« *La vie est formidable quand on a une amie. Anna.* »

Sarah lui apportait aussi une coupure de journal.

Il y était fait référence à un écho mondain paru dans les Potins de la commère, à la suite de la soirée anniversaire du Club 16.

L'article s'achevait par ces mots :

« ... Tempérament de briseuse de ménages de la belle

Mme Carle ayant choisi pour victime le cœur pur et influençable d'un jeune garçon de vingt ans son cadet, pour démontrer avec éclat, une fois de plus si besoin en était, un mépris pour les hommes dont la réputation n'est plus à établir. »

Commentaire de Sarah : « Je l'ai échappé belle. Je serais devenue lesbienne, si j'avais cru en ton amour. »

Commentaire de Noémie : « Finalement, que vas-tu en faire de ta voiture?

– Comment sais-tu ça?

– Ben! Paul!

– Ah bon! parce qu'il s'est enfin engagé sur la voix des concessions?

– Seulement sur celle de... quelques vagues confidences.

Quarante-huit heures plus tard, Anna recevait un télégramme, de Paris.

*« Une amie, c'est fait pour ça. Angèle. »*

# LIVRE TROISIÈME

*1965-1981*

## *FRANÇOIS*

# PREMIÈRE PARTIE

## *Le retour du père*

*Paris, printemps 1965*

En Allemagne, en Angleterre, en Hollande, au Danemark, en Suède, en Italie – dans tous les pays d'Europe où s'exprime la démocratie – on a entendu « l'appel d'Alger » lancé par l'ex-maquisard Josef Bröz (alias le maréchal Tito). Stupéfiant le monde par une spectaculaire prise de position contre la politique du président Johnson dans le Sud-Est asiatique, une voix américaine lui a répondu : celle du jeune attorney général * Robert Kennedy, frère du président assassiné à Dallas dix-huit mois plus tôt. Une simple phrase, face au Congrès : « On ne gagne pas la paix avec des canons **. » En l'espace d'une nuit, le bouillonnement des campus s'est amplifié outre-Atlantique : « Négociez au Viêt-nam. Arrêtez la guerre. » Jusqu'en Amérique latine, une immense flambée d'indignation soulève la jeunesse du monde occidental : « *Nous voulons la paix universelle!* »

Si Marc Rougier, en cette fin d'après-midi, se trouve place de la Bastille, point de départ de la grande manifestation unitaire contre la guerre du Viêt-nam, ce n'est pas précisément la raison qui l'amène dans ce quartier.

Ces trois dernières semaines, il a étudié de très près le dossier de l'éventuelle mutation commerciale de Caroline Lemarchand. Tout bien pesé et même en espérant négocier au mieux les biens qu'elle peut réaliser, cette affaire saine et séduisante ne peut se conclure qu'en triplant le capital dont elle dispose. Entendant l'énoncé chiffré de l'analyse financière, Caroline a failli s'évanouir. Les yeux rougis de larmes elle a murmuré : « J'étais folle de rêver à ce point. Je ne me rendais pas compte. »

---

* Équivalent du garde des Sceaux, en France.

** Autre traduction admise : « Ce n'est pas avec des canons qu'on gagne la liberté. »

Il règne une étonnante atmosphère de kermesse, sans doute véhiculée par ceux qui font allègrement circuler canettes de bière et bouteilles de vin destinées à soutenir le moral à défaut de la cause. Toute cette effervescence l'inquiète un peu car, Marc transporte sur lui pour près de deux cents millions d'anciens francs en bijoux.

Il a pris la décision de faire sortir une partie de son trésor de guerre. Bien sûr, la vente de ses biens, à Juan-les-Pins, aurait suffi, mais elle l'aurait privé d'une source de revenus et, surtout, obligé à apparaître nommément dans une transaction officielle. Il n'y tient pas. Il a donc préféré se dessaisir d'une parure de diamants : collier, bracelet, solitaire, diadème et boucles d'oreilles. Dans un journal de diamantaires, il a relevé l'adresse d'une entreprise portant un nom français : Duval, Lequesne & Cie. Il a rendu une première visite à ces négociants en joaillerie et expliqué qu'il souhaitait se défaire de bijoux ayant appartenu à sa mère. L'impression a été bonne : il s'est convaincu qu'il pouvait envisager de s'en remettre à eux sans risque excessif.

Un bureau confortable. Genre anglais. C'est M. Lequesne qui le reçoit. Après un examen prolongé de chacune des pièces de la collection, le joaillier déclare : « Ce sont des œuvres magnifiques, monsieur Dilimon. »

Pour cette transaction, Marc a estimé prudent de se dissimuler sous cette identité dont il s'était servi en 1943.

« Compte tenu de l'importance exceptionnelle de cette parure, j'aimerais faire procéder à un contrôle de mon estimation par un confrère. Y verriez-vous un inconvénient?

– C'est tout à fait normal. »

Le diamantaire décroche son téléphone, convient d'un rendez-vous, à dix-huit heures quarante-cinq, avec son interlocuteur.

« Je vous propose de patienter, monsieur Dilimon. Ma secrétaire va vous installer dans le salon.

– Puis-je donner un coup de téléphone?

– Bien entendu, voyez ça avec elle. »

Après avoir brièvement appelé Caroline, Marc n'a plus qu'une heure à attendre. Il n'est pas inquiet. La collection de pierres précieuses qu'il propose soutiendrait toutes les expertises les plus sévères.

Ces bijoux faisaient partie des biens d'une grande famille israélite que la direction des Affaires juives avait demandé d'interner, en 1942. Il était présent lors de l'ouverture du coffre et s'était chargé de la saisie de cet écrin pour la cassette personnelle de Kurt Lischka. Les précipitations dues à l'attentat du 27 mai contre Heydrich, avaient justifié le départ précipité pour Berlin des hauts responsables de la Gestapo. Au retour, Lischka avait bien d'autres soucis que les diamants.

Dix-huit heures quarante-cinq. Marc est introduit pour la seconde fois dans le bureau du diamantaire. Les experts sont deux. On n'est jamais trop prudent. Pas de présentations. Nouvelle expertise des bijoux. Conciliabules discrets et serrés.

M. Lequesne se décide à faire une offre : « Nous sommes d'accord pour huit cent mille dollars. Soit, près de trois cents millions de nos anciens francs. Toutefois, vous comprendrez que remettre ces pièces sur le marché pose quelques problèmes. Qu'il s'agisse d'Anvers ou de Boston, voire même sur des débouchés du Moyen-Orient, il nous faut justifier l'origine des pièces, expliquer comment nous sommes en leur possession. Vous me comprenez, monsieur... Dilimon...? »

Marc n'a pas aimé cette façon interrogative de prononcer son nom. D'un coup, l'atmosphère se charge d'une lourde agressivité à son égard.

– Que souhaiteriez-vous?

– J'ai tout de suite identifié ces bijoux. Ils appartenaient à Mme Fiona Reinhart-Pigowski, née Rostrogow, qui les tenait de sa tante, la princesse impériale Liouba, nièce du tsar Alexandre II. Ce sont des pièces très connues. Le capitaine Moshé Lehmann, des services secrets israéliens, serait content de savoir comment elles sont parvenues entre vos mains. »

Intervient, alors, l'un des deux « experts ».

« La dernière fois que cette parure a été vue publiquement c'était en mars 1939. A l'occasion d'un bal au profit de l'œuvre culturelle russe de Paris. Nous savons qu'elle se trouvait dans le coffre-fort personnel de M. Reinhart-Pigowski au moment de son arrestation par la Gestapo, en 1942. »

Le joaillier reprend : « Le capitaine Lehmann aimerait donc comprendre comment vous êtes entré en leur possession, monsieur... Dilimon...?

– Je n'ai pas d'explications à vous donner sur les tractations qui ont pu avoir lieu, à cette époque, entre la famille Reinhart et la mienne.

– Certes, monsieur Dilimon concède le capitaine Lehmann. D'autant que vous auriez les plus grandes difficultés à le faire. J'ignore tout de la famille Dilimon. Je ne connais, du reste, pas davantage les descendants de Mme Fiona Reinhart-Pigowski. En revanche, je sais pertinemment que les bijoux ici présents ont été saisis directement par le KDS de Paris. Vous avouerais-je que j'ai été déçu en vous voyant entrer dans ce bureau? J'espérais l'Obertsturmbannführer SS Kurt Lischka, matricule 195/590 au RSHA. Après la chute de Berlin, il a eu la chance de pouvoir se retirer, bien tranquillement, en Allemagne de l'Ouest. Il était fondé de pouvoirs d'une grande entreprise de Cologne quand il a été identifié. J'ai cru un instant avoir retrouvé le grand superviseur des journées de juillet 1942. Hélas, je dois me contenter d'un beaucoup plus petit poisson. N'est-ce pas Herr Hauptsturmführer Zeitschel?

– Mais...?

– Il y a vingt minutes encore, je vous croyais mort, en 1943, comme vous l'aviez si bien simulé. Dès votre entrée, je vous ai reconnu. Le dossier de Kurt Lischka comporte plusieurs photographies sur lesquelles vous apparaissez. Depuis tant d'années, vos traits me sont devenus familiers et même si, me semble-t-il, vous y avez fait apporter quelques petites retouches, ce n'est pas au point de vous rendre méconnaissable.

– Mais?...

– Mais? Herr Zeitschel?

– Vous faites erreur. Il doit s'agir d'une ressemblance. Vous êtes abusé par une ressemblance fortuite avec...

– Enlevez votre chemise, Herr Zeitschel.

– Comment?

– J'ai dit : enlevez votre chemise! S'il n'y a pas sous votre bras le tatouage de votre groupe sanguin ou la trace de sa suppression par mode chirurgical, vous aurez droit à mes excuses.

– C'est inadmissible.

– Faites ce que je vous dis, Herr Zeitschel. »

Jusque-là silencieux, l'autre « expert » se glisse derrière Marc et lui place sur la nuque le canon froid d'un revolver : « Fais ce qu'il te dit! »

***

Plongée dans les embouteillages causés par la dispersion de la manifestation contre la guerre du Viêt-nam, Caroline est si énervée qu'elle en pleurerait. Depuis vingt minutes, avenue de l'Opéra, sa petite mini Cooper S fait du sur place.

Temps perdu. Temps gagné sur l'instant d'affronter l'épreuve.

Depuis bientôt trois mois, elle a réuni beaucoup d'informations à son sujet. Ce n'est pas quelqu'un de facile. Il peut très bien refuser de comprendre, considérer injustifiable son intrusion. Dieu sait ce qu'un homme peut imaginer dans de semblables circonstances.

« Serrez! Serrez! Serrez! » s'énerve un agent de la circulation en se penchant à sa portière.

Qu'est-ce qu'on lui dit? Qu'est-ce qu'on lui veut?

« Faut pas roupiller, mademoiselle. Je vous dis de serrer.

– Excusez-moi! » répond-elle en s'empressant d'avancer d'un mètre cinquante pour coller au pare-chocs de la voiture qui précède.

***

La situation est la suivante : devant lui, assis à son grand bureau, le joaillier. A sa droite, le capitaine Lehmann. Derrière, l'homme armé. Pas grande chance d'en sortir. Comment gagner du temps?

« Celui dont vous parlez, capitaine Lehmann, était mort lors du procès de Nuremberg si j'en crois ce que vous dites?

– Il vient de ressusciter, puisque vous êtes là.

– Quelles qu'aient été ses activités militaires durant la guerre, il ne pouvait – étant mort – faire l'objet ni d'un jugement ni d'une condamnation par le haut tribunal militaire allié?

– Évidemment! Mais, je ne...

– Cet homme n'ayant pas été condamné, que pourriez-vous lui reprocher?

– Tous les SS sans distinction ont été condamnés comme criminels de guerre. Assez joué à l'innocent, monsieur Zeitschel.

– Dilimon. Je m'appelle Marc Dilimon. »

***

Châtelet. Le quai de la Mégisserie est aussi encombré que l'était le quai du Louvre. Dix-neuf heures quinze. Caroline est à bout de nerfs : « Si je sens la moindre hostilité... Si je sens qu'il m'en veut... Si je sens que ça tourne mal... »

« Alors! elle l'avance son tas de ferraille, la p'tite dame? »

***

« Je ne demande qu'à vous croire, monsieur Dilimon. Je vous en prie, nous sommes entre hommes que diable! Ôtez votre chemise et prouvez-nous que vous n'avez pas été tatoué dans une école de la SS.

– Soit! S'il faut en arriver là, allons-y. »

Faisant mine d'ôter son imperméable, Marc se détourne vers l'homme au revolver : « Ne me serrez pas d'aussi près, s'il vous plaît. Ce que vous tenez dans la main n'est pas un jouet en plastique. »

L'homme recule un peu. C'est suffisant pour lui permettre une manœuvre de combat jadis apprise à Bad-Tölz. Les deux autres n'ont pas le temps de réagir que, déjà, il a l'arme dans la main et se sert de celui qui la tenait comme bouclier.

« Capitaine, si vous êtes armé, veuillez poser votre revolver sur le bureau.

– Je ne suis pas armé.

– Ôtez votre veste et jetez-la sur le canapé. Maintenant, placez-vous contre le mur, mains sur la tête, en me tournant le dos. A vous Lequesne. »

Le joaillier s'exécute. De mauvaise grâce, mais il s'exécute. Marc lâche alors l'homme qu'il a désarmé : « Allez vous joindre aux autres, maintenant. Même consigne, même position. »

« Il est dix-neuf heures vingt-cinq. Y a-t-il encore du personnel dans vos bureaux, Lequesne?

– Non. Ma secrétaire partait quand elle vous a fait entrer.

– De quelle somme en argent liquide disposez-vous dans votre coffre?

– Je n'en sais rien.

– Vous m'étonnez! »

Une autre réponse se faisant attendre, Marc renouvelle sa question.

« Dix mille dollars, mille livres sterling. Et environ deux cent mille francs...

– Soit deux cent soixante mille francs. Nous sommes loin du compte. Et en bijoux? En pierres précieuses?

– Quelques cailloux. Pas grand-chose.

– Pour combien?

– Je ne sais pas au juste.

– Mais encore?

– Disons cinq cent mille francs.

– Cela nous conduit à sept cent soixante mille francs. Soixante-seize millions de centimes, c'est déjà mieux.

– Mais... proteste le joaillier.

– Ce n'est pas moi qui vous ai mis dans cette situation compliquée, Lequesne. Je ne pensais pas que votre « & Cie » puisse s'appeler la Haganah.

– Je suis du groupe des Cinquante! rectifie le capitaine Lehmann.

– Le groupe de Sam Halévy?

– Le groupe dont Sam Halévy est un des membres, en effet. Vous le connaissez?

– Comme vous-même connaissez Kurt Lischka, ou Helmut Zeitschel, ou d'autres. Pas vraiment sur un plan amical. Voilà ce que je propose, Lequesne. Je vais prendre ce que contient votre coffre. Cela représente environ le quart du montant des pièces que j'étais venu négocier avec vous. Je vais donc vous dédommager en vous laissant le collier de Mme Reinhart. Dans ces conditions, je n'aurai pas le sentiment de vous avoir volé. Capitaine Lehmann, attachez les mains de votre adjoint dans son dos avec les embrasses des rideaux. Exécution! »

A son tour, le joaillier s'emploie à ligoter le capitaine. Marc vérifie la solidité des liens.

« A nous deux, Lequesne. Où sont les clés de votre coffre? »

Il hésite puis considère sans doute n'avoir pas d'autre solution.

« Dans le coffre-ventouse du tiroir central de mon bureau. »

Ouverture du tiroir. Vérification qu'il ne contient pas d'arme.

« Vous allez ouvrir votre coffre. »

Le vieil homme compose le numéro qui libère l'ouverture de la serrure. Puis donne un demi-tour de clé, et compose un second numéro. La clé effectue un tour complet. La porte du coffre s'ouvre.

Lequesne tend la main. Redoutant qu'il sorte une arme, Marc lui plante le canon de son revolver dans les reins.

Saisi, le joaillier repousse la porte. Le coffre s'est refermé : « Qu'alliez-vous faire monsieur Lequesne?

– Allumer la lumière intérieure. Elle fonctionne mal... Vous m'avez fait peur.

– Recommencez. Quand votre coffre s'ouvrira, reculez de deux pas. »

Le joaillier obéit.

Marc jette un coup d'œil à l'intérieur. Sur la gauche, un commutateur. Il l'enclenche.

« Votre éclairage ne semble pas fonctionner, en effet. »

Les sommes énoncées sont en grosses coupures donc relativement peu encombrantes. Marc les empoche. Les cailloux du diamantaire sont dans une bourse de cuir : une trentaine de pierres taillées, de différentes grosseurs. De l'écrin resté sur le bureau, il extirpe le collier de la parure et le met dans le coffre sous les yeux de Lequesne avant de refermer la porte et de lui rendre la clé.

« Correct?

– Correct... soupire la joaillier.

– Je n'ai plus de liens pour vous attacher. Déshabillez-vous!

– Me déshabiller?

– Oui. Complètement. On n'a jamais vu un homme nu poursuivant quelqu'un dans la rue. »

Sous la menace du revolver, le vieil homme s'exécute.

Marc arrache le fil du téléphone pour lui ligoter les mains dans le dos. Il est un peu court pour être efficace mais tiendra bien quelques instants.

Dernière précaution, avant de sortir du bureau, il prend la clé de la porte, à l'intérieur, et les enferme.

« Haut les mains! entend-il alors dans son dos. Jetez votre arme. Ne vous retournez pas. »

***

Plus que cinq cents mètres... Il est presque vingt heures et la circulation est toujours aussi dense. Une heure et demie pour traverser Paris. Vivement la province! Vivement Melun!

Si, tout à l'heure, au téléphone, elle n'avait pas promis à Marc... elle rentrerait chez elle. Enfin, elle ne se laissera pas intimider. Si elle sent une opposition, une hostilité, elle l'attaquera de front, franchement. Elle s'entend déjà : « Eh bien, justement, parlons-en! Vidons l'abcès! » Comme le dit sa mère : « Ma petite Caroline, dans la vie il faut savoir risquer pour pouvoir gagner. » Elle verra bien. Elle verra...

⁂

« L'alarme du coffre vous a trahi! Qu'avez-vous fait à mon père? Je viens de vous demander de jeter votre arme, monsieur Dilimon. »

Marc les bras levés, tient toujours le revolver en main : « Le cran de sûreté est enlevé. Le coup risque de partir tout seul si je la jette sur votre plancher. Le mieux serait... »

Sa réaction est si soudaine, si rapide, que le fils Lequesne n'a pas le temps de réagir. Une violente ruade dans l'estomac vient de le plier en deux. En se redressant, il essuie un coup sur la nuque qui l'envoie au tapis.

La porte palière est restée entrouverte. Marc se précipite, dévale quatre à quatre les premières marches.

« Arrêtez! Arrêtez! » entend-il.

Le fils Lequesne a vite repris ses esprits.

« Arrêtez, ou je tire! »

Marc a toujours le revolver de Lehmann à la main. Il se retourne. Un coup de feu claque.

Enfin!... Elle est arrivée rue Royer-Collard.

Devant la porte de l'immeuble, elle a une hésitation puis – se répétant qu'elle doit affronter cette redoutable corvée – elle se décide.

Marc est peut-être déjà rentré, espère-t-elle en grimpant l'escalier. Elle sonne. Attend. On ouvre. C'est lui.

« Bonjour! Je suis Caroline Lemarchand.

– Charles Rougier.

– Votre père m'a prié de vous dire qu'il serait retenu un peu tard. Il n'est pas arrivé avant moi, par hasard?

– Non, non! Mais, entrez donc...

Il ne ressemble pas tellement à Marc, mais il est grand, lui aussi. Il s'appuie sur une canne anglaise, pour soulager sa jambe immobilisée par un plâtre. Caroline s'enquiert : « Vous souffrez encore?

– Un peu oui. La broche dans le genou. Mais ça ira mieux dans quinze jours, quand on me l'enlèvera. Vous savez où se trouve le salon... »

Elle s'y dirige.

« Ce n'est pas trop dur, ces premiers jours, livré à vous-même?

– Puisque mon père m'envoie sa charmante fiancée, de quoi me plaindrais-je? »

Caroline se sent toute heureuse qu'il ait dit cela. C'était sans sous-entendu.

« Je crains de n'être qu'une piètre infirmière. Mais, si je peux vous aider...?

– Eh bien... j'avais promis de mettre la table et malgré toute ma bonne volonté, je ne suis pas très avancé.

– Je vais le faire. »

Sous son manteau, qu'elle vient d'ôter, Caroline porte une robe simple et seyante. Une coupe presque droite, avec un léger effet de biais dans la jupe. Un coloris clair, pour ce premier jour du printemps.

« Vous êtes très jolie. Je trouve que mon père a le meilleur goût qui soit. Je ne tarderai sûrement pas à être aussi amoureux de vous que je l'étais de celle qui... m'a élevé.

– Votre père m'a beaucoup parlé de votre attachement à Odette. Mais je suis très intimidée par votre compliment et, puisque nous en parlons, sachez que...

– Non, Caroline. Vraiment. Vous n'avez rien à justifier. Rien à expliquer. Mon père est veuf et je suis heureux qu'il vous ait rencontrée. Depuis qu'il vous connaît, il est plein d'une joie de vivre que je ne lui soupçonnais plus. C'est à moi de vous remercier pour sa métamorphose. »

Tout ce qu'elle a pu craindre de cette entrevue s'est évanoui en quelques mots. Le fils de Marc lui paraît charmant, même si elle le sait intransigeant avec cette pauvre Maryline.

« Comment va François?

– Sa mère doit me le confier demain soir, pour quelques jours. Elle part pour Londres, faire des photos. D'habitude, elle le laisse chez ses parents, mais cette fois, elle m'a proposé de le garder. Malgré ma patte, j'espère pouvoir faire face. Et vous, Caroline, aurez-vous des enfants?

– Vous commandez un petit frère? s'exclame-t-elle en riant.

– A condition de vous y mettre vite, François ferait un excellent compagnon de jeu pour son oncle... »

Caroline se sent bien. Charles n'est pas hostile. Au contraire, détendu et chaleureux. Mais elle a aussi l'impression que quelque chose le tracasse. Quoi?

« Vous êtes content à l'idée de reprendre cet appartement quand nous serons partis pour Melun? » lance-t-elle gaiement.

Le fils Lequesne a tiré. Marc a riposté. Marc a été touché. Le fils Lequesne s'est effondré. Marc souffre du bras gauche. Il verra ça plus tard. Il dévale les trois étages. Pourvu qu'il n'ait pas tué ce garçon... Personne sur son passage. La rue. Il fait déjà nuit.

Sa manche est toute tachée, il ôte son imperméable et le jette sur son épaule. Dix-neuf heures quarante-cinq. Sur les trottoirs du boulevard, des petits groupes de gens venus manifester demeurent encore agglutinés ici ou là. Les Lequesne donneront son signalement. Ça risque de virer à la sale histoire. Et cette blessure, il faut la faire soigner. Il ne peut pas aller chez le premier médecin venu. Ça ne doit pas être si grave. En tout cas, il ne souffre pas énormément.

Une rue transversale.

C'est une petite rue. Des bistrots plus ou moins louches, plus ou moins mal famés. Beaucoup de Noirs et d'Arabes, à première vue. Pas d'uniforme. Pas de manifestants attardés, non plus, il est vrai. Que va-t-il dire à Caroline au sujet de cette blessure? Où va-t-il se faire soigner?

Soudain, au coin d'une rue, surgissent d'un bar quelques hommes qui en sont venus aux poings dans une querelle. Une femme pousse des cris hystériques. Les hommes se cognent. On cherche à intervenir pour les séparer.

Ne voulant pas être pris à partie dans cette rixe qui lui coupe la route, Marc rebrousse chemin. A cet instant, une détonation courte, sèche. Une femme se met à hurler. Second coup de feu. Marc s'aplatit contre le mur. Il est trop près pour s'enfuir. Il risque, dans la confusion, de se faire tirer dessus. Doucement, il se glisse jusqu'au couloir d'entrée d'un immeuble.

On ne tire plus mais on se bagarre ferme. Il ne s'écoule pas longtemps avant que se manifestent les sirènes de police.

***

Il est presque neuf heures.

« Marc ne devrait plus tarder, maintenant?

– Je ne m'inquiète que pour mon estomac qui crie famine! » assure Charles en souriant.

De quoi ont-il parlé, jusqu'à présent? De tout et de rien. Des détails sans importance. Ils faisaient connaissance.

« Êtes-vous aussi musicien que votre père?

– Hélas non! Quand j'étais gosse, ça le désespérait. Il a très vite renoncé. Et vous?

– J'ai suivi des cours de harpe, autrefois, avoue Caroline.

– L'instrument qui s'accorde le mieux au chant des sirènes...

– En ce qui me concerne, je n'ai jamais dépassé les trois notes d'une sirène d'ambulance. Surtout soyez gentil : n'en parlez pas à Marc. Il me ferait du chantage pour que je reprenne mes cours et j'aurais atrocement honte d'être si peu douée.

– D'accord! Ce sera notre secret. Moi, j'ai résolu ce genre de problème, il me paierait plutôt que de m'entendre jouer. C'est probablement ma mère qui m'a légué une oreille si peu musicienne.

– Vous ne l'avez presque pas connue, je crois?

– Je ne m'en souviens pas en tout cas. Je suis né en mars 1940. Elle a été arrêtée par les Allemands au début de 1942.

– Marc m'a dit qu'il n'avait jamais pu savoir ce qu'elle était devenue.

– En ce qui concerne son père et sa sœur, il a appris qu'ils avaient été fusillés pour faits de Résistance. Mais sur ma mère, les dépouillements de listes d'otages ou de déportées n'ont rien révélé. Elle était communiste. Odette pensait qu'il aurait fallu enquêter auprès de ceux qui avaient fréquenté la cellule de son lieu de résidence. »

Caroline préférerait laisser Odette dans l'ombre. Elle lance : « Le parti communiste est en pleine extension depuis ces dernières années. Votre mère serait contente si elle voyait ça.

– Je ne suis pas si sûr qu'elle ait été communiste. Beaucoup de ceux qui ont choisi de lutter contre les Allemands, pendant l'Occupation, l'ont fait sans se préoccuper d'idéologie politique vous savez. En ce qui concerne la forte poussée communiste actuelle, il suffit de dresser le bilan de la France pour se dire qu'il ne peut en être autrement. La situation sociale des travailleurs n'a cessé de se dégrader.

– Je croyais que c'étaient les patrons qui se plaignaient?

– Vrai aussi. Pour privilégier son rayonnement extérieur, de Gaulle a tendance au malthusianisme économique intérieur. Mais, s'il y en a qui ont surtout le droit de se plaindre, ce sont bien les huit millions de Français qui habitent des lieux dits " en état de surpeuplement critique " ou " en état de surpeuplement temporairement admissible ". Convenez qu'il n'y a qu'une légère distinction dans l'horreur. »

Ce sont là des considérations auxquelles Caroline ne s'intéresse que d'assez loin.

« Je ne sais pas... convient-elle.

– Eh bien, les mal logés, eux, ils savent. Les étudiants, aussi, qui s'entassent dans des universités surchargées à trois cents pour cent et dans lesquelles la pénurie des maîtres-assistants n'arrange rien. Vous verrez, il y en aura pour s'étonner le jour où ils découvriront que dans de telles conditions ont pu mûrir quelques rancœurs. »

« Y'en a marre des bics. – C'est tous les soirs comme ça. – L'ont voulue, leur Algérie? Z'ont qu'y aller. – Y'en a qu' pour eux. – Qu'ils foutent le camp, ça f'ra d' la place pour les Français »...

Propos échangés d'une fenêtre à l'autre : dans cette petite rue pauvre d'un mauvais quartier, ils semblent autant de défis anonymes et révélateurs d'un état d'esprit.

« Qu'on les foute dehors et qu'on nous laisse tranquilles, merde!

– Hier t'itais bien content d' nous trouvi pour alli s' faire troui la peau à la guirre. »

Des coups de sifflets, vindicatifs, rageurs. De son poste d'observation, Marc peut suivre l'essentiel des événements. Les agents se ruent dans le café d'où est parti la bagarre. Une vitre vole en éclats.

Mieux vaut ne pas rester là où il est. Sans allumer la minuterie, il monte dans les étages de cet immeuble délabré et vétuste qui sent l'humidité, la soupe froide et l'eau de Javel. Aux aguets, il écoute les rumeurs de la rue et cela éveille un souvenir ancien. Très ancien. Lorsqu'il avait seize ou dix-sept ans. Lorsque les nazis de la nouvelle Allemagne multipliaient les saccages de magasins juifs. Ça se passait aussi la nuit. Avec le décorum en plus : la lumière des torches, la mise à sac complète.

La minuterie s'allume. Quelqu'un va venir. Une porte s'est ouverte à l'étage du dessus. Marc entend une femme crier : « Vas-y pas! Je t'en prie, vas-y pas! – Fous-moi la paix grognasse! » Juste le temps de se dissimuler dans un recoin de couloir du palier pour voir un type, béret rouge et tenue léopard, dévaler les marches en criant : « Je vais m'en faire que'qu' zuns de ces salauds de félouzes!

– Non, Michel! Non! Reviens! » crie encore la femme.

Elle l'a poursuivi et s'arrête à l'étage où Marc se dissimule. Il ne la voit pas. Il l'entend pleurer et geindre : « Vas-y pas, Michel! Vas-y pas! »

La porte, juste en face, s'ouvre sur un petit vieux en bretelles, le béret vissé sur le crâne.

« Monsieur? » s'étonne-t-il.

Marc se compose sur-le-champ une attitude.

« Je suis... Je cherche... M. Duval, s'il vous plaît? Je suis, l'encaisseur de... son assurance.

– Duval. Duval... grommelle le vieux en tétant le mégot éteint de sa Boyard papier maïs. Eh b'êê! Duval : j' crois ben qu'on n'a jamais eu l'artic' en magasin. Un Durand, ça f'rait pas vot' affaire? »

Marc s'écarte, l'homme traverse le couloir et pousse la porte des waters communs.

La femme, une petite boulotte vaguement blonde, pieds nus sur le carrelage délabré, s'est retournée. Son rimmel a coulé de ses yeux et lui fait de grandes traces noirâtres sur les joues. Elle est en nuisette : rose, courte, avec des rubans, assez transparente pour laisser deviner une poitrine avachie aux larges aréoles brunes.

« Mi-i-i-chel... soupire-t-elle.

– Vous connaissez, M. Duval? demande Marc.

– J'ai-ai-p... peur! répond-elle en claquant des dents.

– Ça va se calmer, madame. Ça va se calmer... »

Elle a l'air d'une folle et se penche à nouveau par-dessus la mauvaise rampe pour voir ce qui se passe en bas : « Michel? » hurle-t-elle.

Le petit vieux tire la chasse d'eau et sort des waters en lançant à l'intention de la femme : « Tu f'rais mieux d'aller met' ta culotte Nenette. Tu vas encore attraper un rhume de cerveau. » Comme elle ne répond pas, il s'approche et lui glisse sans vergogne la main sous la nuisette : « Il est encore parti à la châtaigne, ton para?

– Espèce de vieux salaud! »

La gifle et l'insulte sont parties en même temps.

« T'as pas toujours dit ça, p'tite pute! »

Le vieux lève la main à son tour. La femme tente de se protéger le visage. Marc intercepte le poignet du vieillard juste à temps : « Allons monsieur! Allons! Si vous voulez vous battre, descendez dans la rue. – De quoi j' me mêle? Et d'abord, qui c'est celui-là? » Le vieux à bretelles n'entend pas de cette oreille ne pas rendre la gifle qu'il vient d'essuyer. Il se débat. « Je vous en prie, monsieur. Ressaisissez-vous. – J' vais vous montrer, moi, de quel bois j' me chauffe! » Il gesticule et se défend comme un beau diable. Ne disposant que d'un seul bras pour maintenir cette fureur Marc essuie un coup de poing sur le visage. La colère, autant que la douleur, le font réagir : « Mein gott! Schweinerei! » Attrapant le vieux par le col de sa chemise, il le décolle littéralement du sol et le propulse à l'intérieur de son logis sans aucun ménagement avant de lui claquer sa porte au nez.

« Merci, monsieur! dit la femme. C'est un vieux salaud. Une ordure... Méfiez-vous! Vous êtes allemand?

– Je... Non! Non!

– Vous avez parlé allemand.

– C'était... pour, l'intimider.

– Ah bon! répond-elle, vaguement déçue, avant d'ajouter : « Moi, je suis autrichienne. Comme Romy Schneider. Je suis venue en France avec ma mère en 1926. J'avais dix ans.

– Et puis tu les aimais bien pendant la guerre, les fridolins, hein, espèce de pouffiasse? Collabo du plumard!... »

Marc se tourne d'un bloc. Le vieux est sur le pas de sa porte, armé d'un fusil ayant passé l'âge de la réforme.

« Allons, allons, monsieur...

– Toi, le frisé, ta gueule! Ton tour va v'nir! menace-t-il en brandissant son arme. Fallait l' dire que c'était elle que tu v'nais r'voir. C'était une bonne adresse de ta Kommandantur, cette grosse paillasse à doryphores!

– C'est pas parce que tu m'as tringlée un coup à la Libération que ça te donne des droits, Auguste, Rentre chez toi, maintenant! crie la blonde.

– J' rentrerai quand que j' veux. Et après avoir fait sa fête au fridolin. On s' laisse pas marcher sur les couilles, en France. Pas par des boches en tout... »

Il s'arrête net. Devant lui, braqué sur sa poitrine, le canon du revolver le pétrifie.

« Police! Rentrez chez vous et n'en sortez plus! Vous avez compris?

– Que... qu'est... qu'est-ce que vous faites là?

– Ne discutez pas! Rentrez chez vous. »

Le vieux fait deux pas en arrière. Sa porte se referme doucement. La lumière de la minuterie s'éteint.

« Vous êtes flic? » demande la femme, dans l'ombre, à voix basse.

Marc ne répond pas. Elle insiste : « Vous êtes du commissariat du quartier? »

Il grogne un ni oui ni non qu'elle prend d'ailleurs pour un ni non ni oui.

« J' les connais presque tous... Vous êtes pas du quartier. »

Elle reste appuyée à la rampe, dans l'obscurité. Dehors, les cris et les bruits semblent s'être calmés.

« Je vais partir. Rentrez chez vous, madame. C'est mieux. »

Elle rallume la minuterie.

« Qu'est-ce que vous avez, au bras?

– Rien. J'ai été blessé. Une balle perdue. Au début de la bagarre.

– Venez! Je vais vous soigner ça. »

Marc hésite. Il vient de trouver par hasard une explication crédible au sujet de sa blessure. Il aimerait bien voir l'étendue des dégâts.

« J'habite juste au-dessus », insiste la femme.

Sa chambre : une pièce moyennement grande qui sert aussi de cuisine. Le lit est défait. Sur le mur, un fanion du 1er régiment étranger de parachutistes et un autre du 14e RCP encadrent la pièce maîtresse : un drapeau à croix gammée. Un couteau militaire, une grenade quadrillée suspendue à un clou par son anneau de goupille, une mitraillette anglaise (ou peut-être espagnole) complètent cette pieuse collection.

« C'est à Michel! lance la femme en réponse à l'étonnement de son visiteur. Faites voir votre blessure. »

Marc ôte sa veste. La manche de sa chemise, brûlée, trouée, tachée, est collée sur la plaie.

« Faut nettoyer ça », s'excite son infirmière improvisée. Je vais faire bouillir un peu d'eau. Assieds-toi en attendant, tu s'ras mieux. »

Toutes les chaises sont encombrées. Des paquets, des journaux, des vêtements roulés en boule. La blonde lui lance : « T'as qu' t' mettre sur le lit. »

Il va lui laisser nettoyer cette plaie. Ce n'est pas grave. Rien de plus qu'une éraflure. Il a connu pire. Les coups de sabre, à Bad-Tölz.

« Ça y est! » annonce-t-elle en se baissant pour fermer le robinet du gaz de la bonbonne de butane placée sous la planche qui supporte le réchaud.

Elle le fait sans aucune pudeur ou, alors, en oubliant que sa nuisette est vraiment très courte. S'il y avait eu le moindre doute sur sa blondeur, il serait levé.

Elle se tourne en souriant : « On attend un peu que ça refroidisse : c'est pas la peine que je t'ébouillante, en plus. Il faut que tu te fasses faire une piqûre antitétanique. Et, des antibiotiques. Ce genre de trucs, on sait jamais. Après une ratonnade, les flics laissent un service de sécurité pour toute la nuit. En sortant t'auras qu'à leur dire de te conduire à l'hosto, à tes collègues. »

Marc ne répond pas à l'information qu'elle vient de lui donner. Il est vraisemblable en effet qu'après les coups de feu qui se sont échangés la police va demeurer en place et établir un barrage de rue avec contrôles d'identités. Sa sortie risque d'être délicate.

Ce drapeau à croix gammée, il ne peut en détacher les yeux que pour les porter sur cette femme : elle est laide, vulgaire, mais... presque nue.

Elle a sorti une boîte à chaussures de son armoire. C'est sa pharmacie. « Ah ben ça, alors! I' m' reste une dose de sérum antitétanique et de la pénicilline de l'année dernière, quand Michel avait pris une bastos dans la cuisse. Tu veux que j' te les fasse, les piquouzes?

– Vous avez une seringue?

– J'ai tout! Ma mère disait déjà quand j'avais dix-sept ans : ma fille elle a tout c' qui faut, un beau cul et une belle paire de nichons. Pour le cul, à cinquante balais passés, ça va. J'en suis encore assez fière. Les enjoliveurs, c'est l'autre cinglé qui mes les a déglingués. Il me les a cassés. J'y dis, des fois : hé, c'est pas d' la graisse, pense à mes fibres! I' s'en tape. Ce connard, i' n'a envie qu'à m' faire mal. Ça m' fais gueuler et ça l'excite. Enfin, c'est la nature, pas vrai? » explique-t-elle avant de jeter une seringue et une aiguille dans une casserole d'eau qu'elle va mettre à bouillir.

Comment en sont-ils venus, après la politique, à laisser dériver leur conversation sur un sujet tout aussi brûlant sinon plus? Qu'importe. Caroline et Charles parlent d'amour.

Chacun du sien. Caroline lui a parlé de Marc. Charles lui parle d'Anne. A l'enthousiasme, succède la nostalgie. Elle s'était promise à lui. C'était lui qu'elle aimait. Elle finira bien par revenir un jour à Paris et il la retrouvera. Sitôt qu'il pourra se déplacer normalement, il la recherchera. Où qu'elle soit dans le monde, il la trouvera. Il lui expliquera.

« Vous devez souffrir, mon pauvre Charles... », s'apitoie Caroline.

Il souffre. Il a mal. Et il le dit. Ça ne le soulage pas vraiment mais il trouve là un moyen de souligner sa détermination à ne pas se résigner : « Je la retrouverai. Je la retrouverai.

– Et Marc? Dans quel état allons-nous le retrouver? » plaisante alors Caroline avant de préciser qu'il est tout de même vingt-deux heures et qu'elle commence à être un peu inquiète.

***

« Maintenant que te voilà bien réparé, tu pourrais bien rester un peu, non? »

Marc est à peine surpris par la question.

Face au miroir qui pendouille au-dessus de l'évier, il achève de refaire son nœud de cravate.

« T'es beau mec! » insiste-t-elle lorsqu'il se retourne.

Elle s'est installée au milieu du lit. Les jambes repliées sous elle. Elle le regarde avec de grands yeux sombres. Sur son visage restent encore quelques coulées de maquillage. Elle est loin d'être jeune. On sent qu'elle a déjà beaucoup vécu et qu'elle souhaite continuer encore. Ses cuisses sont plutôt fortes, marquées de cellulite. Avec ses cheveux emmêlés, elle ressemble à la Méduse mythologique. Elle est tout à la fois un peu fanée et coquette. Délibérément provocante mais cependant touchante dans sa nuisette rose. Deux plis vaguement amers se sont creusés de chaque côté de sa bouche. Une barre soucieuse lui coupe le front. Son sourire interroge.

« J' te plais pas du tout? Même qu'un peu?

– Ce n'est pas ça. Michel va revenir.

– Michel? T'es louf' ou quoi? Il s'a pas fringué en para pour des clopinettes. J' le r'voirai pas avant une s'maine ou deux. Le temps qu'il claque son pèze avec les putes de la rue de Lappe. »

Marc enfile sa veste. S'assure discrètement que les dollars, les livres sterling, les francs et le petit sac de diamants sont toujours à leur place.

La femme est juste sous le drapeau à croix gammée.

Dans sa chambre, à Bad-Tölz, pareillement accroché sur le mur... Edna, sa Walkyrie, lui appliquait des onguents parfumés sur le corps tandis qu'il regardait le drapeau nazi...

Caroline l'attend. Avec Charles.

Marc attrape son imper sur la chaise.

« Alors, tu caltes? C'est décidé?

– On m'attend.

– T'es pas obligé d' rester toute la nuit, tu sais! »

Elle a les yeux qui brillent. Élevant les bras, elle ramasse ses cheveux sur sa nuque et les maintient en chignon au-dessus de sa tête. Sous la transparente nuisette rose, ses seins flasques comme de petites outres vides s'offrent du mieux qu'ils peuvent. Elle a quelque chose de misérable et de pervers.

« Tu veux pas, dis? Tu veux pas? »

La main gauche de la femme maintient toujours ses cheveux au-dessus de sa tête mais sa main droite a relevé la nuisette rose. Les cuisses un peu grasses se sont écartées. Elle se caresse doucement, entre les jambes. Elle est ignoble, sous son drapeau nazi.

« Enlève ta chemise! »

Ses yeux s'ouvrent, tout grands, comme incrédules. Son sourire devient féroce. D'un bond elle se détend, se redresse, décroche le poignard sur le mur, le sort de son fourreau et – d'un seul coup de lame – fend la nuisette de haut en bas.

Sous le drapeau. Sous le drapeau rouge, avec son rond blanc frappé d'un svastika noir. A Bad-Tölz... Elle se traîne, à genoux, jusqu'à lui.

« Comment tu t'appelles?

– Helmut. »

***

« Une heure du matin. Je suis vraiment inquiète. S'il avait été retenu, Marc nous aurait téléphoné.

– Peut-être ne peut-il pas interrompre une conversation d'affaires difficile?

– Pourvu qu'il ne lui soit rien arrivé... C'est si vite fait, un accident, si vite fait... Surtout avec tout ce qui se passait ce soir dans les rues. »

Charles ne sait trop que dire pour apaiser cette angoisse.

Ils ont grignoté pratiquement la totalité des hors-d'œuvres et une bonne moitié du dessert. Ça fait plus de cinq heures qu'ils parlent de tout et de rien.

« Si on téléphonait à la préfecture, il doit bien y avoir un service où on centralise les informations sur les accidents de la circulation dans Paris? » suggère Caroline.

***

Avant de partir, il a discrètement laissé un billet de cent dollars sur la table. De la part d'Helmut. Dans la rue, il y avait un groupe de six agents. Ils bavardaient. Ils riaient. Ils ne lui ont rien demandé. Un peu plus loin, il s'est débarrassé du revolver du capitaine Lehmann dans une bouche d'égout.

Il était deux heures du matin lorsqu'il a mis sa clé dans la serrure de la porte de son appartement.

Il a d'abord calmé l'angoisse de Caroline.

Il a raconté ensuite l'essentiel de ce qu'il pouvait dire.

Il avoue maintenant qu'il est blessé au bras gauche.

« J'appelle un docteur! décide Caroline.

– Mais je suis médecin. Je me suis fait soigner, ne t'inquiète pas.

– Blessé comme tu es, mon pauvre chéri, nous n'irons pas à Melun demain après-midi.

– Mais si! Mais si! Nous irons! Je ferai un effort pour marcher. »

Il espérait faire reconnaître là son sens de l'humour mais sans doute ignorait-il qu'œil amoureux n'a pas d'oreille, Caroline s'en tint à l'admirer pour tant de courage.

***

En cette fin du mois de juin, Charles sort d'une nouvelle hospitalisation. Après une dernière intervention chirurgicale, on lui a enlevé les broches de son genou. « Pour le prochain réveillon de Noël, vous danserez le tango argentin », a décidé le kinésithérapeute de l'Hôtel-Dieu qui semble avoir pris en main son destin de futur danseur mondain.

En cette même fin du mois de juin 1965, le jury d'un festival du film documentaire professionnel lui décerne son grand prix. Charles apprend ainsi que Paul Laurent a présenté pour la sélection, un moyen métrage réalisé l'année précédente pour le compte du Syndicat de l'industrie et des métiers de la fourrure. Outre la chance tout à fait exceptionnelle d'effacer la mauvaise impression laissée par l'échec de leur projet de long métrage, c'est également pour eux une occasion de se revoir et pour Charles, l'opportunité de demander des nouvelles d'Anne Carle.

« Elle vit aux États-Unis. Elle a eu l'idée de créer, à New York, un comptoir d'importation de bijouterie fantaisie avec son amie Sarah Friedmann. Paris-Bijoux-Shop. Il paraît que ça marche très fort. Les Américaines sont tout à fait ravies de trouver des colifichets français qui portent la marque de grands couturiers.

– Vous avez son adresse?

– Bien sûr. »

Cette conversation a lieu durant les discours des officiels du festival et se trouve interrompue au moment où l'on appelle Charles Rougier à la tribune pour recevoir le trophée qui lui revient.

Ayant souscrit à cette agréable cérémonie et fait risette aux photographes, Charles n'a encore perçu que le légitime salaire d'un travail acharné.

S'approche un inconnu aux manières très vieille France.

« Monsieur Rougier? Je suis le président du Cercle international des joailliers d'art. Mon attention a été attirée par la dernière séquence de votre film où vous montrez quelques très belles réalisations de grands fourreurs... Accepteriez-vous de réaliser un petit film qui présenterait les productions les plus exceptionnelles des membres de notre cercle?

Cette offre était accompagnée de deux impératifs inattendus : « ... D'abord, être prêt fin septembre, en sorte que le film puisse être présenté dans le cadre des Journées internationales de la joaillerie qui se tiendront les 15 et 16 octobre prochain, à New York. »

New York. Aller à New York et revoir Anne.

« ... Ensuite, un jury d'honneur vient d'élire, à Hollywood, une de nos compatriotes symbolisant le mieux l'image de la Française dans l'esprit des Américains, et nous aimerions que... »

Le doigt du destin désignait la cover-girl vedette, Maryline.

Curieuse impression. La perspective d'assouvir prochainement une sorte de fringale refoulée. Effaçant les heures de colère et de rancune, s'était substituée l'image d'un temps révolu où deux amoureux se juraient de figurer un jour au générique du même film.

« Eh bien, en ce qui me concerne, il n'y aura pas d'objection.

– Notre agent prendra contact avec M. Laurent, votre producteur. Nous signerons le contrat d'ici quarante-huit heures, si vous voulez? »

« Maryline? C'est Charles.

– Oh! *(Joyeux.)* Bonjour. Comment vas-tu? *(neutre.)*

– Bien. Merci. Et toi? *(neutre également.)*

– Tu veux parler à François, je suppose?

– Non! A toi.

– Au sujet de François!

– Non! J'ai une proposition à te faire.

– Ah? » *(plein d'espoirs contenus.)*

Ce « Ah? » s'est niché au creux de son oreille et Charles ne peut plus s'en dépêtrer. Il a un effet chewing-gum. Après avoir expliqué la nature de sa proposition, ils se sont dit au revoir, il a bavardé avec François, puis il a raccroché.

Il ne cesse d'entendre ce « Ah? » Une note d'espérance un peu folle. Et puis François, avec ses questions : « Pourquoi tu viens jamais? Pourquoi t'es pas là? Pourquoi tu veux pas venir me raconter un cow-boy? » Et ce soir, précisément : « Pourquoi t'embrasses jamais maman? »

La journée suivante n'est guère plus facile que la soirée qui l'a précédée. Les questions embarrassantes posées par François se sont estompées mais le « Ah? » prononcé par Maryline ne parvient pas à se taire. Il fait un ramdam de tous les diables et réveille des souvenirs éteints ou qui semblaient l'être à jamais.

***

Par un articulet paru dans *Paris-Presse-l'Intransigeant,* au lendemain de son épopée du boulevard Beaumarchais, Marc avait appris que le fils Lequesne n'était que légèrement blessé. Version officielle : une tentative de cambriolage effectuée par un individu masqué. Le capitaine Lehmann avait dû insister pour faire passer sous silence cette tentative de capture avortée qui n'aurait pu que donner l'éveil à d'autres plus gros gibiers destinés à sa potence.

Convaincu qu'il devait se montrer prudent, Marc avait alors accéléré le processus de mutation commerciale de Caroline et rondement mené la perspective de leur départ de Paris. Le 26 mai 1965, avait été célébré leur mariage, dans la plus stricte intimité. Le 1er juin suivant, les jeunes mariés étaient entrés dans leur nouveau foyer : une villa louée à Boissise-la-Bertrand, non loin de Melun où, vers la même date, avaient commencé les travaux de décoration et d'aménagement du futur magasin.

*
* *

Ce lundi 17 juillet, dans les studios de Paris-Cinéma, tout est en place pour le premier tour de manivelle du film de Charles Rougier.

Il est dix heures. Sur le plateau encombré de techniciens et de machinistes, Charles attend celle qui, durant deux semaines, va devenir sa vedette.

« Mlle Maryline? s'étonne une des habilleuses auprès de qui il s'inquiète de ne pas la voir arriver. Mais, elle est dans sa loge depuis huit heures ce matin! »

Il va frapper. Une jeune femme inconnue lui ouvre la porte.

Il se nomme. Il a le droit d'entrer.

Le plan de travail du jour prévoit une marquise.

Nue jusqu'à la ceinture, assise à califourchon sur une chaise de bistrot, les bras en appui sur le dossier de bois, Maryline, en perruque blanche, poudrée, reçoit les derniers assauts de deux coiffeurs et de la maquilleuse. Surprise de l'arrivée de son mari, elle se lève, dissimulant sa poitrine dans ses bras repliés. « Le tournage prévu est à dix heures trente. Je ne suis pas en retard, se disculpe-t-elle, presque craintivement.

– Non, non! Je suis seulement passé te dire bonjour et t'embrasser.

– Vous embrasserez la star après le tournage, monsieur Rougier! » implore la maquilleuse.

Charles est ému tout à coup. Comme Maryline a l'air fragile... Comme elle est belle surtout. Se détournant, il aperçoit Sylvaine Bernard.

« Je peux vous embrasser? Votre rouge à lèvres tiendra le coup? Puis, dans le même moment, il ajoute : J'ai une idée! Voudriez-vous faire du cinéma, jolie belle-maman?

– Du cinéma? Moi? pour jouer quoi, grand dieu?

– La mère de votre fille, tout simplement. Je viens de penser à un plan qui pourrait servir de support pour le générique.

Prenant sa belle-mère par le bras, Charles l'entraîne et lance à Maryline avant de sortir : « Je suppose qu'à ton âge tu n'as plus besoin de ta mère pour t'habiller? »

Elle n'a pas le temps d'ouvrir la bouche qu'un des coiffeurs répond pour elle : « Vous en faites pas patron. S'il le faut, on enfilera nous-mêmes la môme sac d'os dans sa guenille.

– Moi, la metteuse en scène, j'y aurais bien refait sa raie, avant qu'il s'exit avec la belle-doche! » soupire le compère.

Tenant Sylvaine par le bras, Charles l'entraîne vers les portes donnant accès au plateau : « Je vais vous expliquer ce plan... »

Le chef éclairagiste, l'ingénieur du son, le directeur de l'image, la scripte viennent tour à tour l'interrompre pour quêter un renseignement. Malmenée de la sorte, la conversation entre gendre et belle-mère ne pourra se poursuivre.

Maryline est devant l'objectif de la caméra. Vêtue en marquise du Grand Siècle. Suspendue à son cou, la véritable vedette : une rivière de diamants d'inspiration futuriste, dessinée par un artiste péruvien, réalisée dans les ateliers Boucheron et évaluée à cent vingt millions de centimes. Toutes les précautions ont été prises par les compagnies d'assurances, Arsène Lupin lui-même renoncerait à pénétrer sur le plateau.

Charles se penche sur l'œilleton de la caméra et là, dans le cadrage que lui a dicté son inspiration, sous l'éclairage qu'il a lui-même réglé, dans la lumière de l'éclat de l'or et des pierres précieuses, il réalise que cette femme qui porte son nom, cette femme qui a donné le jour à son fils, cette femme resplendissante de jeunesse et de beauté, il en est resté amoureux, comme jadis à Aix lorsqu'ils rêvaient de ce jour où ils seraient ensemble autour d'une caméra.

« Recule d'un pas. Stop. Avance de dix centimètres. Tourne la tête à gauche. Regarde vers moi. Tourne sur place d'un quart de tour. Ne baisse pas les yeux... »

Elle est là. Il la tient. Il l'envahit. Il la crée. Elle est à lui. Ses yeux violets. Son sourire rose et blanc. La grâce de son cou. Le dessin harmonieux de ses épaules. Jamais, il ne l'a possédée aussi intensément.

« Maquilleuse. Il manque la mouche sur le sein droit. Profitez-en pour rectifier la brillance en haut du front, à la lisière de la perruque. Tout le monde en place pour le tournage. »

Pour la photographie de ce plan, Maryline n'a que trois pas à faire.

C'est la caméra qui bouge : elle s'élève, lentement, à l'approche de la marquise, jusqu'à la surplomber, avant un zoom sur les diamants du décolleté.

« Rouge! crie un assistant. On n'entre plus sur le plateau.

– Moteur. Clap! *La Révolte des bijoux.* Découpe 23. Première. »

Charles a laissé sa place au cameraman. Le miracle s'accomplit. Maryline avance d'un pas. Sourit. La caméra s'élève lentement dans

les airs, s'incline en suivant fidèlement la trajectoire indiquée.
« C'est bon pour moi! crie le directeur de la photo.
– On va faire une deuxième prise! décide Charles. Soulagez les éclairages. »
Durant les quelques secondes de ce tournage, une intention est née dans l'esprit du réalisateur. Ce film, un catalogue de bijoux, va devenir un poème d'amour courtois. Hommage à la beauté d'une femme.
« C'était très bien, chérie. Formidable. Ne change rien à tes repères mais, cette fois, c'est moi que tu vas regarder. Tu ne dois pas me quitter des yeux. D'accord? Maquilleuse? Habilleuse? Coiffeur? Un petit nuage de poudre blanche sur la perruque au-dessus de l'oreille gauche.
– Tout le monde en place! » crie un assistant.
Pour cette seconde prise de vue, Charles se place de façon à être le seul point de mire de Maryline. Ce n'est plus à un être imaginaire qu'elle doit sourire : c'est à lui. « Attention. Rouge. Moteur. Clap!
– *La Révolte des bijoux.* Découpe 23. Deuxième. »
Ce n'est plus à un être imaginaire qu'elle sourit. C'est à lui.
Ce sourire. Ce merveilleux sourire. Il raconte tout des fureurs les plus tendres et les plus farouches d'une passion. C'est un sourire d'amour.

Chaque jour, chaque heure, chaque minute du tournage, Charles a inventé Maryline. Il l'a inventée belle, resplendissante, souveraine. Il l'a inventée pauvre, misérable et vaincue. Il l'a inventée nue ou habillée. Il a inventé son sourire, il a inventé ses yeux, il a inventé les courbes de son dos, la souplesse de son buste, le velouté du grain de sa peau, le fuselé de ses jambes. L'éclat des bijoux s'en trouve rehaussé, magnifié, sublimé.

Au retour de sept jours de tournage à Porquerolles, l'équipe se réunit pour visionner certains rushes de plans à choisir. La scène tournée par Sylvaine et Maryline, devant servir de support au générique, a été prémontée. Charles lui-même, va la découvrir pour la première fois.
L'image commence serrée sur du sable blond. Le vent souffle. Sous le sable paraît une main gauche, l'annulaire serti d'un anneau d'or. C'est la main de Sylvaine. Son bras. Son épaule. Son visage. Le vent balaye le sable, découvrant progressivement les lignes courbes ou fuyantes de son corps nu, qui se redresse, lentement, et duquel, en fondu enchaîné, semble sortir Maryline, nue elle aussi, triomphante de tout l'éclat de sa jeunesse, avec pour seul bijou une goutte d'eau qui coule sur son visage, jusqu'à son cou, où elle devient diamant.

Ces vingt-huit secondes sont si intenses que toute l'équipe applaudit.

L'aventure est terminée. Dans des boîtes rondes et métalliques demeurent les kilomètres de pellicule d'un poème d'amour à une femme mise en valeur par les plus beaux bijoux du monde.

Maryline est retournée à ses photos de mode.

Charles reste avec des images plein les yeux. Des images dans la tête.

De tout cela, ne demeure qu'un souvenir. Fait-il exactement le poids pour conbrebalancer ceux du passé?

Le cœur en sautoir, Charles Rougier est indécis. Il admire Maryline. Il en est amoureux. Il l'a redécouverte.

Durant toutes ces journées de travail, il lui a imposé chacune de ses volontés. Elle s'est totalement remise à son imaginaire. Depuis qu'elle est retournée dans ses studios de photos, c'est au regard d'un autre qu'elle se soumet. Celui-là aujourd'hui. Qui, demain?

Maryline est un objet vivant. Un objet consentant. Elle est reflet de celui qui l'invente.

Charles a revu mille fois le plan très court du sourire de la marquise.

C'est la seule image véritablement indiscrète de ce film, même si lui seul sait que ce sourire-là lui était personnellement destiné.

Dans les autres plans, elle court, marche, saute de joie, rit ou pleure. Elle aurait fait n'importe quoi d'autre. Pas pour lui plaire. Mais parce qu'elle a choisi, un jour, d'être une image vivante. Il n'est pas fait pour partager la vie d'une actrice. Sa sensibilité ne supporte pas d'être frustrée, si peu que ce soit, de ce qu'il aime. Peut-être est-il égoïste?

Faut-il envisager de revivre avec Maryline?

François aurait besoin d'un foyer, entre son père et sa mère. L'équilibre de François? La vie de François? L'avenir de François. Maryline est partie travailler, pour une semaine, au Sénégal. A son retour, il lui parlera.

Le temps va vite. Le 13 octobre est déjà là. Maryline n'est pas rentrée d'Afrique. Par sa belle-mère, qui a provisoirement la garde de François, Charles a appris qu'elle était partie directement pour le Venezuela où elle tourne un film publicitaire. Il doit se rendre à New York, où va avoir lieu la présentation officielle de son film à l'occasion de la manifestation organisée par les joailliers.

Désormais, il remarche. Une très légère claudication qui va s'atténuant. Quelques douleurs, parfois. Un mauvais souvenir qui s'efface.

Même s'il a peu pensé à elle, durant les semaines de travail écoulées, ne doit-il pas en profiter pour revoir Anne?

Huit mois ont passé depuis qu'elle a quitté Paris.

C'était à l'hôpital qu'il aurait eu besoin qu'elle lui tienne la main.

Elle a préféré s'éloigner.

A Kennedy Airport, on le prend en charge. Il a un emploi du temps chargé. Trouvera-t-il le temps, dans tout ça, de faire un saut à Paris-Bijoux-Shop? Il le voudrait. Il ne le voudrait pas. A son arrivée à l'hôtel, quelqu'un l'attend.

« Une dame est dans le salon de votre appartement, monsieur. »

Anne? Elle a appris qu'il arrivait. Elle est venue. Dans l'ascenseur son cœur bat la chamade. Elle est là. Elle va lui dire qu'elle pardonne. Qu'elle pardonne quoi? De jouer les alpinistes sur la façade de Notre-Dame à sept heures du matin pour essayer d'aller sauver une désespérée? Elle est venue, c'est l'essentiel. Il va la prendre dans ses bras et elle va lui sourire. Ils vont faire l'amour comme ils se l'étaient promis, et ils seront heureux, merveilleusement heureux. Elle reviendra en France. Ou lui restera ici? Et pourquoi ne l'épouserait-il pas? Elle est plus âgée, la belle affaire? Odette aussi était plus âgée que son père : ça ne compte pas, ces choses-là. C'est...

Derrière cette porte qu'il ouvre tremblant, ému, assise dans un fauteuil du petit salon, Maryline l'attend.

Mme Maryline Rougier partagera la chambre de son mari, cette nuit-là. Elle y fera même transporter ses affaires, le lendemain.

La présentation du film a été un triomphe. Maryline doit retourner une semaine à Caracas. Charles rentrera donc seul à Paris. Il ne sera pourtant pas le premier à annoncer la nouvelle à sa belle-mère. Sylvaine a déjà reçu un télégramme : « *Maman, suis la plus heureuse des femmes. Stop. Dis-le à François. Stop. Dis-le lui bien. Stop. Papa revient. Stop. Nous allons revivre tous les trois. Maryline.* »

Il ne sera pas non plus le premier à informer son père.

« Sylvaine n'y tenait plus. Elle m'a téléphoné. De la fille ou de la mère, je me demande laquelle est la plus amoureuse de toi? Il faudra que tu m'expliques un peu comment tu t'y prends, toi, avec les femmes. J'en ai encore une sur les bras qui se plaint tous les jours qu'elle s'ennuie de toi. Eh oui, Caroline aussi. Il te les faut donc toutes?

– Si Maryline est libre, nous viendrons dimanche prochain, avec François. »

Ce 18 septembre 1965, le bonheur dans cette famille semble vraiment très simple.

# DEUXIÈME PARTIE

## *Amour, quel est ton nom?*

*Paris, mai 1968*

Si l'utopie ne devient pas toujours réalité, elle modifie cependant toujours les données fondamentales de la réalité. L'utopie est à la politique ce que la poésie est au langage de la philosophie.

Depuis dix ans, la France énamourée regarde celui qu'elle s'est donné pour amant. Un utopiste. Son rêve est de faire d'elle la plus belle nation du monde. Il la veut rayonnante. Puissante. Généreuse. Tournée vers l'avenir. Et aussi innovatrice. Elle est tout ça. Au même titre qu'une maîtresse parée pour plaire et pour séduire, elle est soucieuse d'être à la hauteur de son apparence.

Depuis dix ans, la France sue sang et eau pour paraître ce qu'elle n'est pas : en bonne santé. Son général d'amant, habitué aux heures rudes des bivouacs, la houspille : « Mets du fard à tes joues, de la couleur à tes yeux. Secoue-toi un peu que diable! » Depuis dix ans, la France fait ce qu'elle peut pour continuer à lui plaire, mais... elle n'en peut plus. L'histoire d'amour va mal tourner.

Son expansion est au niveau le plus bas. Son taux de croissance en dernière position de ses partenaires du Marché commun. Ses possibilités de financement interne sont à peu près nulles. Son pouvoir d'achat se dégrade, son infrastructure immobilière est vétuste, son réseau de communications inadapté, son droit de s'exprimer censuré. Et – par-dessus tout – son système éducatif est inadapté : c'est là dans le creuset des lycées et des universités que va exploser la colère d'une France épuisée.

Il faut un détonateur. La jeunesse française, comme celle des autres pays du monde occidental, est indignée par l'escalade guerrière de l'Amérique au Viêt-nam. Elle entend le dire et – justement – l'arrestation des militants du Comité Viêt-nam national est ressentie comme une interdiction qui lui est faite de l'exprimer. C'est inadmissible! C'est insupportable! Dans la nuit du 22 mars, ils sont cent quarante-deux étudiants qui prennent d'assaut la salle du Conseil de la faculté des lettres de Nanterre. C'est un premier défi à l'intolérance du pouvoir.

Il faudra cinquante jours pour que l'allumette craquée ici produise un immense incendie qui se répand partout. Une fureur « incontenable ». Dans les usines, les collectivités, le monde agricole : la colère. Chacun apporte ses réclamations et, aux six coins de l'Hexagone la revendication est la même : « Assez! Il faut que ça change. » La rogne et la grogne qui couvaient depuis des années viennent d'éclater en une clameur : « Grève générale. » Le mot d'ordre est lancé.

« Que se passe-t-il donc? C'est la guerre?

– Non, monsieur! C'est la révolution! »

La révolution?

Le 3 mai, ils sont quelques milliers de jeunes étudiants à y croire, dans l'enceinte d'une Sorbonne occupée où ils contestent leur rôle actuel et futur dans la société, où ils contestent la société elle-même.

Dix jours plus tard, le processus déclenché par les étudiants s'élargit à des millions de travailleurs. Le 13 mai, le pouvoir est dans la rue.

Le 14 mai, les directions syndicales et les partis politiques de gauche sont obligés d'entériner le mouvement populaire mais le canalisent et l'orientent vers des revendications classiques, ponctuelles, le plus possible corporatives.

Que deviendrait le bon métier d'opposant politique, sans les institutions? Il ne faut pas toucher à la règle du jeu. Étudiants et travailleurs, repris en main, de justesse, par leurs organisations respectives, seront séparés.

Ce qui suivra ne sera ni une guerre civile, ni une révolution, mais une grande, belle et vraie scène de ménage entre la France et son général.

Elle ne veut pas qu'il parte. Elle veut qu'il change. Il finira par le promettre. A condition qu'elle se calme : « La réforme oui! La chienlit, non! »

Ce vendredi 24 mai, Charles Rougier est allé écouter à l'Odéon les orateurs des couches profondes du mouvement de mai.

Il est vingt et une heures, lorsqu'il se retrouve sur la place de l'Odéon. Par petits groupes, des jeunes et des moins jeunes commentent les informations. Le général de Gaulle s'est adressé à la nation pour annoncer un prochain référendum sur la participation. Certains n'hésitent pas à dire qu'il vient de jeter un os à la colère du peuple.

Charles se sent fatigué. A son avis, les réunions de Grenelle qui doivent s'ouvrir le lendemain seront un parfait numéro de duettistes entre syndicats et gouvernement. On y discutera à huis clos du meilleur moyen de faire rentrer au plus vite la révolution dans les usines et, par voie de conséquence, les étudiants dans leurs universités.

Lui aussi ferait bien de rentrer, à la maison. Une maison vide. Il ne voit plus très souvent Maryline depuis qu'elle multiplie ses prestations de mannequin vedette un peu partout à travers l'Europe. Ils se croisent, de loin en loin. L'un entre. L'autre sort : « Tiens, tu étais à Paris? – Non! J'étais à Melun. »

Ils vont séparément – quand ils le peuvent – voir leur fils qui vit désormais chez son grand-père.

La seconde chance qu'ils s'étaient donnée a finalement capoté dans une cordiale indifférence. Ainsi est allée la vie : François n'aura connu que quelques mois, à peine, la douceur d'une famille reconstituée. La bonne volonté de ses parents, décidés à faire l'effort d'essayer de revivre ensemble, n'a pas suffi.

C'est en remuant ces sombres pensées, au son des éclatements de grenades et dans l'odeur étouffante des vapeurs lacrymogènes, que Charles a suivi les grilles des jardins du Luxembourg jusqu'à la place Edmond-Rostand. Ce soir, ça barde. Les forces de police viennent d'investir une barricade sur le boul' Mich'. Elles sont prêtes à donner l'assaut aux manifestants regroupés à l'angle de la rue Soufflot.

Charles s'élance dans la foule. Sa course est freinée par les mouvements des groupes qu'il doit bousculer pour tenter d'atteindre son but, la rue Royer-Collard où il occupe l'appartement laissé par son père. Il n'est plus qu'à deux cents mètres lorsque, soudain, éclatent des cris, des clameurs, des coups de feu. De nouvelles grenades lacrymogènes explosent. Comment une foule aussi dense peut-elle se disperser si rapidement telle une envolée de moineaux?

Se protégeant des jets de pierres et de boulons derrière leurs boucliers, les CRS viennent de charger. Emporté dans la débandade, Charles court avec les autres. Une femme, devant lui, glisse, manque de tomber. Il la rattrape par un bras et l'entraîne. Les matraques sont juste derrière eux. Il la pousse dans le couloir d'un immeuble où une centaine de manifestants apeurés ont eux aussi cherché refuge. Le détachement de CRS est tout de suite là. Ils entrent et distribuent des coups avec acharnement dans les cris de terreur, les pleurs et les insultes. Charles fait à la femme une protection de son corps en la couvrant de ses bras, en lui tenant la tête serrée au creux de son ventre. Les matraques s'abattent sur ses épaules. Sur son crâne. Il protège l'inconnue. De toutes ses forces, comme son enfant.

Un long et puissant coup de sifflet. Les CRS s'en vont, aussi vite qu'ils étaient entrés. Dans le couloir, dans l'obscurité, restent ceux qui pleurent ou geignent un peu en réalisant leur douleur.

« J'ai peur! » dit très fort une femme.

On la calme. On la rassure : « Ils sont partis plus loin. Ils ne reviendront pas. »

Quelqu'un a appuyé sur le bouton de la minuterie. Une petite lumière, vaguement sale et triste, s'allume au-dessus des têtes catastrophées. Certains sont blessés. Un peu de sang coule.

Charles voit, pour la première fois, le visage de la femme qu'il a entraînée dans sa fuite. Il en demeure totalement stupéfait.

« Anne?

– Charles? »

Incapables d'en dire plus, ils se regardent.

Charles, le premier, parvient à dire : « J'ai envie de pleurer.

– Tu as vraiment si mal? » demande-t-elle.

Dans le même instant, il sent que quelque chose de chaud lui coule sur la figure. Il y porte les mains, les ramène rouges de sang.

« J'ai dû prendre un coup de matraque », balbutie-t-il en s'essuyant les yeux.

Mais il se sent tout drôle. Tout étourdi. Tout vacillant. Tout flageolant. La lumière s'éteint. « Allumez! Allumez! » crie-t-on ici et là.

Dans l'éclairage revenu, Charles se sent défaillir. Ses jambes se dérobent : il se raccroche à Anne en lui disant : « Ce n'est rien du tout, c'est l'émotion. » Puis, il s'évanouit.

Il est sur une civière. Dans une ambulance. La sirène hurlante, les coups de freins brusques. Une jeune fille blonde en blouse blanche lui demande comment il va.

« Anne? répond-il.

– Je suis là! »

Sans qu'il puisse la voir, il la sent. Elle lui prend la main. Elle lui serre les doigts en disant : « Ça ne sera rien, mon chéri. Ça ne sera rien... » Il aime le son de sa voix dans le tumulte qui les entoure. Il aime aussi la douceur du baiser qu'elle vient de poser sur ses lèvres. C'est avec le goût de ce baiser, tendre et chaud, qui lui chavire un peu l'esprit que, de nouveau, il sombre.

Un beau matin, Anna en avait eu assez de New York. De la Cinquième Avenue, du hamburger ketchup, du Brooklyn Bridge, des canards laqués de Chinatown et de parler avec l'impression de mastiquer un kilo de purée brûlante. C'était en janvier 1968. Angèle venait juste d'arriver pour passer trois semaines à écumer les musées. Anna lui avait suggéré de s'initier plutôt aux activités passionnantes de la diffusion du colifichet français. Angèle, n'ayant jamais su dire non, s'était rapidement trouvée promue directrice de la filiale américaine de Paris-Bijoux. Elle avait tenté de protester :

« Mais, il faut que je rentre en France! Et mes affaires? Il faut que je m'en occupe...

– Ne pleure pas, ma chérie. Tu rentreras sitôt que tu auras fait comme moi. Pas vraiment fortune, mais trouvé une bonne pomme pour te remplacer. Je te laisse tout : le compte en banque, la signature, l'état des stocks, et... Gachixa.

– C'est quoi, Gachixa?

– Ce n'est pas quelque chose. C'est quelqu'un. Gachixa, c'est une affaire exceptionnelle. Prends-en bien soin. Si tu sais le ménager, il enchantera pour toi la sinistrose des nuits new-yorkaises.

– Je ne comprends rien à tout ça.

– Gachixa, c'est un amant. Un Brésilien. Je l'ai ramassé, une nuit, dans le Bowerie. Je l'ai lavé et astiqué. Il n'était pas si mal. Alors, je l'ai gardé. Il dort le jour. Il travaille... de nuit. »

Angèle – toujours si sérieuse – était rouge comme une pivoine et n'osait pas commenter. Sans doute, envisageait-elle de mettre Gachixa à la confection des paquets ou au balayage de l'entrepôt pour lui faire maigrement gagner sa pitance (et prendre un peu de repos) en attendant de trouver la remplaçante qu'elle se promettait de chercher?

Quatre mois plus tard, Angèle est toujours à New York. Gachixa n'a pas été rétrogradé dans ses fonctions. Il apparaît toujours à la rubrique « homme à tout faire » sur le listing du personnel de Paris-Bijoux.

Devant une telle situation que faut-il déduire?

Ou bien Angèle, confrontée aux dures réalités de son statut d'exilée, vogue d'espoir en déception quant à l'imminence de son retour vers la mère patrie et n'ose prendre la responsabilité d'un bouleversement fondamental de l'organigramme du personnel pendant son intérim. Ou bien, elle s'est dit que l'atmosphère cosmopolite de New York est, tout compte fait, propice aux rapprochements interraciaux.

Sarah n'a pas été sans manifester quelques craintes.

« Si, comme tu me le dis, Gachaxo est un homme à tout faire qui remplit sa mission tant et si bien que c'est à vous couper le souffle, je me demande dans quel état nous allons récupérer notre pauvre Angèle qui a toujours été tellement sujette aux crises d'asthme? »

Anna ne pouvait que suggérer à la directrice générale de se voter les crédits nécessaires pour une inspection surprise de l'état sanitaire du personnel résidant à l'étranger : « ... Mais, c'est pas Gachaxo, c'est Gachixa! »

Anna avait donc retrouvé Paris. Fin janvier 1968.

Noémie s'étant prise de passion pour le quartier des Champs-Élysées, avait transformé l'ancien club en bar public, normalement ouvert aux heures normales d'ouverture et à tout venant. Elle avait l'air ravi : sa position de patronne de bistrot en faisait une psychanalyste de comptoir au courant des mille et un détails de la vie de ses clients habitués.

Anna avait aussi retrouvé son appartement. Grâce aux bons offices de Noémie, une femme de ménage y était régulièrement passée assurer l'entretien. Elle avait donc pu s'y réinstaller comme si elle l'avait quitté la veille. Une seule déception. Dans ses armoires, ses robes et ses manteaux avaient pris un retard de quelques modes. Heureusement, de New York elle avait rapporté quelques mini-jupes.

« Et maintenant, qu'est-ce que tu vas faire? avait demandé Sarah.

– A quarante-huit ans, j'ai l'âge de me reposer. Février à Paris n'est pas le mois le plus agréable de l'année, et j'envisage un petit voyage en Israël. Au cours du Chekel : c'est avantageux. Là-bas, au moins, je pourrai aller me lamenter devant un mur d'avoir déjà quarante-huit ans et de n'avoir jamais trouvé de compagnon. Quarante-huit ans. Tu te rends compte? Je pourrais être grand-mère? Si la vie ne m'avait pas enlevé mon fils, je serais une mamy qui emmènerait ses petits-enfants voir les jolis manèges de la Foire du Trône. Au lieu de ça, je ne suis qu'une vieille tapée qui fait de temps en temps la foire et joue à la minette juste pour se faire croire qu'elle sait oublier son âge. »

Alors que tout était prévu pour son départ, survient la brutale réapparition d'un témoin du passé. Un soir. Vers vingt heures. Elle était dans son bain. Le téléphone avait sonné.

« Allô! Bonjour Anna. Ici, Michel Lemoind. »

Les choses étaient allées très vite. Ils avaient convenu d'un déjeuner. Le lendemain. A midi trente juste. Chez Lucas-Carton.

« Mon cher Michel, je n'ai accepté de vous rencontrer que pour vous poser une seule question : à quel point vous êtes-vous moqué de moi, en 1961, avec vos histoires de CIA?

– Ma chère Anna, si je vous parlais maintenant de la grande croisade contre le bolchevisme, vous supposeriez sans doute encore que je me paie votre tête. Et pourtant, en un temps où la DST vient d'être chargée de compléter ses listes de gauchistes, gauchisants, anarchistes et sympathisants, vous auriez le plus grand tort.

– Vous vous foutez de moi une fois de plus?

– Non, Anna. Je vous informe, avant de vous faire une proposition. »

Elle était sur ses gardes. Ce qu'elle avait vécu à cause d'une imprudence, huit ans plus tôt, elle ne tenait pas à le recommencer.

« Pour moi, c'est fini tout ça. Je ne veux plus me trouver mêlée à rien. »

Position intransgressible. Certes, elle avait accepté ce déjeuner : ce n'était que pour obtenir la confirmation d'une hypothèse qu'elle s'était formulée sur le véritable rôle joué naguère par cet homme. Le refus qu'il opposait de s'expliquer clairement plaidait en faveur de la justesse de son interprétation. Et puis, que dans le passé Marie-Laurence de Simenoff ait manipulé Lemoind, ou l'inverse, qu'importait désormais?

« Donc, c'est non? avait redemandé Lemoind au moment de la quitter, devant le restaurant, sur le trottoir, sous le parapluie du portier, dans le vent, dans le froid et la pluie de ce février glacial.

« Appelez-moi, demain. »

Ils s'étaient serré la main avant de s'éloigner chacun de leur côté.

Que lui avait-il pris de répondre ça? Elle en avait réalisé la portée : ce n'était pas un engagement, c'était une issue. Le temps, pour elle, de vérifier le détail d'une impression.

Quinze heures à Paris, cela faisait qu'à New York, Angèle en terminait avec son petit déjeuner. Chance : le téléphone habituellement si capricieux s'était montré coopératif.

« Allô! Angèle? Ici Anna. J'ai une question à te poser, ma chérie. Tu m'as bien dit, le mois dernier, que Noémie avait eu des petits ennuis avec son bar, après avoir fermé le Club 16?

– Oui!

– De quelle nature?

– Je t'ai expliqué...

– Non! Tu m'as seulement dit de ne pas me tracasser, que tout cela était arrangé.

– Tiens, c'est drôle. Je croyais pourtant bien t'avoir expliqué. Tu es sûre? Non mais tu es vraiment sûre? parce que je croyais...

– Écoute ma chérie, je serais désolée de te donner l'impression d'être une vieille youpine avare de ses deniers, mais si tu me l'avais dit je ne téléphonerais certainement pas de Paris uniquement pour te demander si Gachixa te donne ou non satisfaction? »

Embarras muet d'Angèle : « C'est assez long à expliquer. Ta note dc téléphone risquerait de s'en ressentir. Demande à Sarah, elle est au courant. Moi, il faut que je file, j'ai un rendez-vous avec une cliente dans vingt minutes. »

Bisous, bisous. Appel à Sarah : « Bonjour, chérie, c'est Anna. Je t'appelle sur le conseil d'Angèle pour que tu m'expliques quelle était la nature des ennuis de Noémie lorsqu'elle a fermé le Club 16 pour ouvrir son bar? Il paraît que tu es au courant? »

– Ben... Je... Heu! C'est, que... puis... enfin... Oui, quoi!

– C'est pas très clair. Tu es sûre que tu n'oublies pas un ou deux mots?

– J'ai quelqu'un dans mon bureau. Viens plutôt me voir. C'est assez compliqué.

– Un mot, Sarah.

– Oui?

– As-tu entendu, à cette occasion, prononcer le nom de Michel Lemoind?

– Je... Je crois.

– Tu crois?

– Non. Je suis sûre.

– OK. Dans ces conditions, rendez-vous au bar de Noémie, à dix-neuf heures. Tu y seras?

– J'y serai! »

Anna était arrivée la première. Juste le temps de poser une toute petite question à Noémie, en tête à tête: « Comment t'es-tu compromise avec Michel Lemoind? »

Réponse aussi franche que précise: « Il m'a clairement exposé que si je ne faisais pas ce qu'il me demandait c'était toi qui aurais de gros ennuis, et qu'il avait assez de charges pour te faire mettre en prison par les Américains.

– Tu l'as cru?

– Évidemment. Il m'a donné des preuves.

– Lesquelles?

– Un collier. Fabrication Paris-Bijoux. Un colifichet sans autre valeur que sa verroterie. Sauf, une pierre s'ouvrant sur une cache pouvant dissimuler des diamants de contrebande, jusqu'à une certaine taille. Un mot de lui et le FBI te tombait dessus à New York.

– Sarah aurait pu...

– Non, maman! Sarah ne pouvait rien faire. Ces pièces étaient inexplicablement irréfutables. Bien entendu, elles n'étaient pas en place. Elles y auraient été mises en cas de besoin et sans que tu puisses rien y faire.

– Bon! Admettons. Que t'a-t-il demandé?

– De servir d'intermédiaire, d'agent commercial. Entre une de ses sociétés et certains de mes clients.

– Quelle société? Quels clients?

– Simplement faciliter le contact de ses démarcheurs avec certains industriels, certains chefs d'entreprises qui ont leurs habitudes ici.

– Et tu touchais une commission?

– Oui!

– C'est tout? »

Hésitation de Noémie: « Bien sûr! C'est tout! »

Pas d'hésitation pour Anna, en revanche: « Une histoire de chantage? »

Absence de réponse valant confirmation.

« Laisse-moi deviner maintenant. Un de tes clients ayant profité de tes bons offices t'en a voulu de ton...

– Le bon client en question a essayé à son tour de me faire chanter. Menace et rackett.

– Intéressant! Tu as payé?
– Non! J'en ai parlé à Michel Lemoind.
– Et tu n'as plus entendu parler du client?
– Si! s'était annoncée Sarah en pénétrant dans le salon de Noémie. On en a entendu parler. Le mois suivant. Dans les journaux. A la rubrique nécrologique. »

Otant son imperméable mouillé pour aller le suspendre dans le vestibule, elle en était revenue en précisant : « L'industriel sérieux n'était rien d'autre qu'un sbire de député UDR et quand il avait réalisé que c'était son patron qui était visé à travers lui, il en avait voulu à Noémie de l'avoir branché sur un coup foireux.
– Ça ne s'était donc pas si mal terminé?
– Simplement avec mort d'homme », avait reconnu Noémie.

Le lendemain, comme convenu, Michel Lemoind avait téléphoné.

« La conversation que vous avez eue avec votre fille vous a-t-elle convaincue de retravailler avec nous, chère Anna? »

Elle avait été instantanément certaine que les confidences de sa fille laissaient dans l'ombre quelques détails qui ne manquaient pas d'importance.

« Je n'ai pas le temps de bavarder, avait repris Michel Lemoind. On vous déposera une copie de certains documents dans la soirée. Je me réjouis vivement de refaire équipe avec vous. Je vous ferai savoir, ultérieurement, ce que j'attends de cette collaboration. »

Dans la soirée, un homme était effectivement venu apporter une enveloppe qui contenait quelques feuillets photocopiés sur certaines transactions commerciales tout à fait douteuses exécutées par Noémie. A en croire les pièces comptables, elle avait couru des risques largement rétribués. Tout bien calculé ce n'était plus d'un simple bistrot rue de Ponthieu qu'elle aurait dû être propriétaire mais d'une véritable chaîne de bars de grand luxe.

A la question posée : « Qu'as-tu donc fait de tout cet argent? » la réponse avait été simple : « Je n'en ai jamais vu la couleur. J'ai simplement reçu une carte de membre bienfaiteur du SAC. »

Alors, Anna s'était légèrement emportée : « Tout à fait entre nous, est-ce que tu ne me prendrais pas un tout petit peu pour une conne? »

Une difficile explication avait suivi : complément intéressant aux informations contenues dans les aveux de la veille, elle les avait, en tout cas, éclairées sous leur vrai jour.

L'année 1963 avait marqué un tournant dans l'existence comme dans l'organisation du SAC. Au niveau du recrutement, surtout. Pour bon nombre de groupuscules d'extrême droite – idéologiquement proches du néo-nazisme, nostalgiques de Reich millénaire et autre Pacte de fer – il n'avait pas été question de gagner les rangs de l'UNR/UDT jugés trop démocratiques. En revanche, l'organisation du Service d'action civique, avec son caractère de garde prétorienne au service d'un personnage à la stature historique, avait eu de quoi les séduire. Plusieurs de ces composants groupusculaires s'étaient donc ralliés à ceux qui avaient fait leur la devise du maccarthysme : « *Better dead than red* *. » Ils s'étaient montrés tout aussi résolument antijuifs **. Sensibles au thème de l'État fort et satisfaits par la politique germanophile du Général préconisant un axe franco-allemand, de nombreux militants de la Jeune Légion d'Europe, du Nouvel Ordre européen ou d'Europ Aktion, avaient rejoint ce type nouveau de Sturm Arbeitlung (SA ***) permettant, depuis la France, de tendre la main aux militants d'outre-Rhin qui pour être sur l'autre rive n'en étaient pas moins du même bord.

Pour le SAC, il ne s'agissait pas d'ouvrir la porte aux loups, mais de les phagocyter. Cela impliquait – pour chaque adhésion nouvelle de semblables provenances – d'avoir sur le postulant un dossier suffisamment nourri pour le tenir pieds et poings liés. Depuis 1958, les dirigeants du SAC avaient essuyé assez de revers pour souhaiter s'assurer à ce point de ceux qu'ils recrutaient.... Quoi qu'il en soit, l'expérience aidant, ils avaient acquis cette certitude qu'un entretien feutré, à mots couverts, entre un chef de groupe et un militant ayant besoin d'être rappelé à l'ordre, pouvait être aussi efficace que le cassage de gueule punitif (sans négliger toutefois de garder aussi en réserve cette solution extrême ****).

Dans l'éventail des compromissions possibles – du trafic de drogue à celui des armes, en passant par les malversations, les faux et usages de faux, les fraudes fiscales, l'exploitation de la prostitution ou les dettes de jeu en sommeil – les possibilités ne manquaient pas d'exercer, sinon un chantage, du moins un contrôle et une mainmise sur le total dévouement d'un « militant ».

C'est dans le domaine du jeu d'argent que les services de Noémie avaient été requis. Après la disparition d'Anne Carle, le

---

* « Plutôt mort que rouge. » Un seul mot d'ordre, « casser du bolcho », comme en témoigne cet extrait d'un discours d'Urbain Melville, délégué départemental de la Côte-d'Or, lors d'une réunion de ses chefs de groupes, tenue à Dijon, le 28 décembre 1970, pour réactualiser la doctrine sur ce qu'elle était au temps du Général (ce dernier ayant quitté le pouvoir en 1969). « Dans le combat que nous avons engagé contre le communisme, il ne peut y avoir qu'un seul vainqueur. Quant à nous, la mort au combat est préférable à la soumission au bolchevisme... »

** Même source : « De Marx à Marcuse, de Blum à Cohn-Bendit, de Trotski à Geismar, ce sont toujours les mêmes que l'on retrouve partout où il s'agit d'exploiter la misère humaine et de détruire tout ce qui est beau et bon sur cette terre : les juifs. Après avoir été les principaux artisans du bolchevisme, après avoir présidé à la décomposition de l'Europe, les juifs se sont faits, en France, le véhicule privilégié des forces de subversion... »

*** C'était sous couvert d'une société de gymnastes que l'Ordnertruppe du NSDAP s'était mise en place dans les débuts d'Hitler (janvier 1921).

**** Comme en témoigne le livre de Patrice Chairoff *Dossier B...* (Alain Moreau, éditeur), les techniques mises au point à cette époque ont été utilisées sur une grande échelle après les événements de mai 1968.

Club 16 avait perdu sa vocation mondaine et périclité à une vitesse alarmante. Soucieuse de prouver à Angèle qu'elle pouvait faire face aux responsabilités, Noémie avait souscrit à la demande discrète de certains clients de leur assurer un service de tripot clandestin. Moins d'un mois plus tard, elle était aux mains des « spécialistes ». L'affaire avait été rondement menée. Il ne lui restait plus qu'à continuer, au profit de la caisse noire de l'organisation Lemoind, ce qu'elle avait entrepris pour renflouer les colonnes basses de son compte en banque personnel. Mouillée? Elle l'était jusqu'à la pointe des cheveux et Lemoind n'avait pas hésité à appliquer avec elle les mêmes méthodes que le SAC avec ses recrues. Le chantage aux bijoux truqués s'expliquait mieux. Anna avait ainsi été confirmée dans ce qu'elle pensait du personnage : Michel Lemoind était bien une crapule de haut vol. Qu'il s'en soit pris à Noémie, c'est ce qu'elle n'était pas prête à lui pardonner. Elle s'était alors fait le serment qu'il allait le lui payer et avait répondu favorablement à sa proposition : « OK, Michel. Retravaillons ensemble. »

La proposition en question? Une réactualisation de celle faite naguère : constituer un « commando de charme » avec quelques filles n'ayant pas froid aux yeux. Elles devaient être susceptibles d'entrer en action, au moment voulu, pour compromettre leur clientèle au point que ces messieurs ne puissent plus refuser de faire ce qui leur serait demandé. Que pouvait donc espérer Michel Lemoind d'un gros ostréiculteur d'Arcachon, d'un ténor du barreau, d'un notaire de Mézidon, d'un promoteur immobilier de La Napoule, d'un restaurateur de Palavas-les-Flots ou d'un industriel de Sarreguemines; sinon des chèques, signés sans discussion, lorsque serait lancée la grande croisade internationale contre le bolchevisme.

En cette fin févier 1968, Anna avait donc commencé à étudier le dossier.

La finalité du projet ne l'intéressait pas le moins du monde. Le seul intérêt d'une telle aventure était d'établir une situation qui ferait aboutir son but personnel et secret : éliminer Michel Lemoind, purement et simplement. Ainsi, vengerait-elle Noémie, et peut-être bien aussi le souvenir de Marie-Laurence dont elle se demandait très sérieusement si l'assassinat n'avait pas été télécommandé par « cet ami très cher ».

Pour faire patienter le futur croisé, elle lui avait proposé deux recrues possibles. L'une, qu'elle connaissait très bien : Olga, devenue Mme Olga de Tintrich, honorable et respectable épouse d'un fonctionnaire de la Communauté européenne de Bruxelles. Récemment revenue en France, elle présentait la double garantie d'une couverture sociale de bon niveau et d'une expérience des hommes acquise dans le passé. L'autre, qu'elle connaissait beaucoup moins mais qu'elle avait plusieurs fois rencontrée à l'époque du Club 16, était une certaine Mitsouko – ex-strip-teaseuse vedette dans un établissement en renom – déjà mêlée à différents scandales dont elle avait pu se tirer grâce à des relations occultes avec la fille d'un important ministre du gouvernement de Michel Debré.

Lemoind avait paru satisfait mais n'en avait pas moins recommandé d'étoffer le commando.

Elle en était là, le 22 mars 1968, lors du premier éclair dans le ciel bleu sous lequel folâtraient gentiment les responsables politiques de l'UD Vᵉ (nouveau sigle politique de l'UNR adopté en 1967). Panique immédiate à bord. « Planquez vos sous, v'là les bolchos! Enfilez vos battle-dress : c'est la troisième guerre mondiale qui commence! » Le SAC pouvait se distinguer mais il lui fallait faire vite. Ordre de recrutement général. Sur tous les fronts. Des pro-nazis de Susini aux têtes brûlées du 11ᵉ de choc du colonel Barberot en passant par les petits truands de Pigalle ou de la Joliette, il en fallait du monde pour l'affrontement armé avec les Rouges *.

Ses attaches déjà anciennes avec « le Service » lui ayant valu un ordre d'affectation, Anna avait pu apprécier l'importance de Michel Lemoind au niveau de la direction politique, puisqu'il avait pris sur lui de la dispenser de s'y conformer.

Ce samedi 25 mai, elle est près de Charles, à l'hôpital de la Pitié. Trois côtes cassées et un traumatisme crânien justifient une immobilisation totale. De l'avis de qui veut bien le donner – car dans l'atmosphère assez particulière de ces journées, les responsables en titre ont passé la main – il est intransportable.

Anna n'est pas du tout certaine que les soins dont Charles Rougier a besoin lui seront donnés aussi scrupuleusement qu'en temps normal. Lui ayant proposé de l'emmener chez elle, ils sont tombés d'accord sur le risque à prendre.

Elle a trouvé une ambulance. Pour le coup, ses relations au SAC lui ont au moins servi à ça. Avec les plus grandes précautions son blessé est transféré rue de Castellane.

La révolution se terminera plus vite que la convalescence de Charles.

Le 27 mai, plus de cinquante mille Parisiens se réunissent au stade Charléty pour un meeting organisé par les étudiants; la CGT – estimant, dans la ligne du PC, que la situation n'est pas mûre pour entreprendre une conquête révolutionnaire du pouvoir – s'abstient d'y participer.

---

* L'ordre de mission 783 du SAC (mai 1968) prévoyait les arrestations et la concentration sur certains stades, désignés au plan régional, des individus soupçonnés d'être de gauche dont les listes avaient été établies par la DST.

Le 30 mai, coup de théâtre. Le président de la République s'adresse à la nation : « Je ne me retirerai pas. J'ai un mandat du peuple, je le remplirai... Je dissous l'Assemblée nationale. J'en appelle à la formation de gardes civiques pour lutter contre la subversion et la dictature communiste. » Dans l'heure, tout ce qui disputait la peur du Rouge aux bêtes à cornes déferlait sur les Champs-Élysées au cri de « Cohn Bendit à Dachau » (rien de moins).

Du fond de son lit, Charles Rougier fait ce commentaire : « La scène de ménage entre de Gaulle et sa France s'achève par une grande réconciliation dans les larmes sur le dos des prolos. » Parodiant Georges Brassens, il chantonne : « Enfants, voici les veaux qui passent, cachez vos rouges tabliers. »

« Et maintenant, que va-t-il se passer? demande Anna en fermant la radio.

– Les pauvres cocos vont en prendre plein la gueule par les gardes rouges de " Moã t'c'est Toung ". »

S'agenouillant près de lui sur le lit, elle veut bien pardonner cet à peu près euphonique. Après tout, il a quand même une fracture du crâne, ou quelque chose comme ça. Ce qui ne l'empêche absolument pas de poursuivre : « Je vais tout t'expliquer...

– J'adore quand tu m'expliques! assure-t-elle, ravie.

– Eh bien voilà. Mai 68, dans l'Histoire, ça fera... exactement comme... pour la nuit d'amour que tu me dois depuis trois ans. Ça restera, sans lendemain... matin.

– Tout comme pour les millions que tu me promettais? »

Elle se penche, sur lui, souriante, approchant ses lèvres... Avant que son expression change, tout à coup. Ses yeux s'agrandissent, fixent la poitrine que découvre la veste du pyjama.

« Qu'as-tu, là?

– J'ai été blessé. A la guerre.

– Non Là! dit-elle en posant son doigt sur le sein gauche.

– Rien. Une tache de naissance. Un grain de beauté.

– Fais voir?

– C'est amusant, on dirait un petit écusson retourné. Mon père a la même, c'est la marque de fabrique des Rougier mâles.

– J'aimerais bien le connaître, ton père.

– Il... Non! C'est impossible. Il est mort.

– Mais tu as des photos, des films, des trucs comme ça?

– Non! Nous nous détestions. Je n'ai rien gardé. »

***

Le dimanche 30 juin 1968, la France de la peur se rejetait tremblante dans les bras de son amant. Il lui avait promis de changer. Elle lui faisait confiance. La majorité gaulliste passait de 242 sortants à 350 élus.

Le changement se profilait à l'horizon de 1969. Dix mois plus tard, le 27 avril, référendum. La France veut-elle de la régionalisation? Ce dimanche, c'est la France des jeunes du mois de mai précédent qui va répondre. Ils sont devenus électeurs. Dans la proportion de trois cinquièmes, ils estiment ce changement insuffisant.

Pour la première fois dans l'histoire du monde, s'inscrit l'exemple d'une demande de plébiscite repoussée : 52,40 % des électeurs répondent « non ».

L'histoire d'amour entre la France et son général prenait fin sur un malentendu.

Peu avant minuit, la radio suspendait ses programmes pour donner lecture d'un communiqué de l'Élysée : « Je cesse d'exercer mes fonctions de président de la République. Cette décision prend effet aujourd'hui à minuit. Charles de Gaulle. »

Une seconde de stupéfaction peut valoir une minute de silence.

« Nous reprenons le cours de nos émissions. » Georges Brassens chantait : « Il n'y a pas d'amour heureux... »

*Venise, le 27 avril 1969*

Sa journée? Épuisante! De la Ca' d'Oro à la piazza San Marco, de l'église Santa Maria della Salute au palais des Doges, elle a enfilé plus de cent manteaux de fourrures de la collection hiver 1969/1970 et le photographe a pris d'elle un peu plus de deux mille clichés.

Dans sa chambre l'attendait une enveloppe, en papier kraft, avec son nom inscrit au feutre noir. Une enveloppe qu'elle a ouverte. Une enveloppe dont le contenu est à présent étalé sur son lit : des photographies diverses, sur lesquelles on peut la voir en compagnie d'un certain nombre d'hommes célèbres, assise à une table de restaurant, descendant les marches de l'escalier de l'Opéra, admirant un monument, etc. Au nombre de ses chevaliers servants, Salvador Dali, Georges Pompidou, Jean-Paul Belmondo, Alain Geismar (le leader du SNESup de mai 1968), et même le général de Gaulle. Toutes ces photographies ont en commun une certaine complicité amoureuse qui la lie avec ces différentes célébrités. Olivier Menestrel, décidément, a beaucoup de talent. Si les ficelles n'étaient pas aussi grosses, personne ne soupçonnerait des photomontages. C'est tellement soigneusement fait que c'en est hallucinant.

Olivier Menestrel, Maryline l'a rencontré quelques mois plus tôt sur une plage déserte près de Baillif, dans la Basse-Terre, en Guadeloupe. Elle était en compagnie d'une équipe de cinéastes pour le tournage d'un spot publicitaire et avait profité d'un temps mort pour filer se baigner, en compagnie de Maud, la maquilleuse de plateau. Lorsque l'on a la chance de pouvoir être seules sur une petite plage de sable d'or avec, devant soi, le bleu immense et profond de la mer des Caraïbes, calme comme un lac sous un soleil de braise, on ne s'encombre pas de maillots de bain. Sortant de l'eau, elles s'étaient donc trouvées, nues et mouillées, devant l'objectif de l'appareil photographique d'un garçon aussi nu et aussi mouillé qu'elles. Ce n'était ni tout à fait un indiscret ni tout à fait un dragueur. Mais enfin, un peu les deux. Il leur avait promis leurs photos pour le soir même et en avait profité pour faire un peu connaissance. Rien de plus méchant que ça.

Ce même soir, à l'hôtel, toute l'équipe avait décidé de faire une fête. Un assistant de production avait même invité un petit orchestre local. Tout le monde dansait, riait, lorsque le beau garçon de l'après-midi était arrivé, une enveloppe sous le bras. Au grand dam de Maud, qui n'avait pas du tout l'habitude que ses charmes fussent ainsi exposés publiquement, les photos avaient circulé. Adopté à l'unanimité, Olivier Menestrel s'était joint à l'équipe et la petite fête s'était poursuivie. A quatre heures du matin, tout le monde s'était embrassé en se souhaitant trois bonnes heures de sommeil. A l'exception de Maud et d'Olivier qui s'étaient éclipsés.

Le lendemain, Maud avait les yeux bien trop cernés pour avouer une simple promenade romantique. Maryline n'avait pas imaginé un instant que le destin allait lui faire connaître le même épuisement et les mêmes joies, avec le même partenaire. Et, pas plus tard que le soir même. Maud ne l'en avait pas dissuadée. Elle avait dit : « Quand y'en a pour une... » C'était un raisonnement à la fois moderne et – d'aucunes le diraient – optimiste.

Une nuit dans les bras d'un garçon sous le ciel étoilé des Antilles, rien de plus qu'un souvenir de voyage à oublier sitôt que les roues de l'avion d'Air France auraient touché le sol de la piste d'atterrissage d'Orly. En ce début du mois d'août 1968, Maryline ne se faisait plus guère d'illusion sur le devenir du « come back » de Charles. Une nouvelle séparation était, à court terme, inéluctable. Ce qu'elle avait voulu, ce qu'elle avait obtenu, n'avait pas été ce qu'elle avait espéré.

Son métier ne favorisait certes pas sa vie conjugale et ne pouvait non plus favoriser une liaison. Mais Menestrel ne s'était pas découragé. Sans aller jusqu'à dire qu'elle s'était sentie vraiment amoureuse de ce garçon, Maryline avait été touchée d'une si flatteuse assiduité. Où elle allait, il la suivait. Au début, elle avait trouvé ça très drôle. Puis moins. Puis plus du tout. Jusqu'à lui refuser la porte de sa chambre au Cap, à Stockholm, à Genève, à Athènes. Enfin, elle avait dit : « Je ne veux plus te voir. » Il avait répondu : « On se retrouvera. »

Sept mois s'étaient écoulés sans aucune nouvelle de lui. Jusqu'à ce matin du 27 avril 1969, à son hôtel, à Venise. Elle était prête à partir. Le téléphone avait sonné. C'était Olivier Menestrel. Elle ne tenait pas à le revoir. Il ne l'avait pas non plus proposé. Il avait simplement expliqué qu'il rentrait d'un stage de sept mois aux États-Unis, dans une école spécialisée en techniques photographiques. Puis annoncé : « J'ai un petit cadeau pour toi. Je le déposerai dans l'après-midi à ton hôtel. » Le cadeau, c'était donc ça? Ces photomontages? Amusant. Original. Insolite. Rigolo, qu'il ait ainsi repensé à elle.

Une serviette nouée en turban sur les cheveux, plongée jusqu'au cou dans la mousse parfumée d'une baignoire de marbre rose, Maryline songe à la communication téléphonique qu'elle vient d'avoir avec François.

Ce fils de huit ans qu'elle couvre de cadeaux rapportés de ses voyages, est un peu comme une charge déposée dans un coin de sa vie. Elle ne manque jamais de lui téléphoner. Où qu'elle se trouve. Au minimum trois fois par semaine. Ainsi, Marc et Caroline peuvent-ils dire à Charles qu'elle s'intéresse beaucoup plus que lui à leur enfant. Ce soir, son appel était dicté par un motif précis. C'était à Marc qu'elle voulait parler. Plus exactement, souhaitait-elle que ce soit lui qui prît cette initiative.

Les choses se sont passées ainsi. Caroline a décroché, lui a dit qu'elle avait bien de la chance d'être à Venise, et lui a fait passer François qui a raconté mille choses sans intérêt. Avant qu'il ne raccroche, son grand-père a pris la communication.

Marc lui a d'abord demandé comment elle allait puis, spontanément, a déclaré : « J'ai vu ta dernière photo. Tu es somptueuse. »

Elle avait attendu toute la journée qu'il soit enfin l'heure de téléphoner tant elle espérait le recueillir ce commentaire. De sa part.

Somptueuse! Elle en est encore toute étourdie. C'était aujourd'hui le premier jour de la campagne de publicité pour la nouvelle ligne des parfums Christian Dior, avec cette merveilleuse photographie sur laquelle on la voit, nue, dans un faux clair-obscur, expression même du désir.

Somptueuse. Il l'a trouvée somptueuse.

Sous la mousse, ses doigts frémissent.

Neuf heures trente. Un soir de printemps. A Venise. C'est affreux, de se sentir aussi seule. Aussi délaissée.

Elle a dîné : trois feuilles de salade, deux rondelles de tomate, une cuillerée de carottes râpées (sans assaisonnement), une demi-pomme et un verre d'eau. Elle n'est pas plus gâtée en gastronomie qu'en amour. La seule chose dont elle puisse raisonnablement profiter, c'est du spectacle de la rue.

Donc, elle sort.

« Maryline? »

Surprise, elle se retourne : « Olivier? Olivier Menestrel? »

Il explique : « J'avais très envie de te voir. Mais maintenant que je te vois, aussi belle, j'ai encore plus envie d'être vu avec toi. » Gentil, pour un ex. Les nouveaux n'ont pas toujours de telles délicatesses. Puis, des nouveaux, elle n'en a pas tellement non plus.

« Je t'offre un verre sur la piazza? » propose-t-il enfin.

Elle sait qu'elle a très envie de dire oui. Mais c'est si drôle de jouer à lui faire croire le contraire. Il change de tactique et elle s'en amuse de plus en plus en répétant : « Non, non Olivier! Je t'ai déjà dit non il y a six ou sept mois, je te répète non. C'est fini.

– Vraiment? C'est ton dernier mot?

– C'est mon dernier mot! »

Ils sont assis à une terrasse, sur la piazza, devant un expresso. Il fait doux. Presque chaud. Il y a beaucoup de monde autour d'eux. Du bruit, des rires de femmes, des cris d'enfants, de la bella musica sur fond de bel canto. Il flotte une odeur de feu de bois et de marrons grillés dans l'air légèrement poisseux qui vient de la lagune.

« J'aurais préféré que nous parlions de tout ça demain matin, au réveil, mais je ne peux pas te forcer n'est-ce pas? Es-tu au courant des résultats du référendum?

– J'ai téléphoné en France, vers vingt heures trente. C'est une majorité de non, m'a-t-on dit.

– Hum! Il y a fort peu de chances que cette estimation soit contredite par les bulletins en cours de dépouillement.

– Et alors?

– Et alors, de Gaulle va faire ce qu'il a dit. Il va se retirer. La course à la présidence est ouverte.

– Tu veux te présenter?

– Tu veux un autre café?

– Non! Après, je ne peux plus dormir. »

Étonnée qu'il ne saisisse pas la perche tendue, elle s'en tient à l'écouter.

« On dirait que tu n'as pas franchement apprécié mon petit cadeau?

– J'ai trouvé ça très amusant. Et fort bien fait.

– Donc, tu n'as pas reçu mon message?

– Quel message?

– Oui! C'est bien ce que je pensais. Tu n'as pas compris. Tu es sûre que tu ne préfères pas que nous allions faire un peu l'amour, pour nous détendre, avant d'aborder les choses sérieuses?

– Je m'étais juré de dire oui, si tu avais attendu plus de cinq minutes avant de m'en reparler. Tu as perdu.

– Eh bien, toi tu as gagné.
– Gagné quoi?
– D'entendre parler de l'affaire Markovic, à la place.
– Le Polonais assassiné par Alain Delon?
– Tu as tout faux! Markovic était yougoslave et Alain Delon n'est pas du tout suspect d'être son assassin, c'était son employeur. Quand tu achètes des revues il faut regarder aussi les pages sur lesquelles il n'y a pas tes photos.
– *O fortunatos nimium, sua si bona norint, Agricolas!*
– C'est de l'italien?
– Un vers de Virgile. De l'italien classique en quelque sorte. Ça veut dire que sont heureux ceux qui jouissent d'un bonheur simple qu'ils ne connaissent pas toujours. Je suis désolée, très cher, avant d'être cover-girl je faisais des études de lettres. On peut donc être reconnue à peu près jolie sans pour autant être aussi complètement conne que tu te plais à le supposer.
– Bon! Bon! Épargne-moi ton couplet MLF à la mode de l'an dernier. Revenons-en aux choses sérieuses.
– A ce message, que je n'ai su déchiffrer? »
Il se contente d'un sourire ambigu.
« Tu dois bien savoir qu'il existe dans le dossier du juge Patard, chargé de l'instruction sur l'affaire Markovic, un certain nombre de photographies... sur lesquelles... on peut reconnaître des personnages de la meilleure société.
– Tu y crois vraiment, toi, à tout ça?
– Ce que je crois n'a aucune importance. Il est question de ce que je sais.
– Et que sais-tu donc?
– Que tu apparais sur certaines de ces photographies et que...
– Mais, jamais...! se récrie-t-elle, commençant à redouter que le cadeau soit un peu empoisonné. Qu'est-ce que je viens faire, moi, dans cette galère?
– Dans toute mise en scène il faut des figurants. Tu sais bien.
– Des photos truquées?
– Rien de plus!
– Mais c'est abominable de m'avoir mêlée...
– J'étais sûr que tu le prendrais mal. Il nous fallait quelqu'un de crédible, tu comprends? Toi, tu as un passé. Ça ne surprendra personne. C'est dans la continuité de tes anciennes prouesses dans... un cinématographe à vocation très spécialisée. »
Maryline, toute pâle, est effondrée dans son fauteuil de rotin.
« Ces photos... demande-t-elle, d'une voix cassée.
– Oui?
– Je peux... les... les voir?
– Non. Par mesure de sécurité l'original est conservé dans un coffre numéroté en Suisse.

– Que dois-je faire?

– Rien! Si le juge d'instruction te convoque, tu n'auras qu'à te reconnaître. Je suis certain que tu ne pourras d'ailleurs pas faire autrement.

– Ça va se savoir?

– Et alors? Tu passeras une fois de plus pour une pute. Tu devrais commencer à avoir l'habitude. Une réputation pareille, à la longue, ça finira par te faire une vraie publicité. Avec un peu de chance, il y aura peut-être un journaleux de merde pour écrire que l'ancienne poule du Waffen SS de la division Charlemagne ne pouvait qu'intéresser ce petit facho de Delon?

– Il est facho, Delon?

– J'en sais rien! J' m'en fous! Tu sais, dans tout ça, on ne s'intéresse qu'à ceux qui sont tout en haut de l'affiche. C'est votre métier de l'assumer, à vous, les stars. Après tout, vous en vivez mieux que ceux qui passent leur vie sur une chaîne de montage. »

Accablée, anéantie, Maryline n'a plus qu'une envie, aller dormir. Seule.

*Dimanche, 15 juin 1969*

Sylvaine et Jean-Marie Bernard sont venus voir François et passer la journée à Boissise-la-Bertrand.

« C'est vraiment une chance que vous avez eue, de trouver cette maison! » s'est, une fois de plus, exclamée Sylvaine qui adore cette propriété des bords de Seine, isolée de la route par de hauts murs couverts de vigne vierge, blottie au fond d'un parc somptueusement planté d'essences variées d'arbres harmonieusement répartis.

« Le propriétaire ne veut toujours pas vous la vendre?

– Hélas! non! soupire Caroline. Mais, dans un sens, c'est tant mieux car ce serait un investissement qui dépasserait nos moyens. Tant qu'il nous garde comme locataires, au moins on en profite.

– Pas tout à fait sans bourse délier! souligne Jean-Marie Bernard avec un sourire sous entendu.

– C'est un peu cher oui. Mais ça vaut le coup.

– C'est vrai que vous êtes bien! apprécie-t-il. Notre petit François a toute la place qu'il faut pour jouer.

– Et aussi pour faire des bêtises. La semaine dernière il n'a rien trouvé de mieux que se baigner dans la Seine... Sale comme elle est! Enfin, heureusement, il est vacciné contre la polio. Je l'ai grondé... »

Caroline est une femme heureuse. Trente et un ans. Commerçante prospère. Son magasin melunois de prêt-à-porter tourne au mieux. Épouse comblée, surtout, depuis... « C'est une grande nouvelle! annonce-t-elle rosie d'émotion. Je ne peux pas attendre que Marc

soit rentré pour vous l'annoncer. François va avoir un petit frère. »
Elle se reprend. « Excusez-moi! Je suis enceinte. De sept semaines. François va donc avoir un oncle, ou une tante, qui sera plus jeune que lui. C'est drôle, non?

– C'est merveilleux! s'exclame Sylvaine.

– Marc doit être fou de joie? s'intéresse Jean-Marie.

– Ne lui dites pas que vous le savez déjà! Laissez-lui le plaisir de vous l'annoncer. »

Un bonheur simple. Une vie sans histoire.

Marc Rougier est un mari aimant. Tendre. Prévenant.

« Un homme parfait : attention qu'on ne vous le vole pas! rit Sylvaine toujours très attendrie quand elle écoute Caroline parler de Marc.

– Il n'a qu'un seul défaut! reconnaît Caroline.

– Je parie qu'il fume au lit! demande Jean-Marie Bernard.

– Il est un peu jaloux.

– Jaloux? Quelle horreur! s'exclame Sylvaine.

– J'ai parfois l'impression qu'il est inquiet. Qu'il se tourmente. Qu'il craint quelque chose. Je me demande parfois... »

Jean-Marie s'est éloigné en direction de la Seine pour aller jusqu'au ponton d'amarrage jeter un coup d'œil sur le bateau et regarder s'il voit passer quelques poissons entre deux eaux.

« Vous vous demandez quoi? interroge Sylvaine avec un peu de compassion.

– Vous qui avez connu le couple qu'il formait avec Odette, je me demande si... elle n'avait pas commis quelque infidélité qu'il aurait découverte, de laquelle il aurait pu souffrir?

– Pas à ma connaissance. Vous savez, ma petite Caroline, Odette était une femme très sérieuse. Très croyante. Très à cheval sur la morale. Personne ne se serait avisé de lui manquer de respect. Non, je crois que vous faites erreur. Dites-vous plutôt que Marc approche de la cinquantaine et que, face à vos trente ans, il se sent peut-être plus vulnérable, moins sûr de lui. Le connaissant un peu, je lui prêterais volontiers ce raisonnement de penser qu'à son âge, c'en est fini des tentations passagères, tandis qu'au vôtre...

– Je vous en supplie Sylvaine. Ce n'était pas un appel. Je vous ai dit cela poussée par ma curiosité. Promettez-moi de ne pas parler à Marc de cette conversation.

– Soyez tranquille! Je suis certaine, du reste, qu'il sera moins... inquiet, quand vous aurez votre bébé. Beaucoup d'hommes s'imaginent volontiers que les enfants qu'ils font à une femme sont les meilleurs gardiens qu'ils puissent donner à sa vertu. On peut les laisser croire. »

Le portail vient de s'ouvrir. Marc et François arrivent avec le gâteau. La voiture s'arrête sur l'allée de graviers, devant le perron. Le petit garçon se précipite dans les bras de sa mamie Vivaine. Il a huit ans, mais depuis qu'il parle il ne l'a jamais appelée autrement.

« Belle journée! constate Marc. Je suis content de votre visite. »

Marc est un homme heureux. C'est visible. C'est inscrit sur son visage, dans ses yeux d'un bleu limpide, sur sa silhouette d'homme qui cultive son corps avec soin : « ... Footing tous les matins, mon cher Jean-Marie. Et, l'été venu, un peu d'aviron sur la Seine. Il faut ça pour plaire aux jolies femmes de Melun. Savez-vous que Melun est une des villes de France qui compte la plus grande densité de jolies femmes? Qu'attendez-vous donc pour venir y passer vos prochaines vacances?

– ... Mon mari devrait vous répondre que les jolies femmes de Melun ont eu la chance de voir s'installer auprès d'elle le plus grand des charmeurs! relève Sylvaine en riant.

– J'espère que vous avez apporté les maillots de bains? » lance Caroline.

Le déjeuner est prévu sur la terrasse. Il s'organise sous un parasol.

« Ce matin, nous étions les premiers électeurs de notre bureau de vote à déposer notre bulletin dans l'urne! explique Jean-Marie.

– Nous n'avons pas été si sages! lui répond Caroline. Marc se lève tôt toute la semaine mais ne veut pas entendre parler d'abréger la grasse matinée du dimanche.

– Même moi! Faut que je dor's jusqu'à neuf heures! proteste François.

– C'est très bon pour les enfants! assure son grand-père Jean-Marie.

– Et c'est très bon pour la tendresse des couples! complète Sylvaine en souriant à l'heureuse future maman.

– Je vote ici, à Boissise. J'irai tout à l'heure! annonce Caroline. Marc, lui, est encore inscrit à Montpellier.

– Il faut demander votre transfert! » s'indigne Jean-Marie.

Après le déjeuner, la future maman et la grand-mère en titre se sont installées sur des chaises longues, en maillots de bain. On pourrait les prendre, de loin, pour deux sœurs. De près, on se demande, en ce jour de choix électoral, sur laquelle on porterait son suffrage s'il s'agissait d'élire la plus charmante. Avant d'entraîner Jean-Marie Bernard jusqu'au bateau, pour un petit tour sur la Seine, Marc ne peut s'empêcher de repenser à un bain de minuit lointain. Sylvaine n'a, pour ainsi dire pas changé, depuis cette époque. Elle fait partie de ces femmes sur lesquelles les années semblent n'avoir pas prise.

« Vingt heures! Estimation SOFRES... »

C'est dans leur salle à manger que les Rougier voient se dessiner la courbe présentée par la télévision : « Georges Pompidou en tête avec 56,9 % des suffrages. Pratiquement, cela veut dire qu'il est élu. Les toutes prochaines heures... »

Marc est ravi. C'était son candidat. Il se détourne vers Caroline pour lui faire part de sa satisfaction : « Je n'ai pas voté mais je suis content quand même. »

Elle ne lui répond pas.

« Qu'est-ce que tu as? Ça ne va pas?

– C'est... rien. Rien du tout. »

Caroline est toute pâle. Une nausée. Sa grossesse, sans doute.

« Veux-tu que j'appelle le docteur Martin?

– Non! Si! Oui! Je me sens... »

Elle ferme les yeux. Le monde chavire autour d'elle. Le sang bat à ses tempes. Dans sa tête, c'est comme si on sciait du bois. Elle se sent glisser dans du coton.

Elle ne reprendra pas conscience. Transportée d'urgence à la polyclinique Saint-Jean, à Melun, elle meurt dans l'ambulance. Infarctus du myocarde. Embolie foudroyante.

Cette mort de Caroline, Marc ne peut la comparer qu'à un autre décès qui, jadis, lui a semblé aussi injuste : celui d'Edna, sa première femme, alors qu'elle était enceinte elle aussi.

***

Sitôt prévenus, ils sont arrivés.

Papa. Et maman. Ensemble. S'il est très habitué à les voir séparément – l'un et l'autre viennent souvent – François n'a pas du tout l'habitude de les voir tous les deux en même temps. Réunis, ils l'intimident. Comme s'ils étaient des étrangers. Ils ont l'air trop sérieux. Ils ne se sourient jamais par en dessous, comme papy et Caro, quand ils croyaient qu'on ne les regardait pas.

« Tu es triste, n'est-ce pas, mon chéri? » insiste papa.

Oui, il est triste. Caro, c'était devenue sa maman. Il ne peut tout de même pas répondre ça à son père, devant sa mère. Si on lui donnait à choisir, il les sacrifierait tous les deux pour retrouver Caro. Il peut pas le dire non plus. Alors, à quoi ça sert qu'on lui demande s'il est triste? L'an dernier, quand on a écrasé le petit chien de Caro, il n'a pas demandé si elle était triste, lui. Elle pleurait. Ça suffisait bien. Il l'a prise par le cou et ils ont fait un grand, grand câlin.

Pourtant, il l'aimait pas ce chien. Il mordait. Les pieds. Surtout à table, quand il enlevait ses chaussures. En plus, ça le faisait remarquer par papy et il se faisait disputer à cause du cabot. Lui, il n'était pas du tout triste que le chien soit mort, mais il était très malheureux que Caro ait de la peine. Ses parents n'ont pas de peine parce qu'il est malheureux d'avoir perdu Caro. Donc ses parents ne l'aiment pas beaucoup. Heureusement, il a papy. Même s'il rouspète quand il enlève ses chaussures à table. Mais, il le fait de moins en moins. Depuis qu'il n'y a plus le chien pour le faire remarquer, c'est devenu moins drôle.

Au fond, maintenant qu'il n'est plus là, il l'aime bien ce chien. Il aimerait peut-être mieux ses parents s'ils étaient morts?

« Qu'est-ce que tu fais là, tout seul, mon chéri? »

François lève des yeux pleins de larmes sur son papy, puis se dressant d'un bond, se jette dans ses bras en pleurant à gros sanglots.

« Puisqu'on en a l'occasion, j'ai à te parler! a dit Maryline en entraînant Charles dans une allée du parc. Les vacances approchent. Comment fait-on pour François? J'aimerais mieux le prendre en juillet. Tu l'aurais en août.

– Tu comptes l'emmener où?

– En Grèce.

– Tu ne crois pas qu'il serait mieux qu'il... Enfin, je veux dire... Mon père va avoir besoin de lui.

– Mais François a besoin de vacances.

– Il n'est pas privé d'air, ici.

– Au fond, tu as peut-être raison... »

Elle allait tourner les talons, retourner vers la maison.

« Maryline?

– Oui!

– Moi aussi j'ai à te parler. Tu ne trouves pas que la vie que nous menons est un peu ridicule? On se conduit exactement comme si on était divorcés et notre seul point de rencontre, l'appartement que nous sommes censés partager, nous n'y allons plus ni l'un ni l'autre. De fait, nous nous sommes bel et bien quittés. Si on proposait à papa de lui rendre cet appartement qu'il occupait avant son remariage?

– Comme tu veux? soupire-t-elle. C'est toi qui décides.

– Je n'ai rien décidé du tout. C'est la situation qui...

– Ce sera comme tu veux, Charles. Comme tu veux.

– C'est ça! Fais-moi supporter la responsabilité de tes absences. Toi aussi tu as ta vie, me semble-t-il! Ma proposition devrait t'arranger!

– Aussi bien que toi. Alors, comme tu voudras. »

Cette fois, elle tourne les talons et s'éloigne. Capiteuse et blonde, en valeur dans sa robe noire. Vingt-huit ans, rayonnante de beauté, certaine de son pouvoir sur les hommes. Sur les autres hommes mais plus sur lui. Sur tous les autres hommes qui la désirent mais pas sur lui qui... l'aime peut-être encore...

***

Dès après les aveux de Noémie sur les activités clandestines du bar de la rue de Ponthieu, Anna avait pris le taureau par les cornes et décidé de la mettre à l'abri : « Tu vas déménager d'ici dare-dare et revenir habiter avec moi, rue de Castellane – Mais...? » Sarah avait ajouté : « J'ai justement besoin de toi. Il faut moderniser l'atelier de Paris-Bijoux, tu vas t'en occuper. » Noémie n'avait plus discuté.

Les décisions sages ayant été prises, l'application immédiate avait entraîné la fermeture du bar et la mise en travaux.

L'ex-club avait rouvert ses portes le 8 septembre 1968.

« Anne Carle est de retour : les nostalgiques de l'ancien Club 16 vont pouvoir reprendre le chemin de leurs souvenirs de jeunesse... » avait écrit Carmen Tessier dans ses Potins de la commère.

« Tu as même retrouvé ton fiancé d'il y a trois ans. Tu as l'intention de le traîner encore longtemps dans tes jupes, celui-là? avait demandé Sarah au sujet de Charles Rougier qu'elle n'appréciait pas vraiment.

– Pourquoi, tu attends pour prendre ma succession? »

Sarah l'avait mal pris. Un demi-siècle au service de l'amour lui avait fait perdre beaucoup de son humour à propos de ces choses-là.

« Ce n'est pas ce que je voulais dire. Il est bien jeune, c'est tout.

– Qu'il soit jeune ou vieux, quelle importance? Sait-on pourquoi on va vers un type ou vers un autre? Et même pourquoi il arrive qu'on passe une vie entière avec lui? Tu as bien passé ta vie avec un homme qui aurait pu être ton père. Je ne te l'ai jamais reproché, moi. »

Mouchée, Sarah. Rien à répliquer. Pour ne pas la laisser dans l'embarras, Anna avait ajouté : « Comment va-t-il, ce bon Fred?

– De plus en plus impotent. De plus en plus fatigué de vivre. »

Il était si fatigué de vivre, Fred Friedmann, que huit jours plus tard il avait fermé les yeux sans trouver le courage de les rouvrir. Sarah l'avait annoncé en ces termes :

« Il a dû mourir par inattention. Tout simplement. Il m'a laissé un mot, dans le dernier livre qu'il lisait : *« Ne sois pas triste, ma Sarah : le noir te va si bien. Ton vieux Fred. »*

Oraison funèbre faisant suite : « C'était plus qu'un amant, plus qu'un mari. C'était mon meilleur ami. »

Avec l'élection de Georges Pompidou à la présidence de la République, au deuxième tour de scrutin, le 15 juin, la France avait pris ses responsabilités et les Français pouvaient songer à leur été 1969.

Anna y songeait, en tout cas. Après dix mois de travail harassant pour relancer son club, les résultats étaient satisfaisants mais l'animatrice, épuisée, ressentait une furieuse envie de vacances.

Le commando de charme avait aussi besoin de repos.

Dès son entrée en fonction, huit mois plus tôt, ses forces d'intervention n'avaient pas été ménagées. Ses deux agents avaient du reste fait des merveilles.

Pour ça, elles avaient chacune leurs raisons. Depuis la sanction de disponibilité administrative qui avait frappé son époux, la belle Mme Olga de Tintrich avait eu à faire face, courageusement, aux exigences de train de vie qu'imposait l'authentique particule nobiliaire de leur nom de famille. Quant à Mitsouko, faute de blason conjugal à astiquer, un jeune amant qui n'aimait pas du tout se lever le matin avait considérablement exalté ses motivations pécuniaires.

Dans le courant du mois de février 1969, Anna avait reçu des mains de Dominique Mariani (homme lige de Michel Lemoind) le dossier d'un certain Philippe Champelier accompagné de cette instruction verbale : « Pigeon à tirer sans rater la cible. »

Olga était indisponible. En mission dans le lit d'un attaché d'ambassade de la République populaire de Chine. Quant à Mitsouko, pour être vaillante, elle avait ses têtes, des répulsions spontanées, insurmontables. La petite Eurasienne avait tout simplement refusé.

Au sujet de Philippe Champelier, il y avait de quoi éprouver quelques réticences. Tout en lui était un vivant défi à l'harmonie de la nature et il avait, en plus, la réputation établie d'être effroyablement grossier.

Vu à la loupe, un dossier simple : cinquante et un ans. Promoteur immobilier. Des contrats passés avec les spéculateurs de haut vol mandatés par les missions chargées des régies immobilières du Vatican. Issu d'une excellente famille languedocienne. Catholique pratiquant. Marié, à une demoiselle Logeanble, Marie, très pieuse épouse ayant hérité de la totalité de la fortune de ses parents. Deux filles, aussi laides que leur père. Marie-Jeanne, vingt-sept ans, chef de mission archéologique au ministère de la Culture, célibataire. Et Marie-Yveline, vingt-cinq ans, à la veille de prononcer ses vœux au Carmel. Maire de sa commune. Membre du conseil général. Membre du Conseil économique et social. Officier de la Légion d'honneur, etc.

Bref, Champelier se présentait comme un pigeon parfait pour la photo de mœurs et le petit arrangement faisant suite, mené par les bons soins des représentants musclés de l'équipe Mariani. Son principal client, le Saint-Siège, n'ayant pas la réputation de tergiverser sur la moralité exemplaire de ceux qu'il emploie dans certains secteurs d'activités où la sienne propre l'est beaucoup moins, si le promoteur voulait continuer à construire ses paradisiaques cages à lapins pour loger les victimes de la crise du logement, il n'avait pas intérêt à ce que l'on découvrît ses sataniques penchants pour la luxure la plus immonde.

Parvenue à ce point de son étude, Anna avait ouvert sa consultation. Son club était une pépinière de petites putes. Bourgeoises en souffrance, artistes au chômage, récentes adhérentes du MLF en mal de faire leurs preuves et autres nostalgiques de leur dernier séjour au Club Méditerranée : la main-d'œuvre ne manquait pas. Il ne lui restait plus qu'à faire son choix lorsqu'elle avait appris ce qu'elle ignorait encore du dossier. N'ayant pas réussi à convaincre son ami Champelier de souscrire quelques dons spontanés en faveur de la future grande croisade contre le bolchevisme, c'était Michel Lemoind lui-même qui avait tout manigancé en sorte qu'il devienne un généreux bienfaiteur sous contrainte. Elle avait alors vu se dessiner l'occasion qu'elle attendait depuis un an. Si elle avait accepté de retravailler avec Lemoind, c'était sans aucun rapport avec ses grandioses projets mais bien, essentiellement, dans l'intention de lui faire payer chèrement d'avoir abusé Noémie.

Un plan s'était dessiné dans ses grandes lignes. D'abord compromettre Champelier comme demandé, et s'assurer qu'il n'était pas un mouchard chargé de tester l'efficacité logistique du commando. Nul doute qu'il serait heureux de savoir à qui il était redevable d'un tel régime de faveur, lorsqu'il apprendrait à quel prix s'estimait le silence sur ses débordements. Resterait à exciter l'esprit de vengeance jusqu'à faire naître le projet ultime d'une élimination pure et simple de l'ami indélicat. Intime de la future victime, Champelier devait avoir les moyens de détourner la difficulté majeure consistant à fixer la cible. Lemoind, en effet, savait vivre à hauts risques : pour des raisons de sécurité, toute relation avec lui ne s'effectuait qu'à sens unique à partir de sa seule demande.

Mener à bien une telle entreprise réclamait une main sûre, efficace, et motivée. Anna avait donc fait le seul choix qui s'imposait.

Le décor : une villa de la rue Boursault, dans le VII^e arrondissement. Caméras, appareils photo et de prise de son, techniciens compétents en un lieu équipé pour ce genre d'opération.

Champelier était pire que le laissaient supposer ses photographies.

Étonnement du monsieur : « Anne Carle? Que se passe-t-il? – Vous me connaissez? – Par vos photographies dans les gazettes, comme tout le monde. – Je suis désolée mais la jolie strip-teaseuse eurasienne dont je vous avais parlé au téléphone est souffrante. J'ai supposé que vous seriez navré de vous être dérangé pour rien. – Vous avez amené une remplaçante? – Moi! »

Un instant déconcerté par le revers de la situation, il ne s'en était pas laissé remontrer : « Si je puis dire les choses comme je les pense, j'en suis ravi et flatté. – Vous êtes un charmeur, cher monsieur. Si, cependant, vous préfériez attendre le rétablissement de la jeune personne dont je... – Pas du tout. C'est très bien comme ça, chère madame. – Dans ces conditions, un appartement nous est réservé. Au premier étage. »

Jusque-là, intéressant marivaudage. Champelier avait un certain sens des civilités. L'épreuve n'en restait pas moins à franchir, qui avait justifié de lancer un appel vibrant à la cause : « Pour Noémie. »

Un Dom Pérignon millésimé et frappé les attendait. Ayant accordé à cette vénérable bouteille les honneurs de son savoir-faire, Philippe Champelier avait rempli les coupes et porté un toast de circonstance : « Chère madame, je lève mon verre à votre beauté... » Elle n'avait pas eu le temps de remercier avant d'entendre la suite : « ... et au plaisir que je vais prendre de tirer un bon coup dans vos célèbres fesses. » Le dérapage n'était certainement pas contrôlé. Le naturel venait de reprendre le dessus. Une seule réponse possible pour rester dans le ton : « Vous allez payer assez cher pour ça, mon bon monsieur. » Croyant avoir entendu qu'il s'agissait du petit cadeau, Champelier ne s'était pas fait prier pour aligner ses billets de banque. Il n'avait pu goûter au passage le véritable sel du propos. Elle avait songé qu'aux pupitres de contrôle de la technique, on devait se bidonner comme des petits fous.

Posant ensuite son verre, sans précaution, sur la précieuse marqueterie d'une commode Louis XV en bois doré, Philippe Champelier avait commis le crime de lèse-œuvre d'art. Ce premier forfait accompli, il s'était senti en disposition d'en commettre d'autres. La situation avait brutalement chaviré.

« Allez! Allez! En tenue, petite salope, qu'on se marre un brin! »

Dès lors, à la technique, derrière les pupitres, si on s'était encore bidonné, ça ne pouvait plus être du même rire.

A l'ignoble minute où elle avait fait glisser la fermeture qui cintrait sa robe à la taille, Anna avait songé à l'aboutissement de son plan : transformer cet affreux promoteur en exécuteur de ses hautes œuvres. Levant les yeux, elle avait noté que l'intensité de l'instant se traduisait chez lui par une abondance de sueur, avec léger filet de bave en écume à la commissure de ses lèvres molles et bleuies.

Puisqu'il fallait bien en venir là, la robe avait glissé. De ses épaules à sa taille, de sa taille au tapis.

Sans commentaire, Champelier avait alors sorti une boîte de sa poche. Une boîte qu'il lui avait tendue. Une boîte qui contenait un tube de crème émolliente. Une prévenance dont elle avait réalisé la justification dans l'instant où, d'une autre de ses poches, Champelier avait sorti une seconde boîte, qui contenait une bague réductrice.

En toute autre circonstance, les agents du commando s'en tenaient à donner suffisamment à voir à la technique avant d'interrompre les enregistrements. L'opération Champelier, elle, ne permettait pas cette demi-mesure. Afin de mettre à jour ses relations réelles à Lemoind, elle se devait d'aller... jusqu'au bout.

En cette soirée du 23 juin 1969 (soit quatre mois après ce pénible après-midi), ce qu'Anna a payé au prix de toutes les humiliations – toutes sans aucune exception – est en passe de produire son intérêt. Champelier a réglé la note aux encaisseurs, comme prévu. En marge, elle l'a aidé à préparer la facture qu'il doit présenter – ce soir-même – à son cher grand ami Lemoind. « Luis Mariano », un tueur à gages espagnol bénéficiant d'une élogieuse recommandation du SDECE pour sa redoutable efficacité, est sur le coup.

Ce soir, 23 juin 1969, depuis vingt et une heures quinze, Michel Lemoind est attablé dans la salle à manger de la villa toulousaine de ses hôtes, M. et Mme Philippe Champelier. Ce sera – si tout va bien – son dernier repas. Il est vingt-trois heures. Encore un peu tôt, peut-être, pour que Michel Lemoind ait vidé le dernier verre de l'amitié?

Personne, cette nuit, au Club. Il fait trop chaud pour s'enfermer, sans doute. Les clients ont probablement émigré vers les guinguettes de Nogent pour aller s'encanailler un brin aux sons de l'accordéon et des javas du temps passé. Les quelques tondus et la douzaine de petites sauteuses en ballerines dorées qui sont venus s'offrir un Coca-Cola ne rempliront pas le tiroir-caisse. Anna ne s'en inquiète pas trop. Elle fait comme tout le monde, elle pense surtout à ses prochaines vacances. Sitôt que Toulouse confirmera que Michel Lemoind a signé son solde de tout compte, elle rentrera.

Charles Rougier et Noémie sont venus la rejoindre. Pour l'instant, ils dansent. Ils vont bien ensemble. Noémie ne peut s'empêcher de la regarder, de temps en temps, comme si elle se sentait un peu fautive de danser avec Charles. Injuste, que Noémie ne puisse avoir un enfant. Charles Rougier lui ferait certainement un bien joli bébé. « N'importe qui! soutient-elle les jours de grande déprime. N'importe qui, si ça pouvait marcher. » A Sarah, elle a confié : « Si j'avais un jour un enfant, si c'était un garçon, je l'appellerais Karl, pour pouvoir l'offrir à maman. »

Karl. Il avait les yeux bleus mais elle ne se rappelle plus si...

Et vraiment personne avec qui papoter un brin. Mortelle, cette soirée. Mortelle.

Minuit. Toujours pas de nouvelles de Toulouse. Sarah devait passer. Elle ne viendra plus maintenant. On jerkera sans elle. Encore qu'il faille du moral pour se trémousser dans une chaleur pareille. La canicule en juin, c'est pas tous les étés. Climatisation ou pas, c'est à étouffer ici. Michel Lemoind disparu, Noémie reprendra le Club. La retraite à quarante-neuf ans, un bon âge pour freiner ses activités et profiter un peu de ce qui s'offre... Allons bon! La petite rockeuse en minijupe qui enlève son tee-shirt? Après tout... Avec l'effet de la lumière noire, on dirait qu'il n'y a plus qu'un soutien-gorge blanc qui danse. C'est amusant. Pas indécent. Ses copines ne l'imitent pas. Découragées, elles vont se rasseoir.

Minuit et demi. Si c'était un échec, à Toulouse? Parfois, on imagine avoir tout prévu, puis au dernier moment... Non! Pour penser à autre chose, elle demande au barman de lui servir une minicoupe de champagne.

« Juste un doigt! » précise-t-elle.

A cet instant, quelqu'un dit dans son dos : « Bonsoir, ma chère! »

Cette voix? C'est impossible!

« Mi...? Michel? Bonsoir! se reprend-elle dans sa stupeur.

– Surprise?

– Toujours, de vous voir arriver mystérieusement sans savoir d'où vous venez, où vous allez, ni où vous joindre pour vous dire...

– De ne pas venir, par exemple?

– Le Club est ouvert aux amis.

– J'ai à vous parler Anna. Personnellement.

– Eh bien?

– Hum! Pas ici.

– Il n'y a pas de micros. A part ceux du disc-jockey.

– La question n'est pas là. J'ai quelqu'un à vous présenter. Il attend dans ma voiture.

– Faites-le entrer.

– C'est quelqu'un de très important. Venez et dites à votre personnel que vous ne rentrerez pas. Vous risquez d'être retenue un long moment. Mieux vaut prévoir. Ce soir, j'avais des projets et, comme vous voyez, il m'a bien fallu les remettre. J'ai une mission pour vous. Dépêchez-vous.

– C'est bon, Michel. Je vous suis.

– Ma voiture est devant la porte. Je vous y attends. »

Charles et Noémie dansent un nouveau slow. Inutile de les déranger.

« Je ne reviendrai pas! dit-elle à l'hôtesse. Vous vous occuperez de la fermeture. A demain. »

Une grosse Mercedes noire. Lemoind devait la guetter. Il baisse sa vitre : « Prenez place devant, chère amie. »

Le chauffeur s'empresse de venir lui ouvrir la portière. A l'arrière, près de Lemoind, un inconnu. Pas de présentation. Le chauffeur a l'air de savoir où aller.

Quel genre de mission va-t-on lui confier? Qui est l'inconnu assis à l'arrière? Quel silence dans cette voiture...

Avenue Franklin-Roosevelt, la Mercedes prend la direction du rond-point des Champs-Élysées, puis s'engage sur la plus belle avenue du monde. Beaucoup de promeneurs sur les trottoirs. Nonchalance de rigueur, à cause de la chaleur.

« ... Vous le disais donc, mon cher Mike, il s'agit d'une fort jolie pièce... carrossée grand luxe... sportive, élégante, racée, souple, compétitive... »

Le ton de sa voix est enjoué. Presque jovial. Probablement une sorte de négociation au sujet d'une de ses voitures de collection dont il est – paraît-il – un grand passionné?

« ... regrets. M'en séparer... Jamais pu m'en servir pour mon plaisir personnel par faute de temps. »

Un silence, puis – se penchant en avant – il demande : « Chère Anna, il y a des cigarettes dans la boîte à gants. Auriez-vous l'amabilité de m'en passer un paquet? »

Elle reconnaît les boîtes à ses initiales, contenant ses fameuses toutes petites cigarettes qui n'en finissent pas de se consumer. Il lui en offre. Elle refuse.

Réinstallé à l'arrière, il reprend son exposé à son interlocuteur jusqu'ici muet : « ... séduisante... vous la montrerai filmée à l'épreuve... Courageuse, obstinée à donner le meilleur d'elle-même... ne se dérobant pas sur l'obstacle... »

Ils atteignent l'Étoile, contournent l'Arc de Triomphe. Ce n'est pas d'une voiture. Il doit parler d'une jument. Au Venezuela, il possède un haras au stud-book prestigieux.

« ... ne me lasse pas de la regarder, sur certaines photos... à l'exercice... croupe placée... profil parfait... »

La Mercedes suit l'avenue de la Grande-Armée. Direction porte Maillot.

« ... ni trop ni trop peu. Ce qu'il faut. La robe est veloutée. De la cuisse, mon cher, de la cuisse... l'échine souple... »

Il en parle comme d'une pièce de vin. Bientôt le bois de Boulogne.

« ... une bête courageuse, mon cher Mike. Vous pouvez la monter tout un après-midi... chevauchées extraordinaires... »

La grande avenue qui monte vers Longchamp est pratiquement déserte. La Mercedes roule à plus vive allure.

« ... en prenant de l'expérience elle a trouvé son souffle, cette chienne... »

Bien sûr, un chien de chasse. Lemoind est également propriétaire d'un chenil très coté en Amérique du...

« Il y a huit ans, elle se gouinait avec la fille d'un milliardaire de mes amis. Je n'ai pas voulu marcher sur leurs plates-bandes mais je me la serais bien envoyée, cette petite salope. »

Anna ne se retourne pas. C'est inutile. Tout est très clair.

« J'ai fait supprimer l'une, devenue trop encombrante. Aujourd'hui, il me faut supprimer l'autre devenue inquiétante. Je ne peux pas vivre sous la menace continuelle de me faire flinguer par mes meilleurs amis, n'est-ce pas? Dans ce cas, c'est presque de la légitime défense. Si l'amitié de ce bon Philippe n'avait été la plus forte, j'étais tiré comme un vulgaire lapin par je ne sais quel caballero sorti des bas-fonds andalous. Vraiment pas une fin digne d'un honnête homme. »

La cascade du bois de Boulogne, c'est là. Il n'est qu'une heure du matin. Quelques voitures stationnent encore sur la place, devant le restaurant.

« Je vais la laisser à vos bons soins, mon cher Mike. Vous avez bien les clés de la Jaguar, pour le retour? »

L'inconnu marmonne : « All right. »

La Mercedes s'arrête. Loin du parking. Dans un endroit désert.

« Ma chère Anna, je suis dans l'obligation de vous confier à mon ami Mike. Je ne vous souhaite pas bonne chance, mais le cœur y est. »

Elle se retourne, juste comme le dénommé Mike descend de la voiture.

Lemoind est désormais seul sur la banquette arrière de la Mercedes. Elle ne peut rien contre lui.

« Pour Marie-Laurence... c'était donc bien vous? »

Il répond d'un sourire. La portière vient de s'ouvrir et elle se sent tirée par le bras, sans ménagement. Mike lui arrache son sac à main qu'il jette sur la banquette où elle était assise.

« Adieu Anna! » lance Michel Lemoind.

La Mercedes démarre.

« Venez! » dit Mike en l'entraînant vigoureusement.

Chancelante sur ses talons aiguilles, gênée par l'étroitesse de son fourreau, elle se laisse un peu traîner, essaye de réfléchir à ce qu'elle pourrait faire pour se tirer de cette situation critique.

L'heure n'est pas à perdre son sang-froid. Un homme se tient un peu plus loin. Quel qu'il soit, elle va l'appeler à l'aide. S'il ne se sauve pas comme un garenne c'est peut-être une chance de créer une diversion pour profiter...

Inutile d'appeler. L'inoffensif flâneur allume une cigarette en la regardant passer, soutenue et traînée par Mike qui la conduit vers l'entrée de la grotte sous la cascade. Si cette issue est gardée, l'autre l'est probablement aussi. Peu de chance d'en ressortir vivante.

Elle ne reverra pas Noémie. Elle ne reverra plus Charles : ce Charles Rougier qu'elle aura tant aimé et qui, depuis un an, faisait partie de sa vie, comme Noémie, comme Sarah, comme Angèle, comme Paul aussi...

Elle va mourir. On va la tuer. Froidement.

Ma vie s'arrête ici, Mözek. J'ai perdu. Je n'aurais pas dû vivre cette vie-là. Ce n'était peut-être pas la mienne puisqu'elle a été faite de situations que je n'avais pas cherchées ?

Leurs pas résonnent. Ceux de Mike, un peu lourds. Les siens, aigus, qui martellent le sol cimenté.

« Arrêtez! Je suis essoufflée. »

Ils sont dans un endroit que la lune éclaire comme en plein jour.

« What? »

Elle l'a forcé à ralentir. Elle s'arrête.

« Finissez-en tout de suite. Ici, au moins, vous verrez ce que vous faites. »

Il n'a l'air ni de réagir, ni de comprendre. Il la regarde en lui tenant toujours le bras. Elle fait comme si elle avait très mal au côté, en y portant sa main libre, en se pliant un peu. Ça l'intimide sans doute? Il la relâche imperceptiblement.

« Vous, meulêêde? demande-t-il avec un fort accent américain.

– Yes! I am! »

Vive comme l'éclair, elle a relevé la jupe de sa robe et son coup de pied est parti. Mike se plie de douleur, se laisse glisser contre le mur le souffle coupé et les deux mains entre les jambes. Elle le fouille, sort de sa poche un pistolet, l'assomme d'un coup sur la tempe. Il s'écroule.

Haletante, essoufflée, elle n'en revient pas. Maintenant, il s'agit de sortir de ce piège à rat. Le type qui garde l'entrée est certainement armé. Elle aussi, désormais. Dire qu'en un temps, elle a pu se demander à quoi lui serviraient ces notions de combat rapproché acquises au domaine Saint-Lambert... Désarmer une sentinelle qui n'est pas sur le qui-vive? Un jeu d'enfant! Ses talons hauts et sa jupe entravées ne la gênent même pas. Effet de surprise total.

Dans la situation présente, il ne lui reste qu'à s'éloigner au plus vite. Sa montre est trop petite pour qu'elle puisse la lire mais il ne doit pas être loin d'une heure un quart. Elle est à Longchamp. Quatre kilomètres à pied de la porte Maillot. Pas un sou. Pas de papiers. Entrer au restaurant? Téléphoner? Demander à Charles et Noémie de venir la chercher? C'est imprudent. Il y a toutes les chances pour que les deux guignols, momentanément aux abonnés absents, commencent précisément par là leurs premières investigations.

Mieux vaudrait téléphoner d'un autre endroit. Si elle fait du stop, inévitablement, ceux qui s'arrêteront l'auront prise pour une pute. Éviter de se faire remarquer. Éviter, aussi, de marcher près de la route. Ils disposent d'une Jaguar. Sait-on jamais?

Pas l'embarras du choix. Quatre kilomètres à pied. Par le sous-bois.

Elle a toujours en main le revolver pris à Mike : ce n'est pas une agression qu'elle redoute, c'est de se tordre les chevilles sur ses talons aiguilles.

Fascinée par les lumières proches et rassurantes du restaurant de la cascade, elle hésite encore. Entrer. Se présenter au gérant ou à un maître d'hôtel. Anne Carle. Elle est tout de même assez connue pour...

Sortant de l'ombre, elle avise de loin la silhouette de la sentinelle. Il la cherche. Elle n'a plus le choix : le sous-bois.

Chaque jour, Marc et François vont sur la tombe de Caroline. Le petit cimetière communal est à deux pas de leur maison. Les gerbes et les couronnes commencent à défraîchir.

« Demain, mon chéri, nous viendrons de bonne heure et nous enlèverons tout ça.

– Elle n'aura plus de fleurs alors?

– Nous en mettrons d'autres. »

Caroline aimait les roses. Les roses-thés. Il a été entendu avec le marbrier que le frontispice de sa tombe accueillerait un rosier, de couleur thé, près de son nom et de son portrait; dernier témoignage de son sourire, en un temps, sur cette terre.

Pour la première fois depuis la mort de Caroline, Marc et François se sont rendus à Melun. Sous la houlette de la première vendeuse, Mme Mirloup, le magasin de Caroline poursuit son activité. Exactement comme si rien de définitif ne s'était passé. La campagne de soldes de la précédente collection se déroule aussi normalement que si Caroline s'était absentée le temps d'une visite à un salon de prêt-à-porter.

La veille, en fouillant dans les tiroirs, sans rien rechercher de précis, Marc a retrouvé une pipe. Une pipe offerte par Odette. En 1948? Non, 1949, l'année de ses trente ans. Une pipe qu'il n'a pour ainsi dire jamais fumée.

Comme d'habitude, François fait l'unanimité du chœur des vendeuses.

Elles le gavent de bonbons et de gâteaux secs, elles le couvrent de bisous.

Ces gourdes ne le voient pas grandir. Lui prend très au sérieux ces hommages féminins pleins d'élans maternels et bénéficie sournoisement de tous les avantages qui pourvoient à sa gourmandise ou à sa curiosité.

Tout en écoutant distraitement Mme Mirloup lui commenter les ventes et l'état des stocks, Marc songe à une scène récente. C'était au début de ce mois de juin. Il était allé chercher François à l'école et, au retour, ils étaient venus embrasser Caroline. La boutique était pleine de clientes amenées par les premiers beaux jours.

Personne n'ayant le temps de s'occuper de lui, François s'était discrètement dissimulé derrière les portants sur lesquels pendouillaient les vêtements accrochés à leurs cintres et là, bien tranquillement, tout doucement, il s'était mis à genoux, puis à plat ventre, et parfaitement à l'aise, les coudes en appui sur la moquette, le menton bien calé entre ses deux mains, il avait contemplé par en dessous, ce qui se passait dans une cabine où une jeune femme essayait des maillots de bain. Huit ans... Certaines curiosités ne savent attendre.

Non, ces gourdes ne le voient pas grandir. Elles s'accroupissent autour de lui en imaginant que leurs friandises l'intéressent plus que les décolletés et les transparences de leurs corsages à la mode hippie.

« ... La semaine prochaine, nous pourrions donc envisager une nouvelle démarque. Qu'en pensez-vous, monsieur?

– Oui, sans doute. Vous avez l'habitude, madame Mirloup. Faites comme vous jugerez bon. Je dois m'absenter quelques minutes. Je vous confie mon petit-fils?

– Bien sûr. Il est sous bonne garde, n'est-ce pas? » remarque-t-elle en souriant devant le bataillon soyeux, froufroutant et parfumé, de ses trois vendeuses qui entourent François avec autant d'intérêt que s'il était un des Rolling Stones.

Mick Jagger chante, justement, sur la bande de sonorisation du magasin.

La rue Saint-Aspais éclate de soleil. Robes claires et costumes d'été se pressent sur les trottoirs, devant les vitrines. Marc aime beaucoup cette ville. Il aime surtout beaucoup cette rue, elle est vivante, c'est la grand-rue.

Le buraliste de la rue Carnot vend aussi des journaux. Marc entre acheter un paquet de tabac pour remettre sa pipe en service et au passage, jette un regard sur les revues.

Tiens! Maryline est en couverture de *Marie-Claire.* Pas terrible, sa coiffure. Enfin, c'est la nouvelle mode, on s'habituera. François pourra la mettre dans sa collection de photos de sa maman. Maintenant, il boude quand elle paraît un peu trop déshabillée. Il est choqué par ces attentats à la pudeur sur la personne de sa mère. Même Caroline a été visée. Récemment. Il n'y a pas quinze jours, il lui faisait une véritable scène parce qu'elle prenait un bain de soleil, sans soutien-gorge, sur le ponton, et que les gens des bateaux qui passaient sur la Seine pouvaient l'apercevoir.

Allons bon. Il ne manquait plus que ça! «*Assassinat mystérieux : peut-être un crime rituel?* » titre *France-Soir.*

Un crime rituel? En 1969? En France? Avec tous ces hippies, leur marijuana, leurs cheveux longs et leurs cithares pour chanter les louanges de Krishna, pas si étonnant, après tout...

Il achète son tabac. De l'Amsterdamer. En boîte ronde, métallique.

« C'est la dernière! dit la buraliste. A partir de la prochaine livraison, conditionnement sous plastique, comme les autres. – Ça sera moins lourd dans les poches. De toute manière on n'arrêtera pas les hérésies du progrès... Donnez-moi aussi *Marie-Claire.* Puis, *France-soir...* »

François est parti se coucher avec son trésor : la dernière photo de sa mère. Ils ont fait une prière ensemble pour le repos éternel de Caroline. Marc a eu une pensée pour Odette, quand elle faisait la prière du soir avec Charles; il y a bien longtemps.

Pauvre François. Ses parents se séparent. Charles et Maryline ne vivront plus ensemble. La décision est prise. Pour François, ça ne change pas vraiment grand-chose puisque, de toute manière, il ne vivait pas avec eux.

Que faudra-t-il faire? Rester ici? Retourner à Paris dans cet appartement que Charles propose de lui rendre?

Est-il bien juste qu'un petit garçon de huit ans soit privé de vacances en Grèce sous prétexte que sa mère a décidé qu'il devait rester près de son grand-père qui a du chagrin? Rien à lui faire entendre. Au fond, c'est à se demander si elle l'aime ce gosse? Maryline a beaucoup changé depuis qu'elle connaît un quasi-vedettariat. Charles ne fait pas mieux. Il bourre le coffre à jouets de tout un tas de gadgets, mais... le cœur? Au fond, François ne l'intéresse pas du tout.

Frantz Zeitschel, aussi, avait des relations paternelles difficiles avec le petit Helmut. Lui-même a tenu ses distances, avec Charles, dans le passé. Odette compensait. François avait Caroline pour suppléer aux insuffisances de sa mère. Mais Caroline n'est plus là.

Seul, sur la terrasse dominant la pelouse qui descend jusqu'à la Seine, Marc contemple les étoiles avec cette impression étrange qu'il est subitement devenu un vieil homme. Il se revoit, quinze jours plus tôt, à peine, sur ces mêmes eaux qui miroitent sous la lune. Caroline sur les skis, lui aux commandes du bateau. François leur faisait des signes joyeux depuis le ponton lorsqu'ils passaient dans de grandes gerbes d'écume blanche. Ce soir, en fumant sa vieille pipe retrouvée, il peut songer à cela comme à un passé déjà lointain.

Tant qu'il sera là, François ne manquera de rien. Mais s'il venait à disparaître? Caroline était une présence rassurante, par sa jeunesse.

Certes il est trop tôt pour le faire, et lui seul peut dire que ce soir, dix jours après la mort de Caroline, il songe à se remarier. Dans quelques mois, quand il aura tout réglé des affaires en cours, il ira consulter une agence matrimoniale. Cela n'a rien à voir avec son chagrin : c'est pour le bonheur et l'équilibre d'un petit garçon dont il a la charge. Une femme, c'est encore ce que le Bon Dieu a inventé de mieux pour s'occuper d'un enfant.

Ce n'est pas le téléphone. C'est l'interphone de la grille du parc.

Intrigué, il demande : « Qui est là?

– C'est Maryline!

– Maryline?

– Oui, c'est moi. J'ai réfléchi. Je viens chercher François. »

Ainsi, elle a emmené son fils. Tardifs et inexplicables remords d'avoir envisagé de le priver de vacances pour qu'il puisse rester auprès de son grand-père. Une nouvelle journée de grand beau temps s'annonce sur la vallée de la Seine. Marc a peu dormi. Maryline et François sont partis vers deux heures du matin. Il fallait le temps de préparer la valise.

Première journée de solitude. Marc s'est fait du café. Rien d'autre. Aucune envie de nourriture.

Cet après-midi, il rendra visite au notaire pour commencer à mettre en ordre les papiers de la succession de Caroline Lemarchand, épouse Rougier.

Toutes ces tracasseries l'intéressent peu. Pourtant, il devra prendre une décision. Les acquêts du couple Rougier sont au dernier vivant mais si la sœur de Caroline veut faire du commerce, pourquoi lui refuser cette chance? Elle est gentille, plutôt jolie, plutôt gracieuse, plutôt bavarde : tout ce qu'il faut pour réussir dans l'univers provincial de cette petite préfecture.

Ayant bu son café, Marc a déplié *France-Soir*, acheté la veille.

«*Assassinat mystérieux : peut-être un crime rituel?*

«*Aucune explication sérieuse ne peut encore être donnée par les enquêteurs de la brigade criminelle sur les circonstances de la mort de Mme Anne Carle, bien connue du Tout-Paris comme animatrice du club de nuit qui porte son nom. Plusieurs questions se posent : que faisait la victime, dans le bois de Boulogne, à deux heures du matin? Son cadavre a été retrouvé, à l'aube de ce 24 juin 1969, par le service de voirie. Il portait les traces de vingt et un coups de couteau. Un seul de ces coups était mortel, porté en plein cœur. Des reliefs d'une étrange cérémonie ont été retrouvés sur les lieux du crime. Encens, marijuana mêlée à du tabac et viande de mouton grillée dans un feu de bois. Qui est le mystérieux inconnu, trouvé mort d'une balle en plein front à quelques mètres de là? Ni le revolver qui l'a tué, ni les armes qui ont coûté la vie à Anne Carle n'ont été retrouvés. Reconstituons les faits : Il fait chaud, à Paris, ce 23 juin. Il y a peu de clients dans le petit club de la rue de Ponthieu où Anne Carle est venue, comme chaque soir, accueillir ses amis les visiteurs de la nuit. Un peu après minuit, elle fait part à l'hôtesse maison de son intention de partir et rentrer chez elle. Solange Maget, que nous avons interrogée, nous a répondu : " C'était tout à fait inhabituel. Anne ne s'absentait jamais. Elle ne semblait ni préoccupée, ni souffrante. Plutôt lasse. C'est peu après qu'un homme inconnu est entré pour lui parler qu'elle a pris la décision de partir. Cet homme était déjà venu au club. Je ne connais pas son nom mais son visage ne m'était pas étranger. Après qu'il est sorti, Anne est restée encore un moment avec nous. Je ne l'ai pas vue s'en aller. J'étais occupée, au vestiaire, avec une cliente. Je n'ai donc pas pu remarquer si quelqu'un l'attendait ou pas"... (Suite page 5.)* »

Cette dame morte n'a plus besoin de publicité mais elle s'est fait ravir la vedette de la Une par les deux astronautes américains qui vont partir dans l'espace. Armstrong et Aldrin poseront le pied sur la lune le 21 juillet prochain, si tout va bien. La NASA est optimiste pour cette grande première spatiale. Objectif lune, songe Marc. Quatre-vingts ans après qu'Ader a décollé du sol de trois mètres cinquante, l'aéronautique n'a pas perdu de temps.

Tournant les pages, il se porte à la cinquième.

Charles? Une photographie d'Anne Carle et de Charles Rougier, son fiancé.

Charles, fiancé? La photo les montre dansant, lui en smoking, elle en robe du soir. Marc est fasciné par cette photographie. Cette femme... Un sourire, un visage, qui...

« *Connue sous le pseudonyme d'Anne Carle, elle s'appelait Anna Abroweski...* »

Anna?

« *... Quarante-neuf ans, originaire de Pologne, elle était venue à Paris en 1932, avec ses parents. Héroïne de la Résistance, elle avait été condamnée à mort en 1944 pour meurtre. La sentence avait été commuée en vingt années de réclusion criminelle par le général de Gaulle, pour faits de guerre. Libérée par anticipation en 1961, après seize années de détention, elle était devenue au cours de ces dernières années l'une des reines du Paris noctambule.* »

Anna?

« *Charles Rougier, 29 ans, cinéaste, partageait la vie d'Anne Carle.* Les Potins de la commère, *en 1965, avaient été les premiers à annoncer leurs fiançailles. A notre reporter, par téléphone, il a confié : "Il n'a jamais été question de mariage. Anne était très indépendante et ne souhaitait pas plus que moi aliéner sa liberté." Leur tendre liaison n'était un secret pour aucun de leurs proches et beaucoup enviaient leur bonheur discret.* »

Marc est livide. Il lit sans penser et enregistre les unes derrière les autres les informations qu'il découvre. Presque par automatisme, il reprend la suite de l'article.

*« Charles Rougier ne peut en dire plus. Il se trouvait au club de la rue de Ponthieu, ce 23 juin, en compagnie de Mme Noémie Grange, fille adoptive d'Anne Carle. Ni l'un ni l'autre n'ont été prévenus de son intention de s'en aller. Ils se sont rendu compte de son départ vers une heure du matin, lorsque Noémie Grange s'est informée auprès de l'hôtesse sur l'absence de sa mère. Dans un entretien téléphonique que nous avons eu avec Mme Noémie Grange, nous avons appris l'origine du pseudonyme de Mme Anna Abrowes-ki : Elle avait décidé de s'appeler Anne pour franciser son prénom, et Carle en souvenir de son fils, prénommé Karl, qui lui avait été enlevé, à l'âge de deux ans, en 1942, lors de son internement au camp de Drancy. Évadée, elle était entrée dans la Résistance et avait appris, plus tard, que c'était le père de cet enfant, un Allemand qu'elle n'avait pas revu après la déclaration de guerre, qui avait fait kidnapper le petit Karl et l'avait fait arrêter. Elle pensait que père et fils avaient trouvé une mort probable sous les bombardements de 1944-1945, aucune de ses recherches pour les retrouver n'ayant abouti. »*

Anna? Anna et Karl? Anna et son fils! Charles et sa mère!

Marc ne songe plus à poursuivre sa lecture. Sa pensée est brusquement revenue à l'expression « relation tendre ». Charles, devenu sans le savoir l'amant de sa mère!

Responsable. Devant le tribunal de Dieu. Responsable du crime sans nom. Seul responsable.

Une Lorelei pâle et tragique le désigne de son doigt glacé. L'accuse. Combien de morts pour échapper au passé? La pluie du temps n'a pu laver les degrés de l'abîme et la muraille d'oubli s'est effondrée.

Suprême tentation de la mort.

L'envie de sa mort lui fait mal à crier.

Il ne sait plus penser. Il ne sait plus faire taire les clameurs de sa conscience. Sa voix ne perce plus le silence pétrifié de sa douleur.

Le soleil frappe sur la table. Au centre de cette table son revolver, dans un étui frappé des deux lettres d'argent de la SS.

Seule, la mort...

# TROISIÈME PARTIE

## *Un fils exemplaire*

*Paris, fin de l'été 1973*

Trente-deux ans. Plus jolie que jamais. Resplendissante. Maryline Bernard – ex-épouse Rougier – habite un superbe hôtel particulier, à Neuilly, et passe pour faire partie de ce petit monde que l'on dit doré. On envie sa Ferrari rouge, ses bijoux, ses robes, sa maison. Pourtant, rien de tout cela ne lui appartient. Voiture, fourrures, bijoux sont des locations et l'hôtel particulier une résidence fournie pour des activités dont Olivier Menestrel est devenu le maître d'œuvre.

Formé aux techniques de manipulations psychologiques par pressions morales et chantages toutes catégories, bénéficiaire de toutes sortes de passe-droits, de possibilités de falsifications, de protections officielles, Menestrel s'est servi de cette ancienne maîtresse pour mener à bien quelques opérations de trafic d'influences.

Plus inconsciente que vraiment naïve – mais l'effet avait été le même – Maryline s'était retrouvée, un beau matin, pieds et poings liés, à la merci de celui qui s'était dès lors institué son protecteur.

Tout avait commencé en 1970, l'année de son divorce avec Charles. Elle avait vingt-neuf ans. Dans son métier, elle avait ressenti les premiers effets de la limite d'âge. Sa réputation de sérieux professionnel lui valait de travailler encore, mais de moins en moins pour les campagnes à gros budgets. Dans un milieu où tout est difficile, où tout se joue sur la concurrence en jeunesse et en beauté, elle commençait à dériver lentement. Assez connue pour être reconnue, elle n'était pas assez célèbre pour imposer son relatif vedettariat.

Un mouvement d'humeur de sa banque l'ayant placée devant un besoin d'argent urgent, elle s'en était ouverte à Menestrel. A défaut d'un prêt, il lui avait fait une belle leçon de morale sur la nécessité d'affronter ses propres problèmes par ses propres moyens. Bon prince, il n'avait pas voulu qu'elle puisse penser qu'il refusait de lui rendre service et lui avait fait connaître une certaine Mme Claude.

Une dizaine de prestations. Tout au plus. Elles auraient été discrètes, si les bénéficiaires ne les avaient ensuite pernicieusement commentées auprès de quelques mauvaises langues soigneusement choisies. Très vite, tout le petit monde de ses habituelles fréquentations professionnelles avait été au courant de sa façon d'arrondir ses fins de mois, et Menestrel avait ainsi obtenu de la réduire à faire de plus en plus de passes, puisqu'on lui avait proposé de moins en moins de photos.

Aujourd'hui, elle est coincée. Pour en sortir, il lui faudrait se réfugier dans un cloître. Rien de moins sûr que Menestrel l'y laisserait en paix. Elle le déteste. Il s'en fout. Elle le craint. Il le sait. Il ne lui épargne rien. La seule concession qu'il ait faite, c'est de n'avoir plus jamais insisté pour redevenir son amant.

Pour l'essentiel, elle reçoit chez elle, à Neuilly, sur l'entremise de Menestrel lui-même, une clientèle soigneusement sélectionnée. Un ministre en exercice, des hauts fonctionnaires, des diplomates. Beaucoup d'attachés d'ambassades noirs, friands de femmes blondes. Quelques orientaux parfois. Jamais de Russes ni de Chinois : ils sont sous clé après neuf heures du soir.

Lorsque l'épreuve d'un rendez-vous, menace d'être difficile, elle fume un joint de hasch. L'étourdissement passager et artificiel qui s'ensuit lève les inhibitions, camoufle la honte. Personne ne peut alors lui reprocher de mal tenir son rôle dans cette pièce qu'est la chambre à coucher. Menestrel le comprend, sans doute, puisqu'il ne fait jamais de difficultés pour l'approvisionner en herbes folles. Pourtant, cette drogue ne règle rien, la honte revient, après, dans un temps différé, toujours prête à ressurgir.

Son père est mort, l'an passé. Suite au scandale entraîné par les conséquences de l'assassinat de Philippe de..., il n'avait jamais voulu la revoir. Aucun pardon. Le mépris, l'ignorance. L'amour paternel n'avait pas surmonté l'intolérance.

C'était sa mère, évidemment, qui avait le plus mal supporté cette disparition. « Je n'avais que lui, tu comprends? Que veux-tu que je fasse, maintenant? A mon âge. Ma vie de femme, je n'en aurai jamais profité, etc. » Devant tant de désarroi, il s'était imposé de prendre des mesures autoritaires. Elle avait inscrit l'inconsolable veuve pour une croisière dans les îles grecques. Vingt et un jours pour cuver sa peine. Elle l'avait retrouvée, bronzée comme un petit pain, radieuse, rajeunie, amoureuse et comblée. La première préoccupation parisienne de cette grande belle jeune fille de soixante-huit ans, avait été de courir s'inscrire au Club Silhouette pour garder sa forme et, si possible, le bel amant de trente ans qu'elle avait rapporté dans ses bagages. Il en était allé, hélas comme souvent des amours de vacances. Le bel amant avait une vie avant de partir et l'avait retrouvée en rentrant. Après trois semaines à transpirer sang et eau pour conserver les attraits d'une Aphrodite Olumpia, la malheureuse avait dû se résigner à laisser le prétendant champion retourner aux dures réalités des épreuves du pentathlon conjugal.

Il avait alors fallu empêcher la malmenée de l'amour de courir du club de gymnastique au divan d'un psychiatre. De théâtres en cinémas, de music-halls en concerts, d'expositions en conférences, elles s'étaient organisées des loisirs communs.

Un soir, dans un restaurant, on leur avait proposé une table voisine de celle qu'occupaient deux messieurs. Des hommes charmants. Le père et le fils. Probablement une délicate attention du destin? Conversations. Marivaudages. Pour finir, invitation à prolonger la soirée dans un night-club de Saint-Germain-des-Prés. Hésitations. Insistances. De l'un, vingt-cinq ans, superbe gaillard au sourire charmeur, près de celle qui n'avait d'yeux que pour lui. Argumentation convaincante, il s'était présenté en spécialiste du rock-and-roll : « Mais si, acceptez! Acceptez, Sylvaine, je vous apprendrai... » Et de l'autre, soixante et quelques années, pour celle qu'il dévorait du regard. Il en était à l'étude des premiers pas du slow : « Mais si Maryline, acceptez, vous m'apprendrez... »

Vers deux heures du matin, au sortir d'une boîte à danser qui n'était qu'à deux pas de la rue Mazarine, l'élève douée avait proposé un dernier verre à son professeur de rock. Elle lui avait fait visiter l'appartement au pas de charge, puis sa chambre...

Côté salon, l'attente s'était révélée aussi pénible que la conversation avec le lamentable élève de slow. Il y avait eu, aussi, visite commentée de l'appartement : depuis les cuisines en passant par la terrasse et les placards à balais, jusqu'à la dernière porte d'une chambre de jeune fille depuis longtemps désertée.

Au petit matin, les deux zélés serviteurs d'Eros avaient revêtu leurs manteaux couleur de muraille pour regagner leurs domiciles respectifs, où – qui sait? – les dames qui les y attendaient n'étaient peut-être, elles-mêmes, rentrées que quelques minutes avant eux.

De cette soirée, mère et fille n'avaient jamais reparlé. Elles avaient fait exactement comme si rien n'avait jamais eu lieu.

Et puis, un jour, un peu plus maltraitée par Menestrel que d'habitude, Maryline avait craqué. Elle avait expliqué ce qu'était devenue sa vie de cover-girl en perte de vitesse.

« Ma pauvre enfant. Ma pauvre chérie. Qu'est-ce que je peux faire. Mais que puis-je faire pour toi? »

A cette question angoissée une seule réponse possible.

« Rien. Tu ne peux rien du tout. Tu ne peux qu'oublier tout ce que je viens de te raconter. »

Maryline avait regretté cette confidence. Ça n'en annulait pas les effets. Sa mère avait fait l'effort de ne pas en reparler mais l'incident les avait guettées. Il avait éclaté, un soir qu'elles regardaient ensemble la télévision. Au sujet d'une actrice en renom pour sa froide blondeur, Sylvaine avait commenté :

« On murmure qu'elle aussi a commencé sa carrière chez Mme Claude. »

C'était avoir mal mesuré la portée d'un mot de trop. Le « elle aussi », plus machinal qu'intentionnel avait produit son effet.

« C'est facile de me rappeler que je ne suis qu'une pute. Est-ce que je te reproche, moi, de te taper des petits jeunes dont tu pourrais être la grand-mère? »

Consternation. Jamais, elles n'avaient eu à vivre un sembable éclat. La fureur, certes, était ensuite tombée aussi vite qu'elle était née. Maryline s'était jetée dans les bras de sa mère, lui avait demandé pardon, s'était fait consoler. Il n'en avait plus été question.

Quelques semaines plus tard, alors qu'elles avaient déjeuné ensemble, elles s'étaient fortuitement rencontrées, en fin d'après-midi sur les Champs-Élysées. Maryline était accompagnée d'un client qu'elle ramenait à Neuilly. Désagréable présentation : « Ma mère. – Un ami. » Galant homme, il avait insisté pour les emmener prendre le thé à la Maison du Danemark toute proche.

Conversation charmante. Bavardages variés. L'heure du dîner s'était approchée sans bruit. Il avait alors tenu à les inviter. Sylvaine, naturellement, s'était fait prier, puis devant l'insistance, avait fini par accepter de passer du salon de thé au restaurant.

Au dessert, elle s'était absentée. Maryline, sur le coup, lui en avait voulu de cette complaisance qui disait si clairement qu'elle n'était pas dupe et qu'elle laissait sa pute de fille régler sa petite affaire avec le micheton en instance. Elle n'avait guère eu le temps d'en penser plus. Le monsieur lui avait déclaré : « Je trouve ta mère délicieuse. Elle a les jambes de Marlène Dietrich, le mystère de Madeleine Sologne, la classe de Michèle Morgan, le charme de Danièle Darrieux...

– Arrêtez! Ce n'est plus ma mère, c'est l'annuaire du cinéma. »

Probablement emportée par sa bonne humeur de l'instant, elle avait ajouté : « De toute façon, il n'y a que la fille qui soit à vendre. »

Il n'avait rien répondu mais avait souri. Un sourire énigmatique, qui était demeuré sur ses lèvres, inquiétant, avant qu'il dise enfin : « Ce soir, je prendrai les deux. La mère et la fille. Ensemble. Un coup pareil c'est une aubaine. Je paie pour voir. »

Elle n'avait pas eu le temps de se récrier, il avait aussitôt ajouté : « Tout est déjà arrangé. »

A cet instant sa mère revenait s'asseoir. Maryline l'avait donc regardée. Soixante-huit ans et pas une ride, quelques fossettes que l'on dit d'expression, aux coins des yeux, aux commissures des lèvres, à peine un souffle du temps. Une élégance discrète, bourgeoise, rassurante, raffinée. Pas un seul cheveu blanc dans une coiffure coup de vent sculptée chez Carita. Une seule et unique trahison : ses mains et l'éclosion de quelques légères fleurs de sépulcre. Si arrangement il y avait eu, il aurait été pris tandis qu'elle s'était absentée avant de passer à table. Non : c'était impossible. Impossible. Non.

« Eh bien, Maryline, vous rêvez?

– Dans ses yeux, je lis que ma fille n'est pas tout à fait d'accord.

– Maman! Mais enfin maman, tu ne te rends pas compte de... »

L'amateur ne les avait pas laissé poursuivre plus loin.

« Mesdames, je veux bien payer pour vous baiser, mais pas pour partager vos états d'âmes.

– Cher monsieur, je vous donne raison...

– Mais enfin, maman?

– Maryline! l'avait aussitôt rappelée à l'ordre le client : Votre rimmel va vous piquer les yeux. Ça va faire de grandes traces noires sur vos joues. Vous serez laide à faire peur et je ne profiterai pas pleinement de votre gracieux sourire avant... de me servir de toi comme d'un vulgaire giton.

– Mais maman...

– Assez! avait-il grondé sans cesser de sourire. Faudra-t-il que je conseille à mon ami Menestrel de revoir d'un peu plus près l'éducation d'une petite pute raisonneuse?

– Ne soyez pas sévère, monsieur. Je suis certaine que ma fille va mettre un point d'honneur à vous faire oublier cette fâcheuse impression.

– Commencez donc par lui suggérer de prendre exemple sur sa maman. »

Ce soir-là, ni le joint de hasch ni le champagne n'avaient eu les effets escomptés.

Les exigences du client avaient été sans limites. Les concessions, à la hauteur de sa menace. La règle du jeu était la sienne. Il l'avait imposée. Jusqu'au bout.

Au petit matin, lorsque Maryline l'avait raccompagné jusqu'à la porte d'entrée, il avait pris congé en disant : « C'était très bien. Je ne m'étais encore jamais envoyé la mère et la fille en même temps. Tu peux travailler tes performances, ma chérie. Tu ne lui arrives pas à la cheville, à ta vieille. »

Épuisée, Sylvaine s'était assoupie en travers du lit. En tenue de travail. Porte-jarretelles et bas noirs. Filés, après les mauvais traitements qu'ils venaient de subir. Elle portait sur les fesses et sur les épaules quelques légères zébrures des cinglements dont l'avait gratifiée la fine baguette de jonc avec laquelle s'était amusé leur client.

Maryline l'avait réveillée sans ménagement.

« Tiens, voilà ta part! » avait-elle dit en lui jetant au visage la somme qui lui revenait. Sylvaine l'avait prise, comptée, puis s'était levée du lit pour aller chercher son sac à main resté sur un fauteuil et avait soigneusement resserré son salaire dans son portefeuille. Après, après seulement, elle avait demandé : « J'ai filé les bas que tu m'as prêtés. Tu me diras combien je te dois. » Elles s'étaient affrontées du regard. Sa mère avait ajouté : « Désormais, tu ne me traiteras plus seulement de mémée qui s'envoie des petits jeunes. Tu pourras – aussi – me traiter de pute. Je suis comme toi, maintenant. »

Cette phrase, prononcée d'une voix creuse, Maryline l'avait ressentie comme une gifle qui l'avait réveillée d'un cauchemar.

Elles s'étaient jetées dans les bras l'une de l'autre, et avaient longtemps pleuré.

En rentrant d'un court voyage de trois jours à Cologne, Maryline avait retrouvé sa mère malade, incroyablement vieillie. Comme si, d'un coup, en quelques heures, les années l'avaient rattrapée. Les rides s'étaient creusées, sa chevelure parsemée de blanc. Privés de leur flamme joyeuse, ses yeux ne brillaient plus que d'un restant de fièvre due à un mauvais rhume compliqué de bronchite.

C'était la seconde fois que Maryline était témoin d'un semblable vieillissement spectaculaire. Quatre ans plus tôt, en effet, rentrant de ses vacances en Grèce avec son fils, elle avait retrouvé son beau-père tout blanchi, voûté, amaigri, vieilli soudain de vingt ans. Un ami médecin lui avait expliqué qu'il ne s'agissait pas d'un phénomène exceptionnel et qu'il se produisait parfois chez des personnes ayant eu à vivre une situation exceptionnellement douloureuse et conflictuelle. Était-ce, pour sa mère, le souvenir de cette soirée? La perte de sa femme, enceinte, pour son beau-père?

En complet accord avec Charles, ils avaient accepté, dès avant leur divorce, de confier la garde de François à son grand-père. C'est un rôle que Marc tient pour essentiel. S'il n'avait eu François à qui se raccrocher, il se serait probablement laissé mourir de chagrin.

Aujourd'hui, en cette fin d'été 1973, Marc Rougier est donc un homme qui paraît usé. Il a cinquante-cinq ans. On lui en donnerait dix de plus. Son énergie vitale, il ne semble la puiser que dans un dévouement sans borne pour son petit-fils.

A elle, François pose un problème aigu. Elle ne sait définir au juste la forme d'amour qu'elle lui porte. Elle va le voir, souvent.

Moins qu'il le faudrait. Elle souhaiterait qu'il ne s'attache pas trop à elle. C'était l'enfant de l'amour. L'amour est mort. Reste l'enfant. Il aurait dû mourir avec l'amour. Lorsqu'il lui arrive de penser cela, elle s'affole, elle s'en veut, elle se hait et plusieurs jours durant, elle ne peut s'empêcher de courir voir son fils tous les soirs, ne sachant plus que faire pour... se pardonner à elle-même.

L'attitude de François a changé du tout au tout à la date précise où a été prononcé le divorce de son père. Dans l'heure, il s'est montré très tendre, protecteur, consolateur pour ce qu'il imaginait de sa peine.

Il a douze ans. Il réclame souvent de venir chez elle. Jusqu'à présent, en accord avec son grand-père, elle lui a fait croire que ce n'était pas possible parce qu'elle voyage beaucoup. Il ne se contentera plus très longtemps de cette explication. Déjà, il objecte : « Quand t'es pas là, d'accord. Mais, quand t'es là? Pourquoi je sais pas où t'habites? Pourquoi j'ai pas une chambre chez toi? Pourquoi j'ai pas ma clé? Pourquoi on vit pas comme les autres? » Lui promettre que ça va changer? Certes. A cela, il répond : « Oui, mais quand? – Bientôt! » un de ces mots qui ne veulent rien dire sur un calendrier. »

François s'institue juge. De sa façon de s'habiller, par exemple. Les minijupes : il aime bien mais... « sauf que... pas pour toi ». Un corsage trop transparent lui vaut une scène parce qu'on voit son soutien-gorge. Une couleur trop vive, l'expose à une critique. Par-dessus tout, il déteste lorsqu'elle coiffe ses cheveux en queue de cheval : « On dirait la fille de l'épicier. T'as pas quinze ans. » Elle n'a pas quinze ans. Il ne veut pas qu'elle ait quinze ans. Il veut qu'elle ait son âge. Il l'aime en tailleur plutôt strict ou en robe sage. Il a d'ailleurs très bon goût. Un blue-jean, à la rigueur, s'ils vont à la campagne. Pas pour aller au cinéma. Il n'y a pas si longtemps, elle avait omis d'en tenir compte. Il ne s'est pas gêné pour lui dire : « T'es pas mal mais ça te fait des grosses fesses. » Une rare occasion où elle ait vu Marc éclater de rire. Mieux, il avait eu un écart de langage, chose tout à fait inhabituelle chez lui. Ne pouvant s'empêcher de rire, il avait pris François à partie : « Tu es un vrai petit con. Tu as une mère roulée comme une Cadillac et tu voudrais la transformer en camionnette de la Régie Renault. » François n'a aucun humour sur ce sujet : « J'aime pas comme les bonshommes la regardent, des fois. – Tu as peur qu'ils veuillent te la prendre? – Non! Ça me fait honte. »

Avoir honte. Elle sait ce que cela veut dire. Elle fait très attention, depuis, à ne plus commettre d'infraction aux règles vestimentaires prescrites par son fils. François a d'autres préoccupations, la concernant :

« Pourquoi y'a plus ta photo sur les couvertures des magazines?

– Je travaille surtout avec l'étranger : des Américains, des Allemands, des Canadiens...

– Chez le marchand de la rue Saint-Jacques, y'a tous les journaux du monde. Je regarde, quand je vais chercher les revues de papy. Je ne t'y vois jamais non plus.

– C'est peut-être bien que tu ne me reconnais pas?

– A quoi ça sert qu'on te photographie si c'est pour qu'on sache pas que c'est toi? D'ailleurs, je te reconnais toujours. »

Depuis plusieurs années, il tient un press-book. Il en a plusieurs volumes. Il a décrété que ça faisait trop. Que ça tenait trop de place. Il a fait un tri. Il n'a gardé que ses préférées. C'est-à-dire qu'il a jeté toutes celles où on la voyait nue ou trop déshabillée. Elle a récemment posé pour un vieux copain qui avait un « budget présentoir » pour un fluide corporel vendu en pharmacie. C'est une superbe photographie. Elle y est nue, allongée sur le sable blond, dans un soleil filtré par un objectif spécial qui donne l'impression d'une aurore triomphante. Depuis le début de la campagne de promotion, on peut la voir un peu partout dans les vitrines des magasins à croix vertes. Elle ne s'attendait pas à se retrouver aussi dans la chambre de son fils. Au feutre noir, il lui a barbouillé un maillot de bain. Sans commentaire. Ni d'une part ni de l'autre.

Pour ce 13 septembre, François a lancé une invitation.

« Tu viendras dîner chez nous le soir de ton anniversaire?

– Je ferai mon possible.

– Y'aura un gâteau.

– Chic alors!

– Au chocolat! ».

Elle adore le chocolat. Ce n'est un secret pour personne. Occasion de plus de se réjouir de la perspective. Juste un peu trop vite, avant de se rappeler que François déteste le chocolat. Son regard avait été éloquent : sa gourmandise la ramenait au niveau d'une petite fille gentiment inconséquente.

Pour une histoire de gâteau au chocolat, il avait mis l'accent sur ce qu'il pense : qu'elle est un peu fofolle, pas très responsable, pas très raisonnable. Il ne lui a jamais dit cela. Elle sent, malgré tout, que cela ne tardera pas. Elle sait, qu'elle heurte son sens de l'ordre. François ne transige pas avec la discipline que lui a inculquée son grand-père. Ce ne sont que simples prescriptions, mais il s'y tient, scrupuleusement. Ce sont ses points de repères. Ses garde-fous. A sept ans, il disait déjà : « Moi je fais tout comme c'est que papy il dit qu'il faut faire. »

Pour son anniversaire, elle apporte le champagne. Son arrivée se produit en pleine discussion politique entre Marc et François qui viennent d'apprendre par la télévision le coup d'État militaire au Chili. Elle a entendu les informations dans sa voiture. Selon certains observateurs, le président Allende aurait été assassiné, le 11 septembre, un peu avant midi, au palais de la Moneda, par les soldats chargés de recueillir son acte de renoncement à l'exercice du pouvoir.

A propos de celui qui avait choisi le clan des sans-ressources plutôt que celui des exploiteurs, François émet un avis catégorique : « Cette crapule marxiste conduisait son pays à devenir le satellite de Castro. »

Tandis que Marc essaie de le faire réfléchir sur les conséquences d'un monde qui serait coupé en deux, elle se demande si, à douze ans, elle avait de semblables préoccupations pour ce qui se passait dans le monde.

François a ses arguments : « De toute façon, les Ricains laisseront jamais aucun pays d'Amérique latine se socialiser. – Et Cuba? – C'est pour l'exemple à ne pas suivre. D'ailleurs, Castro est noyauté par la CIA. – Mais qu'est-ce que tu sais de tout ça, toi? – C'est logique. Les States ne peuvent pas laisser s'implanter si près d'eux une base avancée de Moscou. » Excédé, son grand-père finit par lui lancer : « Antimarxisme ou pas, ce n'est pas une raison pour assassiner les gens. » Il n'obtient gain de cause que de justesse. En faisant valoir que Salvador Allende était régulièrement élu et, à ce titre, représentait les institutions et l'ordre d'une nation. François concède : « Ça, d'accord! Fallait pas le flinguer parce que c'était l'président, mais c'est pas une perte quand même... Tiens, m'man est arrivée.

– Il y a de l'ambiance, ici, pour mon anniversaire! »

Deux cadeaux l'attendent. Elle peut voir tout de suite? Oui! Elle peut. Le gros d'abord. C'est lourd. C'est le cadeau de Marc, une superbe améthyste que met en valeur un miniprojecteur. Dans une pochette enrubannée c'est le cadeau de François. Un soutien-gorge. En satin blanc. Étonnement, explication : « La dernière fois t'en portais pas. Alors j'ai cru que t'en avais plus. » C'est la bonne taille. Si elle ne peut pas se réjouir franchement que son fils ait les idées larges elle peut toujours se consoler en se disant qu'il a, malgré tout, le compas dans l'œil.

Quatre ans après l'assassinat de la nuit du 23 au 24 juin 1968, les meurtriers d'Anna Abroweski, alias Anne Carle, courent toujours. *Ses* meurtriers, car au-delà des premières constatations d'enquête, l'autopsie a démontré que les coups de couteaux qui avaient été portés à la victime provenaient de plusieurs lames différentes. Quant à l'inconnu (non identifié) retrouvé mort d'une balle dans la tête, il avait été abattu par un pistolet Star 9 mm, une arme à usage militaire. Aucune de ces armes n'avait été retrouvée. L'enquête était restée au point mort. Seul témoignage intéressant recueilli par les inspecteurs de la police judiciaire, celui d'une prostituée qui avait remarqué une bande de jeunes, vaguement hippies, dans les parages.

Noémie avait mis en ordre la succession d'Anna. Par testament elle était la principale héritière.

Le testament n'ayant fait l'objet d'aucune note codicillaire, depuis sa rédaction, à la prison centrale de Rennes, en 1954, Charles Rougier habitait depuis chez Mme Noémie Grange, dans cet appartement de la rue de Castellane dont il n'avait plus bougé depuis le jour lointain de mai 1968 où Anne l'y avait amené.

Lorsque son père avait réintégré son ancien domicile de la rue Royer-Collard, il lui avait bien proposé de venir habiter avec lui, mais Charles n'avait eu aucune raison d'accepter.

C'était fin juin 1968, alors qu'elle rentrait d'un an de stage de création artistique en Californie, que Noémie avait fait la connaissance de Charles Rougier.

Dès son arrivée, Anna lui avait présenté le grabataire. Au premier regard, elle avait été séduite.

« Qui c'est? Où l'as-tu connu? D'où vient-il? Depuis quand l'as-tu? »

A ces questions elle avait obtenu des réponses :

« C'est un cinéaste. Il travaille souvent avec ton premier mari. C'est Paul qui me l'a présenté. Il vient d'un couloir d'immeuble de la rue Claude-Bernard où, en mai dernier, il s'était courageusement jeté sous les matraques des CRS pour m'épargner leurs coups. Il sort de l'hôpital.

« C'est ton amant?

– Non. Pas encore. »

A cela, Noémie n'avait rien trouvé à redire. Simplement, avait-elle décidé, deux jours plus tard, d'accompagner Sarah en voyage d'affaires à Barcelone.

A leur retour, le 9 août suivant, Anna était déjà partie pour la Riviera italienne et Charles Rougier n'était plus là : « Évidemment, avait persiflé Noémie, elle a emporté le prêt-à-baiser qu'elle s'est retapé en juillet. » Sarah avait d'abord estimé que c'était bien superflu pour aller en Italie, avant de réagir :

« Non mais, des fois, tu ne vas pas recommencer avec Anna comme quand tu avais quinze ans et que tu lui faisais des scènes sous prétexte que tu ne supportais pas qu'elle se déshabille devant tout le monde? Lâche-lui un peu le panty, maintenant, tu veux! »

Comme toujours quand elle savait qu'elle n'avait pas raison, Noémie avait fait la moue.

Début septembre, Anna était rentrée en rapportant dans ses bagages une superbe actrice italienne qui répondait en toute simplicité au doux prénom de Léocadianetta. Noémie avait ainsi appris que Charles Rougier n'était pas du tout au soleil de San Remo mais qu'il avait passé son mois d'août dans la Ruhr, où il tournait un film sur les aciéries.

« C'est quand même pas raisonnable de l'avoir laissé tout seul. Qui c'est qui aura plein de grosses larmes dans ses jolis yeux quand elle apprendra qu'elle se l'est fait piquer par une grosse teutonne? »

Il lui avait bien semblé avoir entendu Anna répondre : « Faudrait savoir ce que tu veux... »

Charles Rougier de retour, Noémie l'avait trouvé tout aussi séduisant qu'à leur première entrevue. La vie s'était organisée curieusement à cette époque. Il travaillait beaucoup. Anna disait qu'il avait fait installer un lit de camp dans la salle de montage du laboratoire de cinéma où il avait son quartier général. Parfois, en pleine journée, alors qu'Anna « léocadianettisait » encore au fond de son lit, il arrivait, prenait un bain, se rasait, se reposait, se partageait sans doute un peu entre Anna et l'Italienne (baptisé Nénette pour la commodité du quotidien), et repartait trois heures plus tard sans avoir dit autre chose que « Salut Noé, ça biche? » La première fois, elle avait cru entendre : « Salut Noé, ma biche. » Elle en avait été transportée de joie jusqu'à la fois suivante, où elle avait mieux compris « le phrasé du thème ».

Certains soirs, elle avait fait des descentes surprises au club de la rue de Ponthieu. Elle se disait qu'en dépit de Nénette – et même de toutes les autres nénettes de la création – le beau Charles devait bien parfois y rejoindre la troublante Anne Carle. Son hypothèse était demeurée invérifiée.

Enfin, le film étant fini, il y avait eu, un dimanche soir – jour de fermeture du club – un grand dîner rue de Castellane. Charles et Paul étaient les invités d'honneur. A table, ils étaient quatre. Plus une, qui comptait pour une bonne douzaine : l'inévitable Nénette dont le décolleté sur les profondeurs des gorges était si vertigineux qu'il eût été suicidaire de s'y pencher sans parachute. Fasciné par ce point de vue grandiose, Paul avait – ouvertement – rêvé... d'aventure. Charles Rougier, lui, n'avait touché à aucun plat. Il avait dévoré Anna des yeux. Un scandale que Noémie n'avait pu supporter. Elle avait soudain annoncé, qu'elle avait un rendez-vous. A part Nénette qui ne comprenait que ce qui l'arrangeait du français et en avait profité pour lui demander de rapporter deux paquets de Pall Mall super longues, les autres avaient trouvé tout naturel de la voir engloutir sa meringue au chocolat alors que le maître d'hôtel n'avait pas encore sorti le gigot du four.

Elle était allée pleurer dans les jupons d'Angèle mais l'avait trouvée au lit avec un certain Gachaxo, ou Gaspacho – non, Gachixa – enfin, le fameux mec qu'elle avait ramené d'Amérique. Elle s'était alors rendue chez Sarah qui, ce soir-là, était de sortie. Bien la peine d'avoir trois mères pour n'en trouver aucune de disponible!

A son retour, deux jours plus tard certes, mais... sans avoir oublié les deux paquets de Pall Mall super longues pour Nénette, elle avait trouvé... – Miracle? Don du ciel? Cadeau d'un Père Noël en avance de trois mois? – ... elle avait trouvé Charles Rougier dans sa chambre à elle, dans son lit à elle, et même dans ses draps à elle que personne n'avait changés.

« Qu'est-ce que vous faites là? »

Plongé dans un sommeil probablement réparateur de turpitudes inimaginables, il n'avait rien entendu. A force de le regarder, elle l'avait trouvé si attendrissant, si touchant, si doux, si tendre, et même plus encore, qu'à la fin elle s'était dit qu'il avait encore de beaux restes. Elle s'était donc couchée. Près de lui. L'exténué n'avait pas ouvert un œil. Elle lui avait pris doucement la tête entre ses bras, et l'avait bercé longtemps, pour... se consoler d'être si malencontreusement amoureuse de l'amant de sa mère.

Étonnement, tout de même, de l'intéressé, en s'éveillant, le lendemain matin, de se retrouver tout nu avec elle qui n'était pas exagérément habillée.

« Noémie, mais...? »

Gentil, non? Elle avait estimé que cela valait une déclaration d'amour, puisque ce n'était tout de même pas la surprise de trouver la légitime occupante dans son propre lit. Pour le peu qu'elle savait des hommes (mise à part une tragédie de jeunesse à laquelle elle ne pensait plus) ses deux maris l'avaient habituée à des réveils triomphants. Son premier amant, lui aussi, avait eu un réveil vibrant des meilleures dispositions. Elle ne s'en était pas plainte.

Après. Car forcément, il y a toujours un après. Après, donc, mais seulement après, elle avait commencé à se dire... que tout ça n'était pas vraiment joli-joli. Elle ne s'était pas franchement imaginée allant remercier Anna pour son gentil cadeau sans emballage. A tous les coups, sa mère risquait de rouspéter presque aussi férocement que pour un pull piqué dans sa commode.

Une difficile conversation s'annonçait. Elle n'avait pas eu à la provoquer. Plus tard dans la matinée, après le départ de Charles, Anna était venue la rejoindre dans son lit, l'avait tendrement prise dans ses bras, et avait fait le point de la situation : « Premièrement, Charles m'a tout raconté. Deuxièmement, j'en suis très heureuse pour vous. Troisièmement, Charles n'a jamais été ni ne sera jamais mon amant, quels que soient les sentiments exceptionnellement tendres qui nous unissent. »

Sur ce dernier point, Noémie n'avait pu s'empêcher d'avoir une pensée peu élégante sur l'art et la manière de remettre les compteurs à zéro.

Une insolite situation s'était établie. Publiquement, Charles passait pour être l'amant en titre d'Anna et ne se gênait aucunement pour lui faire ouvertement la cour. Alors que, dans l'intimité, c'était au creux des bras de « la fille adoptive de l'ombre » qu'il faisait son ronron. Situation qui n'avait pas été sans anicroches. Un soir du printemps 1969, à l'occasion d'une fête au club, l'empressement de Charles auprès d'Anna avait fait éprouver à Noémie les tiraillements de la plus noire jalousie et elle avait déclenché un esclandre.

Charles lui avait assuré : « Ta mère n'a jamais été ma maîtresse et ne le sera jamais! » Cette allégation ne l'avait pas plus convaincue que celle d'Anna. Il avait ajouté : « Anne ne l'a pas voulu. » Et ça – sans trop savoir pourquoi – elle avait bien voulu se risquer à le croire. Enfin, presque.

Après l'assassinat, Noémie avait bu le calice du chagrin le plus intense, le plus noir, le plus sincère. Charles aussi qui, avec une infinie compréhension, lui avait prodigué toutes les marques d'une immense tendresse.

Elle avait eu besoin de plus d'un an avant de pouvoir se dire que cette tragique disparition avait pour avantage de lui laisser Charles pour elle toute seule. Effrayée par l'horreur de cette pensée ignoble, elle avait alors été terrifiée par une prise de conscience infiniment plus atroce : depuis qu'Anna n'était plus là, Charles Rougier l'intéressait beaucoup moins.

Déjà, il n'y avait plus rien, entre eux, qu'une sorte de relation fraternelle. Passée la stupeur des premiers jours ayant fait suite à la douleur, Charles s'était réfugié dans la chambre d'Anna pour y vivre la passion de son chagrin. Avec une frénésie quasi mystique, il s'était mis à écrire le scénario de ce qu'il savait du destin de cette femme.

Que savait-il donc, qu'elle ne savait pas, elle?

Ce scénario, Charles ne l'avait pas abordé aussi vite qu'il l'avait laissé croire. Au début, ce projet avait justifié son retranchement dans la chambre d'Anne. Il avait difficilement surmonté sa révolte devant cette mort. L'existence de Noémie, quelque part dans la maison, le rassurait un peu.

La véritable idée de ce film inspiré de la vie d'Anne Carle, n'allait naître que neuf mois plus tard. Précisément, le 17 mars 1970, le soir de son anniversaire.

Trente ans, c'est l'âge de faire le premier point sur ce que l'on a déjà fait et sur ce que l'on va devoir faire. Pour lui, les choses avaient toujours été claires : sa vie devait être un livre d'images, puisque sa vie était d'inventer des images. Il allait, maintenant, passer la vitesse supérieure, entrer dans le vrai cinéma.

Ce début des années 1970 s'annonçait dans l'euphorie économique. S'il déplorait l'échec de mai 1968, il n'en devait pas moins prendre une petite part de gâteau. Ses premières démarches, auprès des producteurs et des distributeurs de films, avaient entraîné divers encouragements : « *La réforme du fonctionnement de l'aide à la première œuvre attribuée par le Centre de la cinématographie française, viendra prochainement contribuer à la réalisation de vos ambitions. Nous vous y aiderons. Attendez avec confiance.* »

Était né le besoin d'écrire « le » scénario dont il avait envie. Trop à dire ne facilite pas les choses. Ne filmer que l'essentiel. Suggérer le reste. Facile à dire. Moins à... réaliser. Charles demeurait embarrassé. Ses difficultés à trouver des issues aux problèmes que lui posait sa création étaient moins liées à la maîtrise de son langage cinématographique qu'à des hésitations sur le vécu de son héroïne.

A cela, s'étaient ajoutées les interférences créées par le détachement progressif de Noémie qui lui causait une certaine peine. Était-ce l'approche de sa quarantaine qu'elle supportait si mal? Il n'aimait pas la voir ainsi torturée, mal dans sa peau, irritable. Il ne comprenait pas pourquoi elle s'accusait de n'avoir pas eu d'enfant. Comme si cela avait tenu à sa propre volonté. Il refusait de la voir ainsi, voguer d'énigmatiques mélancolies en inexplicables gaietés. Il aimait beaucoup Noémie, sincèrement, comme l'être qui le rattachait mystérieusement au souvenir d'Anne. Il comprenait donc très bien sa souffrance. Pour la calmer, il avait même pris le parti de regagner leur chambre. Ce stratagème avait eu une apaisante efficacité. Pour elle. Pas pour lui. Depuis qu'Anne n'était plus là pour être heureuse du bonheur de Noémie, il ne ressentait plus l'utilité de sa présence auprès d'elle. Par affection, la perspective d'un effort ne lui avait pas paru insurmontable mais la perspective d'une assiduité exemplaire lui avait semblé insupportable.

Noémie n'avait pas pu comprendre que de temps en temps il puisse préférer faire chambre à part.

« Est-ce que j'ai des exigences abusives?

– Non. »

Simplement donnait-elle à leur relation la force d'une habitude. Elle institutionnalisait son lit – redevenu leur lit – dans lequel elle se sentait rassurée par sa présence à lui et dans lequel il se sentait indisposé par sa présence à elle. Difficile conciliation de points de vue.

Parfois, il s'inventait une raison pour ne pas rentrer. Il allait dormir à l'hôtel et, le lendemain matin, prétendait débarquer d'un train ou d'un avion.

Invité à la projection d'une maquette de la future émission de télévision pour laquelle son ami Pelot avait reçu quelques crédits de recherches, il avait rencontré Ève Trinquier. Elle venait juste de déménager. Elle achevait de s'installer dans un nouvel appartement, rue de l'Université, à deux pas de la rue Cognacq-Jay où elle exerçait toujours ses activités. Elle l'avait emmené visiter son nouveau cadre de vie et – ce soir-là – il lui avait demandé l'asile de sa chambre d'amis. Une nuit d'absence de plus. Un incident de plus.

Le lendemain, Ève pendait la crémaillère. Elle lui avait proposé de rester. Deux nuits d'absence consécutives, l'incident devenait petit accident.

Le surlendemain, il avait aidé Ève à ranger sa maison. Après plus de trois heures de vaisselle et travaux ménagers en tous genres, ils n'avaient eu le courage de refaire qu'un seul de leurs deux lits.

Le cœur n'est pas tout seul à avoir ses raisons que la raison ignore. Quelques instants plus tard, Ève murmurait : « Mon corps a oublié ce qu'est un homme » et Charles entreprenait de lui démontrer qu'il ne s'agissait pas d'une amnésie inguérissable. Une troisième nuit d'absence n'est plus ni incident ni accident, c'est carrément le début d'une mauvaise habitude.

En tout cas, Noémie n'avait pas manqué de le faire vertement remarquer. Charles n'avait battu ni sa coulpe ni sa femelle en furie. Ne supportant pas les écarts de langage, il avait réintégré la chambre d'Anne.

Le lendemain, lorsqu'il avait appelé Ève au téléphone pour lui raconter son triomphal retour, il avait eu la désagréable surprise de l'entendre formuler des vœux pour une meilleure harmonie avec celle qui partageait ses jours et prier de ne plus rappeler.

Si on impute volontiers à l'habitude d'être le principal des maux du couple, on peut considérer que, le plus souvent, ce sont les mauvaises habitudes de l'un, de l'autre, ou des deux, qui précipitent sa fin. Charles avait continué à sortir et à ne pas rentrer. Noémie avait commencé à agir de même.

L'atmosphère s'en était trouvée considérablement dégradée.

Sous prétexte de lui demander combien coûterait un film publicitaire pour Paris-Bijoux, Sarah était venue voir Charles. Dans le passé, elle avait marqué quelques réticences à admettre sa présence assidue auprès d'Anna mais, tout s'était considérablement arrangé depuis bien longtemps. Elle l'aimait beaucoup. Il le lui rendait bien. Leur conversation avait donc essentiellement porté sur ce qu'il pouvait envisager pour remédier à la détérioration de sa relation avec Noémie. Il avait promis de faire son possible et avait tenu parole, à commencer par la réintégration de la chambre commune..

Ainsi, durant quelques nuits, jusqu'à... l'incident.

« Enfin, je voudrais bien savoir à qui tu penses quand nous faisons l'amour. A moi, ou bien à... Elle? »

Seul le silence pouvait répondre franchement. Cette nuit-là, c'était Noémie qui était montée se réfugier dans la chambre d'Anne.

Le lendemain soir, alors qu'il rentrait après avoir pieusement recueilli le message contenu dans le dernier chef-d'œuvre d'hermétisme pelliculaire d'Alain Robbe-Grillet, Charles était allé lui proposer une trève. Noémie était vêtue comme Elle. Maquillée comme Elle. Avec les mêmes mines, les mêmes gestes, les mêmes mots qu'Elle. Noémie qui pourtant ne ressemblait pas à Anne était parvenue à créer l'illusion. Perruquée de noir, pour parachever son identification au modèle, elle lui avait tendu les mains en disant de cette même voix un peu basse qu'Elle empruntait parfois : « Venez, Charles. Venez. Cette petite conne de Noémie est sortie. Qu'on en profite un peu. » Il avait répondu : « Je te pardonne. » Puis avait tourné les talons.

***

Paul Laurent aussi rêvait de faire un grand film. Il n'avait donc pas ménagé ses efforts pour aider son ami Rougier. Ses démarches avaient abouti. Un contrat de coproduction avait été signé.

En sa qualité de producteur exécutif c'est à lui que Charles doit remettre le scénario. Passionné par le sujet, Paul n'en attend pourtant pas des révélations fracassantes. Il est simplement comme beaucoup des proches du souvenir de l'héroïne, il voudrait bien savoir ce qui servait de ciment dans la relation ambiguë qui unissait Anna et Charles Rougier.

Il n'a donc pas voulu lire. Il attend de voir. Tout s'est organisé rapidement mais reste à faire la distribution. Tout tourne autour du rôle d'Anna et Charles a son exigence : il veut Catherine Deneuve.

« Je te jure, ce n'est pas possible. Elle n'est pas libre avant trois ans.

– Je veux Catherine Deneuve.

– Mais elle est blonde et Anna...

– Brune ou blonde, Catherine Deneuve est à la beauté ce qu'est le berger à son étoile. Tu peux comprendre?

– Non! Mais je vais toujours essayer de te ménager une entrevue avec elle. »

Bien que séduite par le personnage, par le scénario, et nullement effrayée par la perspective de s'en remettre à un jeune réalisateur, la comédienne n'avait pu donner son accord pour ses fameuses raisons de calendrier.

La mort dans l'âme, Charles avait donc renoncé.

Anna serait incarnée par une parfaite inconnue, bien encadrée d'une solide équipe de professionnels.

***

Elle lui avait d'abord donné asile. Puis, il était resté. Ève Trinquier en était plutôt satisfaite. A ceci près qu'elle n'aimait pas du tout cette bonne femme sur laquelle il écrivait un film.

Une nuit qu'il avait travaillé tard sur son scénario, il l'avait réveillée en venant se coucher pour lui annoncer de but en blanc : « J'ai trouvé.

– T'as trouvé quoi?

– Le ton de l'écriture cinématographique! »

Mal dans sa peau à cette période du mois, nerveuse, vaguement irritable, elle n'avait pu s'empêcher une réaction d'humeur : « Si tous les mecs faisaient autant d'histoires pour parler de leurs anciennes maîtresses, les comptoirs de bistrots y perdraient sans doute beaucoup de sujets de conversations et de nombreux foyers y gagneraient leur présence.

– Je n'ai jamais été son amant, avait-il donc déclaré, une fois de plus.

– Mais non, mais non! Mais je vais te dire : que vous ayez ou non couché ensemble me gêne beaucoup moins que cet amour que tu n'en finis pas de porter à une morte. »

Charles était resté un instant gêné. Indécis.

« Je... Je l'ai désirée, c'est vrai. J'en ai été très amoureux, c'est toujours vrai. Il aurait été naturel que nous unissions nos corps comme s'unissaient nos sentiments l'un pour l'autre. Elle a pris la détermination de nous refuser cela. A la suite de circonstances précises. Je lui en ai voulu, au début. Dans mon incompréhension, je l'ai accusée de raisons fabriquées par son imagination. J'ai même pensé à ce penchant qu'on lui prêtait de préférer les femmes. Si Noémie n'était venue, je serais parti sans plus jamais vouloir la revoir. En fin de compte, Noémie m'a permis de rester, de continuer à vivre au plus près d'elle.

– Compliquée, ton affaire de cœur.

– Oui, parce que... Anna, c'était ma mère.

– Ta mère! Qu'est-ce que c'est que cette histoire?

– Anna n'a pas été ma maîtresse, parce qu'Anna était ma mère.

– Tu es complètement fou! Tu finiras à l'asile.

– Écoute. Alors que tout nous poussait l'un vers l'autre, à travers moi, Anne a sacrifié l'amant pour me porter l'amour qu'elle avait gardé pour son fils disparu. Moi-même, je l'ai aimée comme ma vraie mère que je n'ai jamais connue. Peu importe, que je sois né ou non de son ventre. Tu comprends? »

*Juin 1974*

« Allô! maman? C'est François.

– Je... c'est... Ah! oui? Excuse-moi, je me suis couchée tard.

– J'avais compris. »

Il ne s'en laisse pas imposer. Quand il réprouve, il sait se faire comprendre. Il a compris qu'elle s'était couchée tard, tout comme il a compris depuis déjà longtemps qu'elle mène une vie discutable.

« Qu'est-ce qui me vaut...?

– J'ai dîné chez papa et Ève, hier. Je suis chargé de te demander discrètement de la part de ton ancien mari si tu accepterais d'assister à une projection privée de son film, au cinéma le Publicis des Champs-Élysées, le 25 juin prochain, à dix heures du matin.

– Merci de toutes tes précisions. Et pour la commission. Je mets des réserves quant à la discrétion de la formulation.

– Faut bien que tu te réserves au moins sur un point.

– Ce qui veut dire? s'enquiert-elle avec une inquiétude que des mots, des signes, des impressions, lui assurent à chaque fois de plus en plus justifiée.

– Ce qui veut dire que... vu l'horaire matinal, ça sera très dur pour toi! »

Réponse moins innocente qu'en apparence. Elle ne manque pas de s'en rendre compte. Ne sachant plus trop bien comment s'y prendre, elle demande, à brûle-pourpoint, ce qu'il pense du projet d'abaisser l'âge de la majorité légale de vingt et un à dix-huit ans.

Il ne s'embarrasse pas de précautions :

« Je pense qu'on pourrait sans courir trop de risques l'abaisser à treize ans pour certains et la faire remonter à... dans les trente-trois, pour d'autres... »

C'est clair. C'est dit comme c'est pensé.

Elle l'entend discourir : « ... C'était la réflexion que je me faisais, hier soir, à l'occasion de l'anniversaire de la poule de mon père qui avait trop laissé cuire Ève... Excuse, y'a lapsus : je voulais dire qu'Ève avait trop laissé cuire la poule au riz que mon père... T'as compris, quoi? »

Elle a compris. Il n'attend pas qu'elle confirme, ou qu'elle le remercie de faire l'imbécile.

« Elle a aussi trente-trois ans, Mme Trinquier?

– J'sais pas.

– Comment ça tu ne sais pas?

– J'ai pas eu le temps de compter toutes les bougies qu'elle les avait déjà soufflées, enlevées, lavées, essuyées, rangées... »

Il pourrait en rester là. D'ailleurs, il change de thème : « Dis donc, ça fait toute une éternité, plus un siècle ou deux, que t'es pas v'nue dîner chez nous? C'est une des fameuses mauvaises habitudes que tu disais vouloir perdre?

– Puisque tu vois ton père, en ce moment, tu ne vas pas me dire...

– Mais si! Mais si! Rien ne vaut la douceur des baisers d'une p... »

Sur le son *p* – seizième lettre de l'alphabet – sa voix demeure suspendue. Juste le temps nécessaire pour qu'elle s'affole. Il avale bruyamment sa salive en poursuivant : « ... excuse-moi, je m'étrangle. Je voulais dire : petite maman respectueuse, de... »

Cette fois, c'est fait. Que dire?

Dieu généreux entend sa supplique de remettre à plus tard une conversation de cette nature. Il lui accorde une remise de peine dont elle paiera les intérêts dans son éternité à venir, puisque par principe un bienfait divin n'est jamais gratuit. François est pressé. Son prochain cours est à quatorze heures et il a juste le temps de déjeuner. Leur conversation s'abrège.

Comment tourneront les choses, entre eux, dans les mois qui viennent? Une seule réponse : sans aménité de sa part à lui. A la grâce du diable, en quelque sorte.

Il a compris. Il a compris tout seul. Au fil du temps.

Quand il allait à l'école de Melun, il n'avait pas de problème. Tout le monde supposait qu'il était le fils de son grand-père et que Caro était sa mère.

En 1971, à son entrée au lycée Louis-le-Grand, personne ne le connaissait : « Ils font quoi tes parents? » Cette petite phrase innocente avait déclenché en lui une sorte de signal d'alarme.

« Mon père, il est cinéaste. »

Certes, ce n'était ni Truffaut ni Schöndorfer, mais enfin il était avouable, comme n'importe quel comptable ou chef du personnel. Au sujet de sa mère, il s'en était tenu à la carrière la plus honorable qui soit pour une femme, dans son esprit, celle de mère de famille et d'épouse au foyer. A cette époque, pourtant, il aurait pu être fier. On la voyait partout dans les magazines féminins, beaucoup plus belle que toutes les autres femmes qu'on rencontrait dans la rue. Seulement, il y avait aussi toutes ces images sur lesquelles on la voyait nue. Des publicités, notamment. Il en avait plutôt honte. Mieux valait se taire.

Il n'avait toutefois pas été loin de cracher le morceau. C'était l'année de sa sixième. A cause de Truchet de Pommard, un cancre qui ne devait qu'à la particule de son nom composé d'avoir eu le droit de redoubler. Fastoche, d'avoir les oreillons puis de dire après qu'on n'a pas tout entendu.

Ça n'empêchait d'ailleurs nullement le bougre d'être plutôt sympa et, surtout, d'avoir une grande sœur de vingt ans. Elle en mettait de l'effervescence, quand elle venait le chercher! Truchet de Pommard avait eu la langue trop longue en prétendant avoir une photo d'elle où on la voyait prendre un bain de soleil sans soutien-gorge. Mis sur-le-champ en demeure de le prouver, il l'avait fait. Ainsi, Martine Truchet de Pommard avait-elle été consacrée dame de cœur, d'honneur, et de bandaison de la sixième B. De cœur, parce que tous les sixième B qui avaient vu la photo étaient tombés amoureux de Mlle Martine Truchet de Pommard. D'honneur, parce que c'était la frangine de Truchet. De bandaison, parce que, sitôt prononcé par Georges Brassens, le mot n'était pas tombé dans des oreilles de sourds :

*« Quand je pense à Lulu*
*Là, je ne bande plus.*
*La bandaison papa,*
*Ça n'se commande pas. »*

L'année scolaire avait donc été doucement bercée par cette vision de Martine Truchet de Pommard, dont quelques mains hésitantes, le soir dessous les draps, caressaient le souvenir. Bien entendu, l'image entrevue avait depuis longtemps regagné les pages d'un album de vacances duquel elle n'était que très clandestinement sortie.

« Point à la ligne, ouvrez les guillemets, je cite... » aurait dit leur prof d'histoire. « La sœur de Truchet, c'est quand même pas la merveille du monde, ma mère est bien mieux que ça! » Ces paroles fracassantes qui devaient marquer le troisième trimestre avaient été prononcées par la voix de l'élève Claude-Marie Montarron. L'émotion avait été vive chez les inconditionnels de Mlle Truchet de Pommard. Que Montarron le dise, soit. Mais il devait le prouver. Profitant d'un voyage d'affaires de son père, il avait fait main basse sur une « preuve » contenue dans un album intime et, dès le lendemain, les charmes épanouis de madame Montarron-mère avaient délogé dans les esprits les cuisses de grenouille de la môme Truchet.

« Ben quoi, François, t'as pas l'air d'accord?

– Je préfère la blonde de la publicité Rank Xerox. »

Il s'était retenu de justesse de poursuivre : « Parce que, celle-là, c'est ma mère à moi. » S'il l'avait fait, tous alors auraient su qu'elle passait le plus clair de son temps à poser à poil pour les pages glacées des magazines. Ce n'était pas compatible avec la dignité d'une diplômée de lettres classiques, dont il était beaucoup plus fier.

L'année scolaire suivante, la cinquième B avait eu d'autres préoccupations que les formes de la mère Montarron. Surtout avec ces histoires de filières. Ceux qui se donnaient pas dans le génie commençaient à se faire du mouron. Les autres perfectionnaient leur anglais dans la lecture assidue de *Playboy*.

Cette année-là, « la Star » ne s'était plus montrée aussi souvent en couverture des magazines. Il s'en était étonné mais, au fond, il avait trouvé que c'était mieux comme ça. De toute façon, il ne collectionnait plus ses photos et ne regardait jamais celles qu'il avait conservées. Sauf une... Là, il l'aimait. On ne voyait que ses yeux violets. Et son sourire, aussi. Juste un peu. Elle regardait par-dessus ses lunettes de soleil, et ça donnait l'impression qu'elle le regardait, lui. Évidemment, d'autres pouvaient aussi se dire que c'était eux qu'elle regardait mais, quand même, elle n'était pas à eux, elle était bien à lui.

Cette année-là, il avait commencé à se poser des questions. A cause d'une fille habillée mini, avec des cheveux blond pâle, évanescents, qui faisaient penser à ceux de la Star. Cette fille ne lui ressemblait pas du tout, sauf les cheveux. Des cheveux comme ça, on n'en rencontrait pas tous les jours : aussi clairs, aussi soyeux, aussi emmêlés... Un de ses copains avait dit : « Celle-là, elle fait la pute. L'après-midi, elle s'assied à la terrasse de Capoulade et elle attend qu'un mec vienne lui payer un verre. » Certes, il n'avait pas immédiatement pensé que sa mère puisse en faire autant, mais il s'était innocemment demandé à quoi la Star pouvait bien passer son temps quand on ne la photographiait pas?

La semaine suivante, il avait séché le début d'un cours de géo pour courir jusqu'à la terrasse de Capoulade. La blonde qui ne ressemblait pas vraiment à la Star (sauf les cheveux) y était assise. Auprès d'un homme. Elle mangeait une glace.

Encore au sujet des filles, il avait entendu un type expliquer que, du côté de Saint-Michel, elles étaient nombreuses à « se défendre ». Il n'avait pas osé demander contre quoi. Il avait cherché tout seul l'explication. Et il l'avait trouvée. Cela voulait dire qu'elles se prostituaient. Il n'avait pas rêvé, lorsqu'il avait un jour entendu son grand-père demander à la Star : « Comment ça marche, en ce moment? », et elle qui avait répondu : « Ça va, je me défends. » Alors... sa façon de s'habiller parfois, tout cet argent qu'elle trimbalait? Elle se défendait, quoi! Elle défendait sa mystérieuse adresse à Neuilly, ses fourrures, ses robes dont elle changeait tout le temps, sa bagnole Ferrari, et puis quoi d'autre encore? Tout ça avait fermenté dans sa tête.

Au début de l'année scolaire suivante, en 1973, après une longue période de relations irrégulières, il avait revu son père, ainsi qu'Ève Trinquier et son fils Bernard un petit débile qui faisait le maximum sans obtenir le minimum. Il avait été évident que la Star n'était pas le sujet de conversation favori du « Pater Cinematograficus ». Le genre : « Tu l'as vue? Elle va bien? » Ça ne naviguait pas franchement dans l'intime. A peu près sûr de se faire envoyer aux fraises en lui demandant si – à son avis – elle allait s'asseoir aux terrasses des bistrots pour attendre les bonshommes payeurs de glaces? De toute façon, le Pater Cinematograficus ne s'intéressait qu'au projet de son film et comme son fils manquait un peu d'enthousiasme sur la question, eh bien, par définition : « François ne s'intéresse à RIEN! »

Heureusement, son grand-père, lui, savait que ce n'était pas vrai, qu'il s'intéressait à plein de choses. Le Pater Cinematograficus en avait été pour ses frais lorsqu'il avait voulu casser du sucre sur son dos. A quoi aurait-il servi qu'ils tiennent de longues conversations sur tout, alors qu'ils n'auraient été d'accord sur... rien?

Son père, il ne pouvait mieux le comparer qu'à certains garçons de son lycée qui voulaient tout foutre en l'air et ne rien mettre à la place. La preuve c'était qu'il avait brisé sa famille. Sans son grand-père, où serait-il allé, lui? Chez la pute ou chez le gaucho? « François ne s'intéresse à rien..., François n'a rien à dire... » Valait mieux, parce que s'il avait dit, François, ce qu'il pensait de ce toquard ayant pris des responsabilités qu'il n'avait pas été foutu de se tenir, on en aurait causé dans Landerneau!

L'incident n'avait pas traîné. Le 13 novembre, pour ses douze ans, la mère Trinquier avait organisé une petite fête. Hors-d'œuvres ratés, gigot trop cuit, gâteau brûlé. Dans la grande tradition de l'intention qui compte. Maintenant, cramponnez-vous. Faut avoir vécu ça pour pouvoir en parler. Le Pater Cinematograficus avait fait preuve d'initiative. Il avait acheté un cadeau pour son rejeton! Vers dix-neuf heures quarante-cinq, arrivée du petit génie de la quatrième B de Louis-le-Grand, accompagné de son grand-père, pas qu'un peu fier des résultats partiels de ce premier trimestre. Note A, tous azimuts. Proposition d'orientation immédiate vers la quatrième spéciale pour élèves au top-niveau. Ça tombait mal pour le jour de gloire du papy, c'était justement la fois où le petit Bernard n'avait fait que six fautes dans sa dictée. « *De la dantaile de calé dans l'heurte au grafe.* » A douze ans, le petit Bernard promettait. A condition qu'il continue de bien travailler, on pouvait espérer pour lui le certificat d'études primaires avant l'appel sous les drapeaux, le brevet d'études du premier cycle avant les fiançailles de sa fille aînée, et – qui sait – peut-être même le baccalauréat avant l'heure de la concession à perpétuité au cimetière du Père-Lachaise? Finalement, le papy, il s'était résigné à ne rien dire des projets d'orientation dans la filière conduisant son petit-fils vers l'obscur destin de khâgneux.

Tout cela était sans importance. On n'était pas venu là pour ça, ni pour la bouffe non plus, du reste. Envoyez les cadeaux. Le Pater Cinematograficus s'était fendu. L'imagination et le carnet de chèques. Une superbe auto à télécommande. « Tu es content, François? – Oh! Voui, pôpô. Je vais tout de suite la confier à papy pour pas risquer de la casser. » Un petit froid avait suivi. Le cadeau de son grand-père avait racheté la soirée : une calculatrice électronique, de la nouvelle génération.

« Géniale! Elle recherche les dérivées d'une fonction et calcule les intégrations. »

Si-bé-rien, le froid. Envoyez le gâteau! Et n'oubliez pas les bougies, elles risquent fort d'être les seules choses mangeables. Fallait être juste, la mère Ève, elle avait fait tout ce qu'elle avait pu en fonction (incalculable à la machine) de ses moyens. Elle avait mis du beurre, du lait, de la crème, elle n'avait pas lésiné sur le sucre. Il n'y avait que le dessous qui était un peu attaché. Et le dessus, un peu brûlé. Le milieu c'était... quand même... sec! Le grand vin mousseux méthode champenoise, avait fait passer tout ça. Après boire, on s'était lancé dans les conversations sérieuses. Le petit Bernard leur avait raconté le dernier Walt Disney : une histoire de voiture qui se prenait pour un avion. Ça l'avait beaucoup fait rire. Il avait marqué un point dans l'esprit du Pater Cinematograficus : lui, au moins, allait au cinéma! « Et toi, François? » Ben, François n'avait pas de voiture volante mais il en possédait une à télécommande *(Merci pôpô!).*

On avait abordé la politique :

« Vous avez vu quel triomphe se sont taillé les duettistes Mitterrand-Marchais? »

En dehors leur échec électoral, personne n'avait rien vu du tout :

« Peut-être que le Programme commun est devenu minimum? »

Ça n'avait pas fait rire le Pater Cinematograficus. Il avait sorti son PSU. Il avait sorti Krivine. Il avait sorti, aussi, ses vieilles nostalgies soixante-huitardes d'une grande kermesse menée par les bougnouls et les cocos. Un père gauchiste. Un grand-père nationaliste gaullien. Une mère Ève qui cherchait à comprendre le principe de fonctionnement du thermostat de sa gazinière. Un Bernard à la poursuite des Volkswagen volantes. Quel spectacle il avait eu, pour son anniversaire! Il s'était amusé à les provoquer un peu quand il y avait eu des creux. Avec son père, c'était facile :

« On pourrait toujours proposer aux cocos d'aller à Moscou, mais ils sont pas fous, ils ne veulent pas y aller. Là-bas, ils n'auraient pas le droit de faire grève...

– Mais...?

– MAIS, on ne peut pas non plus proposer aux négros de repartir dans leur savane, ils préfèrent la cuisine du restaurant universitaire.

– Je...?

– JE, ne parle pas des bougnouls qu'on pourrait renvoyer dans leurs Bougnoulie...

– Tu...!

– TU, sais bien que j'ai raison! Si on mettait les cégétistes à balayer les trottoirs à la place des négros, les bougnouls seraient foutus de râler qu'on leur enlève la crotte du balai. »

Épuisé, le Pater Cinematograficus.

Avec son grand-père, l'attaque était moins fastoche. Le centrisme se pare volontiers de toutes les vertus.

« C'est même pour ça que ses adversaires ont dû inventer la nuance discriminatoire de centrisme de droite et centrisme de gauche.

– Mais...?

– MAIS, le centrisme radical n'y peut rien puisque, par essence, il s'agit d'une pluralité de points de vue donnant une masse incapable de s'organiser.

– Je...?

– JE, ne parle pas non plus de leur échec politique qui a permis le développement de la gauche jusqu'à entraîner les journées de mai 1968.

– Tu...

– TU, sais bien que j'ai raison! La France ne peut pas faire confiance à Pompidou. Il transige trop. Un vrai chef ne transige pas, il impose. Question à dix francs: est-ce dans la transaction qu'on peut espérer une restauration du pouvoir? On arrête ou on continue? Si tu me dis " va chercher le pain ", j'y vais. Si tu me dis " il faudrait aller chercher le pain ", j'attends qu'il y en ait un autre qui se lève. Elle est là, la différence. »

Le Pater Cinematograficus avait essayé de ramener sa science:

« Les propositions politiques ne s'inscrivent pas dans la monochromie des termes de raisonnement qui... »

C'était peut-être mal élevé de lui couper la parole, mais ça n'aurait pas été très charitable de le laisser s'empêtrer dans ses phrases. Suffisait de devancer l'objection:

« Tu veux dire qu'on peut également formuler la proposition sous la forme: " Qui va chercher le pain? " Alors là, on n'en finit plus de discuter! Sur celui qui y est déjà allé la veille ou sur celui qui y est déjà allé deux fois la semaine précédente. Moralité: on bouffe ce qui reste de biscottes. » Babas, le papa et le pépé. Restait la mère Ève: il lui avait conseillé le préchauffage du four pendant un quart d'heure. « A quelle hauteur le thermostat? » Les femmes, il faut toujours que ça fasse des complications. Et le petit Bernard? Il était sage: il faisait « vroom-vroom » en imaginant que son rond de serviette avait des ailes.

Tout ça pour dire que le Pater Cinematograficus, c'est... un charlot.

S'il avait eu pour deux ronds de couilles, il aurait attrapé la Star par un aileron et l'aurait collée devant un tas de vaisselle. Après, elle n'aurait plus eu le courage d'aller s'asseoir dans un bistrot pour attendre qu'on lui paye des glaces. Seulement, il n'est pas foutu d'imaginer une solution pareille. Il penserait faire un « injustifiable interventionnisme » ou quelque chose comme ça...

Son grand-père, en revanche, il pourrait le faire. Mais ce ne sont pas ses oignons, voilà tout.

Lui, François Rougier, il ne peut qu'attendre l'heure H du jour J pour dire franchement ce qu'il pense. Dans l'immédiat, avec une mère pute et un père démissionnaire, il n'a pas de quoi se vanter de sa famille. Encore que certains – au lycée par exemple – pourraient considérer le Pater Cinematograficus comme un intellectuel de gauche et la Star comme une femme libérée...

Faut reconnaître qu'ils ont, l'un et l'autre, une qualité essentielle et commune. Ils ne s'imposent pas. Depuis janvier 74, le Charlot Cinematograficus est plongé dans son film. Quant à la Star, ses apparitions sont épisodiques. Il y a les grandes occasions. Ainsi, quoi c'était-il donc qu'il avait apporté pour lui, le Père Noël, dans la cheminée de sa mômon? Une grosse auto rouge à télécommande! Gâté, le petit garçon. Qu'est-ce qu'on dit?... Et il y a les moins grandes occasions : quand ça lui chante, c'est-à-dire rarement. Sans doute lorsqu'il n'y a plus personne aux terrasses des bistrots. Il semble plaisanter mais, au fond du cœur, ce n'est pas un sujet qui le fasse vraiment rire.

En ce mois de juin, il se sent bien. Il a obtenu de bons résultats en quatrième spéciale. Ça n'a pas été facile : les gus qui étaient avec lui étaient d'un niveau confortable. Même en étant le plus jeune, il s'est taillé une part de lion. Il leur a montré comme c'était rigolo de jouer avec des autos à télécommande et, pendant ce temps-là, il leur a piqué les places de premier : en math, en sciences, en langues vivantes. Trois prix d'excellence. De la lecture pour les grandes vacances.

« A ton avis, elle viendra, maman, à la projection du film? »

Son grand-père lève les yeux de son journal.

« Tu lui as téléphoné? Qu'est-ce que tu en penses?

– J'ai l'impression que non. »

Quelque chose d'autre le tracasse : « Dis-moi, cette bonne femme, Anne Carle, qui c'était! »

Cette question, Marc l'attendait.

« Je ne sais pas très bien, mon chéri. Nous en parlerons après avoir vu le film... »

Cinq ans après la mort d'Anna, Charles sort un film dont elle est l'héroïne.

Marc n'a surmonté le choc de sa découverte, en 1969, qu'en se consacrant à ce petit-fils, qu'il adore. Ses parents le négligeaient. François avait besoin de lui.

Il a entrepris de raconter la vérité. Par écrit. La jeunesse d'Helmut Zeitschel, son antinazisme inspiré par son père, la rencontre d'Anna, Magdebourg, la prison. Puis sa lâcheté devant la souffrance qui l'a conduit à trahir son père, l'école de la SS, le sentiment d'expier. Paris et la Gestapo. La découverte de la vérité sur Frantz Zeitschel. Anna retrouvée, la lâcheté d'avouer à la mère de son fils ce qu'il était devenu. Le sacrifice de celle-ci, le rapt de l'enfant. Les remords, les recherches, la fuite, le prix de la fuite...

Dix heures du matin, ce 25 juin 1974. Charles Rougier accueille lui-même ses invités dans le hall du cinéma Publicis des Champs-Élysées. Ève fait office d'ouvreuse. Depuis qu'il l'a rencontrée pour la première fois, deux mois plus tôt, Marc lui trouve quelque chose de gentil. Dans le sourire, dans le regard. Certes, ce n'est pas la resplendissante beauté de Maryline, mais elle est charmante.

« Tu crois qu'elle viendra? s'inquiète François.

– Nous serons bientôt fixés. »

Pourquoi diable tient-il tant à la présence de sa mère? François aurait-il une quelconque idée derrière la tête?

François est resté, à l'invitation de son père, pour un déjeuner avec les responsables de la production. Marc a préféré invoquer d'imaginaires maux d'estomac pour s'éclipser discrètement. Assis sur un banc, dans les allées des Champs-Élysées inondées de soleil, il analyse un flot d'impressions dues au film.

Le côté divin charabia de certaines images hyperboliques, métaphoriques, lui a parfois fait songer aux poésies de Luis de Gongora y Argote, lorsque la distance prise par le narrateur avec le déroulement de l'histoire souhaitait souligner l'éphémère de l'instant décrit. Au-delà, l'aspiration à une rassurante construction logique soutenant l'action.

*La Déchirure :* un titre simple. Vrai.

Tout est clair lorsque les acteurs qui jouent Anne et Charles se déshabillent l'un l'autre, cherchant leur désir... Jusqu'à la rencontre avec cette tache qu'Anne ne peut effacer de la poitrine de Charles et dans laquelle elle voit un baigneur cassé, portant un brassard à croix gammée. Ce même baigneur vient s'immiscer dans ses bras chaque fois que Charles s'approche pour l'embrasser. Charles et elle n'ont jamais été amants. Ils en jouaient l'apparence. Mais pourquoi?

Connaissant Charles, Marc sait que ce film exprime la vérité. Cet inceste n'avait donc pas eu lieu... Le ciel aurait épargné Charles... La confession rédigée à son intention perd maintenant presque tout objet. Peut-être que ce film pourrait enfin leur permettre une conversation, repoussée depuis si longtemps.

Lorsqu'on a longtemps joué à cache-cache avec une réalité, il est difficile de revenir en arrière. Non pas forcément à cause de cette réalité elle-même, mais à cause des mensonges qui sont nés et se sont greffés dans le temps où était dissimulée cette vérité.

Marc a repris sa promenade, s'est engagé dans les jardins des Tuileries, en direction du Louvre.

Cette histoire de tache de naissance évoque les mauvais romans brodés par les feuilletonistes du passé. Preuve cohérente, anatomique, justifiant la doctrine déterministe... Une chose est sûre, s'il pouvait poser la question, il entendrait cette réponse : Anne Carle n'avait jamais entendu parler de Marc Rougier. Pourquoi? Seul Charles pourrait répondre.

Autour du grand bassin, quelques gamins admirent les prouesses de leurs voiliers.

Par amour, Charles a trouvé la force de renoncer à son désir pour Anne Carle et a tenu, auprès d'elle, le rôle du fils dont elle avait rêvé.

Marc s'arrête un instant, pour regarder un cerf-volant.

Il pense aux images du film qui l'ont éprouvé. Ces images d'Anna. D'authentiques documents : lors de son procès en 1945, à l'anthropométrie pénitentiaire, des photos de jeunesse, des photos ayant précédé son assassinat. Anna rayonnante, dans son club mondain, plus belle que jamais. L'une, qui la montre échangeant un baiser avec Charles, l'a rendu malheureux et lui a fait ressentir comme... un douloureux pincement de jalousie. Ainsi, malgré tant et tant d'années d'indifférence et d'éloignement demeurait un lien qu'il ne soupçonnait plus et qui, pourtant... le fait pleurer.

***

« T'es pas v'nue, l'autre jour, voir le film de papa? »

Maryline avait certainement préparé son excuse.

« Je n'étais pas à Paris.

– T'es allée le voir, depuis qu'il est sorti?

– Non. Pas encore.

– Au fond, y'a pas urgence. C'est pas très intéressant. Un film d'amour de plus. Une prétention d'intellectuel de gauche à réformer le récit cinématographique. Il se serait cru déshonoré de raconter une histoire. Il a joué au cinéaste qui récuse le romancier. Un graffito cinétique de la dernière vague, rien de plus. Il n'a pas dû remarquer que les romans non plus ne racontent plus d'histoire. Si jamais on lui file un oscar quelconque, dans un festival quelconque du film le plus quelconque de l'année, mieux vaudrait qu'il ne s'illusionne pas : il ne fera jamais un score d'entrées comparable à *Autant en emporte le vent.* Pourtant, c'était aussi un film d'amour.

– Tu n'aimes pas les films d'amour, on dirait?

– Mon père devrait avoir des choses plus intéressantes à raconter.

– Es-tu bien certain d'avoir tout compris? intervient Marc.

– J'ai compris, en tout cas, qu'il n'y a que leurs propres histoires qui intéressent les adultes. »

Contraint, faute d'adversaire, de renoncer à toute dialectique belliqueuse, François change brusquement de conversation : « Maman, j'ai demandé à grand-père l'autorisation de participer à un camp, en Bretagne. Il est pas contre, mais il estime qu'il serait mieux de vous en parler à toi et à papa. Alors, voilà, je... »

Mais voyons, c'était pour cela qu'il tenait tant à voir sa mère le jour de la projection privée : il espérait faire coup double.

***

*Mars 1976*

Cette affaire Markovic, à laquelle François ne s'est pas intéressé dans le passé, compte tenu de son jeune âge au moment des faits, va pourtant l'année de ses quatorze ans, jouer un rôle dans sa vie.

Tout commence par une bagarre à la sortie du lycée. L'objet du conflit oppose des compagnons de Renaissance d'Occident – une tendance dure issue d'Ordre nouveau – aux gauchos. Surgissent matraques et barres de fer.

François a simplement tendu la main et empoché un journal qui lui était proposé. Le soir, en faisant ses devoirs, il l'a retrouvé, déplié. Un article commençait par cette phrase : « Le nationalisme gaullien aura eu le mérite de réveiller les consciences de la vraie droite, en France. »

L'article courait sur plusieurs pages. L'auteur y retraçait des événements remontant à la guerre d'Algérie, expliquait que le pouvoir gaulliste avait envoyé ses barbouzes à Alger pour combattre l'OAS, « ... Ces agents très spéciaux n'y avaient pas fonctionné autrement que comme les SS du régime. »

Une revue de détail qui se poursuivait par une analyse d'activités du SAC, « les SA du Général, sous la houlette toute-puissante de Foccart, le Goering de la Ve République ». Le rédacteur y passait en revue les moyens dont s'étaient servis les réseaux Foccart, depuis 1958 et jusqu'en 1972, date de la grande purge du système. Il citait certains scandales : les chalutiers mauritaniens, le fichier de l'ORTF, les abattoirs de la Villette, les vedettes de Cherbourg, l'habitat coopératif, le scandale du CADIR*, etc. Puis, l'affaire Markovic : une liste impressionnante de personnages politiques importants que le scandale prétendait écarter des allées du pouvoir. L'affaire des photomontages remis au juge d'instruction, enfin, avec tous les détails, jusqu'aux noms : « ... photomontages sur lesquels on identifie notamment une star du moment, Maryline Bernard, reconvertie depuis dans la prostitution pour clientèle à haut niveau de revenus et ayant fait ses classes dans le plus vieux métier du monde chez la rayonnante Mme Claude. »

Cette phrase. Cette phrase, c'est...

Cette phrase, c'est comme une sorte de preuve, sous forme d'accusation publique, de...

---

* Comité pour l'aménagement et développement de l'île de Ré.

Il sentait bien. Il savait bien. Ça, c'étaient des mots de l'esprit.

« Maryline Bernard, reconvertie dans la prostitution... » Ça, c'est des mots écrits. Noir sur blanc. Maryline Bernard : sa mère. Une femme que n'importe quel homme... Pour de l'argent. N'importe quel homme! Devant l'horreur, il réalise qu'il vient de comprendre – d'un seul coup – ce que veut dire le mot putain.

La colère. Une fureur blanche contre sa voiture de sport, cet appartement de Neuilly où il ne va jamais, ses robes, ses fourrures... La honte. Il est le fils d'une femme dont on peut acheter les baisers.

Il n'ose pas dire le mot. Il n'ose plus, même, penser le mot. Il voudrait disparaître. Il voudrait mourir. Il voudrait n'avoir jamais lu ça. Même avec son grand-père, il n'osera pas en parler. Il n'osera pas.

Pourtant, si... son grand-père savait certaines choses que lui ignore et qui remettraient tout ça dans un autre éclairage?

Il doit donc lui parler. Il le faut.

« Dis?

– Oui... »

Silence. Le trou. Le trou noir. Incapable de pronconcer un mot. Il ne peut pas. Sa gorge sèche et contractée se refuse à laisser passer le moindre son.

« Qu'est-ce qu'il y a? Tu as quelque chose à me demander?

– Je...

– Eh bien? Tu en fais des histoires. C'est si grave?

– Non!

– Alors? »

Il ne peut pas. Il ne peut pas dire. Il ne peut pas.

« Il... il y a longtemps, que nous ne sommes pas... allés à Boissise, sur la tombe... de Caro. »

La colère est pourtant là. La colère bouillonne. La colère le rend fou.

« Ta mère m'a téléphoné cet après-midi. Elle rentre de Madrid. »

– Ah?

– Je ne devrais pas te le dire mais, elle a rapporté un superbe cadeau pour toi.

– Un cadeau? Pour moi?

– Tu exagères. Elle te rapporte souvent des choses de ses voyages. On dirait que ça t'étonne? »

Non, il n'est pas étonné. Les cadeaux, il sait même comment elle les gagne, avec quel argent elle les achète.

« Non, je ne suis pas... étonné. Je peux aller au cinéma, avec des copains, ce soir? Je ne rentrerai qu'à dix heures et demie... »

Son grand-père n'a pas l'air enthousiaste. Au bahut c'est le temps des contrôles du deuxième trimestre.

« Tu vas au lycée à quelle heure, demain matin? »

Il a cours à neuf heures mais il peut bien mentir désormais... Personne ne s'en étonnera, venant d'un fils de pute...

« Onze heures. Le prof de dessin est absent.

– Tu ne rentreras pas plus tard que tu as dis?

– Pas plus tard. »

Le dîner est avalé. Du bout des dents.

« François, tu ne manges presque pas, ces temps-ci?

– Pas trop faim.

– Tu n'aurais pas vidé la boîte de beurre de cacahuette, à cinq heures?

– Non, non! Je ne l'ai pas encore ouverte. Je n'ai pas faim. »

Sa serviette de table est enfin repliée et leurs deux plateaux débarrassés.

« Est-ce que je peux partir, grand-père?

– Pas plus tard...

– ... que dix heures et demie. C'est promis, juré. »

Un fils qui n'a pas l'adresse de sa mère, ça existe. Il en connaît. Il en connaît un, lui.

Il savait que c'était à Neuilly et avait un numéro de téléphone. Les renseignements lui ont répondu : « Abonné en liste rouge » et ne lui ont pas donné l'adresse. Cette adresse, son grand-père devait bien l'avoir quelque part. Alors François a cherché. Il a trouvé : un « 4, villa des Châtaigniers ». Il n'y avait aucun nom, en face, mais, le numéro de téléphone correspondait à celui qu'il possédait.

Elementary, my dear François.

Il y va. Pas pour chercher le cadeau qu'elle lui a rapporté. Il y va, pour porter le cadeau qu'il destine, lui.

Un plan de Neuilly indique la villa des Châtaigniers. Chemin faisant à travers ces quartiers résidentiels déserts, il se demande si elle sera là, et si seulement on lui ouvrira... C'est là! Le cadeau est dans sa poche.

Il passe la grille de la villa. C'est très chic. Le numéro 4 est à droite. Le cœur battant, il presse la sonnette. La lourde porte vitrée, décorée de fer forgé, s'entrouve sur un déclic. Minuterie. Lumière. Panneau : *Maryline Bernard, fond jardin.* François suit la direction indiquée par la flèche.

C'est une maison. Une maison dans le jardin d'une maison. Le comble du luxe. C'est très beau. Il y a des sapins. Les autres arbres ne sont pas encore feuillus, en mars. Le chemin est couvert de dalles.

Le froid sec pique un peu le visage.

Une sonnette est éclairée, indiquant la plaque : *Maryline Bernard.*

François l'effleure du bout d'un index hésitant. Il souhaite, déjà qu'elle n'ait pas entendu, qu'elle ne soit pas là, qu'elle ne vienne pas ouvrir.

La porte s'entrebâille sur une chaîne de sécurité. Juste assez pour qu'il la voie et qu'elle le reconnaisse : « François, mais... que fais-tu ici? » Elle lui ouvre, tout grand cette fois.

Ainsi, cette femme qui est devant lui, cette femme qui est sa mère est une prostituée? Rien ne l'indique, ni sa porte, ni la tenue qu'elle porte : une robe de chambre de tissu brillant et très doux, longue jusqu'aux pieds et fermée sur son cou.

« Eh bien, entre! Entre vite. Il fait froid. » Il fait un pas avec l'impression de trébucher dans un univers inconnu. « Tu ne m'embrasses pas? » Elle a refermé la porte. Ils sont face à face, dans l'éclairage tamisé du vestibule.

« Je... suis venu...

– Je le vois bien. C'est ton grand-père qui t'a donné mon adresse? Il est arrivé quelque chose à Marc?

– Non! C'est pas du tout ça. Je suis venu... t'apporter quelque chose.

– Quelque chose?

– Un cadeau.

– Un cadeau? Tu veux dire que tu viens chercher le cadeau que je t'ai rapporté de Madrid? Ton grand-père n'a pas tenu sa langue et...

– C'est moi qui ai un cadeau pour toi.

– Viens par ici. Il fait froid dans ce vestibule. Ôte ton manteau. Pourquoi m'apportes-tu un cadeau? Ce n'est pas mon anniversaire? Et comment es-tu venu jusqu'ici?

Elle le fait entrer dans un grand salon, très beau, très confortable. « Tu ne m'as toujours pas embrassée?

– Le cadeau d'abord! répond-il en extrayant de sa poche un petit paquet plié dans du papier journal et serré par une ficelle.

– Qu'est-ce que c'est? »

Une expression de petite fille, exactement. Une putain-petite fille. Jamais, autant que ce soir, elle ne lui a paru si fragile. Si petite fille. Comme irresponsable de se trouver là, au milieu d'un monde plein de gens qui lui veulent du mal... Il devrait lui dire « n'ouvre pas ce paquet! » Lui prendre la main, l'emmener.

Elle vient de dénouer la ficelle. Elle sent, à travers le papier, qu'il y a diverses choses qui risquent de tomber et elle se place au-dessus d'une petite table supportant une grosse lampe de pierre à l'abat-jour immense.

Le paquet est ouvert. Au premier regard, l'inventaire du contenu est fait : quelques billets de banque, des pièces de dix francs en argent, deux grosses pièces de cinquante francs, une chaîne en or portant une médaille de baptême, une plaque d'identité en argent au nom de François, la montre Rollex qu'elle lui a offerte à Noël dernier, son couvert de bébé en vermeil et une enveloppe, qu'elle ouvre. Celle-ci contient une coupure de journal, où une phrase est soulignée en rouge. Elle lit : « ... Maryline Bernard, reconvertie depuis dans la prostitution... »

Elle lève les yeux vers lui. Elle a l'air tout à fait perdue.

« Pourquoi?

– C'est tout ce que j'ai à moi.

– Mais...?

– C'est pour passer une nuit dans tes bras. »

Il l'avait préparée, cette phrase, et il l'a dite comme il fallait. Sur le ton qu'il fallait. Elle est toute pâle.

Il hésite. Il ajouterait bien : « ... C'est pas assez, peut-être? » Ça lui ferait mal! Peut-être autant qu'il a eu mal, lui. Mais elle a déjà assez mal comme ça. Et même que... lui aussi.

Elle ne dit rien. Lui non plus. Ses grands beaux yeux bleus, presque violets, s'embuent de larmes tout à coup. Elle pleure. Il vient de lui faire mal et elle ne se défend même pas? Elle dit qu'elle se défend, mais elle ne doit pas savoir. Alors, elle pleure. Et lui, d'un coup, il sent que ce n'est pas possible, qu'il ne peut pas la voir pleurer comme ça, qu'il l'aime quand même, malgré n'importe quoi, parce que c'est comme ça et que ni l'un ni l'autre ne peuvent rien y changer. Toute sa fureur contre elle, presque de la haine, toute cette fureur qu'il a sur le cœur, il doit la garder. La garder pour celui à qui elle revient de droit, pour celui qui n'a pas su la défendre quand il le fallait et comme il s'y était engagé, pour celui qui a tant failli à son rôle de mari et de père.

« C'est... pas ta faute! s'étrangle-t-il. Je suis là, maintenant, je te protégerai! »

Au cours de la conversation qui avait suivi, Maryline avait affronté un grand nombre de questions.

Pour certaines, il ne lui avait pas été si facile de trouver des réponses. Elle s'en était donc tenue à des commentaires superficiels. L'une des questions embarrassantes posées par François avait eu une résonance majeure :

« Et grand-père? J'espère qu'il ne sait rien de tout ça, grand-père?

– Je ne fais pas de confidences sur ma vie privée à ton grand-père. Maintenant, il faut quand même que je t'explique...

– Mais moi, à douze ans, à treize ans, je sentais bien certaines choses! Alors lui, pourquoi qu'il ne s'en douterait pas, lui?

– Parce qu'il n'y a à se douter de rien. Tout simplement. Mon métier de mannequin m'oblige à faire certaines concessions aux apparences. Ce ne sont que des apparences. Tu ne peux tout de même pas imaginer que les apparences sont le reflet d'une exacte réalité? Ton grand-père sait mieux que tous ceux qui disent ou écrivent n'importe quoi, faire la part des choses entre... »

François l'écoutait. C'était une tricherie tout à fait mesurée. Dans sa situation, elle était à la merci de n'importe quel scandale et le savait. Elle s'était donc bornée à lui suggérer que les quelques lignes dont elle faisait l'objet n'étaient qu'une immonde calomnie. Mais elle n'avait toutefois pas crié, bien haut et clair, qu'elle était une innocente victime. C'était déjouer là, en cas d'accident, le risque de s'entendre ultérieurement reprocher un mensonge de plus dans l'abus de confiance.

Ce soir-là, il avait été entendu entre mère et fils que grand-père ne saurait rien. Ni sur ce torchon d'article. Ni sur cette visite.

Comme il était tard, François lui avait demandé de lui téléphoner pour qu'il ne s'inquiète pas. Elle avait accepté de mentir.

« J'ai rencontré François par hasard sur le bouleverard Saint-Michel. Nous étions allés voir le même film dans le même cinéma. Il est avec moi et je le ramènerai. »

Le lendemain, hors présence de François, Marc avait reçu un second appel pour une relation scrupuleusement exacte de ce qui s'était passé durant la soirée de la veille.

« ... Mon seul mensonge formel a été de lui assurer que tu ne savais rien...

– Tu as peut-être eu tort? Je me demande... En tout cas, nous n'y reviendrons pas. Il doit être suffisament troublé comme ça. »

***

Aux explications qu'il a réclamées, elle n'a pas répondu franchement. Il veut bien faire la part des choses lui aussi. L'habit ne fait pas le moine. Mais il n'y a pas de fumée sans feu.

Qui solliciter pour une analyse plus objective? Pas son père. De toute façon, il est en voyage pour un nouveau film. Pas son grand-père. Que penserait-il d'elle? Mieux vaut qu'il ne soit au courant de rien.

Tout bien considéré, il n'y en a qu'un. Un seul qui puisse écouter, qui puisse faire l'effort d'essayer de comprendre. C'est l'abbé dont il a été l'élève, au catéchisme. Il a beaucoup de rigueur. Une haute élévation morale.

« Viens quand tu veux, François. Je t'attends. »

« ... En concédant aux apparences du péché, ta mère commet un autre péché, pour le moins aussi grave, puisqu'elle exalte les fascinations du démon sur les esprits de celles qui risquent de succomber aux séductions de l'exemple qu'elle donne. Il faut la convaincre de rentrer dans le chemin de la vertu. Pour ça, elle aura besoin de rencontrer un modèle. Quelle plus belle rencontre peut-elle faire, sur son difficile chemin, que celle de son propre fils? Tu es fils de Dieu, François. Pour toi, Notre Seigneur Jésus-Christ a versé son sang sur la croix. L'épreuve qu'il t'envoie aujourd'hui te rappelle son amour puisqu'il te demande de l'aider à racheter le salut de ta propre mère. Écoute-le, François. Tu as beaucoup de chance. Par la difficulté de la tâche qu'il t'impose, Dieu te place au rang des élus. Tu dois beaucoup prier pour l'âme de notre sœur Maryline. Tout, en toi, doit être vertu, en sorte qu'elle comprenne que c'est ton exemple qu'elle doit suivre. Tu es né pour aider Jésus à porter sa croix. Une toute petite part du poids immense de la Sainte Croix qu'il porte, lui, dans l'éternité des siècles. Prions mon fils. Prions ensemble le cœur sacré de Jésus, qu'il veuille bien t'aider, dans sa grâce infinie, à tout supporter sans faillir et t'épargner la rencontre des tentations du démon. »

Un exemple de vertu. Tel, désormais, sera son destin. Avec l'aide de Dieu.

François devait trouver un juge de ses efforts. Encore une fois, il ne pouvait s'agir de son père, perverti d'anarchisme. Son grand-père était seul capable d'apprécier sa progression. Chaque compliment spontané de sa part lui serait un encouragement temporel à la persévérance. François entendait situer dans la vie quotidienne son projet de devenir exemplaire.

Tant d'aspiration à l'intransigeance ne pouvait que le conduire à rencontrer très vite ceux qui se posaient comme vertueux parangons dans le concert des voix de la nation. Mener la croisade contre le bolchevisme, l'anarchie, les principes démocratiques; leur substituer un ordre de défense de la tradition chrétienne occidentale, combattre tous les désordres sociaux et les facteurs de dissolution morale : tel était le programme du Parti des forces nouvelles. François était fasciné.

Une convocation du lycée Louis-le-Grand. Marc n'en croit pas ses yeux. Certes, il avait bien senti que le travail scolaire de François s'était relâché depuis ces deux derniers mois. Une visite au professeur principal avait remis les choses en ordre et la défaillance semblait surmontée.

« *Cet après-midi 14 mai, dans la mesure du possible.* » Le télégramme est impératif : Impossible de questionner François, il est absent pour cinq jours. Avec sa classe, précisément. Un voyage linguistique en Espagne organisé à l'initiative des parents d'élèves. Le départ avait eu lieu ce matin même.

Étonnement. François est assis dans l'antichambre du proviseur, sa valise à ses pieds.

« Tu... n'es donc pas parti à Barcelone avec les autres?

– Comme tu vois!
– Mais?
– Tu ne tarderas pas à être reçu. Depuis que tu as téléphoné pour dire que tu allais venir, j'ai été entendu par le préfet de discipline.
– Mais... Qu'est-ce que tu as donc fait? »
Silence de François. Marc n'en revient pas. Insistance : « Dis-moi au moins... Enfin, à quoi dois-je m'attendre? » Silence obstiné. « Tu ne veux vraiment pas me dire?... »
A ce moment, la lourde porte de chêne s'entrouvre et une secrétaire l'appelle : « Monsieur Rougier? Si vous voulez bien me suivre.
– François, je t'ordonne de me dire, en deux mots. Qu'as-tu fait?
– De la politique, grand-père. De la politique. J'ai distribué des tracts dans l'enceinte du lycée. En principe, je devrais écoper d'une exclusion de cinq jours. »

***

« Mad... madame... »
Éveillée en sursaut, Maryline arrache le bandeau de tissu noir qu'elle porte pour dormir. Deux hommes en costume clair viennent de faire irruption dans sa chambre, bousculant Josyane toute pâle, toute échevelée.
« La p... la police, Madame! » bredouille-t-elle.
L'un des deux hommes, au pied du lit, demande : « Vous êtes bien Maryline Bernard?
– Oui!
– Police! dit-il en ouvrant un porte-carte qu'il referme sans lui laisser le temps de lire la carte barrée de tricolore qu'elle a juste entrevue.
– Levez-vous, habillez-vous et suivez-nous! ordonne l'autre en commençant une inspection du contenu de son sac à main posé sur la coiffeuse.
– Où voulez-vous m'emmener?
– Vous le verrez bien! Debout, et vite.
– Laissez-moi le temps de...
– Debout. C'est français?
– Mais je suis nue...
– Et alors, les fesses d'une pute c'est tout de même pas un secret d'État? »
Josyane tourne de grands yeux blancs et tremble de tous ses membres.
« Aidez votre patronne, vous! » lui lance le deuxième policier.

Un chauffeur attend au volant d'une Peugeot grise banalisée. Il a mis le moteur en route sitôt qu'il les a vus franchir la grille de la villa. Il est tôt ce dimanche 27 juin. Le voisinage dort encore.

Pas maquillée, pas coiffée, elle a jeté un foulard à la hâte sur ses cheveux. Sommairement vêtue d'un tailleur léger, ils l'ont tout de suite emmenée. Maryline n'a pas la moindre idée de ce qu'on peut lui reprocher? Elle n'a rien fait. Que peut-on lui vouloir? Quel scandale couve sous cette étrange attitude des policiers? C'est sûrement une erreur ou un malentendu. Certains malentendus ne sont-ils pas devenus des erreurs judiciaires? Les annales des injustices de la justice regorgent d'exemples de ce genre. Elle demandera un avocat. Il préviendra Menestrel. Menestrel fera le nécessaire.

Après la porte Maillot, au lieu d'entrer droit dans Paris, la voiture grise s'engage sur le périphérique.

Pourvu que tout ça ne déchaîne pas un scandale auquel son nom serait mêlé, dans lequel on la traiterait sans plus de ménagement que le policier qui l'a sommée de s'habiller. Elle a bien fait, six mois plus tôt, de rassurer François sans ajouter un mensonge de plus. Elle savait bien qu'elle était en situation périlleuse, à la merci de n'importe quel événement scabreux.

La voiture file toujours sur le périphérique. On ne l'emmène donc pas à la préfecture de police?

François commençait juste à aller un peu mieux. Son grand-père se déclarait finalement satisfait de ses résultats scolaires malgré la petite faiblesse du dernier trimestre. Comment réagirait François si un scandale éclatait? Depuis la fin du mois de mars dernier, elle lui a trouvé quelque chose de changé. L'approche de ses quinze ans, peut-être? Marc prétend qu'il est tracassé par ses études. Il y a chez ce petit garçon quelque chose de fragile qui est, en même temps, redoutablement fort, redoutablement volontaire et déterminé. Il lui fait presque peur, ce fils qui n'a pas la joie de vivre naturelle de son âge. Il a quelque chose de crispé.

Un tourmenté? Cette pénible affaire de mars dernier l'a profondément ébranlé. Il en est très marqué.

Boulevard Mortier. Que font-ils là? La voiture se présente devant le porche d'un bâtiment austère. A l'angle de la rue des Tourelles. Une plaque : *Ministère des Armées.*

« Où m'amenez-vous?

– A la Piscine. Au SDECE. »

Ministère des Armées? Qu'a-t-elle à voir avec le ministère des Armées? Ça la rassure, quand même, un peu. La voiture s'arrête. On la fait descendre et, aussitôt, on l'entraîne de l'autre côté de cette cour sinistre malgré le soleil, vers une porte vitrée, marquée de la lettre B, ouvrant sur un couloir gris. On se croirait dans une école, dans un quelconque bâtiment universitaire auquel la présence d'un soldat assis derrière une table de bois donne un air de caserne.

« Suivez-nous! » dit un des policiers en lui saisissant brutalement le bras pour l'entraîner vers un escalier. Les marches sont en ciment brut, elles sont cornées de barres de fer qui brillent aux endroits où frottent les semelles. Ça sent mauvais. Trois étages. Sans ascenseur.

Une carte, punaisée sur une porte grise : *Capitaine Jean Soleilhavout. 2e district. Section IV.*

Un policier frappe. Une voix d'homme excédé crie : « Entrez. »

***

Comme chaque jour, Marc s'est levé de bonne heure. Dimanche ou pas, c'est son habitude. Une fois pris son bain et un rapide petit déjeuner, il s'est réfugié dans le bureau, a sorti du coffre un de ses gros cahiers à couverture toilée sur lesquels, derrière sa confession, s'ajoutent les pages consacrées à la jeunesse de son petit-fils.

Contrairement à la vague intention ayant fait suite à la projection du film, il n'y a pas eu de conversation-révélation avec Charles. Perspective au-dessus de ses forces. Il a préféré renoncer. Pas vraiment par lâcheté. Pour l'essentiel, il a surtout redouté de se voir destituer de la responsabilité d'élever François.

Dans son film, Charles a parlé de sa mère avec des délicatesses d'amant et de la femme qu'il a aimée avec les pudeurs d'un fils. Autant s'en tenir là. A trente-six ans, en pleine force de l'âge, il a mieux à faire que se pencher sur un passé qui, par chance, l'a si peu éclaboussé.

On frappe.

« Entre, François. Entre. »

Marc referme un instant son cahier.

« Si nous allions à la messe de dix heures?

– D'accord, mais sois prêt dans vingt minutes.

– OK, OK. Je mets la gomme et je m'accélère comme une bête... »

Sur ces mots, la porte claque. Un petit côté guilleret et enfantin devenu bien rare depuis quelques mois. Rouvrant son cahier, Marc en est attendri sans pour autant accorder à ce léger événement plus d'importance qu'il n'en a.

*« Ce dimanche 27 juin 1976.*

*« François a considérablement changé depuis ce qui s'est passé avec Maryline en mars dernier. Je n'ai pas voulu m'immiscer dans une affaire qui les concernait seuls, mais j'ai certainement commis une erreur. Plus j'y ai repensé, depuis, et plus je me suis interrogé sur la gravité du choc qu'il a pu ressentir en découvrant les horreurs qui étaient écrites sur sa mère.*

*« Il va de soi que, pour lui, je représente une sorte de référence morale. J'imagine donc très bien que la véritable nature de sa discrétion visait à vouloir la protéger de la sévérité du jugement que j'aurais pu porter sur elle. Censé n'être au courant de rien, j'y perds de pouvoir jouer mon rôle de confident et de pouvoir le rassurer ou le conseiller en rien.*

*« Depuis son exclusion pour cinq jours du lycée, le mois dernier, il m'a promis de ne plus se mêler de politique. Il semble tenir sa parole. Son travail scolaire s'en est considérablement amélioré. Il termine l'année moins mal que je ne l'avais redouté. »*

Marc jette un rapide coup d'œil sur la pendule de la cheminée. Il a encore le temps.

*« Ce qui me préoccupe est indicible. Tout en lui est teinté de gravité. A le regarder vivre, il m'effraie un peu. Assurément, il passe un seuil marqué de questions métaphysiques. C'est naturel, à cet âge. Incidemment, je l'ai rencontré en compagnie de ses camarades et j'ai pu l'observer de loin, durant quelques instants, sans qu'il s'en doute. Ils étaient un petit groupe de garçons et filles installés à la terrasse d'un café du boulevard Saint-Michel pour un grand conciliabule. Rien que de très normal, à notre époque et dans ce quartier. Près de François, se tenait une ravissante petite brunette. A un certain moment, elle lui a posé la main sur l'épaule. François a repoussé cette main. Un geste difficile à raconter. De loin, j'ai pu me méprendre sur sa signification. J'ignore ce qui justifie cette attitude de refus, toutefois j'essaye de me persuader qu'il n'agit pas ainsi avec les autres filles de son entourage. Je n'avais rien à faire là. J'ai passé mon chemin car je ne voudrais pas qu'il ait l'impression que je le surveille, surtout après sa promesse, suite à l'incident du lycée. On se dit beaucoup de choses lui et moi. Curieusement, ce tout petit incident m'a fait réaliser qu'il ne me parle jamais de ses rapports avec les filles. »*

Grattement à la porte : « Je suis prêt. On y va? »

Ce prêtre lui fait peur. Marc le déteste d'autant plus qu'il sait l'admiration que lui porte François. Il est un seuil à partir duquel le magnétisme que dégagent certains êtres devient dangereux. Au nom d'une image rigide du concept de Dieu, son sermon a tout d'un appel à s'en remettre à l'autorité supérieure. A Dieu, au chef... au Führer. Ce prêtre pourrait fanatiser des foules. Qui sait, les conduire aux pires extrémités?

Cet abbé, vraiment, ne devrait pas exercer de ministère. Son évêque ne pressent-il pas le danger dans cette exaltation?

« ... Remettons-nous entre les mains de Jésus-Christ Notre Seigneur et soyons les artisans de sa volonté : car Dieu Tout-Puissant a besoin d'un corps d'élite à son total dévouement pour accomplir son grand dessein de racheter l'homme de tous ses péchés. Pour les siècles des siècles, *Amen.*

– Il est formidable non? s'extasie François à voix basse.

– C'est ton avis. »

Un avis dont ils reparleront. Marc se le promet. François doit ouvrir les yeux. D'autres, avant lui, ont jugé formidable un homme brun à la mèche folle et à la moustache arrogante qui en cinq ans a fait couler un fleuve de sang et de larmes sur toute l'Europe.

***

La poitrine nue, les bras retournés sur le dossier de la chaise de bois et les mains liées par des menottes aux barreaux, l'homme qui se trouve dans cette inconfortable situation n'est autre qu'Olivier Menestrel.

« Jean Soleilhavout! » se présente brusquement l'occupant du bureau en se levant pour s'avancer, la main tendue, sans mondanité mais sans agressivité non plus.

Maryline tend la main également. Il lui désigne une chaise : « Je vous en prie, mademoiselle. »

Un peu de sang tache le visage et la poitrine de Menestrel. Un coup sans doute l'a fait saigner du nez.

« Nous avons eu quelques difficultés à convaincre votre ami de nous livrer ses sources. Maintenant que c'est chose faite, je vous serais très reconnaissant, mademoiselle, de me dire ce que vous savez d'Elias el Ayad?

– Mais... Rien!

– Il me semble, mademoiselle, que la façon dont je vous ai fait chercher, ce matin, devrait vous convaincre de l'impatience avec laquelle j'attends vos réponses? Croyez-vous qu'il serait sérieux de nier ce que nous savons parfaitement? Vous avez rencontré Elias el Ayad rien moins que trois fois en une semaine. Trois nuits de suite. Suis-je clair? La première fois, il vous a remis une enveloppe. La deuxième fois vous lui avez remis une enveloppe. La troisième fois, il vous a remis une seconde enveloppe.

– J'ignorais leur contenu.

– Je n'en doute pas, mademoiselle. Cela démontre, s'il en était besoin, que les services de chacun sont utilisés en fonction des compétences individuelles. En qualité de call-girl vous pouvez très bien servir de boîte à lettres sans être pour ça obligée d'assurer le secrétariat. »

Le regard ironique et narquois se fait alors pointu : « Pour autant que je le sache, il n'est pas tellement d'usage, dans votre profession, de recevoir le même client trois nuits de suite? Cela a dû entraîner quelques confidences, de sa part, pendant les temps morts? J'espère trouver, dans vos souvenirs, un moyen qu'il vous aurait confié pour le joindre. En cas d'empêchement, par exemple?

– D'empêchement?

– D'empêchement de votre part à lui faire tirer un coup le lendemain soir! précise une voix furieuse d'impatience. Je vous demande de faire l'effort de vous rappeler. Et de faire vite.

– Je... ne connais... aucun moyen pour le joindre.

– Même indirectement?

– Même indirectement.

– Vous êtes certaine de ne pas souffrir de troubles de la mémoire?

– Je vous jure...

– Vous n'êtes pas au tribunal. Vous n'avez pas à prêter serment. En revanche, en m'honorant de votre confiance sans perdre de temps, vous pourriez peut-être épargner quelque drame, voire des vies d'innocents.

– Je ne sais rien, monsieur.

– Il ne vous a fait aucune confidence un peu personnelle?

– Non!

– En trois jours... Pardon, en trois nuits, il ne vous a parlé d'aucun lieu, bar, restaurant, boîte de nuit, dans lequel il aurait des habitudes? »

A la dérobée, Maryline a posé les yeux sur Menestrel. Dans son regard elle vient de lire qu'elle peut répondre si elle veut, qu'il s'en désintéresse.

« Je ne crois pas, non. Non!

Le capitaine s'est levé, a fait le tour de son bureau, est venu s'appuyer sur le dossier de sa chaise. Maryline n'ose se retourner mais sent sa présence, toute proche. Pour un peu elle sentirait son souffle sur sa nuque.

« Essayez de vous souvenir. Il est tellement invraisemblable que vous avez passé trois nuits avec un homme sans qu'il ait laissé échapper une confidence un peu personnelle!

– Il m'a dit qu'il allait souvent dans une boîte, rue... »

Elle ne se souvient plus. Rue...?

« Rue? demande le capitaine, d'une voix très douce, comme s'il craignait de l'effaroucher tout à coup.

– Je... Je ne sais plus. Je ne me rappelle plus. C'est du côté de la Trinité. Dans le quartier de la Trinité. Ça, j'en suis sûre. Je m'en suis fait la réflexion. Pas de doute.

– Quel genre de boîte?

– Un restaurant boîte de nuit. Il y a des strip-teaseuses et il m'a dit qu'une d'entre elles avait été sa petite amie. Qu'il allait encore souvent la voir, quand il était à Paris et quand il avait le temps.

– Essayez de vous souvenir encore, mademoiselle. C'est très important. Que connaissez-vous de lui, encore? Je veux dire, de sa vie, bien entendu! »

Ce genre d'allusions, quand ce n'est l'insulte directe, lui va droit au cœur. Elle n'est pas en position de réagir, hélas. Elle prolonge son silence. Peut-être comprendra-t-il? C'est d'une voix plus calme qu'il reprend : « Peut-être vous a-t-il dit le nom de la rue. Peut-être aussi celui de l'établissement?

– C'est possible. Mais ça ne me passionnait pas. J'écoutais d'une oreille distraite.

– Et ses vêtements?
– Quoi, ses vêtements?
– Vous n'avez pas remarqué un signe, une...
– Écoutez, j'ai remarqué qu'il était grand, mince, brun, assez séduisant, et plutôt jeune. Dans les vingt-cinq ou vingt-huit ans. De là à me passionner pour la marque de son veston... C'est un peu comme si vous me demandiez le numéro minéralogique de sa voiture.
– Vous avez vu sa voiture?
– Une voiture jaune, oui.
– Une R 5?
– Oui. Oui, quelque chose comme ça. Une petite voiture.
– Avec deux antennes radio?
– Oui! Une sur le toit et une sur le hayon arrière. Plein d'autocollants aussi. Je me suis fait cette réflexion car je déteste ça. Ce mauvais goût m'a étonnée chez quelqu'un qui était... plutôt raffiné. »

Le capitaine Soleilhavout a bondi vers son bureau et décroché son téléphone.

« Allô? Ici deuxième district. Section IV. Capitaine Soleilhavout. La R 5 jaune avec ses deux antennes et ses autocollants. Depuis que nous l'avons repérée, combien de fois l'avons-nous vue dans le quartier de la Trinité? »

En attendant la réponse, il rallume sa pipe posée dans son cendrier puis se met à griffonner nerveusement sur une feuille blanche. Il dessine. De sa place, Maryline suit la pointe de son crayon hésitant. Il dessine une voiture. Une R 5. Enfin, à peu près.

« Là et là, les antennes? demande-t-il tout à coup en lui montrant son dessin.
– Oui.
– J'écoute! interrompt-il. Tous les soirs. Durant toute la dernière semaine du mois dernier? répète-t-il. Bon, merci! »

Sur ces mots, il raccroche : « Mademoiselle, vous venez de nous rendre service. Je ne peux pas vous promettre de vous faire décorer de la Légion d'honneur mais vous la mériteriez. On la donne pour beaucoup moins que ça.
– Je peux rentrer chez moi, maintenant?
– Certainement. Je vais vous faire raccompagner. »

Son téléphone sonne alors qu'il y portait la main : « Allô! »

Maryline jette un bref regard sur son bracelet-montre. Il est onze heures quinze. Elle est soulagée de s'en tirer comme ça.

« Non? s'écrie le capitaine, visiblement atterré. C'est impossible! Dites-moi que ce n'est pas vrai! »

Dans son regard, elle lit tout à la fois l'effarement, la consternation et la fureur. Rien de bon. Sa crainte renaît immédiatement d'avoir à en faire les frais. Après avoir voulu la décorer d'une Légion d'honneur, pour quelle raison semble-t-il lui en vouloir, tout à coup?

***

Leur habitude, le dimanche, en sortant de la messe, c'est de se rendre à pied dans une pâtisserie proche de la place de la Contrescarpe et d'y acheter quelques gâteaux qu'ils dégustent tranquillement en regardant le film du soir à la télévision. Cette balade est aussi une occasion de bavarder.

« Alors, comme ça, tu le trouves si formidable, cet abbé? attaque Marc pour entrer directement dans le vif du sujet.

– Pas toi?

– Moi, je le trouve un peu... illuminé. Dangereux, en un mot.

– Dangereux?

– Il véhicule sa foi comme un ordre issu d'une toute-puissance qui ne semble avoir de divin que les mots dont il l'affuble.

– Tu es contre l'ordre?

– Je suis contre un ordre imposé par une minorité pour affermir leur autorité sur les naïfs, les candides ou, simplement, les imbéciles qui se proclament si fiers de ne pas faire de politique et qui, par là même, portent la responsabilité du pire qui puisse arriver pour tous.

– Franchement, grand-père, n'est-ce pas le rôle et le devoir de tout ministère, spirituel ou politique, que de se poser en défenseur des intérêts de ceux qui sont incapables d'imaginer leur avenir? »

Leur conversation s'interrompt à la vue d'une scène de rue bien connue des habitants du quartier. Ils la connaissent eux-mêmes. Elle les surprend toujours autant qu'elle les attendrit. Un vieil homme promène sur la place du Panthéon un très vieux berger allemand et un pigeon qui, alternativement, se pose sur l'épaule de l'homme puis sur le dos du chien. Marc profite de cette interruption de la conservation pour se dire que les quatorze ans et demi de François ne se laissent guère impressionner par l'autorité de jugement d'un grand-père.

« Regarde! reprend précisément son petit-fils. Si, comme il est dit dans l'Évangile, " à tout péché miséricorde ", il y a un pieux écho : " À tout chagrin consolation », le spectacle de la confiance de cet oiseau partageant ses instants avec ses deux vieux amis, n'est-il pas une forme de message que le ciel nous adresse à l'encontre de notre tendance à l'indifférence et à l'égoïsme? »

Et François d'ajouter encore : « Comprends-moi, grand-père. Je ne voudrais pas te donner l'impression d'une religiosité à bon marché. Pour moi, c'est une façon de fixer des valeurs stables.

– Et, tu trouves stabilité et épanouissement dans le discours de ce demi-fou d'abbé qui exalte la culpabilité du pécheur jusqu'à la névrose?

– J'ai ce point commun avec lui que je me sens mal dans un monde où déclinent les valeurs essentielles qui s'attachent à la morale. J'ai besoin de pouvoir croire en un ordre naturel des choses dans le cadre de certaines valeurs traditionnelles. Ne sommes-nous pas coupables d'avoir laissé se dégrader notre héritage spirituel, de ne pas nous attacher à sauver le creuset de vertu qu'est la famille et... jusqu'à la notion de patrie qui est notre famille nationale?

– Ce n'est pas en dogmatisant la culpabilité que ton prédicateur...

– Mais, son rôle n'est pas universel. Il n'est qu'affecté qu'à la mission d'ouvrir les yeux de certains. Cette exaltation de la culpabilité du pécheur est d'une urgence nécessaire pour pouvoir entraîner une politique de salubrité mentale et mettre fin aux spéculations hasardeuses issues des socialismes ou autres tendances libérales...

L'un comme l'autre, sont-ils aussi dupes qu'ils jouent à le paraître du flou de cette conversation? Si Marc demandait à François une réponse simple et claire sur les raisons pour lesquelles il se drape dans un mysticisme austère, intégriste, réactionnaire au sens vrai du terme, obtiendrait-il l'aveu qu'il redoute de l'influence de cet abbé?

François, de son côté, se dit justement que si pareille question lui était posée il n'aurait pas encore la force nécessaire pour avouer à son grand-père ce qu'il a découvert, trois mois plut tôt, au sujet de sa mère. Le modèle de vertu qu'il a décidé d'être, n'est pas encore au point.

***

Un homme accablé raccroche le téléphone. Maryline n'ose pas l'interroger. Le capitaine la regarde comme s'il ne la voyait pas et ses yeux, finalement, glissent vers Menestrel, toujours attaché sur sa chaise, toujours parfaitement silencieux, résigné à son sort.

« Trop tard. Une fois de plus vous avez fait du beau travail Menestrel. Vous avez lieu d'être fier. Toutes mes félicitations, Menestrel. Toutes mes félicitations. »

Avant de leur en dire plus, il observe quelques instants de méditation. Mise en condition destinée à accroître leur inquiétude? Intention de leur communiquer sa propre angoisse?

« Encore merci de votre coopération, mademoiselle. Hélas, elle est devenue sans objet. Grâce à votre bon ami Menestrel, Elias el Ayad a eu le temps et les moyens d'armer le commando terroriste qui devait frapper. L'Airbus d'Air France Athènes-Tel-Aviv vient d'être arraisonné par Basil Al Qubasi, au nom du Front populaire de libération de la Palestine. »

Avec une expression d'impuissance, il soupire : « Nous ne tarderons pas à connaître leurs exigences. » Il fait le tour de son bureau, s'approche de Menestrel et ajoute : « Ils ont deux cent trente-quatre otages à bord. »

Ayant détaché les menottes qui entravaient les mains de Menestrel, il termine : « Mon bon ami, je n'aimerais pas être à votre place. Votre avenir est bien compromis, désormais. Si mademoiselle se sent un peu seule, sans vous, pendant les longues soirées d'hiver, elle pourra toujours me faire signe : nous bavarderons gentiment en évoquant votre mémoire. »

Entendant cela, Maryline tire instinctivement sur le bas de sa jupe qui découvrait légèrement son genou.

Menestrel ne fait aucun commentaire. Simplement, il reboutonne sa chemise.

« Quand je te regarde, Olivier, reprend le capitaine avec un ton doucereux qui traduit une menace, je pense à...

– Est-ce que je peux partir? demande alors Maryline en se levant pour couper court à cette atmosphère insupportable.

– Oui, oui. Bien sûr. »

Sortant de ses pensées, il ajoute : « Le temps que vous disiez adieu à votre ami, je fais demander une voiture. »

Menestrel n'a pas un signe pour elle. Indécise, Maryline se demande si elle doit lui tendre la main avant de quitter le bureau. Finalement non. Avant de sortir, elle se contente de lui lancer un très vague : « A plus tard!

– A bientôt! » répond Menestrel.

Dans la voiture qui la ramène elle s'efforce de comprendre ce qui vient de se passer. Que doit-elle en déduire? Menestrel ne l'a jamais mise dans les confidences de ses activités occultes. Elle a parfois eu la mission de remettre des enveloppes à des clients ou d'en recevoir mais sans jamais connaître leur contenu. Une de ces enveloppes, précisément, est encore chez elle. Inévitablement, Menestrel se manifestera prochainement pour en prendre possession. Bien qu'elle lui doive les pires années de sa vie, cette perspective d'être amenée à le revoir bientôt lui paraît rassurante. Ne serait-elle pas livrée à des dangers plus grands – qu'elle pressent sans les connaître – si sa protection cessait de s'exercer? Que deviendrait-elle, aujourd'hui, à trente-cinq ans, pute de luxe déjà vieillissante?

Danger. Sentiment tenace, persistant jusqu'à la certitude. Cette lettre qu'elle détient pour Menestrel est un danger. A l'aller, elle craignait le scandale et les conséquences qui en résulteraient pour François. Maintenant, elle craint pour elle-même.

Dans cette même journée, elle se rendait chez son beau-père et lui confiait l'enveloppe pour la mettre en lieu sûr dans son coffre-fort.

Le soir, en rentrant, elle retrouvait son appartement cambriolé.

Toute la longue semaine qui a suivi, le monde entier a eu les yeux fixés sur les otages de l'Airbus d'Air France immobilisé sur l'aéroport d'Entebbe. Les membres du commando palestinien réclamaient la liberté de cinquante-trois de leurs camarades détenus dans les geoles d'Israël, d'Allemagne fédérale, de Suisse, du Kénia et de France.

L'opération surprise de l'armée israélienne sur l'aéroport ougandais, dans la nuit précédant l'heure de l'expiration de l'ultimatum, amena la libération des cent deux otages. Bilan : six morts : trois civils, deux terroristes, un militaire israélien, et vingt-trois soldats des forces de l'ordre blessés.

# QUATRIÈME PARTIE

## *Le chevalier d'Occident et la rose socialiste*

*Paris, novembre 1978*

François Rougier a juste dix-sept ans. C'est un garçon sérieux. Excellent élève, il a brillamment passé son baccalauréat de français et se prépare pour le terme de cette année scolaire 1978-1979 à subir les épreuves d'un bac C. Objectif : Sciences Po et le concours d'entrée à l'École nationale d'administration. A l'examen des résultats obtenus jusqu'ici, tous les espoirs sont permis.

Il n'affiche qu'un goût modéré pour les loisirs. L'Opéra ou le concert mais pas trop souvent. Ses lectures sont austères, principalement politiques. Il critique ouvertement le libéralisme avancé de Giscard d'Estaing et, si le Premier ministre trouve meilleure grâce à ses yeux, c'est uniquement à cause de l'autorité universitaire qui auréole Raymond Barre.

Durant le dernier mois d'août, passé à Juan-les-Pins en compagnie de sa grand-mère, François avait avoué être troublé par une jeune Suédoise de son âge rencontrée sur la plage. Sylvaine s'était sans doute trop empressée de le mettre en garde contre les pièges de l'amour. Il lui avait répondu trouver normal que toutes les filles n'aient pas envie de tomber dans ses bras mais qu'il espérait bien ne pas laisser passer celle pour laquelle il se garderait aussi pur que possible, le plus longtemps possible.

Le propos avait vite fait le tour de la famille.

Charles avait eu cette réaction brutale et amère : « A son âge, j'étais sur la même voie. J'ai rencontré sa mère, j'ai cru en sa pureté et je me suis retrouvé marié à la dernière des putes. Comme je ne peux le mettre en garde à partir de mon expérience, il me reste à lui souhaiter de ne jamais connaître semblable déception. »

La réaction de Maryline avait été plus nuancée : « Il est beau. Il est fort. Je crois qu'il est aussi passionné par son époque qu'on peut l'être à son âge. Il n'en demeure pas moins que, parfois, son goût de l'absolu me fait peur.

– Ton fils te fait peur?

– Disons qu'il me glace. C'est comme si certains de ses regards me disaient clairement ce qu'il pense de moi et combien ce jugement est sévère. A d'autres moments, le climat entre nous est différent et tout, dans son comportement, m'invite à lui prendre la main. »

Maryline était sur le point de comprendre. Après la catastrophe de sa rupture avec Charles, cet enfant avait été sa bouée de sauvetage. Une part importante de sa raison de vivre. Un vague ressentiment était né ensuite, peu à peu : que François n'ait pas été assez fort, du seul fait de son existence, pour conduire son père vers le pardon.

Entre huit et onze ans, son petit garçon l'avait comblée d'émotions très douces. Elle s'était parfois sentie prisonnière et s'était débattue, mais elle avait eu malgré tout grand besoin de lui. Jeune adolescent, il avait commencé à la juger sur ce qu'il ignorait. Puis il n'avait plus rien ignoré et il avait réclamé des comptes. Devant lui, elle avait eu honte et peur. Honte, de n'avoir su mieux jouer les cartes de sa vie. Peur, d'un nouveau scandale. Peur et honte de n'inspirer peut-être à son fils qu'une sorte de vague pitié.

La disparition de Menestrel, après l'affaire de juin 1976, avait marqué la fin des pressions qu'il lui faisait subir, et Maryline avait saisi cette chance de prendre ses distances avec la vie qu'il lui faisait mener.

Au nombre des mesures à prendre, il n'avait plus été question pour elle de garder l'hôtel particulier de Neuilly.

Marc avait trouvé la solution. Par bonheur, l'appartement de Juan-les-Pins se trouvait sans occupant. Il avait proposé à Sylvaine de partir s'y installer pour laisser son domicile parisien à sa fille.

Ce déménagement avait été l'occasion de rapports nouveaux avec François. Au temps de sa grand-mère, il avait certaines habitudes rue Mazarine. Heureuse de le voir plus souvent et plus facilement, Maryline l'avait encouragé à ne pas les remettre en cause.

Le grand mouvement de tendresse qui les rejetterait l'un vers l'autre se produirait-il? Malgré les efforts déployés pour provoquer cet état de grâce, François n'avait en rien modifié son attitude distante d'observateur. Maryline en était arrivée à conclure que cette froideur lui signifiait de réorganiser sa vie.

Un peu avant Noël 1976, elle avait donc été tout heureuse de pouvoir lui annoncer : « Tu sais, j'ai rencontré une de mes anciennes amies. Elle est aujourd'hui styliste chez Daniel Hechter et, grâce à elle, je vais refaire des photos pour présenter certains modèles de la prochaine collection. »

La réaction avait été déconcertante : « Tu n'as vraiment rien trouvé de mieux? » Que fallait-il donc quelle fasse? Que souhaitait-il donc pour elle? Elle n'avait pas eu le courage d'aborder ouvertement cette question.

Quelques mois plus tard, un peu avant Pâques, elle avait fait la connaissance de Daniel Roussel. Ancien journaliste reconverti dans les relations publiques d'une importante maison de disques, trente-cinq ans lui aussi, charmeur, célibataire, cultivé, elle s'était surtout laissé séduire par sa très grande gentillesse.

Une douce idylle était née. Mélomane averti, Daniel s'était déclaré impressionné par son style au piano et l'avait convaincue de se remettre à travailler. Elle l'avait fait, pour lui plaire. Puis, il lui avait proposé d'enregistrer un disque. Elle s'était dès lors acharnée sur ses doigtés et ses arpèges dans la seule perspective de réussir enfin quelque chose dont François puisse être fier.

La difficulté de ses rapports avec son fils n'ayant toutefois pas facilité son intention de parler de lui avec Daniel, six mois plus tard avait éclaté un incident.

C'était un dimanche d'octobre. La veille, elle avait achevé l'enregistrement de la première face de son disque. Daniel l'avait raccompagnée et était resté. Comme ils étaient rentrés tard, ils dormaient encore lorsqu'on avait sonné. Supposant que ce pouvait être François, elle n'avait pas ouvert.

Vers une heure de l'après-midi, Daniel ayant proposé de gagner une trattoria voisine, elle avait retrouvé son fils sur le seuil de l'immeuble. En la voyant sortir, il avait tout compris et voulu partir sans explication. Elle l'avait rattrapé. Il lui avait rappelé qu'ils devaient aller ensemble au cinéma revoir *West Side Story*. Elle n'avait pas voulu admettre son oubli et s'était empêtrée dans des digressions peu convaincantes.

Heureusement, Daniel était intervenu invitant François à les accompagner au restaurant.

Durant ce déjeuner, tous les deux avaient semblé se manifester un intérêt réciproque dont elle s'était vivement réjouie.

Un peu vite, sans doute, car dans les jours qui avaient suivi, l'incident était devenu déception. Daniel Roussel ayant supposé qu'elle avait voulu lui cacher l'existence de ce grand fils, leur liaison avait pris fin sur ce malentendu.

***

Lors de sa sortie, le film de Charles Rougier avait entraîné une assez jolie escalade polémique dans les journaux. Les uns s'étaient vivement emparés du prétexte de la séquence sur Drancy pour moraliser et culpabiliser une fois de plus l'Europe soupçonnée d'oublier l'expiation des crimes de l'horrible et tragique épopée hitlérienne. Et les autres s'étaient empressés de leur répondre qu'elle n'arrête pas d'expier, l'Europe : en prêchant la paix, le désarmement, la coexistence pacifique, et en investissant les bénéfices des comptes de ses nations dans la fabrication de machines à tuer qu'elle écoule sur le dos de la guerre des autres.

Malgré ce retentissant succès de presse, le film n'avait pas eu le succès public escompté. Effet rétroactif pour le réalisateur, les producteurs ne se bousculaient pas devant sa porte. Pour vivre, Charles avait donc repris du service dans le cinéma éducatif et documentaire. Le 13 novembre, jour du dix-septième anniversaire de son fils, il était retenu sur un tournage et Ève s'était chargée de téléphoner pour reporter à la semaine suivante la date d'une petite fête autour d'un gâteau à bougies.

François n'avait pas été autrement déçu de voir repoussée l'heure de cette annuelle punition pâtissière.

Ce 18 novembre, cependant, il faut bien y passer. A l'heure dite, accompagné de son grand-père, ils trouvent Ève Trinquier, comme à l'habitude, complètement dépassée, devant sa montagne de casseroles.

« J'ois, provenant du salon, le noble courroux de mon père.

– Il est furieux! prévient Ève. Bernard s'est décommandé.

– Je vais aller le consoler! » se propose François qui, pour sa part, se félicite plutôt de l'absence du gauchiste en herbe qui n'aurait pas manqué d'ajouter son grain de sel aux fumeuses théories dont ne tardera pas à les abreuver le maître de céans.

La soirée s'organise, l'allégresse et la concorde devraient régner mais il y a un rude sujet à l'ordre du jour : les neuf cent quatorze suicidés au Guyana.

Au menu, la ronde des crudités (une botte de radis) et des cochonailles (Ève s'étant rappelé *in extremis* qu'il restait deux rondelles de saucisson dans le frigo). Ces délices, accompagnés d'un de ces petits commentaires paternels sur la vision d'horreur des bébés du Guyana, convulsés dans les bras de leurs mères mortes par fanatisme pour la cause du Temple du peuple de Father Jones.

Plat de résistance, le gigot haricots verts soigneusement raté par les bons soins d'Ève, mais on ne lui en veut pas. Il est relevé des couplets paternels sur les conséquences d'un ordre moral puritain et pharisien. La plus redoutable, selon lui, est l'intolérance de ceux qui se posent en pasteurs pour exalter le fanatisme religieux, toujours générateur d'aveuglement.

Avec la salade, François suggère : « Internationale communiste? » Avec les fromages variés, son père répond : « Église catholique, apostolique et romaine. » En matière d'intolérance et de fanatisme, ils se rendent des points. On baigne dans l'euphorie des grands jours.

« Le gâteau, maintenant! » annonce Ève en apportant son

chef-d'œuvre qui, comme d'habitude, n'a rien voulu savoir pour sortir d'un moule à manqué qui n'a jamais si bien porté son nom.

Le père – tendance *Nouvel Obs'*, c'est-à-dire construisant le progrès à partir du réel et non contre le réel – veut bien consentir à se taire pour laisser le fils – tendance intégriste lefebvrienne, c'est-à-dire construisant son salut à partir du spirituel et non contre le spirituel – plonger son couteau au cœur même de la dure réalité pâtissière de l'instant.

Voilà, c'est fait. Il est allé au bout de sa tâche sans l'aide de la technologie avancée du marteau-piqueur et de la scie égoïne. Seuls le couteau de service et quelques quenottes subalternes, fragilisées par les maux nés d'une malnutrition industrielle diffusée par les supermarchés, ne s'en remettront pas.

« Pourquoi ris-tu? demande son grand-père.

– Parce que c'est mon anniversaire! » répond François.

Là-dessus, en valeureux petits Français, on verse le champagne, puisque l'occasion est belle de liquider les fonds de stoks de Reims ou d'Épernay qui n'ont pu suivre la voie des exportations chez les rois nègres et présidents de républiques sous-développées qui opèrent de sombres razzias sur les grands crus dont ils ont besoin pour abreuver leur justice sociale.

« Mais enfin François, pourquoi ris-tu? insiste son grand-père.

– A cause des bulles! » répond François.

La trêve est finie : le gâteau est coupé, le champagne est versé, son père recommence à déconner. François ne rit plus. Il l'écoute supputer les chances de la gauche pour l'élection présidentielle qui se profile à l'horizon.

« Mitterrand, peut-être? s'interroge gravement Charles Rougier.

– En tout cas, aucune chance pour ton copain Krivine! » lui assure non moins sérieusement son fils François Rougier.

Marc Rougier, entre deux feux, tente de suggérer que Valéry Giscard d'Estaing n'est pas encore complètement usé et qu'on pourrait, aussi bien, lui renouveler son mandat pour sept ans. Ève, pour sa part, n'est pas contre. Depuis qu'il ne s'invite plus à la bonne franquette aux tables des ménagères de France, elle ne redoute plus de se trouver un jour en situation de lui faire la cuisine.

A vingt et une heures cinquante-six, ce soir-là, le succulent dîner d'Ève Trinquier a été honoré, l'anniversaire célébré, la conversation sur les mérites des leaders de la gauche française assez vite épuisée. François propose donc de se retrouver l'année suivante vers la même heure, à la visible satisfaction de la compagne de son père qui ne semble plus aspirer qu'à un repos réparateur dans les bras de son « homme de gauche ». Il ne lui fera certainement pas d'enfant ce soir, par respect du droit d'une travailleuse de base de préférer roupiller.

« Enfin, François? s'étonne une nouvelle fois son grand-père, auras-tu bientôt fini de rire comme ça?

– Laisse-le! excuse le Pater Cinematograficus, il est heureux de nous voir. »

Tu parles, papa! Sacré Charles! Et encore, même s'il a décidé d'être sérieux et exemplaire, il a tout de même bien le droit de rire un peu le jour de son anniversaire sans se sentir obligé de devoir aller faire pénitence pour ça.

La sortie du disque de Maryline aurait pu être un succès mais rien n'est jamais gagné d'avance. La nouveauté du jour avait été recouverte par celle du lendemain. Et, tourne manège... Plutôt indifférent au demi-échec du film de son père, François avait été beaucoup plus sensible à la déception de sa mère. Tout allait si bien, pour elle, depuis quelque temps. Elle avait changé de vie. Elle faisait quelque chose qui l'intéressait. Son ami Roussel avait l'air d'être plutôt fréquentable. Cette conversion avait même bouleversé les apparences extérieures puisqu'elle avait renoncé à sa Ferrari pour une sage petite Renault 5 banalisée et que, désormais, sa façon de s'habiller délaissait l'exhibitionnisme en faveur d'une discrète élégance.

Certainement, le bon exemple qu'il lui donnait était-il pour quelque chose dans cette mutation. Il en remerciait Dieu et s'engageait à demeurer un modèle de vertu jusqu'au rachat complet de la pécheresse.

Le printemps de cette année 1979 s'annonçait pour François sous d'excellents auspices et, notamment, sous le signe d'une réconciliation parfaitement inattendue entre ses parents. Sollicité par le département création d'accessoires haute couture de Paris-Bijoux, Charles Rougier s'était vu confier la réalisation d'un spot télévisé pour la fête des Mères et avait eu l'idée d'engager son ex-femme comme vedette de sa toute nouvelle super-production de vingt-sept secondes.

François n'avait pas voulu manquer la première journée de tournage. Il y avait découvert le méticuleux travail de préparation de l'équipe de techniciens, apprécié la précision des indications du metteur en scène, admiré les changements à vue dans les décors et les costumes des figurants. Il avait surtout redécouvert avec beaucoup de fierté combien sa mère était de loin bien plus jolie que toutes les autres actrices présentes sur le plateau.

Il s'était même fait une amie. Une dame âgée, très élégante, très distinguée. Elle s'appelait Mme Friedmann mais préférait qu'il l'appelle Sarah. Toutes les cinq minutes, elle lui disait qu'elle le trouvait beau. Pour être excessif, ce n'était pas désagréable.

Il avait trouvé dommage que son grand-père n'ait pas voulu venir; elle lui aurait sûrement beaucoup plu. Une autre femme était venue la rejoindre. Une vieille aussi, mais plus jeune. Une certaine Noémie. Avec elle, les choses s'étaient moins bien passées. Il l'avait entendue dire à Sarah, à propos de la Star : « C'est la mère du gamin. C'est la petite pute que Charles avait épousée... Il n'était pas supposé avoir entendu et n'avait rien pu dire mais, après ça, il avait été évident que sa bonne volonté à la trouver sympathique en avait pris un coup. Sarah Friedmann, qui lui semblait au mieux avec cette sale bonne femme, en avait fait les frais. Il avait commencé à trouver qu'elle montrait trop ses cuisses en s'asseyant et, comme son grand-père n'aurait pas non plus apprécié cela il avait donc eu bien raison de rester à la maison.

« Viens dîner, vendredi soir. Une de mes amies et sa fille me rendent visite. Tu verras, elles sont très gentilles. »

Aux anges. Exception faite des soirs où, très protocolairement, elle les reçoit avec son grand-père, c'est la toute première fois qu'elle l'invite. Enfin, lui tout seul. Exactement comme si elle commençait à se rendre compte qu'il existe vraiment et qu'elle peut avoir un peu besoin de sa présence.

Désormais, tout va dans le bon sens. Son disque n'a pas eu grand succès, hélas, mais elle fait autre chose. Elle corrige des copies de grec et de latin dans un institut de cours par correspondance. Elle n'a accepté de tourner le film du Pater Cinematograficus que pour lui faire plaisir. Il est d'ailleurs très bien ce film, elle ne se déshabille pas. Avec l'aide de Dieu, le bon exemple qu'il essaie de lui donner semble porter ses fruits.

Il lui a apporté des fleurs. Un bouquet de roses. Et puis aussi, deux fois une rose, pour chacune de ses amies. Elles sont jeunes et jolies. Rosine (à peu près le même âge que sa Star) et Nathalie, sa fille, qui vient juste d'avoir dix-huit ans : huit mois de plus que lui. D'emblée, François se sent davantage attiré par la mère que par la fille. Rosine a quelque chose d'un peu naïf qui provoque l'attendrissement spontané. Nathalie est trop bronzée. Autant la mère est blonde, autant sa fille est chiante : une sombre gauchisante nourrie à la pâtée marxiste-léniniste pour faire une victime de plus des gros rouges qui tachent.

Quand des personnes qui se connaissent forment la majorité d'un groupe, les conversations tournent automatiquement autour de sujets qui leur sont communs. Il a l'impression de rester sur le seuil de la discussion. Il ne connaît ni Tartempion, ni Dudule, ni Aglaée, mais il s'en fout. Au fond, il est seulement venu pour être avec Elle. Or, Elle est là, à sa droite. Il peut veiller qu'Elle ne manque pas de biscottes, que son verre soit toujours plein, qu'Elle n'ait pas à tendre le bras pour saisir la salière. Enfin, il veille à tout quoi. Et puis, parce qu'il est poli, parce qu'il se sent – pour cette fois – le fils de cette maison, il en fait autant pour les autres.

« Comme il est charmant, comme il est prévenant, ton fils! »

admire Rosine avec beaucoup de gentillesse dans le sourire qu'elle lui destine.

A ces mots, sa mère a pour lui un regard si doux et si brillant de plaisir qu'il se sent tout chaviré. La conversation reprend. Nathalie y participe activement.

Aucun manuel de savoir-vivre *made in USSR* ne lui a probablement jamais appris qu'il n'est meilleures communisteries que celles qui s'achèvent.

Dieu, qu'il n'aime pas cette fille! Quand viendra le Rédempteur qui remettra un peu d'ordre salutaire et de nécessaire morale dans ce bas monde, elle se retrouvera aux offices, à la plonge des assiettes sales du laisser-faire et du laxisme prétendument progressiste. Elle a des vues sur tout, la mignonne. Elle s'y connaît aussi en sociopolitique : « L'immigration maghrébine est la meilleure des choses pour la France, c'est grâce à eux que la courbe démographique ne s'infléchit pas de désastreuse façon. » François s'abstient de lui demander si c'est aussi grâce à eux qu'on remplit les bureaux de l'ANPE et qu'on vide les réserves financières des caisses d'Allocation chômage ou de l'Aide sociale? Il n'est pas venu pour polémiquer avec cette donzelle mais pour s'occuper de sa Star. D'ailleurs, son verre est vide.

Un peu plus tard, dans la conversation, il va comprendre. Nathalie est née d'un père algérien. Dès lors, c'est d'un regard moins indulgent qu'il voit Rosine. Il apprendra, en outre, que son père ayant enlevé Nathalie à l'âge de douze ans pour l'emmener dans son pays, sa mère s'est rendue en Algérie et a fait de longues et pénibles démarches pour obtenir la restitution de l'enfant. Ce n'est pas un récit qui l'émeut. Bien au contraire. En forniquant avec un bougnoul, elle savait ce qu'elle faisait. Vraiment aucune raison de se mettre le cœur en lambeaux pour elle.

« ... Un racisme anti-femmes. Il faut bien voir les choses comme elles sont. Du racisme anti-femmes! insiste la sémillante Rosine.

Et allons bon! Il n'écoutait plus mais « le racisme anti-femmes » il n'aurait pas pensé à ça. Vraiment, Vierge Marie, est-ce que je fais du racisme anti-femmes quand je m'adresse en urgence à votre fils avant de vous avoir saluée?

« Si on allait danser? a proposé Rosine.

– Oh! oui, oui, oui! », applaudissent Nathalie et la Star.

Devant l'enthousiasme qu'affiche sa mère, François s'en voudrait d'avoir l'air d'un rabat-joie. D'ailleurs elles ont déjà décidé d'aller chez Castel. Le divin point de chute des grands soirs? Le goulag du Tout-Paris de l'oisiveté mondaine? C'est une occasion de voir.

Si les cloches sonnaient vraiment, François entendrait le douzième coup de minuit à l'église Saint-Sulpice toute proche, au moment où s'entrouvre pour eux la petite porte du sanctuaire de la nuit.

Franchissant ce seuil, il ignore une chose : qu'il se rend sans le savoir à un mystérieux rendez-vous avec son destin.

Au bas des marches qui descendent dans les caves enfumées, bruyantes de musique, aux lumières papillonnantes et un peu folles, se dessine une silhouette. Elle a de longs cheveux clairs et de grands yeux noirs. Un regard si profond qu'il semble infini comme le cosmos. Assise dans un fauteuil de velours rouge, près d'une petite table sur laquelle est posée une grosse lampe à l'abat-jour voilé, elle semble indifférente et lointaine.

Sa mère, Rosine et Nathalie, sitôt entourées d'une petite meute de garçons et filles dégageant des vapeurs parfumées, distribuent tendres bisous et accolades démonstratives. François s'avance d'un pas vers la jeune fille assise.

Il est fasciné. Elle aussi, lui semble-t-il.

« Je m'appelle... François.

– Et moi, Stéphanie. »

C'est une nuit d'avril, pleine de printemps tout neuf. Une nuit comme seule la vie sait en donner quand elle ajoute en prime la douceur si exquise d'un premier baiser.

« Je n'avais jamais... embrassé un garçon.

– Moi non plus.

– J'espère bien.

– Je voulais dire... »

Est-il besoin de dire?

Étonnement de François, cette nuit-là, en rentrant vers quatre heures du matin, de trouver son grand-père dans la bibliothèque.

« J'étais inquiet, enfin! D'où viens-tu?

– Inquiet?

– Ta mère aussi. Elle vient de m'appeler pour me dire que tu avais disparu depuis minuit. »

Elle s'en est aperçue? Elle s'est rendu compte qu'il n'était plus près d'elle? Mais, alors? C'est donc vrai qu'un bonheur n'arrive jamais seul?

« Tu sais, grand-père, je... Je... Je suis heureux! J'appelle maman tout de suite, pour le lui dire. »

C'était donc si simple? Elle lui a dit : « Eh bien, viens. Viens mon chéri. Viens me raconter tout ça. » Il a volé du Panthéon à la rue Mazarine et maintenant il est allongé sur le grand canapé du salon, la tête sur ses genoux. Elle lui caresse les cheveux. Elle est heureuse avec lui. Ils partagent quelque chose ensemble.

« ... Ça prouve qu'on ne peut rien prévoir ni décider pour personne. Rosine et moi étions un peu complices en te présentant Nathalie.

– Et Nathalie a eu l'idée d'aller danser. D'aller là où nous sommes allés...

– Et, Mademoiselle Stéphanie t'y attendait.

– Je l'ai tout de suite vue. »

Ça fait, deux fois, vingt fois, deux cents fois, qu'ils se racontent la même chose. Qu'importe, c'est toute l'énergie qu'il convient de dépenser pour pouvoir parvenir à épuiser ce bonheur qui gonfle le cœur à le faire éclater.

« Je crois qu'on a sonné. » Elle tend l'oreille et convient : « Je crois que tu as raison de croire. A six heures du matin? »

Elle se lève et avant de quitter le salon, ajoute : « Au fond c'est certainement Rosine. Ça ne sera rien. »

Là dessus, elle disparaît dans le vestibule.

Rien? Rien? C'est tout de même quelqu'un qui vient les déranger! Alors qu'ils étaient si bien. Alors qu'il avait encore tant de choses à lui dire. Des choses capitales pour lui, pour elle, pour... eux.

Un cri. Une voix d'homme. Un bruit, anormal. Un fracas de verre, quelque chose est tombé, s'est brisé sur le dallage...

D'un bond, François se précipite. Par l'entrebâillement de la porte d'accès au vestibule, il voit trois types et l'amie de sa mère maintenue par l'un d'eux qui lui tord un bras dans le dos.

« Tu es seule ici?

– Oui, oui, je suis seule. »

François a compris avant même qu'elle crie mais il est trop tard pour qu'il bondisse vers la cuisine où se trouve l'accès à l'escalier de service. Une seule ressource, l'escalier intérieur qui monte vers la terrasse. Il a juste le temps de se dissimuler derrière la lourde tenture qui en décore l'accès. Les trois hommes poussent sans ménagement sa mère et son amie dans le salon.

« Je veux l'enveloppe », dit celui qui a déjà parlé et semble diriger l'expédition. François ne voit plus ce qui se passe mais il entend. Le son de cette voix vaut un passeport. Il y a dans son accent des consonnances arabes qui ne trompent pas.

« Quelle enveloppe?

– L'enveloppe qui t'a été remise en juin 1976 et que tu devais faire parvenir à Menestrel.

– Mais, je n'ai pas d'enveloppe! »

Rosine à qui on a dû tordre le bras pousse un cri.

« Écoute bien, tu as peut-être plus l'habitude de te mettre au lit que de te mettre à table, mais je te garantis que tu vas parler et nous donner cette enveloppe.

– Mais je n'ai pas... »

Sa phrase est interrompue par un hurlement de douleur. Cette fois. Rosine supplie : « Donne-lui. Il... me casse... le bras!

– Mais je ne l'... »

Une formidable claque la jette au sol. Crispé derrière la tenture, François ne peut rien faire. Seul contre trois types vraisemblablement armés, son unique ressource est d'aller chercher du secours. De l'endroit où il se trouve, il ne peut gagner aucune autre issue que la terrasse sur le toit; à condition de ne pas attirer l'attention au moment de traverser la galerie qui surplombe la pièce. Si l'un des hommes lève les yeux, il est foutu.

« Relève-toi, Maryline! Faut que tu comprennes quelque chose, on n'est pas là pour plaisanter. Il y a trois ans, Elias el Ayad t'a remis une enveloppe pour ton maquereau. Tu files l'enveloppe et on s'en va. Si tu veux pas, ta copine va trinquer. »

François est parvenu en haut des marches. Reste à franchir la galerie. Une fois de l'autre côté, il sera hors de vue. Sur la terrasse, il avisera.

Coup d'œil sur ce qui se passe, dans le salon, juste au-dessous de lui. Il s'agit bien de trois Arabes. L'un maintient toujours solidement Rosine, le bras tordu dans le dos. L'autre attend, les deux mains dans les poches. Quant au troisième, François le voit avec horreur attraper sa mère par les cheveux. Elle pousse un hurlement de souffrance. « Cette enveloppe, tu la donnes ou pas? »

Elle n'a pas le temps de répondre que deux gifles s'abattent, dont elle cherche à se protéger avec les bras. Il lui tord le poignet.

« Te faire vitrioler, dis? C'est ça que tu cherches? »

Elle retombe à genoux en pleurant de douleur. François, le dos collé contre le mur, choisit de traverser la galerie en marchant de côté et accroupi. Demi-mètre par demi-mètre, il progresse.

« Je vous jure! Je vous jure que j'ai pas conservé l'enveloppe. »

De nouvelles claques. De nouveaux cris. Un bruit d'étoffe qui se déchire. Encore des menaces. Encore des coups et des gémissements.

Ça y est. Il a traversé. Un ultime coup d'œil, au-dessous de lui.

Ils ont arraché le corsage de Rosine, toujours immobilisée. L'un d'eux tient une cigarette allumée dans la main et l'approche tout près de sa poitrine en disant : « Écoute bien Maryline. Si tu ne donnes pas cette enveloppe, ta copine va gicler.

– Elle ne vous a rien fait!

– Ta gueule! Nous, on n'est pas là pour casser le matériel. T'es une bonne petite pute, tu as fait tes preuves et on va te remettre au boulot, tu peux y compter. Seulement ta copine, on s'en fout. Alors vite. Tu as cinq secondes. Un. Deux. Trois... »

Maintenant, François s'est glissé dans le second escalier. On ne peut plus le voir. Il entend encore : « Quatre... Attention Maryline, c'est mon dernier mot... »

Sans bruit, il gagne la terrasse. Ouvre la porte d'accès. Le jour est levé sur Paris. Un petit jour limpide. D'un regard lucide, il évalue les possibilités. En fait, il n'y en a qu'une seule : descendre le long de la gouttière jusqu'au balcon qui se trouve deux étages en dessous.

Il frappera aux fenêtres, réveillera les occupants, téléphonera à la police. La gouttière a été récemment rénovée. Elle devrait tenir.

Il entend un hurlement. Sans doute Rosine puisqu'ils ont dit qu'ils ne toucheraient pas au « matériel » de sa vaillante petite pute de mère. Pute ou pas, c'est sa mère et il veut la sauver.

D'un bond, il enjambe la rambarde, longe le plat-bord, attrape le tuyau de gouttière qui descend le long du mur, s'y agrippe. Ça a l'air de tenir. Il n'a plus qu'à se laisser glisser...

Nouveau hurlement de Rosine. Avec tout ce bruit, c'est impossible que tout l'immeuble ne se réveille pas. Les voisins vont donner l'alerte, faire quelque chose, n'importe quoi... Le tuyau craque un peu mais tient le coup. En souplesse, François continue à se laisser glisser et résiste à la tentation de regarder sous lui. S'il a bien calculé, il doit encore descendre de deux mètres. La gouttière tient bon.

Maintenant, il faut qu'il regarde où il en est.

Encore au moins trois mètres. Le vide lui glace le sang. S'il lâche, c'est une chute libre de cinq étages.

Ses genoux se mettent à trembler. Ses doigts se raidissent sur le tuyau. La peur lui tenaille le ventre. Il est paralysé. Il faut qu'il continue, qu'il se reprenne, il ne peut pas rester ainsi, dans le vide. Le sourire de Stéphanie. Revoir le sourire de Stéphanie. Toucher ses cheveux. Poser ses lèvres sur les lèvres roses et la manger de baisers. Il veut revoir Stéphanie. Avec précaution, il reprend sa descente. La gouttière émet une protestation grinçante. Quelque chose vient de tomber, de frôler son épaule droite. Il l'a senti passer. Un collier de maintien sans doute?

Il glisse d'un mètre. Nouveau craquement. François s'immobilise. La tête lui tourne. C'est comme si quelque chose le tirait en arrière...

Quelques coups de cloche discrets. Saint-Germain sonne l'angélus.

Tiré en sursaut de son sommeil, Charles Rougier se lève d'un bond et court en tâtonnant décrocher le téléphone dans la pièce voisine. Qu'est-ce que c'est encore?

« Allô! Oui? J'écoute? » Silence. « Allô! Parlez! »

Charles est tout de suite conscient que ce n'est pas une farce. Il sent une présence à l'autre bout de la ligne. Une présence dont il peut même sentir les pleurs.

« Allô! J'écoute? Charles Rougier à l'appareil. Parlez!

– Charles? » dit alors une voix de femme. Une voix méconnaissable. « Charles? répète la voix.

– J'écoute! J'écoute! » répète-t-il, angoissé par cet appel de détresse d'une femme qui l'appelle par son prénom. Peut-être Maryline?

« Charles? C'est... C'est Noémie. Je voulais te dire que... Sarah est morte, cette nuit.

– Mme Friedmann? Morte?

– Un transport au cerveau.

– Tu étais avec elle?

– C'est moi qui l'ai trouvée. Elle était tombée dans sa salle de bain. Avec Angèle on l'a recouchée. Elle était déjà morte. Le médecin est là.

– Je viens. Le temps de m'habiller et j'arrive.

– Tu connais l'adresse?

– Dans le Sentier? Nous y sommes allés plusieurs fois.

– Merci! » souffle Noémie avant de raccrocher.

Il garde encore ce « merci » dans l'oreille, comme un sanglot.

« Qu'y a-t-il? » demande Ève.

Elle est dans l'ouverture de la porte, pieds nus, avec son tee-shirt à tête de Mickey.

« Mme Friedmann vient de mourir. Je l'aimais bien. »

Ève marque un temps de silence avant de dire : « habille-toi vite, mon chéri. Je t'ai entendu dire que tu y allais tout de suite. Pendant que tu te prépares, je vais te faire un café. »

François tremble sans pouvoir s'arrêter. Il est sauvé. Il est sur le balcon. Nerveusement, il frappe aux carreaux, des deux mains. Il frappe à toutes les fenêtres. Personne ne répond. D'un coup, il réalise qu'il n'y a pas de rideaux à ces fenêtres. Les carreaux sont sales et, en regardant au travers, on se rend compte que l'appartement est entièrement vide. Inhabité.

Pour tout mobilier, une cheminée. Dessus, un téléphone.

Que faire? A coups d'épaules, il défonce la fenêtre. Par chance, elle avait été mal refermée. Il n'a rien cassé. Il bondit sur le téléphone.

Pas de tonalité. Ligne suspendue, évidemment. Il n'a plus qu'à courir jusqu'au poste de police. Dans le vestibule, il fait jouer les verrous de sûreté. La porte résiste. Elle est bouclée par une serrure centrale. Le voilà prisonnier dans un appartement vide. Comment sortir d'ici?

Dans l'escalier, il entend du bruit. Le bruit caractéristique d'une cavalcade, bien qu'assourdi par les tapis de chemin. Il regarde par le judas. Ce sont les trois Arabes qui s'enfuient... Elle a dû leur donner cette enveloppe. Son expédition n'aura été d'aucune utilité.

En cherchant bien, sur une cheminée, il trouve plusieurs trousseaux de clés. Ce sont celles de l'appartement. Il ouvre la porte d'entrée.

Il n'a plus qu'à remonter chez sa mère. La porte palière n'a pas été refermée. Il la pousse. Écoute. N'entend rien. La peur lui vient d'un coup. Pourvu qu'ils ne les aient pas tuées...

Il traverse doucement le vestibule, en direction du salon, hésite à pousser la porte... entend un reniflement de larmes.

Assises par terre, sa mère et son amie, échevelées, dépoitraillées, blessées, le regardent avec des yeux terrifiés, serrées l'une contre l'autre. Il ne sait que leur dire. Elles saignent, elles ont peur, elles ont mal.

« J'étais parti chercher du secours. »

Elles le considèrent avec des yeux agrandis de terreur.

« J'ai essayé d'aller chercher du secours, répète-t-il doucement.

– Tu as prévenu la police? » demande sa mère.

Il secoue la tête négativement : « Ils se sont enfuis avant que je puisse sortir de l'immeuble.

– C'est aussi bien comme ça. Par où es-tu passé?

– Par le toit. Je me suis laissé glisser par la gouttière : ça m'a pris du temps.

– Oui. Je comprends. »

Rosine émet une plainte.

« Viens. Aide-moi, François. Aide-moi. »

Les salauds. Ils lui ont brûlé les seins avec leurs cigarettes et l'ont tailladée à coups de rasoirs. Elle ruisselle de sang. Les salauds. Les salauds!

« Tu leur as donné ce qu'ils voulaient?

– Oui!

– C'était l'enveloppe que tu avais mise dans le coffre de grand-père?

– Oui!

– Tu l'avais reprise?

– Aide-moi, tu veux? Portons-la sur le canapé. »

Elle aussi est blessée. Des griffures, la lèvre éclatée, un bleu sur la joue.

« Tu as mal?

– C'est rien. Ils n'ont pas trop abîmé le matériel. Tu as entendu ça? »

Sa voix est calme mais elle triche. Il le sent bien. Avant de répondre, il se penche sur Rosine et lui rabat le bas de sa robe sur les jambes.

« J'ai entendu. N'empêche qu'ils t'ont salement abîmée.

– Juste assez pour me faire céder. C'est moins grave qu'elle... Fais attention, je crains qu'ils ne lui aient cassé le bras. »

Lorsque les doigts de François glissent sous les aisselles de Rosine, un hurlement de douleur semble confirmer l'hypothèse.

« Laisse-la, François, laisse-la. Va chercher quelque chose dans ma chambre, pour la couvrir. Je vais appeler un médecin. »

Avant de le laisser quitter la pièce, elle le rappelle : « François ?
– Oui ?
– Pour tout le monde, il s'agissait de... voyous qui ont volé mes bijoux.
– D'accord.
– Il n'est pas nécessaire d'en parler à ton grand-père. »
Comme il s'abstient de commenter, elle ajoute : « Ce serait l'inquiéter inutilement.
– Inutilement ? »
Cette fois, c'est elle qui le regarde. Silencieuse. Les yeux pleins de larmes.
« Je ne lui dirai rien », promet-il.

Stéphanie Chenevrière aura dix-huit ans le 31 octobre prochain. Elle est son aînée. De treize jours.
« Tu me dois respect et obéissance », a-t-elle décrété.
Comme François ne demande pas mieux qu'être à son entière dévotion, il n'a pas protesté. En ce dimanche des Rameaux, il est allé la chercher chez elle, à Auteuil. Elle lui a présenté ses parents. Il les avait déjà vus, de loin, le matin même, à la grand-messe de Notre-Dame-de-Passy où il avait réussi à traîner son grand-père.
Ils lui ont bien sûr demandé la profession de ses parents. Sans mentir effrontément, il a hissé son père à la condition de réalisateur de films éducatifs pour le ministère de la Culture. Aucune question concernant sa mère.
Sans doute a-t-il fait bonne impression, puisqu'on les a laissés partir ensemble. Une chose le tracasse. Il pose donc la question.
« Que faisais-tu dans cette boîte où je t'ai rencontrée avant-hier soir ?
– J'accompagnais mon frère et ses amis.
– Tu as un frère ?
– Allons lui dire bonjour. Je te présenterai. »
Stéphanie vient de faire jouer le mécanisme du destin de François. Tous deux l'ignorent encore, assis l'un près de l'autre, main dans la main, doigts dans les doigts, sur la banquette d'un des derniers vieux métros qui leur fait traverser Paris en direction de Charenton.
La Foire du Trône porte toujours son nom mais s'installe désormais sur la pelouse de Reuilly. C'est sur le chemin du domicile de Jean-Alain Chenevrière.
« On y va ? » s'enthousiasme Stéphanie.
Beaucoup de soleil. Beaucoup de monde, aussi. Devant les manèges tout ruisselants de lumières scintillantes et multicolores, s'agglutinent des familles entières de rescapés des banlieues rameutés par l'atmosphère de fête. Soutenus dans leurs efforts par les

stridences hurlantes des chansons à la mode, les bonimenteurs de baraques ou de loteries racolent ce qu'ils peuvent d'enfants ravis, de badauds sceptiques, d'Arabes faméliques, d'aspirants loubards, de grands nègres dépenaillés en costumes africains. Puis d'autres encore, qui sont les précurseurs de la punkitude : costumes réchappés des poubelles de la société de consommation, visages verdâtres et cheveux roses, ils semblent avoir engagé toute une dialectique de la laideur pour parvenir à cet achèvement inesthétique laqué au spray de la négation.

« Tu te reconnais? demande François.

– Ils me font un peu peur! A choisir, je préfère aller dans le train fantôme. »

En ressortant, Stéphanie confirme :

« J'ai pas eu peur du tout, j'ai tout le temps fermé les yeux.

– Alors, avec les punks, il suffit de les détourner.

– Mon frère te répondrait que ce n'est peut-être pas le plus efficace... »

Après avoir rêvé devant un vieux manège de chevaux de bois du Second Empire, après avoir vu Stéphanie brouiller le bout du nez dans le nuage de sucre rose d'une barbe à papa, l'heure est venue de rendre la visite qu'ils ont projetée.

Jean-Alain Chenevrière, vingt-quatre ans, président du MIRMOC.

Stéphanie avait traduit en clair les initiales du sigle : Mouvement international pour la restauration de la morale en Occident.

Peu concernée par l'activité politique de son aîné, elle ignorait qu'en cette fin d'après-midi se tenait une réunion du comité directeur du MIRMOC dans le salon de son président. Une douzaine de jeunes gens. Costumes bleu marine, chemises blanches et cravates bordeaux, on les croirait en uniforme. Ils sablent le champagne pendant une pause. Jean-Alain leur présente sa jeune sœur et...

« François. François Rougier. »

Dès ces premiers instants, le courant passe entre François et le frère de Stéphanie. Malheureusement, Jean-Alain Chenevrière doit faire face à ses obligations et n'a pas le temps de bavarder. Il propose donc :

« Voulez-vous que nous déjeunions ensemble, mercredi? Nous serons plus tranquilles pour faire connaissance. »

Jean-Alain Chenevrière est inconstestablement un séducteur. A l'écouter, François boit du petit lait car c'est exactement le reflet de ce qu'il pense. Que ce soit pour la théorie : « La Croix de l'Occident chrétien est l'arme absolue pour s'opposer aux perversions du marxisme comme celles du libéralisme, pour les combattre et les abattre. » Que ce soit pour le programme : « Participer à la restauration de la foi dans une Église intégriste qui obligera Rome à reconsidérer son réformisme. Défendre la valeur traditionnelle du patriotisme. Dénoncer les désordres sociaux et les facteurs de dissolution morale par une critique acerbe du libéralisme démocratique. Exalter l'élitisme. Entreprendre une dénonciation en règle des méfaits de l'égalitarisme issu du christianisme de gauche. Mener une lutte sans merci contre les forces du mal et de la destruction que sont le divorce, la pornographie, l'avortement, la libération des mœurs sexuelles, les excès du syndicalisme politique, le laïcisme sectaire, l'envahissement et l'afflux des travailleurs étrangers qui polluent notre espace culturel. »

« Il faudrait ressusciter la droite légitimiste! formule François.

– Serait-ce suffisant? N'en sommes-nous pas arrivés à la nécessité d'interrompre de la façon la plus autoritaire les désastreuses mutations politiques et socioculturelles en cours?

– Recréer un ordre social puissamment structuré autour des valeurs fondamentales de notre civilisation.

– N'ayons pas peur des mots...

– ... Le fascisme quoi! souffle François au bout de l'admiration.

L'instant est grandiose.

« Mon cher, allons au fond des choses. Quand on a vu le bordel qui pouvait régner dans l'Italie mussolinienne, ce n'est plus au fascisme qu'il faut aspirer mais à l'ordre nazi. »

Les odieuses exactions et les menaces des trois Arabes, cinq jours plus tôt, chez sa mère, ont renforcé en François une xénophobie qui n'aurait pas eu besoin d'autant pour s'exprimer pleinement.

De cela, il ne peut pas parler. De cela, pourtant, résulte que le propos de Jean-Alain Chenevrière est pris pour argent comptant sans aucune sorte de nuance. Le repas s'achève.

« Souhaiterais-tu te faire une idée et assister à une réunion de notre mouvement?

– Assurément!

– Vendredi à dix-huit heures. Les filles ne sont pas admises à toutes les réunions mais à celle-là, oui.

– Stéphanie pourra venir, alors?

– Si elle le souhaite. Seulement si elle le souhaite », répond le frère aîné en insistant sur la forme de cette condition.

***

Dès le lundi de Pâques, Maryline était contactée par téléphone, et un rendez-vous était fixé « dans son intérêt » avec sa mystérieuse interlocutrice, pour le soir même.

Boulevard Haussmann. Un immeuble respectable situé entre un consulat et une galerie d'art. Elle est attendue. Entrevue très brève mais sans ambiguïté.

« Votre ami Olivier Menestrel m'a communiqué votre dossier. Je l'ai longuement étudié. A trente-huit ans, ne trouvez-vous pas qu'il serait dommage de passer les quelques belles années qui vous restent dans une prison?

– Mais?

– Mais quoi, chère petite madame? L'inconséquence, dans votre cas, vaut crime contre soi-même.

– Je...

– Vous ne trouveriez aucun avocat assez fou pour risquer sa réputation à essayer de vous défendre. Et, quand bien même? Démontrerait-il votre bêtise pour vous innocenter? Croyez-vous vraiment qu'on puisse vous en tenir quitte? Rentrez chez vous. Vous ne tarderez pas à recevoir de mes nouvelles. Pour simplifier les choses, vous m'appellerez Solange. Madame Solange.

Elle pensait qu'il pouvait comprendre. Il est venu, comme elle le lui a demandé. Une douzaine de jours s'est écoulée depuis ce samedi matin de la semaine précédant Pâques où, allongé sur le canapé, la tête sur ses genoux, il lui racontait sa rencontre avec une fée du nom de Stéphanie. Comme il a changé depuis. Probablement la conséquence des événements dont il a été involontairement le témoin et dans lesquels il a essayé de tenir un rôle? Elle ne le reconnaît pas.

Dès qu'elle lui a ouvert la porte, à sa façon même de lui dire bonjour, elle a senti que quelque chose n'allait plus.

« Stéphanie va bien?

– Très bien. Mais, ce n'est pas pour me parler d'elle que tu m'as demandé de venir? »

Elle s'est d'abord imaginé qu'il pouvait avoir été blessé dans son amour pour cette jeune fille, qu'il était malheureux, peut-être.

« Tu t'en vas?

– Je descends à Juan-les-Pins voir ta grand-mère.

– Mieux vaudrait que tu prennes tes vacances sur le plateau de Millevaches, tu courrais moins de risques d'y nouer des fréquentations douteuses. Encore que la proximité d'un terrain militaire... Tiens? Tu lis ça? » s'était-il étonné sans transition en prenant en main un livre posé sur une valise.

C'était à elle qu'il en voulait. Au lieu d'essayer de comprendre il préférait l'accabler.

« Il paraît que c'est cochon comme tout, ce bouquin. De la pornographie complaisante et...

– Tu l'as lu?

– Non! Ce genre de littérature ne m'intéresse pas du tout. Il m'a suffi d'en parcourir certaines critiques...

– ... venant, sans doute, de ceux qui tournent les pages d'une main et calment de l'autre leur peur de disposer d'eux-mêmes?

– Je croyais que sur ce chapitre tu n'avais plus grand-chose à apprendre? »

Comme une gifle.

« Excuse-moi de t'avoir dérangé, François. Je voulais te voir avant mon départ. Voilà, c'est fait. Merci de ta visite. Je ne te retiens pas. »

Ce n'était pas à lui qu'elle pouvait parler de sa peur et du piège qui s'était refermé sur elle. Toute leur histoire commune n'était qu'un long et insupportable malentendu.

« Rien à transmettre à mon grand-père?

– Que je pars pour Juan-les-Pins, rejoindre ma mère. Rien de plus.

– Par éthique personnelle, je n'ai pas pour habitude de revenir sur une parole donnée! » avait-il vertement répliqué, sans doute piqué au vif d'avoir imaginé entendre dans ce « rien de plus » un quelconque rappel à sa promesse de discrétion.

Les grillons sont des insectes qui aiment beaucoup la musique. Ils passent leur vie à perfectionner leur art de chanter deux notes : cri-cri, cri-cri, cri-cri...

Depuis qu'elle a rejoint sa mère, ici, à Juan-les-Pins, Maryline éprouve la quasi-certitude d'avoir su s'échapper à temps.

Toutes les Solange du monde peuvent bien se pendre à son téléphone ou à la sonnette de la porte de son appartement : elle est partie sans laisser d'adresse. Elle est aux abonnés absents.

Elle a déjeuné avec son ex-beau-père, avant de quitter Paris. Elle voulait lui parler de François. Et puis de son départ. Tout. Elle a tout raconté. Absolument tout. Y compris la promesse demandée à François de ne pas lui parler de la scène dont il avait été témoin.

« Je crois que tu as eu tort de créer une nouvelle fois un barrage entre lui et moi. Une dissimulation. Enfin, ce qui est fait est fait. Pour ton départ, en revanche, je te donne raison. Je me demande seulement si Juan-les-Pins est assez loin.

– Je ne laisse aucune trace derrière moi.

– En es-tu bien certaine? »

Elle s'est fait couper les cheveux et teindre en rousse. Elle a pris toutes les précautions. A partir de la semaine prochaine, elle va même travailler. Tenir une boutique de soldes, à Antibes. Elle sera logée. Qui viendrait la chercher dans son déballage? Elle n'a laissé aucune trace...

« Bonjour Maryline. »

Instinctivement, elle se tourne. Elle n'avait pas remarqué ce beau jeune homme au teint cuivré venu s'asseoir alors qu'elle profitait des derniers rayons du soleil déclinant sur la plage.

« Je ne m'appelle pas comme ça, mais c'est un joli nom quand même.

– J'ai un message pour toi. Mme Solange veut te voir demain à quatorze heures.

⁂

« Comment ça, tu ne te presenteras pas au bac? »

Charles n'en revient pas. Ce garçon de presque dix-huit ans, assis devant lui, dans cette arrière-salle de bistrot proche du studio où il travaille, c'est son fils.

Un fils qui a demandé à le voir, toute affaire cessante. Pour lui annoncer...

Silence de François. Il voudrait bien parler. Il a ressenti le besoin de se confier. Il a pensé à son père. Mais, maintenant qu'il est là, devant lui, il n'a plus la certitude que ce soit utile. Ni même possible. Il ne comprendra pas. Il ne peut pas comprendre.

« Ça fait rien? Excuse-moi, je suis désolé de t'avoir dérangé.

– Mais...?

– Pourrais-tu téléphoner à mon grand-père? Lui dire que tu m'as vu et qu'il ne s'inquiète pas pour moi? D'ailleurs, il t'expliquera ce qu'il sait. »

Charles n'a pas le temps de dire un mot, François s'est déjà levé pour sortir. Charles le rappelle, se lève lui aussi, pour le suivre. Trop tard. La petite mobylette est déjà au milieu de la rue, décrivant un arc de cercle pour reprendre la direction de Paris.

A quoi bon essayer de tricher? Il lui avait d'ailleurs précisé qu'il ne jouait pas. Durant le voyage de retour, son garde du corps lui a appris que le premier chèque signé, le jour de son arrivée, au restaurant où elle était allée dîner avec sa mère, avait permis – en moins d'un mois – d'identifier le secteur de sa retraite.

A-t-elle peur? C'est une question que Maryline Bernard n'a pas encore eu le temps de se poser.

« ... En tout état de cause, il fait aussi bien de ne pas aller perdre son temps dans une salle d'examen. Après son décrochage du troisième trimestre...

– Tu aurais pu m'en parler.

– Pourquoi, tu t'es acheté une autorité paternelle? Dans ces conditions, puisqu'il est venu te voir tantôt, j'espère que tu as fait appel à son sens des responsabilités, à son intelligence et à ses facultés de raisonnement, pour le convaincre de rentrer à la maison? »

Le silence de Charles est éloquent. Marc y entend que François n'a probablement pas trouvé auprès de lui la raison suffisante pour remettre la décision exprimée dans sa courte missive.

« Il m'a dit que... tu me mettrais au courant.

– Au courant? Au courant? C'est facile à dire! bougonne Marc. Écoute! Je te lis : " *Pardonne-moi la peine que je vais te faire mais...* " L'émotion l'étrangle un peu. Il poursuit : " ... *mais je ne rentrerai pas ce soir, ni demain, ni aucun autre jour à venir. Dans six mois, je serai majeur. Ce n'est pas tellement devancer l'appel. Je te donnerai de mes nouvelles aussitôt que possible. Je te le promets. Affectueusement. François.* " Voilà! Tu en sais autant que moi, à présent.

– A toi, il a dit qu'il partait. A moi, qu'il ne se présenterait pas au bac. Sa mère sait peut-être quelque chose d'autre?

– Elle est en voyage.

– Pratiquement, qu'est-ce qu'on peut faire?

– Déposer un avis de recherche ou bien considérer que François a le droit de vivre sa vie. »

Au même moment, père et fils ont une pensée commune, que toutefois ils ne se communiquent pas : Si Odette était là! Elle saurait quoi faire. Elle aurait su, elle, parler à François.

« Eh bien, on se tient au courant » concluent-ils.

***

Depuis sa rencontre avec Jean-Alain Chenevrière et son adhésion au MIRMOC qui a immédiatement fait suite, beaucoup de choses ont changé dans la vie de François.

Contrairement au défunt Occident de Pierre Sidos ou à ce qui reste d'Ordre nouveau dix ans après sa création, le Mouvement international pour la restauration de la morale en Occident ne se pose pas comme un parti politique nourrissant des visées électoralistes. Il s'agit essentiellement d'un cercle de réflexion. Contrairement à l'ancien groupe des Hussards – Antoine Blondin, Jacques Chardonne, Michel Déon, Jacques Laurent, Paul Morand, Roger Nimier, etc. – qui dans les années 1950 prônait le détachement esthétique des intellectuels de droite, le MIRMOC ne se veut absent ni sur le front des idées, ni sur celui du combat politique.

Ce 20 mai 1979, cent quatorze délégués venus de presque tous les coins de France sont réunis pour voter les résolutions qui engageront la politique du Mouvement. C'est un jour important pour François Rougier. Depuis un mois, il s'est absorbé dans de multiples travaux, au sein de différentes commissions. Au terme de ce deuxième congrès, il recevra sa nomination d'animateur, avec d'autres jeunes recrues. Il a vécu là quelques semaines exaltantes et s'est dépensé sans compter. Il a même convaincu Stéphanie de s'intéresser davantage aux idées développées par son frère. Il y est si bien parvenu, qu'elle s'est désormais complètement engagée dans l'action de réflexion et de participation. Cela n'a pas arrangé leur dernier trimestre scolaire.

Le matin, à la tribune, se sont succédé des orateurs de province. Ce n'était pas inintéressant, mais plutôt mou. Pendant la pause du déjeuner, François et Stéphanie sont allés se promener dans le parc.

« Ton frère n'est toujours pas là. C'est angoissant.

– Mais si. Il est là. Il est arrivé hier soir. Il ne veut pas se montrer avant l'heure de sa prestation. Il doit veiller aux apparences. La mystique du chef, mon vieux. »

Elle a des choses plus importantes à dire, Stéphanie. L'instant s'y prête plutôt bien : « Jean-Alain m'a proposé de prendre la tête de la section féminine du Mouvement. »

Étonnement de François aussitôt suivi d'un cri du cœur.

« Alors, nous nous verrons encore plus souvent! »

Des congressistes les rejoignent et interrompent une conversation qu'ils n'auront pas le temps de reprendre avant de regagner leurs places, juste au moment où Jean-Alain, porté par les applaudissements, monte à la tribune.

D'emblée, le bouillant leader se pose en « *champion de toutes les libertés* », enfourche son grand cheval de bataille : l'urgence de protéger la tradition culturelle occidentale. Il professe la plus grande défiance envers les principes démocratiques générateurs de toutes sortes de désordres : « ... notre but, à nous, est de restaurer l'authentique prééminence des valeurs spirituelles, culturelles et matérielles de ce pays. »

Après une telle déclaration de foi pouvait-il mieux faire qu'une énumération classique des grands thèmes mobilisateurs : les excès du syndicalisme politique, l'immonde communisme, les arrivées massives et incontrôlées de travailleurs étrangers.

« Nous laissons pénétrer chez nous, ceux-là même que leurs pays jugent les moins désirables. Une cohorte de miséreux. Incultes quand ils ne sont analphabètes. Soumis à des tentations qu'ils ne peuvent assouvir, comment s'étonner qu'ils n'hésitent pas à déchaîner la violence pour essayer d'accaparer ce qu'ils convoitent? Quand j'aurai ajouté que ces immigrés, clandestins ou pas, sont en majorité issus de pays dans lesquels la religion musulmane renaissante exalte une rancune profonde contre le passé de nobles conquêtes inscrit dans la généreuse tradition civilisatrice de l'Occident chrétien, on comprendra mieux le danger en mesurant mieux le lit qui est fait à l'expansion soviétique dans l'alliance prévisible, même si elle est contre nature, du fanatisme islamique et des prétentions égalitaristes du bolchevisme.

Murmures. Mouvements divers. Applaudissements. Voilà, ce que souhaitait entendre François Rougier. Ève Trinquier et son père, se consacrent deux soirs par semaine à l'alphabétisation des travailleurs migrants. Comment ne se rendent-ils pas compte que ce n'est pas cette parodie d'éducation distribuée sans aucun moyen qui empêchera toutes les racailles du monde de se goberger aux frais des institutions sociales et d'organiser le racket dans un pays qui leur montre ses richesses sans leur donner aucun moyen d'y accéder?

Son père, son père spirituel, François l'a sous les yeux. A travers cet authentique leader, c'est le réveil de la vraie conscience qui s'avance. Et François d'applaudir. D'applaudir plus fort. D'applaudir encore.

Répéter sans cesse pour entretenir la conviction de son auditoire d'être dans le vrai, c'est son devoir de chef. Jean-Alain Chenevrière ne va rien négliger. De l'enseignement à l'armée jusqu'au relâchement des mœurs et la stigmatisation des facilités grandissantes accordées au divorce...

Une fois encore, François applaudit à tout rompre. Il a ses raisons. Son père, à qui il en veut de n'avoir su être un vrai chef de famille. Sa mère, qu'il méprise de n'être pas une femme au-dessus des autres.

Il a beaucoup médité une courte phrase qui ouvre le petit livre blanc de l'ordre des chevaliers du Sépulcre du Cœur Sacré de Jésus, dont Jean-Alain Chenevrière est le grand Maître : « *Quiconque naît sans apporter quelque chose de plus à la perfection spirituelle et à l'ordre moral de l'harmonie universelle, ne mérite ni d'exister ni d'être considéré comme existant.* » Recevoir l'adoubement, c'est la consécration promise aux meilleurs éléments du MIRMOC. François entend bien être le meilleur et recevoir son épée pour défendre l'Occident. Quand il sera chevalier, par son sacrifice de chaque jour pour le triomphe du bien, il implorera la grâce de Dieu en faveur de sa mère, victime des insuffisances d'un homme qui n'aurait pas mérité d'exister.

« Comprenez-moi bien, chère petite madame. Vous n'avez pas le choix. Le soir où nous nous sommes rencontrées, je vous ai informée que, désormais, vous travailleriez pour nous. Encore un peu de thé? »

Le ton doucereux, quasi mondain, n'enlève rien à la portée précise de l'entretien. Maryline n'a été conviée dans ce luxueux salon du boulevard Haussmann que pour écouter l'exposé détaillé des mécanismes qui se retourneront contre elle dans l'hypothèse d'un nouveau refus d'obéissance. Elle se retrouve pieds et poings liés. Comme avec Olivier Menestrel quelques années plus tôt.

« Vous avez simplement changé d'employeur, chère petite madame. Nous avons racheté votre dossier. Chantage, trafic d'influences, malversations, reconnaissances de dettes, fraude fiscale, spéculations illicites, complicité de trafics d'armes, de drogues, accointances diverses dans des affaires qui pourraient être tout simplement considérées comme atteintes à la sécurité extérieure de l'État... C'est tout le barreau des avocats de Paris au grand complet qu'il faudrait pour votre défense. Menestrel avait bien fait les choses. Qui est Marc Rougier?

– Mon ex-beau-père.

– Certes! Et il élève votre fils. Ça, nous le savons. Ce n'est pas exactement le sens de ma question. Menestrel avait ouvert une information à son sujet. Étrange que, seul héritier des biens de son père après l'exécution – pour ne pas dire l'assassinat – de sa jeune sœur Florence, en 1944, il n'ait jamais fait valoir ses droits? Plus étrange encore qu'usufruitier des biens, meubles et immeubles, de son oncle César Rougier, il n'en ait pas non plus réclamé la jouissance?

– Je... Je ne... sais pas.

– Votre ami Menestrel était un infatigable travailleur. Il avait commencé à réunir là des éléments très intéressants.

Nous reparlerons de tout ça! affirme son interlocutrice avec un sourire qu'elle veut extrêmement bienveillant. »

C'est la fin de l'entretien.

Maryline se lève, lisse du plat de la main la jupe de son tailleur blanc, ramasse son sac posé tout près d'elle sur une petite table de marbre rose, s'approche du grand miroir aux dorures tourmentées et rectifie du bout des doigts quelques boucles de ses cheveux.

« Je vous préférais blonde », souligne dans son dos Mme Solange.

Ne sachant que répondre, Maryline se détourne.

« Quand je vous rappellerai au service auquel je vous destine, vous ferez bien de vous faire restituer votre teinte d'origine. »

Sur un silence qu'elle laisse se prolonger, Mme Solange se met à rire doucement avant de préciser : « Votre ami Menestrel vous a laissé prendre un peu trop de recul professionnel, durant ces trois ans. J'ai donc pensé, pour votre bien, à une petite remise en forme. Je n'ai pas le temps de vous expliquer, mais mon secrétaire vous attend dans mon bureau et va s'en charger. »

« Remise en forme » : Maryline n'a attendu que quelques minutes plus tard le secrétaire lui faisait mesurer l'humour volontairement grinçant des propos de sa nouvelle employeuse.

Un hammam. Dans une mauvaise banlieue. Elle logera sur place. Sous la responsabilité de Safour Ben Saïd et de son fils Karim.

***

Peu après le congrès, François a été troublé par la lecture d'un article consacré au président fondateur du MIRMOC. Le rédacteur y faisait état de diverses condamnations en justice pour des indélicatesses de tous ordres : chèques sans provisions, fraudes fiscales, manœuvres de faillites fictives, complicités d'escroqueries diverses, etc. Sans omettre de préciser les dates des décisions de justice. Jean-Alain Chenevrière n'avait pas démenti et s'était simplement contenté de prétendre que ce serait prêter trop d'attention à des mensonges qu'il demandait à ses amis de mépriser. Jean-Alain Chenevrière n'avait même pas pris la peine d'attaquer pour diffamation l'auteur qui écrivait : « *On prétend volontiers que l'apôtre de la morale puritaine, serait infiniment moins rigoriste qu'il aime à le paraître. Surtout, lorsqu'il revêt sa jolie tenue d'opérette pour jouer au grand maître de son ordre de chevalerie bidon. Convenons-en, il est adroit de remplacer la torche par le glaive flamboyant et le brassard à croix gammée par un manteau frappé du cœur sacré. Une revue satirique américaine ne reproduisait-elle pas, récemment, une caricature qui le représentait en grande tenue, une petite danseuse sur les genoux? Certaines mauvaises langues prétendent que des adolescentes sont recrutées pour des « soirées intimes » entre hauts dignitaires de l'ordre par une apprentie maquerelle qui ne serait autre que la ravissante jeune sœur – encore mineure – du grand Maître.* »

Le trouble jeté dans l'esprit du militant s'était doublé d'un malaise non négligeable dans celui de... l'amoureux.

Une quinzaine de jours après la lecture de cet article, François était allé chercher Stéphanie pour l'emmener écouter une conférence.

Juste avant de sortir, on était venu la prévenir que son père désirait la voir. Elle l'avait prié de l'attendre quelques minutes dans sa chambre.

Pour passer le temps, il s'était intéressé aux livres que contenait la bibliothèque. Il en avait d'abord ouvert un. Un autre... jusqu'à cet album, sur les monuments de Londres, à l'intérieur duquel il avait trouvé une photographie. Une photographie assez récente, de Stéphanie, en salopette, au guidon d'une grosse moto rutilante de chromes. Première réaction, lui trouver une expression tout à fait charmante. Mais, à deuxième vue, il avait constaté qu'elle était nue sous cette salopette. Comment avait-elle pu accepter de se laisser photographier dans une tenue pareille? Qui sait, peut-être même avait-elle consenti à enfiler cette salopette devant celui qui avait fait cette image? Des pensées tourmentées s'étaient désagréablement enchevêtrées. Jusqu'à lui faire un peu mal. Il avait remis le document en place dans le livre et rangé le tout... puis cette attente, interminable, l'avait poussé à un peu plus d'indiscrétion...

***

L'établissement est ouvert quatorze heures par jour. Exclusivement réservé aux travailleurs étrangers. Maryline a été affectée à la salle numéro 9.

C'est une petite pièce sans fenêtre mais avec l'air conditionné. Un éclairage indirect dans les tons roses. Des coussins de skaï à même la moquette. L'espace est conçu pour six à huit personnes qui regardent ensemble un moniteur vidéo diffusant à longueur de journées les mêmes films pornos.

Les clients qui désirent passer un moment avec elle lui remettent un jeton, qu'ils peuvent se procurer à la caisse lorsqu'ils acquittent leur droit d'entrée. Elle doit payer dix jetons par jour pour le prix de sa chambre et sa nourriture. On lui a assuré qu'on la laisserait partir quand elle serait en mesure de fournir deux mille cinq cents jetons. Ils sont comptabilisés chaque soir, avec une moyenne de quarante-cinq jetons par jour – un peu plus les samedis et dimanches – pension déduite, elle estime pouvoir sortir de cet enfer vers la mi-août. Elle aura été « remise en forme », mais pour se trouver confrontée à quels autres problèmes!

Marc. Que peuvent-ils faire à Marc? Et François? Si son grand-père court un danger quelconque, François ne risque-t-il pas d'en éprouver les conséquences? Si François savait. François ne pourrait pas comprendre comment elle a été réduite à cet atroce état d'esclave.

Qui croirait à son innocence devant tant de preuves patiemment confectionnées et accumulées contre elle? Qui? Pas même son fils.

« Et ton jeton?

– Y'en a plus di ch'tons.

– Va voir Karim.

– Y'en a plus di sous. J' ti donne ma montre. »

C'est une affreuse montre. Du faux plaqué or de fête foraine.

« Que veux-tu donc que je fasse de ça? Va voir Karim. Va chercher ton jeton. »

Il a l'air penaud, avec son sourire figé et sa montre qu'il lui tend. Entortillé dans son bout de serviette, il a l'air déguisé. On dirait un bonze. La cinquantaine desséchée par les journées de transpiration sur les chaînes de montage ou les chantiers mais ce qui lui reste de dents pour un sourire ébréché plein de gentillesse est couvert d'or de son pays.

« Moi y'en a vinu t'y voir, parce que toi l'est tri joulie.

– Merci. Tu es très gentil.

– T'y veux pas, dis? »

Derechef, il lui tend sa montre. C'est l'heure creuse. Deux jeunes Noirs qui n'avaient pas non plus de jetons se caressent mutuellement en regardant le film porno sur le moniteur vidéo.

« Va chercher un jeton. »

Enfilant un peignoir sur les oripeaux érotiques de sa tenue de travail, elle ajoute : « Je vais boire un café. Va voir Karim, à la caisse. »

Dans le couloir, le vieil Arabe la suit, la rattrape : « Karim li parti dijeuner et y'en a plus di sous. Tiens prends. Prends.

– Mais que veux-tu que je fasses de...

– Tri joulie la montre. Tri joulie la fille. »

Maryline se sent amusée d'être *tri joulie*, comme une montre de bazar. Amusée et même, un peu... heureuse, qu'on le lui dise.

« Tri joulie. Tri joulie », répète-t-il comme un perroquet en la regardant avec son sourire épanoui.

Elle prend la montre.

François ne portera jamais ça, bien sûr, mais peut-être la gardera-t-il au fond d'un tiroir, en souvenir, sans savoir jamais ce que cette montre a représenté, comment elle a été gagnée, pourquoi elle a été acceptée...

Le vieil Arabe lui fait remarquer le cadran lumineux.

« Tri joulie, madam'. Tri jouli.

– Tu ne le diras à personne?

– Non, madam' j' ti promi. »

Maryline entrouvre une porte. La salle est vide, elle ne fonctionne que le soir.

« Viens! » dit-elle en refermant sitôt qu'il est entré.

Du fond de ce bagne c'est pour revoir son fils qu'elle regagne, heure par heure, un peu de liberté. Bien sûr, elle sait qu'une fois dehors cela ne signifiera pas une vraie liberté mais, au moins, pourra-t-elle le voir... S'il le veut bien. Le voudra-t-il? Viendra-t-il, encore, se réfugier entre ses bras pour lui raconter Stéphanie?

Le vieil homme retombe auprès d'elle, sur les coussins de skaï, visiblement assouvi et satisfait.

« Comment feras-tu, maintenant, pour savoir l'heure?

– J'i pli d'travail, j'i pli b'soin d'heure. »

Maryline, ôte alors de son poignet le bracelet à ressorts trois fois trop grand pour elle et lui pose la montre sur la poitrine.

« Moi, du travail, j'en ai trop et je n'aurai jamais le temps de regarder l'heure. Garde-la, va. »

Elle remet son peignoir pour aller en salle d'hygiène, sa sortie est interrompue par cette réflexion : « Toi, y'en a ître joulie mais t'y pas ître ine vraie brine. »

Quelle déception, dans cette tardive prise de conscience!

« Une vraie brune non! Une vraie conne, sans aucun doute. Salut. »

***

« Alors? »

Jean-Alain Chenevrière esquisse un sourire dont il force volontairement l'expression douloureuse et repose sur son bureau les feuillets qu'il vient de lire.

« Tu as bien fait de m'apporter ça. »

François, pâle comme un mort, est assis sur le bras d'un fauteuil. Il attend dans l'anxiété ce que va dire son père spirituel. Il attend peut-être aussi un mot de réconfort. Il attend que le frère aîné prenne une position sur l'inconduite de sa jeune sœur mais n'attend pas qu'on lui rende une illusion perdue.

Le texte de cette lettre, découverte dans le sous-main de Stéphanie, il le sait par cœur.

*« Mon tout-puissant amour,*

*« Je ne me résignerai pas. Je refuse ta proposition. Je ne veux pas céder au chantage de la raison. Tu es mon amant et je t'aime comme je crois que toi aussi, tu m'aimes. Ta femme, il y a assez longtemps qu'elle a eu la chance de t'avoir. Tant pis pour elle si elle n'a pas su te garder. Moi, je te garderai. Je m'en fous du scandale. Elle peut bien téléphoner à mon père, et à mon frère si elle veut. Ça ne changera rien. Je partirai, c'est tout. Il y a un peu plus d'un mois, j'ai souscrit à ta demande. J'ai noué un flirt imbécile avec un garçon de mon âge pour déjouer les soupçons. Dans ma famille, on le considère presque déjà comme mon fiancé. Je te jure bien que ça me coûte de lui laisser croire qu'il me plaît un peu. Il est parfait dans le rôle que je lui ai assigné. Il me respecte. Mais rien que l'embrasser, c'est trop me demander. Je n'y parviens qu'en me forçant. Je n'y parviens qu'en me disant que toi, tu l'embrasses bien, elle, et même plus quand tu te retrouves le soir dans son lit. Moi, c'est bien simple, si ce garçon voulait me toucher, je hurlerais. Mon amour, mon amour chéri, je t'aime au-delà de tout. Tu es mon premier amant et je n'en veux pas d'autre que toi. Comprends-le, je t'en supplie, notre rupture est impossible. Je préférerais en mourir. Nous vivrons en Italie, comme tu me le promettais, au début. Dans ta famille. Nous ferons venir tes enfants. Je m'occuperai d'eux tu sais. Je t'aime trop. Je ne peux pas renoncer. Je ne veux pas me résigner. J'ai envie d'être dans tes bras. Quoi qu'il advienne, je veux être avec toi et je te veux à moi, comme tu me l'as si souvent promis depuis bientôt deux ans. Ni ta femme, ni tes enfants, ni tes quarante ans, ni rien de tous les prétextes que tu invoquais au téléphone tout à l'heure ne changeront rien à ça. Mon amour adoré, je suis à toi, toute à toi et je ne veux être qu'à toi. A toi seul. Pour toute la vie.*

*« Stéph.*

*« P.S. J'ai égaré la photographie qu'avait faite mon amie Geneviève et dont je t'ai parlé : en salopette de mécanicien sur la grosse moto de son frère. Je la lui redemanderai. En attendant, je t'en adresse une autre. Je l'ai faite moi-même, avec un déclencheur à retardement. »*

La photographie en question, Jean-Alain l'a entre les mains. François en connaît chaque détail. Stéphanie Chenevrière y est allongée sur son lit, câlinant dans ses bras un animal en peluche probablement issu du croisement hasardeux d'une famille de pandas ahuris et d'une tribu primitive de kikis à moustaches.

« Elle doit être punie! » annonce finalement le grand frère.

***

A dater du jour où François a disparu, Marc a senti qu'il entrait dans l'hiver de sa vie. Son petit-fils avait été un enfant sage, un adolescent sérieux, rien n'avait franchement annoncé cette fuite sans explication. Pour quoi? Ou encore, pour qui?

Il y a bien cette jeune fille, Stéphanie. Ni Charles, ni Ève, ni Sylvaine ne savent rien d'elle. Lui, se souvient de l'avoir vue. Une fois, à la grand-messe, à Notre-Dame-de-l'Assomption-de-Passy. Il est allé à différents offices. Il a même interrogé le prêtre, en expliquant les raisons de sa démarche. Sans succès. Seule, Maryline? Mais, volatilisée, impossible à joindre. D'après Sylvaine, en voyage aux États-Unis. Si François était avec elle, elle l'aurait dit.

Enfin, le 10 juillet, était arrivé une carte, postée en Avignon. François daignait faire savoir que l'Académie ayant pris connaissance d'un certificat médical attestant son incapacité à soutenir les épreuves du bac à la date prévue l'autorisait à se présenter en session spéciale.

Un texte plutôt laconique. Positif, cependant, dans l'intention de passer son bachot malgré tout. Une intention de rentrer dans le bon chemin qui ne s'accompagnait toutefois pas de celle de revenir à la maison.

Marc s'était dès lors trouvé confronté à la perspective de passer l'été tout seul ou d'accepter la proposition de Sylvaine de lui rendre visite à Juan-les-Pins.

Elle porte le poids de ses soixante-dix ans comme elle a jadis porté une beauté qui refusait au temps de lui laisser grignoter ce qu'elle lui disputait de sa jeunesse.

Il est loin, le bain de minuit de la Garoupe, comme sont loin les heures d'amour à trois, avec Odette.

« A quoi songez-vous, Marc?

– Au passé.

– A... Elle?

– Oui.

– Quand une vie a donné certains bonheurs, on ne peut lui en vouloir d'avoir aussi inventé la nostalgie. »

Allongée à leurs pieds, la Méditerranée les berce du léger bruit de ressac des vaguelettes qui viennent mourir sur le sable de la plage toute proche. Au loin, se dessine une scintillante ligne d'horizon : les lumières de Cannes sous les reflets de la lune, dans un ciel constellé d'étoiles.

Sur leur table, le serveur du restaurant n'a laissé que l'essentiel. Leurs deux tasses de café sous un photophore au globe ventru dans lequel une bougie achève de se consumer.

« Te souviens-tu, Marc, d'une confidence que je t'ai faite, un jour, sur les relations qui m'avaient unie à ma mère?

– L'année de tes quinze ans, la grange, ton premier amant?...

– Tout ça! convient Sylvaine avec un regard troublé.

– Et aussi que tu avais longtemps espéré trouver, un jour, avec Maryline, la même complicité.

– Enfin... ce n'était pas aussi net. Je rêvais seulement de pouvoir lui donner plus d'amour qu'elle ne m'en demandait. Au fond, j'ai certainement été une mère très exclusive, je n'ai jamais vraiment pu admettre qu'elle ait un jour quitté mon ventre. »

Après avoir vidé sa tasse de café, Sylvaine reprend avec une émotion qu'elle parvient difficilement à maîtriser : « Nous n'en avons jamais parlé mais... je sais, par elle, que tu n'ignores pas ce qu'a été sa vie. Ce qu'elle faisait. Les pressions...

– Je sais, oui!

– Ma fille, Marc. Ma si jolie petite fille, si douce, si blonde, si fraîche, si pure. Un jour, elle m'a avoué souffrir de la pire chose qui soit, la honte. Une putain, Marc. Une pauvre petite putain, ouverte à la commande, la négation ultime de toute féminité. Je ne pouvais la laisser porter seule son fardeau, tu comprends? Une nuit, pour qu'elle ne soit plus seule dans sa misère, je me suis prostituée avec elle. Il m'a fallu faire cette expérience ignoble pour comprendre, avec cet homme que je n'avais pas choisi, que je n'en avais jamais choisi aucun. Avec eux, j'étais simplement plus près de ma mère et c'était près d'elle que j'aurais voulu retourner. »

Après un assez long silence, Sylvaine ajoute : « Je viens de te dire tout ça pour que tu saches que, moi aussi, la nostalgie m'étreint, quand je pense... à Odette. En la perdant, je me suis sentie orpheline pour la seconde fois. »

Un serveur vient les interrompre. Leur voiture, mal garée, gêne la sortie d'un véhicule.

« J'y vais! décide Marc. Préparez-nous deux autres cafés, s'il vous plaît. »

Durant les quelques minutes nécessaires pour déplacer la petite Ford, ce n'est pas tant aux confidences de Sylvaine qu'il repense mais bien plutôt à tout ce qu'il n'a jamais pu confier à personne. Sylvaine a eu beaucoup de courage dans la confession qu'elle vient de faire. Peut-il lui donner en retour une aussi grande preuve de confiance et lui parler de cet incroyable hasard qui a remis en présence une mère et son fils, vingt-cinq ans plus tard?

Il est troublé en regagnant la terrasse.

« Voilà qui est fait! » annonce-t-il.

Sylvaine ne répond pas. La tête légèrement inclinée, les deux mains en appui sur les accoudoirs de son fauteuil, elle paraît réfléchir.

« Moi aussi, dit Marc en s'asseyant, il faut que... »

La tête de Sylvaine, alors, roule sur le côté. Son buste s'affaisse sur la table.

****

Après l'inhumation de Sylvaine – dans un caveau provisoire en attendant le retour de Maryline qui décidera des mesures à prendre pour la sépulture définitive de sa mère – Marc et Charles Rougier étaient allés se recueillir sur la tombe d'Odette.

A la sortie du cimetière, ils avaient estimé indécent de parler de leur émotion. Cela s'était traduit par un échange de banalités consternantes au terme duquel ils avaient jugé préférable de ne plus desserrer les dents.

A la sortie de Mâcon, trop fatigué pour remonter jusqu'à Paris d'une seule traite, Charles avait proposé de faire étape.

Ils sont à table, sur une jolie terrasse dominant la Saône. Figés dans une sorte de malaise, conscients de leur mutuelle réserve, gênés par leur propre gêne, ils éprouvent, comme souvent, leur inaptitude à communiquer.

Pour rompre cette sensation pénible, Marc fait l'effort de demander à son fils où en sont ses projets professionnels.

Sans conviction, Charles expose son intention de mettre en œuvre un prochain long métrage.

« Je voudrais bien pouvoir me sortir des films éducatifs mais... c'est très difficile de réunir les conditions. J'ai trouvé un distributeur prêt à entrer en participation, seulement je ne dispose pas des fonds nécessaires pour compléter l'avance sur recette que me consentirait le Centre national de la cinématographie.

– Et, si je te le procurais cet argent?

– Mais?

– J'envisage de vendre l'appartement et la boutique de Juan-les-Pins. De vendre, aussi, le magasin de Melun et celui de la rue Condorcet que Caroline avait finalement gardé. Je n'aurai pas besoin de tout ce capital pour racheter une bicoque à la campagne.

– A la campagne? Pas trop loin de Paris tout de même?

– Ni trop près. Un coin comme celui-ci me plairait assez. Enfin, je vais étudier tout ça. Je ne suis pas homme à laisser traîner des projets sans me décider. Si tout va bien, j'aurai mis les choses en œuvre pour septembre.

– Tu as bien réfléchi?

– Oui! Il serait illusoire de ma part d'imaginer que François reviendra vivre avec moi. Au besoin, tu pourrais l'accueillir.

– Bien entendu. Mais...?

– Mais nous n'en sommes malheureusement pas à devoir résoudre ce genre de problèmes pratiques. Hélas! Depuis son départ inexplicable, je me suis souvent demandé quels torts j'avais pu avoir envers lui. Peut-être a-t-il cru manquer de l'attention qui aurait été nécessaire? Vous ne m'avez pas rendu la tâche facile, à vrai dire, ni toi, ni ta femme. Je veux dire sa mère, Maryline.

– Rien ne pouvait être mieux pour lui que de vivre auprès de toi. Il ne faut pas te culpabiliser au sujet de cette fugue. D'ailleurs, si je voulais vraiment m'en donner la peine, je n'aurais peut-être pas à chercher très longtemps pour le retrouver.

– Que veux-tu dire?

– Mon sentiment rejoint tout à fait celui d'Ève. A notre avis, il s'est laissé embrigader.

– Une secte?

– On peut appeler secte n'importe quel parti politique, au même titre qu'une religion.

– Depuis son affaire d'exclusion du lycée, il ne me donnait plus l'impression de s'intéresser autant à la politique.

– Pour ne pas t'inquiéter peut-être. Mais, la dernière fois qu'il nous a rendu visite, Ève et moi nous avons été franchement scandalisés par ses raisonnements, par ses propos racistes, par sa conception d'un gouvernement autoritaire. Un vrai petit facho. Ève voulait que je te téléphone pour te demander si tu savais quelque chose de ses fréquentations.

– Tu aurais dû m'en parler, en effet.

– Non! Je me suis dit que lorsque j'avais son âge je n'aurais pas apprécié que l'on se mêle de contrôler mes idées.

– Tu disais pouvoir le trouver sans chercher longtemps?

– Façon de parler. Simplement, je suppose qu'en faisant le tour des groupuscules d'extrême droite, nous devrions retrouver sa trace. Après tout il est peut-être simplement parti passer ses vacances dans la Légion des volontaires pour garder les stades de M. Pinochet.

– Tu as le courage d'en plaisanter?

– Que veux-tu que je fasse? Je ne peux pas le tuer. Chacun prend ses responsabilités et les assume. Il est en âge de décider. »

Le 17 août suivant, Marc avait enfin trouvé dans sa boîte aux lettres le courrier attendu : L'écriture de François. Une très brève correspondance.

*« Je t'adresse ci-joint une photographie de la cérémonie d'adoubement au cours de laquelle le grand Maître de l'ordre des chevaliers du Sépulcre du Cœur-Sacré de Jésus m'a remis l'épée destinée à la défense des vertus morales de l'Occident chrétien. »*

Au dos, cette dédicace :

*«A mon révéré grand-père, ce témoignage du double honneur qui m'est fait d'être admis à la garde du sanctuaire et placé sous la très haute protection de Notre Mère Souveraine en cette aube de la journée mariale du 15 août 1979.»*

Une photographie de professionnel, assurément. A l'examen, apparaissaient les détails de la mise en scène. Le chevalier en aube blanche, à genoux devant l'autel. Le grand Maître, en grande tenue. L'aumônier prieur de l'ordre, en vêtements sacerdotaux. La présence d'autres chevaliers, portant leurs insignes et levant leurs épées dans la lueur des torches. Aux symboles religieux près, toute une ambiance bien proche de celle d'un serment jadis prononcé au Walhalla des Junkers.

Marc n'avait pas résisté à la curiosité d'aller consulter cet abbé de sa paroisse, dans lequel François plaçait autrefois sa confiance.

De mémoire, le nom de cet ordre ne lui rappelait rien.

« Peut-être une résurgence d'un chapitre ancien tombé en désuétude? Je vais me renseigner. Nous allons être fixés. »

Il avait appelé sur-le-champ le secrétariat de son évêque et obtenu aussitôt confirmation qu'il ne s'agissait pas d'un ordre inscrit au répertoire du Vatican.

« Alors, mon père?

– Eh bien, je redoute qu'il s'agisse plutôt d'un petit jeu de société d'inspiration politique. Nous en avons beaucoup connu ces dernières années. L'ordre souverain et militaire du Temple de Jérusalem, par exemple. Ou l'ordre souverain des hospitaliers de Saint-Jean de Jérusalem, qui se prétendait une branche de la chevalerie de Malte.

– Politique? Vraiment politique? avait insisté Marc.

– Il faut bien financer les caisses noires, n'est-ce pas? En soutirant de l'argent à des gogos. Pour ce qui concerne notre petit François, qui ne dispose pas de biens personnels susceptibles d'intéresser la trésorerie d'un chapitre, il conviendrait peut-être de s'interroger sur l'engagement personnel qu'on a pu lui demander. Pour la défense de quelle cause? Quand vous le verrez, dites-lui donc de passer me dire bonjour. En attendant, je prierai Notre Seigneur Jésus-Christ pour la paix et la sérénité de son esprit. Si vous voulez me servir, à l'office de six heures, demain matin, je dirai ma messe à l'intention du repos de son cœur. »

A l'issue de cette conversation, si l'abbé était remonté dans son estime, Marc n'était pas vraiment plus avancé dans la connaissance de ce mystérieux ordre de chevalerie.

Il avait servi la messe de six heures, le lendemain. Si voies de Dieu il y avait, elles demeuraient impénétrables.

Avec les premiers jours de septembre, sont revenues les craintes d'une intervention militaire soviétique contre la Chine qui s'est alliée aux USA pour une commune condamnation du coup de force au Cambodge exercé par le Viêt-nam soutenu par le Kremlin. Dans la conjoncture présente, la majoration immédiate des crédits militaires décidée par le président Giscard d'Estaing ne rassure personne sur les rumeurs d'une possible troisième guerre mondiale.

Peut-être faudra-t-il défendre la France les armes à la main? Cette pensée spontanée entraîne Marc Rougier à sourire. C'est incroyable comme au fil des années Helmut Zeitschel a renoncé à l'Allemagne. Rien ne l'intéresse moins que ce qui se passe en RFA. C'est peu réaliste, puisque de la meilleure entente entre Paris et Bonn dépend, pour une grande part, le respect par les deux grands de l'indépendance de la force de frappe nucléaire française.

Comme souvent depuis l'absence de François, Marc est allé dîner sur les boulevards. Il flâne sur le chemin du retour. Dans ce quartier proche de la Sorbonne, les murs ont la parole. Des graffiti qui expriment bien des désillusions : l'année 1968-1969 était celle de la contestation, l'année 1978-1979 semble plutôt celle de la consternation. Verra-t-il celle de la concertation?

La rue Royer-Collard, sa rue, est toute petite et assez sombre. Alors qu'il tourne l'angle de la rue Saint-Jacques pour s'y engager, Marc assiste, de loin, à une scène aussi brève que brutale. Deux jeunes gens arrachent son sac à main à une femme et s'enfuient en courant après l'avoir jetée à terre.

Lorsqu'il arrive au secours de l'inconnue ils sont loin. Ils tournent déjà l'angle de la rue Gay-Lussac. Il ne peut que proposer son aide à la victime. C'est une jeune femme. Elle a l'air choquée. Sa mésaventure la fait pleurer. Elle est visiblement brisée par la crainte qu'elle a eue d'être violée.

Elle s'appelle Raïssa de Cromweig. Elle était venue au cinéma. Sa voiture est garée un peu plus loin dans l'impasse. Malheureusement, les clés étaient dans son sac.

« J'habite Versailles, se désole-t-elle.

– Peut-être pouvez-vous téléphoner pour qu'on vienne vous chercher?

– Non, je vis seule. J'ai bien quelques amis mais je n'oserai jamais les réveiller à minuit passé.

– Je suis désolé de ne pouvoir vous raccompagner. Depuis que je vis à Paris je n'ai plus de voiture.

– Je vais prendre un taxi, décide-t-elle. Je reviendrai demain pour m'occuper de ma voiture.

– Voulez-vous une tasse de café, une tasse de thé, un peu d'alcool pour vous remettre? J'habite juste en face. »

Elle hésite.

« Je suis tentée d'accepter une goutte d'alcool. Je me sens très bouleversée. »

Blonde, tirant sur le roux, de longs cheveux. Elle est ravissante. Son tailleur clair a souffert d'avoir été traîné sur le bitume de la rue. Marc la fait entrer dans le salon et l'invite à s'asseoir.

« Vous avez eu beaucoup de chance de vous en tirer sans aucune blessure.

– J'ai un peu mal à la jambe mais je ne pense pas que ce soit très grave.

– Je vais vous donner de quoi vous soigner. Est-ce une plaie ou une meurtrissure?

– Je ne sais pas. C'est... C'est sur la cuisse, jusque sur la hanche... »

Il achève de lui servir un petit verre de vieille prune. Il comprend son embarras.

« Je vais vous conduire à la salle de bain, annonce-t-il en se retournant. Vous pourrez examiner... »

Elle a déjà relevé sa jupe, dans l'éclairage de la lampe, elle se désole : « Je vais avoir un énorme bleu. » Ses bas sont déchirés, elle décroche les attaches de son porte-jarretelles et les enlève. « Excusez-moi, dit-elle en se retournant. » Marc lui tend son verre en souriant.

« Tenez, buvez. Ça vous remettra. »

Elle s'exécute d'un seul trait avant de déclarer :

« Mon ange gardien et le vôtre doivent fréquenter le même bar céleste. Nous avons le même goût pour la vieille prune. »

Marc ne répond pas. Il se contente de penser que leurs anges gardiens ont d'autres goûts communs car, pour sa part, la brève vision d'un porte-jarretelles vient de lui démontrer que cette jeune personne mal en point est aussi une femme délicieusement troublante.

« J'ai cru comprendre qu'il s'agissait d'un coup, sur votre jambe? Je vais vous chercher de la teinture d'arnica.

– Je suis confuse... » proteste-t-elle encore.

Le temps qu'il revienne de la salle de bain, elle s'est assise. A son entrée dans le salon, elle lui sourit.

« Vous vous sentez mieux?

– Oui. Probablement votre vieille prune. Mais, elle me fait un peu tourner la tête », ajoute-t-elle en portant sa main à son front.

Marc n'a que le temps de l'attraper par les épaules.

« Vous n'allez pas vous trouver mal?

– Non, non! Ce n'est rien », assure-t-elle en se reprenant.

Elle se lève, lui prend des mains le flacon et le coton.

« Ça doit tacher, je suppose?

– Peut-être, oui.

– Dans ces conditions, il vaudrait mieux que j'enlève carrément ma jupe?

– Voulez-vous que je vous conduise dans la...

– Non, non! C'est très bien ici. Vous voulez m'aider un peu, me préparer le tampon?

– Bien sûr. »

La fermeture à glissière descend sur sa hanche, la jupe claire choit sur le tapis autour de ses jambes parfaites.

« Ça ne pique pas? s'effraie la blessée.

– Très peu! » assure Marc en lui tendant un tampon imbibé.

Elle hésite, puis demande :

« Si... Si vous vouliez bien le faire pour moi. Toute seule, je n'oserai jamais. »

Après les soins, il lui a proposé un autre verre de vieille prune. Elle l'a accepté. Ils se sont assis pour bavarder.

Elle a trente ans. C'est une enfant. Elle était mariée, avec un attaché d'ambassade. Un brillant diplomate mais un mari médiocre dont elle vient juste de divorcer. Elle parle d'elle-même avec aisance, avec simplicité, avec charme aussi.

« ... J'ai donc péniblement accompli mes humanités dans un pensionnat suisse et le seul premier prix dont je puisse me vanter a été celui de gymnastique, l'année de mes neuf ans. »

Marc est subjugué. Si seulement cette jeune femme avait un petit peu plus de trente ans, et lui un petit peu moins de soixante...

C'était là un préjugé auquel il était sans aucun doute plus attaché qu'elle. Ouvrant les yeux le matin suivant, il se félicite de ne s'y être pas obstinément accroché. Avec beaucoup de délicatesse mais non sans tendre perversité elle lui a démontré l'erreur que cachaient ses appréhensions.

La vieille prune l'avait un peu étourdie. Elle n'avait pas encore appelé son taxi pour retourner à Versailles. Il lui avait demandé si elle revenait de vacances pour être si bronzée. Elle avait confié être rentrée l'avant-veille. Il l'avait taquinée sur la mode du bronzage intégral. Elle avait répondu que sa pudeur ne lui permettait pas, mais ne lui interdisait pas non plus – toujours la vieille prune aidant – de prouver ce qu'elle avançait. Certaines contradictions ont-elles donc tant besoin d'explications? Sous deux pièces d'une lingerie de dentelle, les secrets de son corps conservaient la même virginale blancheur qu'au jour de sa naissance. Nue, dans ses bras, elle avait alors murmuré : « Aux héros, il faut savoir donner leur récompense. »

A cette petite heure de l'aube, Mme Raïssa de Cromweig dort encore paisiblement sous le regard attendri d'un héros assurément surestimé mais néanmoins reconnaissant.

***

Elle n'avait pas encore le nombre de jetons exigé, le 1er septembre, lorsque Safour Ben Saïd était entré dans sa chambre, à huit heures moins vingt du matin, lui intimant l'ordre de se lever tout de suite, de boucler son sac, et d'être prête pour huit heures et demie.

Une BMW blanche était venue la prendre, à l'heure dite, et moins de quarante cinq minutes plus tard Maryline s'était retrouvée dans le bureau de Mme Solange, boulevard Haussmann.

« Votre remise en forme s'est-elle bien passée, chère petite madame? »

La question n'incitant pas aux commentaires, Maryline n'avait pas répondu, Mme Solange avait semblé le comprendre et n'avait pas insisté au-delà de l'avertissement : « J'espère qu'elle vous aura fait réfléchir. »

Mme Solange lui avait ensuite exposé les grandes lignes d'un nouveau programme. « Je vais avoir bientôt une mission à vous confier. Je vous en parlerai en temps utile. En attendant, vous avez rendez-vous dès cet après-midi avec un gynécologue. Demain matin, vous vous rendrez au laboratoire pour faire effectuer les examens qu'il vous aura prescrits. Vers onze heures, vous avez rendez-vous chez Carita. L'après-midi avec mon esthéticienne personnelle. En début de soirée avec ma diététicienne. Durant cette semaine de remise en forme, je souhaiterais que vous ne rentriez pas chez vous. Je vous ai retenu une chambre au Sofitel de la porte de Sèvres, contiguë à celle de Mlle Sophie que je vais vous présenter et qui vous tiendra compagnie. »

Elle avait fait entrer ladite Sophie.

Revoir François. Prévenir Marc d'un danger menaçant son héritage négligé. Deux objectifs qui l'ont aidée à tenir durant les quarante-quatre jours de sa « remise en forme » punitive. Même si Mlle Sophie semble pouvoir être une compagnie jeune et charmante, la réalisation de ses projets ne s'annonce pas facile avec un chaperon sur le dos.

Marc avait raccompagné Raïssa de Cromweig jusqu'à Versailles. Dans un immeuble résidentiel dissimulant son modernisme derrière une façade architecturée dans le goût historique de la rue, elle occupait un appartement de trois pièces, clair et confortable, ouvrant sur un jardin intérieur très agréable.

Marc avait toutefois été étonné par cet intérieur manquant d'âme et de chaleur, aussi glacial qu'un décor de théâtre avant l'arrivée des acteurs. Plus surprenant encore, Raïssa s'y était comportée exactement comme en visite dans des lieux inconnus.

« Je n'habite pas ici depuis longtemps! avait-elle cru bon de préciser après avoir confondu la porte de la salle de bain avec celle de la cuisine.

Ayant retrouvé le double de ses clés de voiture, hésitant sur le désagrément d'aller faire une déclaration du vol de ses papiers elle s'était tout de même décidée à écouter les arguments du bon sens et avait téléphoné au commissariat central de Versailles. Bien entendu, on lui avait répondu que sa plainte devait être déposée au commissariat du lieu où s'était produit le vol dont elle avait été victime.

« J'irai cet après-midi », avait-elle décidé.

La matinée s'achevait, ils étaient allés déjeuner à la terrasse d'un restaurant près du château. Le temps, superbe, avait incité Raïssa à se laisser gagner par des envies de campagne et, au dessert, elle n'avait plus tenu :

« Pourquoi ne partirions-nous pas quelques jours dans un endroit tranquille?

– Pourquoi pas, en effet. »

Tout s'était promptement organisé en vue de donner corps à ce projet.

De retour à Paris, il ne restait plus à Mme de Cromweig qu'à se rendre au commissariat du V^e^ arrondissement.

« On se retrouve chez moi », avait suggéré Marc.

Un certain étonnement tout de même, de découvrir Maryline assise dans son bureau en train d'écrire. Non qu'elle ait pu entrer puisqu'elle a les clés mais... enfin, de retour.

Très élégante, comme à son habitude. Amaigrie et fatiguée sous son maquillage.

Lui parler de François et de la mort de sa mère s'accorde mal d'un projet de départ à la campagne, mais enfin...

« Ma chérie... J'ai une mauvaise nouvelle à t'annoncer...

– Moi aussi Marc. Moi aussi... »

François? Il est immédiatement soulagé puisque Maryline enchaîne, d'une voix fébrile, une sombre histoire qu'elle semble mystérieusement connaître et qui lui fait redouter certaines manœuvres pour s'emparer de l'héritage de la famille Rougier en dépôt chez un notaire de Châteaudun.

« Voilà, tu sais l'essentiel. Si tu n'étais rentré à temps, tu aurais trouvé le petit mot dans lequel j'avais commencé de t'expliquer tout ça. Le fait que tu n'aies pas réclamé ce qui te revient intéresse au plus haut point certaines personnes. Il faut donc t'attendre à être contacté, je ne sais pas, moi... »

Contacté. Le mot produit un déclic. Répondant aux informations que Maryline vient de lui donner, Marc lui raconte les circonstances de sa rencontre de la veille avec une jeune femme certainement délicieuse mais qui n'a pas traîné pour élire domicile dans son lit. A vrai dire, maintenant, les circonstances de l'agression dont il a été témoin lui semblent louches. Son comportement dans l'appartement de Versailles lui paraît tout aussi étrange.

« Il est vraisemblable qu'une aventurière décidée à établir le contact avec toi ne s'y serait pas pris autrement mais il ne faut peut-être pas non plus confondre coïncidence heureuse et tentative d'infiltration? Enfin, c'est à toi de juger, conclut Maryline, avant de demander : Comment va François?

– Il est en vacances.

– Où ça?

– Avec les jeunes, tu sais...

– Oui, évidemment. Il rentre quand?

– Ces jours-ci, je suppose...

En esquivant ce sujet pour le moment, Marc se dit qu'il doit surtout lui annoncer le décès de sa mère. A cet instant, on sonne à la porte.

« Certainement ma belle agressée de la nuit dernière.

– Alors dans ces conditions je file par l'escalier de service mais... avant de sortir je regarderai par l'entrebâillement de la porte et si jamais elle est moins jolie que moi, tu peux être sûr que je te ferai une scène, le menace-t-elle en souriant avant de lui tendre la joue.

– Téléphone-moi dès que tu pourras. J'ai à te parler sérieusement.

– Ah oui! La mauvaise nouvelle que tu m'annonçais? » se souvient-elle.

A la porte d'entrée, on s'impatiente.

« Appelle-moi lundi soir. Je serai de retour. D'ici-là, ça peut encore attendre. »

Après avoir vu entrer la jeune femme par l'entrebâillement de la porte de la cuisine, Maryline avait filé par l'escalier de service.

A sa sortie du bureau de Mme Solange, cinq jours plus tôt, on lui avait présenté Mlle Gigi. « Ginette Lemaresquier, la favorite! » l'avait discrètement informée Sophie. Ginette Lemaresquier lui avait remis un carnet de chèques, d'une banque suisse, au nom d'une société d'import-export. Un compte sur lequel on lui donnait la signature jusqu'à concurrence de trente mille francs pour ses faux frais. « Ne vous préoccupez pas pour vos vêtements, avait précisé Gigi. Ce qu'il vous faut vous attend dans votre chambre au Sofitel. »

Maryline ne l'avait plus revue, jusqu'à cet après-midi, dans le vestibule de son ex-beau-père.

« Allô! Marc? Attention, ta belle amie s'appelle en vérité Ginette Lemaresquier et elle travaille pour les gens dont je t'ai parlé.

– Merci! semble-t-il se réjouir.

– Tu voulais m'annoncer une mauvaise nouvelle?

– Oui! s'assombrit-il. Je voulais te parler de... ta mère...

Grâce à l'intervention de Maryline, Marc pouvait éviter tous les pièges. Puisque le hasard venait de si bien faire les choses, il n'avait trouvé aucune raison valable pour négliger ce qui s'offrait. La compagnie de la belle aventurière était en tout point agréable, ils étaient donc partis pour la campagne.

Tour à tour captivante et mystérieuse, comédienne hors pair, la séduisante Mme de Cromweig aurait su le convaincre de son amour pour lui s'il ne s'était défié.

Pour finir, il lui avait concédé l'illusion de victoire que méritait son savoir-faire. Il lui avait confié avoir du bien et être amoureux d'elle au point de demander sa main.

Son émotion avait été à la hauteur de ces perspectives d'épousailles, elle la lui avait manifestée dans les folies d'une nuit de noces anticipée.

*10 mai 1981*

*« Il est vingt heures. Estimation : François Mitterrand, 52,2 % des suffrages exprimés, Valéry Giscard d'Estaing, 47,7 %. »*

Il s'ensuit une ovation : *« Mitterrand, président. »*

« On a gagné! On a gagné!

– Vive la France socialiste! »

Charles Rougier, comme ses amis, a bondi de joie à l'annonce de la nouvelle. Retombant sur son fauteuil dans les dix secondes qui font suite, il déclare : « Néanmoins, messieurs, je vous signale que, pour ma part je reste dans l'opposition.

– Ça fait rien! C'est quand même un grand pas.

– C'est une date historique!

– Maintenant, dans les manifs, on se fera matraquer par des flics de gauche... »

Tous à La Bastille! Il fallait au moins ce symbole pour souligner l'événement, après vingt-trois ans de pouvoir de la droite. Ils sont déjà plusieurs dizaines de milliers à scander : « Mit-ter-rand, pré-si-dent. » Alors qu'un orage superbe éclate sur la capitale, il se trouve même un rêveur pour lancer : « Mitterrand, du soleil! » C'est l'hymne à la joie.

En face, il y a les battus de cette France coupée en deux. Ceux qui doivent bien se résigner. Ils déclarent, dans les commentaires politiques qui s'enchaînent, qu'ils vont constituer une ligue d'opposition nationale. Et puis, il y a aussi les autres, ceux qui ne peuvent supporter cette populace rose qui ouvre les portes du pouvoir au danger communiste.

François Rougier et quelques-uns de ses amis, ont eux aussi écouté les résultats de vingt heures. Leur sang n'a fait qu'un tour.
« Si on sortait? a dit l'un.
– Pour casser du rouge? » a demandé un autre.
Dehors, la rage au cœur : tout, autour d'eux, n'était qu'une sorte d'immense provocation. Le peuple était maître de la rue.

Vingt-trois heures quarante. Un bar, dans le IX^e arrondissement. Une rue calme. Une rue bien éloignée de l'agitation des boulevards. Ce bar, ils ne l'ont pas choisi. Ils sont entrés poussés par la nécessité d'échapper à un nouvel orage. Peu de monde. Le patron derrière son comptoir. Deux filles assises sur des tabourets : deux blondasses grassouillettes, boudinées dans des robes trop courtes et trop décolletées. Quelques consommateurs, dont deux Arabes seuls à une table.

Tous regardent et écoutent la télévision. L'un, visiblement ravi de la perspective de changement, reste fidèle à la tradition et lève son verre pour fêter l'événement :
« Moi, c'est pas tellement pour Mitoche que j'ai voté mais contre le trafiquant de diamants.
– Pour un vote de mécontentement, c'est la voix du mécontentement! confirme le patron du bar à la cantonade. Pas vrai, messieurs? prend-il à partie les amis de François en s'approchant de leur table pour leur demander ce qu'ils désirent consommer.
– Et la voix de ta connerie, tu pourrais pas la mettre un peu en veilleuse? »
Il s'ensuit un échange de propos qui devient de plus en plus agressif. Le groupe de consommateurs prend parti. Les deux blondes se mettent à piailler leur conviction qu'il fallait mettre une culotte rose sur le cul sale de la République. Les deux Arabes s'en mêlent.
« Vous les bougnouls, vous n'êtes pas chez vous. Alors vos gueules!
– Racistes!
– Parfaitement! »
Brusquement, l'un des Arabes sort un rasoir. François se saisit d'une bouteille et la fracasse sur une table. Elle lui laisse au poing son redoutable tesson.
« Arrêtez! Faites pas les cons! »
Les deux blondes hurlent et courent se cacher derrière le

comptoir. Rien ne s'est encore produit mais chacun sent que rien n'arrêtera la haine.

« J'appelle les flics! Sortez! »

Ni François ni l'Arabe ne bougent.

Tendus, face à face, ils guettent le défaut d'attention chez l'adversaire qui leur permettra de placer le premier coup.

Ils ont vingt ans, ils sont prêts à les mettre en jeu. Une confrontation d'orgueil absurde et dérisoire.

Soudain, l'Arabe bondit. François esquive le rasoir de justesse.

Quelqu'un a ouvert la porte, l'Arabe a jugé préférable de s'enfuir. Après une courte hésitation due à son étonnement, François se lance à sa poursuite.

Ses camarades sortent derrière lui : « François! Laisse tomber, François! »

La rue monte. Le fuyard a une trentaine de mètres d'avance, tout au plus.

« François, reviens François!

– Faut les rattraper! »

Derrière la chasse à l'homme s'engage une course poursuite de ceux qui veulent éviter le drame.

***

Ce lundi 11 mai, il fait grand beau temps sur la Bretagne. Malgré une météo comme toujours pessimiste, le soleil est au rendez-vous du retour des pêcheurs côtiers de Locmariaquer ou de Port-Navalo.

A Penvins-en-Sarzeau, dans le jardin de sa nouvelle demeure de la presqu'île de Rhuys, Marc Rougier essaie de réparer les dégâts qu'un petit orage de la nuit a causés à ses rosiers. Les mimosas, encore en fleurs, embaument en ce doux matin de printemps et un léger vent marin met les feuillages en fête.

Depuis que, deux ans plus tôt, Charles et Ève lui ont fait connaître cette région, Marc n'a plus voulu la quitter. Ils étaient venus là en week-end de travail. Pour établir les formes et les statuts d'une future petite société de production cinématographique. Au cours d'une balade, ils avaient remarqué cette propriété à vendre. Quinze jours plus tard, les deux affaires étaient réglées.

Depuis dix-huit mois qu'il est installé ici, Marc a organisé sa vie. Une vie de solitaire mais qui lui convient. Après la tentative de piratage menée par la jolie Mme de Cromweig, il a soigneusement brouillé les pistes et l'héritage des Rougier est resté en sûreté chez le notaire de Châteaudun. Plus tard, quand Charles saura la vérité sur les circonstances de son identité, il décidera de ce qu'il devra faire.

Son éloignement de Paris a curieusement resserré leurs liens. Au temps où ils habitaient à vingt minutes de voiture l'un de l'autre, ils ne se voyaient presque jamais. Désormais Charles et Ève viennent pratiquement deux fois par mois passer un week-end.

Ève n'est certainement pas étrangère à cette nouvelle situation. Marc l'aime beaucoup. Charles ne pouvait espérer mieux que cette compagne pour se remettre de ses déboires avec Maryline.

Maryline... Quarante ans. Plus belle qu'elle n'a jamais été. Plus question de photographies ou de cinéma. Elle travaille. Agent commercial dans une firme d'import-export. Elle a l'air satisfaite. Carte professionnelle, avantages sociaux, carnet de chèques de la société à sa disposition, voiture et frais de déplacements payés... Elle pourrait s'arranger pour venir un peu plus souvent.

Discrète, sur ses relations avec François. Lors de sa dernière visite, elle avait paru vaguement gênée de reconnaître qu'elle lui donne parfois un peu d'argent. Quoi de plus normal qu'un garçon de vingt ans aille de temps en temps taper ses parents.

François... Deux visites en dix-huit mois.

Il vit à Paris. Après avoir finalement passé son bac, il a trouvé un poste de secrétaire d'avocat. Est-ce là une situation? Il le prétend. Son patron est appelé à faire carrière dans la politique et il le suivra, puisqu'ils partagent les mêmes idées. Au sujet de ces idées, il y aurait beaucoup à dire. Par référence à ses souvenirs de jeunesse, Marc en est un peu inquiet. Il préfère considérer François comme une sorte de dinosaure politique, avec son goût pour une forme de totalitarisme heureusement dépassée.

L'interphone de la grille sonne tandis qu'il retourne vers la maison.

« Oui?

– Ouvre. Ouvre-moi, c'est François. »

François? Marc ne pense d'abord qu'à se réjouir. Puis un doute : François n'a tout de même pas fait quatre cents kilomètres pour venir se plaindre de l'élection de Mitterrand la veille?

Peut-être des ennuis? Une histoire de cœur? Si seulement François pouvait penser un peu plus aux filles et un peu moins à la politique!

Pourquoi cette visite inattendue? S'il a trébuché sur une pierre du difficile chemin de sa puberté politique, avec ou sans boussole ce garçon retrouvera toujours bien... sa droite.

« *Victoire historique* », titre *France-Soir* posé devant lui sur son bureau.

« Mais non, je ne sais pas! » affirme Charles avec conviction.

Étouffant de sa main le micro du téléphone, il interpelle Ève : « Chérie? Peux-tu me faire apporter un café, s'il te plaît? »

Ève est vêtue de rose, ce matin. Au passage, devant la fenêtre, un rayon de soleil la déshabille par transparence. Charles s'apprêtait à lui manifester une satisfaction souriante devant cette vision avantageuse de ses jambes, mais son correspondant l'oblige à reprendre : « Je ne dis pas qu'il faut refuser d'emblée la confiance aux socialistes. Je dis seulement qu'il ne faut pas s'attendre à des transformations radicales de la société. Ils ne toucheront ni aux formes ni à l'esprit du système... »

Avant de sortir, Ève lui fait signe qu'elle n'est pas d'accord. Il sait bien qu'elle juge son analyse « quasiment trotskiste ». Il lui tire la langue et, profitant du discours de son correspondant, bouche le téléphone pour lancer à mi-voix, en riant : « ... à commencer par fusiller les tièdes cédétistes tous les matins à l'aube jusqu'à ce que mort s'ensuive de leur réformisme bourgeois. » Avant de sortir, l'ex-déléguée CFDT de la SFP lui rétorque, elle aussi à mi-voix et en riant : « L'anarchie ne passera pas. » Il a le temps de lui répondre sur le même ton, « Vive le monde libertaire » avant de reprendre sa communication par : « ... c'est tout à fait ce que je pense. Il n'y a pas de révolution prolétarienne possible avec une gauche bourgeoise. Je ne donne pas six mois avant que les socialistes gouvernent au centre gauche. »

Corine, la secrétaire de M & C productions, est à cent mille lieux de se passionner pour la révolution rose aux portes du pouvoir. Elle est totalement absorbée par le polissage de ses ongles rouges par concession à la mode plutôt que par conviction politique. A l'entrée d'Ève, elle lève les yeux. Le téléphone sonne sur son bureau. Ève lui fait signe qu'elle va décrocher elle-même. Corine lance : « Si j'ai bien tout compris ce qui se passe : maintenant ce sont les patrons qui vont faire le boulot? » Ève éclate de rire en lui conseillant de ne pas se faire trop d'illusions quand même et décroche le combiné.

« M & C productions, j'écoute? »

Corine ajoute encore : « Pour demain matin, je vous conseille d'apprendre à annoncer notre raison sociale en russe, sinon, c'est le goulag. Attention les bourgeois.

– Oui! Oui! Bonjour Marc... Oui, Charles est là... Il est au téléphone... Quelque chose ne va pas? »

Charles paraît sur le seuil du secrétariat. Ève lui annonce : « C'est ton père. Il veut te parler. Il a l'air... catastrophé.

– Certainement à cause de l'élection. Mon principal actionnaire doit craindre qu'on ne soit nationalisé toute affaire cessante? » plaisante-t-il en retournant dans son bureau.

« J'arrive! Je viens tout de suite. Il est presque midi, je serai à Sarzeau entre cinq et six. A tout à l'heure.

– Que se passe-t-il? s'inquiète Ève.

– François a fait une connerie. »

***

Dans l'instant même où il a vu le visage de son petit-fils, Marc a su qu'il s'agissait de quelque chose de grave. François, conscient de cette inquiétude, est allé droit au but.

« Je suis venu te demander ton aide.

– Tu as fait une bêtise?

– C'est susceptible d'entraîner des complications.

– Ce qui veut dire?

– J'ai... tué un hom... J'ai bouzillé un crouilla.

– Tué quelqu'un? Comment ça tué un homme? Un accident, sur la route?

– Un accident. Pas sur la route.

– Explique-toi!

– Il s'agissait d'une... explication justement. Une explication qui a mal tourné.

– Une explication! répète Marc, abasourdi, comprenant mal ce qui a pu se passer mais commençant à mesurer la dimension tragique de ce qu'il vient d'entendre.

– Il faut que je quitte la France. Au plus vite. Je... J'ai... besoin d'un peu d'argent. »

Quitter la France? Fuir ses responsabilités? Évidemment! Il faut que François quitte la France.

« Quitter la France ? » répète-t-il donc sans y croire encore vraiment.

Au loin, sous ses yeux, le bleu de l'océan se confond avec celui du ciel dans une brume où se noie la ligne d'horizon. Il en va de même dans son esprit où l'exposé du fait se brouille avec ses dramatiques conséquences.

« Mais, peut-être...? Peut-être y a-t-il... une autre solution?

– Je ne pense pas. Un coreligionnaire du type en a trop vu. Il témoignera.

– Un témoin...

– Rassure-toi, quelques amis le tiennent sous bonne garde. J'ai quarante-huit heures devant moi pour franchir une frontière sans risque d'être inquiété.

– Je comprends, oui! » balbutie Marc sans parvenir à dominer cet égarement qui l'empêche d'avoir une conscience claire de la situation.

Il ne peut penser qu'à une seule chose. Il faut trouver un moyen... Il faut trouver le moyen de sauver François. Mais, quel moyen?

« Viens mon petit, il faut que tu me racontes tout ça. Allons dans la bibliothèque. »

François expose...

... des circonstances ayant pour origine un conflit politique et dont l'abominable conclusion sera inévitablement considérée comme un crime raciste.

La même xénophobie que quarante ans plus tôt. La même intolérance pour tout particularisme, tout signe distinctif, toute appartenance hors des normes définies par le pouvoir. La même haine, jusqu'à l'horreur des crimes commis par Frantz Zeitschel au camp de Treblinka...

« ... son rasoir sous la gorge à cette ordure marxiste. Voilà, tu sais tout. »

... jusqu'à l'horreur du crime de François.

« Où vas-tu aller?

– Dans un pays d'où on n'extrade pas.

– Tu as une idée?

– On s'occupe pour moi d'un contact. Je dois d'abord gagner Madrid. Une fois là-bas, j'en saurai plus. Des instructions m'y attendront. Probablement, irai-je vers le Maroc. Puis, l'Amérique du Sud. »

Marc s'est levé. Derrière son bureau, dissimulé sous un tableau pivotant inclus dans les rayonnages de la bibliothèque, se trouve son coffre-fort. L'ayant ouvert, il en tire une liasse de billets, une bourse de cuir et un tout petit album.

« Voilà cent vingt mille francs en liquide, des francs et des dollars. Dans cette petite bourse, il y a quelques pierres précieuses. Surtout des diamants. J'en ignore la valeur actuelle. Cinq cent mille francs au cours de 1965. Une seule difficulté : les sortir de France sans te faire prendre à la frontière.

– Je peux m'arranger. »

Marc ouvre alors le petit album, gros comme un livre de poche. Il contient quelques photographies de famille. Peu nombreuses. Une douzaine : Odette, Charles quand il était petit, Maryline et Charles, François bébé, etc.

« Au sujet de ceci, il faut que je te donne quelques explications. »

Détachant la première photographie, il la retourne. Sur le dos sont fixés quatre timbres-poste.

« Il y a là-dedans une cinquantaine de pièces philatéliques de grande valeur, de très grande valeur. Entre les diamants et ces timbres tu as largement de quoi prendre un nouveau départ dans la vie. Il t'appartiendra de les négocier. A ce sujet... »

Marc est hésitant.

Son expérience avec les bijoux de la princesse russe a eu valeur d'enseignement. François, avec certains de ces timbres d'une extrême rareté, doit se défier des pièges d'un quelconque capitaine Lehmann, capable d'en identifier la provenance devant ou derrière tous les rideaux de fer, murs de la honte et autres cloisons de bambous de la planète. En République fédérale d'Allemagne, après la dénazification, certains ont reçu de la CIA une assurance de protection en échange de laquelle ils servent l'antisoviétisme et propagent la bonne parole anticommuniste. D'autres se sont retrouvés infiltrés dans les rouages de la Bundesrepublik par les autorités occidentales moins soucieuses de la renaissance du national-socialisme que de la menace bolchevique. Ceux qui se sont tenus à l'écart du marché passé avec l'ennemi d'hier, sont donc devenus des proies d'autant plus recherchées qu'il faut toujours quelques têtes à donner en pâture à la vengeance.

Rien, jusqu'ici, n'a jamais imposé de mettre Charles dans le secret. François, en revanche, a besoin de savoir certaines choses afin de prendre toutes dispositions concernant sa sécurité.

« Ton père? Est-il au courant?

– Non! Toi seul pouvais écouter, essayer de comprendre.

– Après l'enterrement de ta grand-mère, lorsque nous sommes rentrés de Nice, ton père et moi avons eu une longue conversation à ton sujet.

– A mon sujet?

– Au sujet de tes idées politiques. A l'époque où tu vivais avec moi, pourquoi ne m'as-tu jamais clairement parlé de tout ça?

– Ce n'était pas... si facile.

– Après l'affaire de l'exclusion de ton lycée, tu paraissais avoir pris tes distances avec...

– J'avais décidé d'être exemplaire.

– Décidé? Pourquoi?

– Je... »

L'hésitation, alors, s'inscrit avec infiniment de force dans l'espace qui les sépare encore de la totale sincérité.

« Je vais devoir te révéler certains secrets qui m'appartiennent, mon petit. Ne crois-tu pas que l'heure soit celle d'une entière confiance l'un envers l'autre? Je te renouvelle donc ma question.

– Ce n'était pas par dissimulation, grand-père. Je n'ai pas non plus essayé de tricher avec toi.

– Alors?

– Je... »

Une nouvelle fois l'hésitation, qui se prolonge.

« Nous perdons un temps précieux pour toi. Après ce que tu viens de m'avouer, je comprends mal ta réticence. Ma question est pourtant simple?

– Justement non! La question n'est pas simple. »

François se tait.

L'histoire d'un échec. L'histoire de son échec. Sur le bureau, devant lui, il regarde l'argent, la bourse de cuir, le petit album que son grand-père tient dans ses mains. Un échange?

***

« Eh bien, monsieur Rougier, je vais vous demander de signer votre déposition, conclut le juge d'instruction en jetant un regard sur la feuille du procès-verbal que vient de lui remettre son greffier. Vous noterez que pour simplifier les choses, nous avons inclus les témoignages de Mme Boët Yvette, femme de journée, et de M. Kerbronec Yann, jardinier, dont vous êtes allé solliciter l'assistance à votre arrivée.

– Bien entendu, intervient le commissaire de la police judiciaire, je vous demanderai de vous tenir à notre disposition, d'ici quelques jours, quand nous aurons trouvé le corps de la victime et les témoins de l'assassinat commis par votre fi... par François Rougier.

– Faudrait-il que j' vous fasse retenir une chambre à l'auberge? intervient la femme de ménage.

– Je dormirai ici, assure Charles. Ma femme est en route. Elle arrivera très certainement dans la nuit...

– En ce cas, je vais vous apporter de quoi dîner. Monsieur Marc n'attendait personne et il n'avait rien demandé de lui préparer.

– Ce que vous ferez sera très bien! » affirme Charles en sortant son stylo pour signer le procès-verbal que lui présente le greffier en l'invitant à relire.

Vingt heures trente. Ils sont tous partis. Le manoir est désert.

Debout sur le seuil de la bibliothèque, Charles laisse errer son regard sur les lieux qui ont été le théâtre de la double tragédie. Trois heures plus tôt, il est entré là. Aucun mot ne peut traduire sa vision. Un brouillard rouge de sang. Une morsure monstrueuse. Une explosion de feu. L'âcre odeur de la poudre.

Son fils. Son père. Son père. Son fils. L'hébétude impuissante. L'accablement. Les larmes. Aux policiers, au magistrat, il a remis les lettres destinées à la justice.

Dans l'une, François Rougier, vingt et un ans, s'accuse de meurtre sur la personne d'un Arabe, en explique sommairement les circonstances et précise l'existence de témoins.

Dans l'autre, Marc Rougier, soixante-trois ans, reconnaît avoir fait justice lui-même après avoir refusé à son petit-fils le viatique qui lui aurait permis de fuir ses responsabilités.

Il y avait une troisième lettre...

*« Charles,*

*« Après les formalités, tu pourras procéder à l'ouverture de mon coffre. J'ai placé la clé dans le tiroir de la table de ta chambre. Tu y trouveras trois cahiers. Ils te sont destinés. Outre certaines révélations que je te devais, tu découvriras l'explication de ce qui s'est*

*passé ici aujourd'hui. Il ne me semble pas utile que tu tiennes les autorités au courant de la présente lettre. Le contenu de mon coffre ne concerne en rien la justice dans cette affaire. A cet effet, les confessions que nous laissons, François et moi, sont suffisantes pour éclairer la vérité officielle.*

*« Ton père. »*

Cette lettre, dont il n'a pas fait état devant le parquet ni la police. Cette lettre l'invite à pénétrer dans le secret que partageaient le grand-père et son petit-fils.

Charles sort les cahiers du coffre. Il y en a trois. Épais, toilés, numérotés, couverts de l'écriture fine et précise de son père. La curiosité immédiate le pousse à fouiller dans une boîte.

Elle contient différents papiers, des portraits d'Odette et un passeport ancien, à son nom de jeune fille : Odette Rospié.

Une carte d'identité. Celle de Jacqueline Mornet. Sa mère. Pourquoi ne lui a-t-on jamais montré cette photographie?

C'est la première fois qu'il voit sa mère. Le portrait d'une inconnue. Elle était plutôt jolie. Elle avait un très beau sourire.

A tant regarder cette étrangère si proche, il trouve en quoi il lui ressemble. Le bas du menton, un peu. Peut-être aussi, le nez? C'est une mauvaise photographie. Un tirage de guerre sur lequel le fixateur a jauni. Une image si bouleversante, qu'elle ternit son bonheur de connaître enfin le visage de celle que la vie ne lui a pas permis d'aimer. Sa mère, à cette minute, cesse d'être une abstraction. Jacqueline Mornet avait donc ce visage, et ce sont ces yeux-là qui l'ont vu vivre ses premiers instants.

Mais pourquoi ne lui a-t-on jamais montré cette photographie? Pourquoi? Les cahiers apporteront peut-être une réponse?

Quelques autres photographies : lui-même, Odette, Maryline, François, Caroline. Les papiers de la famille Rougier, ceux de son grand-père : Edmond Rougier, chirurgien. Le diplôme du doctorat en médecine de son père, Marc Rougier. La carte d'identité de sa tante : Florence Rougier. L'étui, vide, marqué du sigle SS, explique l'usage d'une arme allemande ancienne. Peut-être une prise de guerre.

Il verra tout cela plus tard. Pour le reste, ce sont essentiellement des écrins. Des bijoux divers, sûrement de grande valeur, quelques pièces d'or, des pierres précieuses dans une bourse, un petit album photos, qu'il feuillette. Une photo n'a pas été remise en place. Au dos sont collés quatre timbres. Par curiosité Charles soulève l'un d'eux, du bout de l'ongle, et découvre – en dessous – une inscription au crayon : la cotation en dollars pour 1959. Astronomique! Derrière chacune des photos il y a des timbres, assortis de leur cote marchande dont certaines n'ont pas été remises à jour depuis 1943.

Un dernier écrin. Une parure où manque le collier. Serait-ce là l'origine du drame? François aurait-il volé...? Non! Ce n'est certainement pas aussi stupide. Quelle que soit la valeur du bijou.

D'après les premières constatations du médecin légiste, la mort de François remontait à la mi-journée. Probablement vers midi. Celle de son grand-père entre quinze et seize heures.

L'identité judiciaire a laissé des traces de son passage. Deux silhouettes sont grossièrement dessinées sur le parquet à la craie.

Le grand-père a abattu son petit-fils de six balles de revolver. Toutes ont été tirées à bout portant. Cinq en plein cœur et une dans la nuque, comme un coup de grâce.

Lui, a choisi de mourir devant la fenêtre. Pour être face à l'éternité de l'océan, peut-être? Une balle. Dans la tempe droite. Elle a traversé la tête, de part en part.

Les tapis recouverts de sciure de bois ont été roulés.

Il reste des éclaboussures du sang de François sur le mur où ont été entourés à la craie les impacts de trois balles retrouvées. Un peu du sang de son père sur le voilage blanc de la fenêtre. Une odeur indéfinissable.

Incapable de demeurer plus longtemps dans cette pièce, Charles se retranche au salon. Pour la troisième fois depuis cette fin d'après-midi, il compose le numéro de téléphone de Maryline. Elle n'est toujours pas rentrée. Il rappellera plus tard. Ou demain.

Sans impatience, avec réticence plutôt, il ouvre le premier des trois cahiers.

*« L'Allemagne. L'Allemagne nazie des dix années qui ont précédé la Deuxième Guerre mondiale. C'était mon pays. Ma famille : mon père, ma mère, ma jeune sœur, mon oncle. Tant d'années ont passé. A l'exception de mon père, mort en 1942, j'ignore ce que les autres sont devenus. Écrire tout, du plus loin que je me souvienne, me posera sans doute le problème de la rigoureuse chronologie. Je m'en tiendrai donc aux grandes lignes. J'avais quinze ans, quand Adolf Hitler a été nommé Chancelier, en janvier 1933. Dès cette heure, il était virtuellement devenu le maître de l'Allemagne...*

*« En 1943-1944, j'ai choisi de devenir Français. Le sort de la guerre n'était pas joué, loin de là. Pour être plus près de la vérité, mon choix n'était pas tant de devenir français que de ne plus être allemand. Mais, commençons par le commencement. Je m'appelle Helmut. Fils de Frantz Zeitschel et de son épouse Winnie Strasser... »*

Allemand. Son père était allemand.

Inscrit d'office aux Jeunesses hitlériennes par conformisme aux normes collectives plus ou moins imposées, Helmut Zeitschel, à seize ans, était en somme un gamin fragile qui puisait sa foi dans son admiration pour l'opposant au national-socialisme qu'était son père.

Paris. Son amour pour une jeune juive.

Rappel à Magdebourg.

En prison il trahit son père pour sortir. Intégration dans la SS. Sentiment d'y purger sa faute. L'école de la Gestapo à Berlin. Mariage avec Edna, la Walkyrie nazie. Veuvage presque immédiat.

Réfractaire à la guerre il avait pris le parti de s'épargner les champs de batailles par n'importe quel moyen. Songeant que lui-même en aurait volontiers fait autant, s'il l'avait pu, à l'époque où on l'a envoyé se battre en Algérie, Charles se trouve un point commun avec ce père qu'il découvre. Il le réfute aussitôt. Il aurait refusé de torturer des fells. Il n'aurait pas payé ce prix-là.

Téléphone. C'est Ève. Catastrophée. Elle est tombée en panne de voiture à la sortie d'Orléans et ne pourra reprendre la route que demain matin.

Profitant de cette interruption, il appelle à nouveau chez Maryline. Toujours personne.

Charles reprend sa lecture, essaie d'imaginer le choc éprouvé par Helmut, nommé à Paris, en 1942, lorsqu'il découvre que c'est son propre père qui l'a fait enfermer à Magdebourg pour le contraindre à réviser ses opinions sur le nazisme.

Frantz Zeitschel, le père admiré, bourreau de Treblinka.

On deviendrait sauvage pour moins que ça.

Helmut retrouve la petite juive rencontrée avant la guerre.

Elle a eu un enfant, de lui, qui s'appelle Karl.

Helmut manque du courage de confesser dans quelles circonstances il est devenu SS. Piège de sa lâcheté à nouveau, atroce conséquence de la peur d'un aveu : il la fait arrêter, envoyer à Drancy. Le petit Karl est enlevé, qui deviendra plus tard Charles Rougier.

Jacqueline Mornet était donc juive?

Charles est pétrifié devant cette cascade de révélations.

Il lit sans imaginer. Comme s'il s'agissait d'une histoire concernant des étrangers. Une petite mécanique de l'esprit lui fait même repenser à Anne Carle. Elle avait eu un fils, qui s'appelait Karl, que son père, un SS de la Gestapo de Paris, lui avait enlevé, en 1942 également, avant de la faire jeter, elle aussi, à Drancy. Quelle superposition de coïncidences.

Remords d'Helmut. Il veut retrouver Jacqueline Mornet, la sortir de ce camp. Trop tard. Elle semble en avoir disparu.

Le petit Karl est placé en nourrice. Chez Odette Rospié. Odette! Pour Charles, le voile d'une émotion, d'une fugitive pensée d'amour filial.

D'autres réalités l'attendent. L'énumération de la longue suite des morts qui ont permis à Helmut Zeitschel de se glisser dans la peau de Marc Rougier.

*« ... le docteur Marc Rougier était l'amant de Jacqueline Mornet et ils avaient un fils presque de ton âge. Jacqueline Mornet, morte pour t'avoir donné son identité de mère non juive, n'était donc pas ta mère.*

*« Mon passé vient de me rejoindre brutalement. Imprimé noir sur blanc dans ce journal du 25 juin 1969. Ta véritable mère s'appelait Anna Abroweski... »*

Un vertige. Charles ferme les yeux. *Anne* : « Qu'est-ce que tu as, là? *Lui.* – C'est amusant, non? On dirait un petit écusson retourné. Une tache de naissance. La marque de fabrique des Rougier. Mon père à la même. *Anne.* – J'aimerais le connaître, ton père. *Lui.* – Il est mort. »

A l'abri de l'ombre de Jacqueline Mornet, il n'avait eu aucune raison d'imaginer qu'une autre puisse être sa mère. Alors, pourquoi ce mensonge? Avec le recul la vérité lui paraît atterrante. Enfantillage? Non! La crainte, tout à fait folle, d'avoir considéré, en cet instant, comme possible qu'Anne puisse lui préférer Marc Rougier si elle devait faire sa connaissance.

Ensuite il n'est jamais revenu sur ce mensonge absurde.

*« Anna. Anna Abroweski. Dite Anne Carle. Anne et Karl. Deux prénoms accolés : ceux d'une mère et de son fils perdu. Ta mère et toi. »*

Anne. Sa vraie mère. Ce qui a existé entre eux ne fait que renforcer leur amour sublime. Si l'inceste avait été consommé, il aurait enrichi leur amour d'une étreinte d'amour dans l'amour mais ne l'aurait pas sali.

*« L'honneur germanique. Le sens de l'honneur d'un Prussien. Je croyais cela enfoui à jamais. Ma réaction spontanée du 25 juin 1969 m'avait rappelé que si l'on peut se modifier, on ne change pas pour autant ses racines. La perspective d'un suicide punitif m'était apparue immédiatement comme une réalité incontournable, mais... »*

Suivent des pages dénonçant le peu d'intérêt porté à François par ses parents. Impossible de répondre au jugement impitoyable dont il est l'objet. Charles Rougier n'a pas voulu faire peser sur François Rougier le poids de sa propre expérience. A partir de quel seuil le respect d'autrui peut-il être perçu comme de l'indifférence?

Si son père n'avait plus été là. Qu'aurait-il fait? Quelles décisions aurait-il prises pour élever son fils?

Et s'il avait tenu différemment son rôle de père, le double drame d'aujourd'hui aurait-il pu être évité?

Au-delà des confessions sur le passé, ces cahiers deviennent un livre d'heures. Des notations, au jour le jour. Toute tourne autour de François. Les futiles anecdotes du quotidien. Jusqu'au plus grave. Des faits : la découverte des accusations dont sa mère est l'objet, sa visite pour lui acheter un peu de son temps, l'exclusion du lycée, l'évolution religieuse de ce garçon secrètement torturé.

Quelques très belles pages, parfois. Les considérations de Marc sur *La déchirure* et sa certitude à la sortie de la projection : Anne Carle n'avait jamais entendu parler de l'existence de Marc Rougier.

Charles survole ces pages. Il y reviendra ultérieurement. Ce qu'il cherche, maintenant, ce sont les révélations qui vont lui permettre de comprendre la signification de la tragédie qui s'est jouée entre son père et son fils.

*« Le 6 février 1981. Visite impromptue de François, accompagné d'un collègue de travail. A vrai dire, je me suis senti plutôt mal à l'aise en présence de Gilbert Wermus. Un garçon de vingt-cinq ans environ, d'une froideur extrême. Grand, blond, très élégant, originaire de l'est de la Lorraine. Une raideur presque germanique. Il me rappelait, malgré moi, certains Junkers. Une flamme inhabituelle dans un regard vert, quelque chose de cruel. Durant la promenade que nous avons faite, tous les trois, sur le chemin de sable qui longe les plages, un bouquet a coupé notre route. Calmement, Gilbert Wermus a sorti un revolver de la poche intérieure de son pardessus et il l'a abattu. Je me suis étonné de le voir armé. François m'a répondu qu'il avait un permis.*

*« Il était entendu que François et son garde du corps devaient reprendre la route de Paris le soir même.*

*« Il m'a semblé... mais je me trompe peut-être, que François affichait de bien excessives prévenances à l'égard de son curieux compagnon. Aurais-je eu la même attention pour ce genre de détail si je n'avais été frappé par sa complaisance marquée pour les exploits de son héros, lors d'opérations para-militaires en Afrique?*

*« Je suis étrangement perplexe. Une fois de plus, François m'a paru d'une intolérance extrême. Incroyablement excité contre la présence des travailleurs étrangers sur le sol français. Il s'en est pris au gouvernement, incapable selon lui de faire respecter la loi Bonnet sur les expulsions d'étrangers en situation irrégulière. Relier le développement du chômage à la seule présence des immigrés ou attribuer l'insécurité au seul désœuvrement des Maghrébins m'apparaissent des outrances bien excessives. A trois mois de l'élection présidentielle, je me demande si la France d'aujourd'hui n'est pas un pays en jachère? Il n'est jamais bien difficile d'engager les*

*esprits vers l'intolérance quand les affaires d'une nation vont aussi mal, Hitler l'a déjà prouvé et il n'est... »*

La nuit est avancée. Trois heures du matin passées.

Survolant les considérations politiques de son père sur les semaines écoulées, Charles tourne les pages.

*« Le 11 mai 1981. Je viens de tuer de mes mains l'être que j'aimais le plus et que je continue d'aimer par-dessus tout, au-delà de sa mort.*

*« Ma douleur est immense mais je n'éprouve aucun regret. La réalité profonde du crime de François dépasse l'assassinat dont il est l'auteur, et le livrer à la justice des hommes ne serait que justice incomplète. »*

François, tué de six balles. Un chargeur plein.

La signature de l'accomplissement d'une sentence.

Six balles dans la peau : l'exécution d'un salaud. C'est clair.

Charles ferme un instant les yeux, pris d'un vertige nauséeux. Depuis une dizaine d'heures, il lit des pages dont le contenu lui échappe. Au-dessus de toute cette confusion ne flotte qu'une seule image : l'horrible boucherie qu'il a découverte à son arrivée. Un bain de sang pour deux vies éclatées.

François a tué un homme. Comment? Pourquoi?

« *Par racisme. Par intolérance.* » Son grand-père n'en dit pas plus. Il était pourtant prêt à lui fournir l'assistance financière qui lui permettrait d'échapper aux conséquences de son acte.

Pourquoi a-t-il tué François?

Charles est déchiré, entre son envie de savoir et sa répulsion.

Quatre heures du matin. Nouvelle tentative d'appel chez Maryline. Elle n'est toujours pas rentrée, probablement en voyage. Les agents d'import-export ne sont pas censés dormir toutes les nuits dans leur lit. Comment réagira-t-elle en apprenant la mort de son fils?

Qu'y avait-il de vrai dans les accusations qui ont conduit François à vouloir lui acheter un peu de son temps?

Charles allume une cigarette. Il se sent l'esprit vide. Cette avalanche de révélations l'a détruit. Il connaît désormais les crimes de son père. Reste à savoir pour François...

Marc a fini par demander à son petit-fils pourquoi il ne lui a pas fait confiance.

Réponse de François. Précise, chronologique, depuis l'accusation d'activité galante de sa mère jusqu'à sa volonté de devenir à ses yeux un modèle de vertu. Et le constat d'échec.

*« Une nuit qu'il se trouvait chez Maryline, trois hommes, des Arabes étaient venus pour lui reprendre une lettre... »*

François a vu et mal compris ce qui s'est passé. Il a entendu qu'ils la traitaient de « petite pute » et qu'il ne fallait pas « abîmer le matériel ». A leur départ, seule l'amie de sa mère, qui leur servait aussi d'otage, avait subi de sérieux sévices.

*« ... il en avait conclu que Maryline se prostituait pour eux et leur avait dérobé cette enveloppe. »*

Question de Marc : Comment pouvais-tu être aussi sûr d'avoir tout compris?

Réponse désarmante de logique naïve : Elle m'avait fait promettre de ne pas t'en parler.

*« J'étais au courant de ce raid, par Maryline. J'ai eu le tort d'accepter, comme trois ans plus tôt, de rester à l'écart. Étant censé tout ignorer, je n'ai donc pu, à l'époque, rectifier l'erreur d'interprétation de François et lui expliquer que les phrases qu'il avait entendues n'étaient que des menaces. Si trois ans plus tôt sa mère avait pu le convaincre de ne pas se fier aux apparences, ce soir-là, en revanche, il n'avait retenu que ce qui confirmait ses soupçons. »*

Question de Marc : C'est pour ça que tu es parti?

Réponse : C'est elle qui a eu honte. C'est elle qui est partie.

*« Maryline était partie, en effet. Pour essayer d'échapper aux menaces qui lui avaient été faites. »*

Trois ans de vertueux efforts pour rien. François tente d'oublier en se consacrant à son amour pour Stéphanie Chenevrière. Déception de découvrir qu'il n'est pas celui qui fait vibrer le cœur de la jeune fille. Décision de rupture qu'il supporte très mal.

*« Il faut comprendre, Charles. Ton fils est entré dans la vie par les portes du diable. Il n'a pas trouvé auprès de toi le père qu'il lui fallait. Il te reprochait de n'avoir pas tenu les engagements que tu avais pris vis-à-vis de sa mère et de lui-même. Tu ne peux réfuter cette accusation. Même si elle te semble injuste. Il était ainsi et c'était ton fils. Tu auras à réfléchir sur tes insuffisances à son égard, je ne peux que t'éclairer sur les événements qui se sont enchaînés dans sa vie. »*

François s'engage désespérément dans l'action du groupuscule politique au sein duquel il a trouvé une rigidité d'analyse au moins égale à la sienne. Jean-Alain Chenevrière lui paraît justifier une admiration inconditionnelle. Son entrée dans un ordre de chevalerie douteux va l'aider à se forger une personnalité pure et dure. Le preux, égaré dans ce siècle décadent se veut incorruptible, insensible. Au service, seulement, de l'idéologie qu'il défend. Dans ce milieu fermé, il se place vite au rang des leaders.

*Il espérait secrètement par ce succès impressionner Stéphanie. Toutefois il ne souhaitait pas vraiment reconquérir la jeune fille. Il voulait qu'elle s'humilie. Il l'imaginait, débordante d'admiration, revenant vers lui pour qu'il puisse s'offrir le luxe de la repousser et démontrer ainsi qu'il était un seigneur. Attendrissante à dix-sept ans, sa naïveté signifiait, à vingt ans, une prédisposition pour le système de pensée que l'Allemagne nazie avait inculqué à ses Junkers...*

*« Devenu important dans son club politique, François avait chargé Stéphanie Chenevrière, déléguée générale de la section féminine, de réaliser une étude sur les conséquences de la pornographie. Bien entendu, dans le but de favoriser entre eux un certain dialogue... »*

Il se rend donc chez elle, un soir d'octobre 1980, pour étudier les termes du rapport qu'elle doit remettre. Au cours de ce dîner de travail, elle veut lui montrer certains documents qu'elle souhaite ajouter en annexes.

*« Au nombre de ces pièces, elle avait retrouvé et fait copier la version cinématographique non commercialisée d'un prétendu chef-d'œuvre littéraire ayant défrayé la chronique vingt ans plus tôt. »*

Charles, tout de suite, a compris. Les images sont là, les mêmes qui avaient été sa souffrance à lui. Elles le demeurent encore par-delà les années. L'amour se reconnaît peut-être à l'écho qui résonne encore, longtemps après qu'il a disparu...

*« Rien n'avait échappé à ce flic en jupons. Stéphanie Chenevrière voulait se venger. Trois ans plus tôt, François lui avait dérobé une lettre qui révélait sa liaison avec un homme marié et lui avait fait connaître certains désagréments familiaux. Son dossier, aujourd'hui, était complet. S'y ajoutaient : l'affaire du SS de la division Charlemagne, quelques témoignages enregistrés du temps où la cover-girl en perte de vitesse arrondissait ses fins de mois chez une entremetteuse notoire, et, pour finir, la révélation que, sous-couvert d'un job dans une société d'import-export, Maryline Bernard travaillait désormais pour le compte d'une maquerelle nommée Mme Solange. Là-dessus, elle avait porté le coup de grâce : qu'aurait dit, pensé et fait Jean-Alain Chenevrière, apprenant tout cela au moment où le nom de François Rougier lui apparaissait comme le meilleur pour le renouvellement du poste de secrétaire général de leur mouvement? »*

Elle a l'esprit pour une carrière de meneuse d'hommes, cette Stéphanie. François n'aura pas le dessus. Elle tient sa proie et ne la lâchera pas. Ses arguments? Ils sont simples : une pute, ça rapporte des sous. La politique n'a jamais négligé l'argent des putes, quelles que soient les époques, quels que soient les partis. Même pour sauver la morale de l'Occident, il faut des sous... Elle sait – enfin – battre le fer tant qu'il est chaud : « Travailler à l'éclosion de l'idéal élevé que porte un fils, quel plus merveilleux devoir pour une mère? »

*« Depuis six mois environ, François prostituait sa mère pour alimenter la caisse noire de son mouvement politique. »*

Charles est sorti sur la terrasse.

Le jour enlace une nuit qui ne se défend plus. Le berger de Vénus a déjà rameuté son troupeau d'étoiles. Résignée à n'être plus qu'une reine déchue, la lune s'efface doucement.

Comment François a-t-il pu accepter une chose pareille?

Un mystérieux sentiment de rachat a-t-il joué pour convaincre sa mère?

Au loin, l'océan bleu-gris se couvre d'écume blanche. Surgissant de la brume, un premier vol de mouettes piaillardes se donnent la chasse à tire d'ailes. La vie se remet à l'heure.

Dans l'esprit de Charles résonne encore la dernière phrase écrite par son père.

*« Durant quarante années, tu as vécu comme épargné. Aujourd'hui, il t'appartient de me donner tort ou raison d'avoir jugé que la seule place que méritait François était auprès de Frantz Zeitschel. »*

*Paris - Saint-Fargeau -*
*La Croix du Sud - Le Tour du Parc*
*Juillet 1985 - Avril 1986*

## TABLE

**Dépôt légal : mai 1986, nº 992**
**Nº d'édition : 86092-1728 – Nº d'impression : 4359**

**ISBN : 2-01-011652-6**
**23-63-4131-01-1**

ISBN 2-89149-368-0

**Imprimé aux Etats-Unis, 1987**